TURING 图灵程序设计丛书

Beginning Python From Novice to Professional Second Edition

# Python基础教程

## （第2版·修订版）

[挪] Magnus Lie Hetland ◎著

司维 曾军崴 谭颖华 ◎译

钟读杭 ◎审校

人民邮电出版社

北京

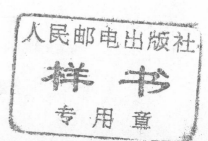

图书在版编目（CIP）数据

Python基础教程 /（挪）海特兰德（Hetland,M.L.）
著；司维，曾军崴，谭颖华译. -- 2版（修订本）. --
北京：人民邮电出版社，2014.6（2015.3 重印）
（图灵程序设计丛书）
ISBN 978-7-115-35352-8

Ⅰ. ①P⋯ Ⅱ. ①海⋯ ②司⋯ ③曾⋯ ④谭⋯ Ⅲ. ①
软件工具－程序设计－教材 Ⅳ. ①TP311.56

中国版本图书馆CIP数据核字(2014)第072685号

## 内 容 提 要

　　本书包括 Python 程序设计的方方面面，首先从 Python 的安装开始，随后介绍了 Python 的基础知识和基本概念，包括列表、元组、字符串、字典以及各种语句。然后循序渐进地介绍了一些相对高级的主题，包括抽象、异常、魔法方法、属性、迭代器。此后探讨了如何将 Python 与数据库、网络、C 语言等工具结合使用，从而发挥出 Python 的强大功能，同时介绍了 Python 程序测试、打包、发布等知识。最后，作者结合前面讲述的内容，按照实际项目开发的步骤向读者介绍了几个具有实际意义的 Python 项目的开发过程。

　　本书内容涉及的范围较广，既能为初学者夯实基础，又能帮助程序员提升技能，适合各个层次的 Python 开发人员阅读参考。

◆ 著　　　　[挪] Magnus Lie Hetland

　　译　　　　司　维　曾军崴　谭颖华

　　审　　校　钟读杭

　　责任编辑　朱　巍

　　责任印制　焦志炜

◆ 人民邮电出版社出版发行　　北京市丰台区成寿寺路11号

　　邮编　100164　电子邮件　315@ptpress.com.cn

　　网址　http://www.ptpress.com.cn

　　北京鑫正大印刷有限公司印刷

◆ 开本：800×1000　1/16

　　印张：30.5

　　字数：727 千字　　　　　　　2014 年 6 月第 2 版

　　印数：55 001 – 60 000 册　　2015 年 3 月北京第 5 次印刷

　　著作权合同登记号　　图字：01-2009-2890号

定价：79.00元

读者服务热线：(010)51095186转600　印装质量热线：(010)81055316

反盗版热线：(010)81055315

广告经营许可证：京崇工商广字第 0021 号

# 版 权 声 明

# 前　言

新版的《Python基础教程》终于和大家见面了。如果算上这本书的前身*Pratical Python*，实际上这已经是第3版了。这本书也让我投入了近10年时间。这期间，Python发生了许多有趣的变化，我也在尽力更新我对这门语言的介绍。同时，Python也面临着在相当长的一段时间内最具标志性的变化：推出了第3版。在本书撰写时，最终版本还没有发布，但是其特性已跃然纸上，并且已经推出了几个可用的版本。这次升级带来一个很有意思的挑战，就是它不再向下兼容。换句话说，它并不是简单地增加一些功能，让我可以挑挑捡捡地写进书中。它同时还会改变已经存在的语言特性，也就是说Python 2.5版本中大家习以为常的事情在新版本将不再成立。

要是整个Python社区都能立即着手转换到新版本，更新所有遗留代码，那当然不会有什么问题。我只要讲解新的语言就可以了！但是，大量用旧版编写的代码还会存在，并且人们仍然有可能继续用旧版编写代码，直到第3版完全板上钉钉。

那么，怎么应付这个变化呢？首先，就算新版本有些不兼容的改变，但语言的大部分还是相同的。也就是说，如果我的程序完全用Python 2.5编写，基本上在Python 3上也能运行（在兼容版本2.6版上更不成问题）。至于那些不再正确的部分，我则持保守态度，猜测Python 3完全被大家接受还需要一定时间。本书基本上基于2.5版本编写，并且在行文中标注出在新版中会有改变的部分。除此之外，我还增加了一个附录D，概要介绍了一些主要改变。对于大多数读者来说，我觉得应该够了。

在撰写本书第2版时，我得到了许多人的帮助。就像在写前两版（本书第1版和之前的*Pratical Python*）一样，Jason Gilmore扶我上马，并且在项目进展的过程中扮演了重要角色。Richard Dal Porto、Frank Pohlmann和Dominic Shakeshaft在过程中也常助我一臂之力。Richard Taylor至关重要，他要确保代码完全正确（如果还是有错，大家骂我好了），而Marilyn Smith为我的的写作润色不少。我还要感谢Apress的其他同仁们，包括Liz Berry、Beth Christmas、Steve Anglin和Tina Nielsen，还有那些帮我修订错误以及提出宝贵意见的读者们，其中包括Bob Helmbold和Waclaw Kusnierczyk。当然，我还要感谢所有那些将本书的前两版本买回家的读者们。

# 第1版前言

几年前，Jason Gilmore建议我为Apress出版社写本书。他读了我的在线Python教程，希望我以类似的风格撰写一本书。我受宠若惊，也很兴奋，还有点紧张。最让我担心的就是写书可能要花费很长时间，以及它对于我的学业（我当时是博士生）会有影响。结果这件事成了一项艰巨的任务，而且花的时间比我预期的长很多。幸运的是，它没有过多地影响我的学习，我也按时获得了博士学位。

去年，Jason又联系了我。Apress出版社希望修订本书，问我是否有兴趣。那时候我正忙着熟悉新的副教授职位，而几乎所有的业余时间都用来扮演皮尔·金特（Peer Gynt）了，所以时间又变成了主要问题。最终，在事情安排妥当一些，而且我也有更多的业余时间之后，我同意做修订，而本书（我相信你已经猜到了）就是最终的成果。大多数资料都是从本书的第1版 *Practical Python* 中拿来的。本书基于Python语言的最新更新，对现有的内容进行了全面的修订，增加了几个新章节。有些旧的内容也进行了重新分配，以适应新的结构。我从读者那里得到了不少关于第1版的正面反馈，所以我希望能够继续保留读者所喜爱的特点，并且锦上添花。

如果没有其他人对我的持续帮助和鼓励，这本书是无法完成的。我衷心地感谢他们。特别要感谢在本书撰写过程中和我一起工作的团队：Jason Gilmore，感谢他落实了这个项目并且将项目引导至正确的方向；Beckie Stones，感谢她将所有内容整理在一起；Jeremy Jones和Matt Moodie，感谢他们专业的意见和洞察力；Linda Marousek，感谢她对我如此耐心。我还要感谢团队中的其他人，感谢他们让这个过程变得如此顺利。但是如果没有那些在前一版本中和我一起工作的人所付出的努力，这本书也是无法完成的。我要感谢Jason Gilmore和Alex Martelli，感谢他们杰出的技术编辑工作（Jason负责整本书，Alex负责前半部分）以及工作职责之外的修改意见和建议；Erin Mulligan和Tory McLearn，感谢他们在撰写过程中和我共同进退，在我需要的时候给予我敦促；Nancy Rapoport，感谢她对我的文稿进行润色；Grace Wong，感谢她在别人无法回答的时候给予我答案。Pete Shinners对项目10的游戏给过我一些有帮助的建议，我非常感谢她。对本书感到满意的读者也给我发来了邮件，这极大地鼓舞了我的斗志，感谢你们！最后，我要谢谢我的家人和朋友，以及我的女朋友Ranveig。在撰写本书的过程中，他们都一直宽容地陪伴着我。

# 开　场　白

编写C程序就像一群人拿着剃刀在刚打过蜡的舞场内跳快舞。

——Waldi Ravens

C++：难学更难用，设计如此。

——匿名

在很多方面，Java就是C++——。

——Michael Feldman

现在请看一种前所未有的表演……

——Monty Python的表演《飞行的马戏团》

　　我引用了别人的几句话作为本书的开篇，目的是为本书奠定一个很不正式的基调。为了让大家可以轻松地阅读，我试图用一点儿幽默的方式来讨论Python编程的主题。幽默是Python社区的传统，而很多幽默都和Monty Python①的滑稽短剧有关。所以我举的一些例子可能看起来有些傻，希望你能够接受。（顺便说一句，Python这个名字是从Monty Python来的，而不是源于蟒蛇这种动物。）

　　在这个开场白中，我会简单地告诉你Python是什么，为什么你应该使用它，谁在使用它，本书写给谁看以及本书的行文结构。

　　那么，什么是Python？为什么你应该使用它呢？还是引用官方的说法吧（http://www.python.org/doc/essays/blurb.html），Python就是"一种解释型的、面向对象的、带有动态语义的高级程序设计语言"。这句话中的很多术语，你可以在阅读本书的过程中逐渐弄懂，但最重要的是，Python是一种想让你在编程实现自己想法时感觉不那么碍手碍脚的程序设计语言。你可以花较少的代价实现想要的功能，并且编写的程序清晰易懂（和当前流行的其他各种程序设计语言相比更是如此）。

　　尽管Python运行起来可能不会像C或者C++那样的编译型语言一样快，但是Python让你节省下来的编程时间足以成为它值得一用的理由，何况大多数程序的运行速度差异可能并不是那么显而易见。如果你是C程序员，你可以用C实现制约程序性能的关键部分，并且轻松地让它们和使用

---

① Monty Python是20世纪70年代风靡全球的英国六人喜剧团体。——译者注

Python编写的部分相互协作。如果你之前没有任何编程的经历（而且可能被我前面提到的C和C++的话唬住了），那么既简单又强大的Python就是你入门的完美选择。

那么谁在使用Python呢？自从Guido van Rossum在20世纪90年代初创造这门语言以来，它的追随者就一直在稳步增加，而且近些年来，社区对它的兴趣也日益浓厚。Python广泛用于系统管理工作（比如它是很多Linux发行版的重要组成部分），也可以作为从零起步的入门编程语言。NASA在它的几个系统中既用Python做主程序开发，又将其作为脚本语言。Industrial Light & Magic（工业光魔公司）在高预算影片中使用Python制作影片的特效；Yahoo!使用它（包括其他技术）管理讨论组；Google用它实现网络爬虫和搜索引擎中的很多组件。Python也被用于计算机游戏和生物信息等各种领域。不久后可能就会有人问了："谁不用Python呢？"

本书面向那些希望学习如何使用Python来编程的读者，其内容适合广泛的读者群，不管你是程序设计的学徒还是高级的计算机魔法师。如果你之前从未写过程序，那么你应该从第1章开始阅读，直到觉得所学的内容对你来说有些超前了（我是说如果有可能会这样），此时你就应该开始实践，编写自己的程序，待时机成熟，你就可以再回到书本上，学习那些更复杂的内容。

如果你已经知道如何编程，那么，你对一般介绍性的内容可能不会感到新鲜了（但是，文中可能到处都有一些让你惊讶的细节）。你可以快速阅读前面的章节，从而了解Python是如何工作的，或者阅读附录A，它是基于我的在线Python教程Instant Python写成的。它会让你快速了解很多重要的Python概念。有了大概印象后，你可以直接跳到第10章（讨论Python标准库）。

本书的最后几章包括10个程序设计项目，从多方面展示了Python语言的能力。不管是新手还是专家，都会对这些项目感兴趣。尽管后面项目中的一些内容对于没有经验的编程者来说可能有些难，但是（在读完本书的前半部分后）按照项目顺序完成应该还是可能的。

这些项目包括了多方面的主题，多数对你编写自己的程序都很有用。你可以学会做一些现在可能完全不会做的事情，比如创建聊天服务器、点对点的文件共享系统或者功能完备的计算机图形游戏等。乍一看，你会觉得很多内容都很难，但是到了最后，我想你会惊讶地发现它们实际上是如此简单。如果你想下载源代码，可以访问http://www.apress.com。

好了，开场白到此为止，我个人觉得冗长的介绍比较无聊，让我们马上开始学习Python编程吧，从第1章或者附录A开始。祝你好运，改造愉快。

# 目　　录

# 快速改造：基础知识

*1*

现在正是做些改造的好时候[①]。通过阅读本章，你将学到如何控制计算机，方法是借助一门计算机能够理解的语言——Python。这里没什么特别难以理解的内容，只要对计算机基本的工作原理有些了解，就能跟着例子自己试着去做。本书会从极其简单的内容开始，把基础知识过一遍。不过Python是一门非常强大的语言，所以读者很快就可以完成一些相当高级的任务了。

本章首先会介绍如何安装所需的软件，然后讲一点点算法及其主要的组成。在这部分内容中，会有许多简短的例子（大多数只使用了简单的算术），读者可以自己在Python的交互式解释器（参见1.2节）中一试身手。读者从中可以学习到变量（variable）、函数（function）和模块（module）的知识。介绍完这些主题后，我将讲解如何编写和运行规模更大一些的程序。最后，本章将讲述字符串（string），它在几乎所有Python程序中都很重要。

## 1.1 安装 Python

在开始编程前，需要安装一些新软件。下面简要介绍如何下载和安装Python。如果想直接跳到安装过程的介绍而不看详细的向导，可以直接访问网址http://www.python.org/download，下载并安装Python的最新版本。

### 1.1.1 Windows

要在Windows系统中安装Python，请参照下面的步骤进行。

(1) 打开Web浏览器，访问http://www.python.org。

(2) 点击Download链接。

(3) 读者在这里可以看到几条链接，名字类似于Python 2.5.x或Python 2.5.x Windows installer。点击Windows installer链接并且下载安装文件（如果在Itanium或者AMD平台上运行Python，就需

---

[①] "改造"（Hacking）并不同于"破坏"（Cracking），后者描述的是计算机犯罪行为。两者经常被混为一谈。改造意味着在编程时获得乐趣。更多的信息，请看Eric Raymond的文章How to Become a Hacker（如何成为一名"改造者"），网址为http://www.catb.org/~esr/faqs/hacker-howto.html。

要选择相应的安装文件）。

---

**注意**　如果无法找到第3步提及的链接，那么就点击版本号最高的链接，名字类似于Python 2.5.x。
对于Python 2.5，可以直接访问http://www.python.org/2.5，然后遵照针对Windows用户的提
示。用户需要下载一个名为python-2.5.x.msi（或者名字类似的）的文件，其中2.5.x指最
新的版本号。

---

（4）将Windows Installer文件放在计算机的任何位置均可，比如C:\download\python-2.5.x.msi。
（只要建立一个之后能找到的文件夹就行。）

（5）在Windows资源管理器中双击运行所下载的文件，开启Python的安装向导。该向导使用起
来很简单，只需要接受默认设置，等到安装程序完成，你就能使用Python了！

假如安装一切正常，应该能在Windows的开始菜单中找到新安装的Python程序。按照开始→
程序→Python①→IDLE(Python GUI)的步骤运行Python集成开发环境（Python Integrated
Development Environment，IDLE）。

你现在应该看到一个类似于图1-1的窗口。如果感觉有点困惑，那么在菜单中选择Help→IDLE
Help，会看到一个简单的说明，介绍各个菜单项及其基本用法。更多关于IDLE的文档的信息，
请访问http://www.python.org/idle。（在这里也能看到如何在Windows之外的其他平台上运行IDLE
的信息。）如果按下F1，或者选择Help→Python Docs，会启动完整的Python文档。对读者最有用
的文档可能是库参考（Library Reference）。所有的文档都是可被搜索的。

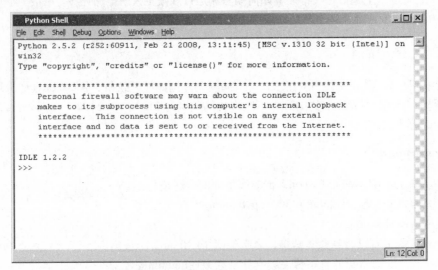

图1-1　IDLE交互式Python Shell

IDLE交互式Python Shell运行起来以后，你就可以接着阅读1.2节了。

---

① 此菜单选项可能包括版本号，如Python 2.5。

Windows Installer

Python的Windows版本以Windows Installer文件的方式发布，这要求读者的Windows版本能支持Windows Installer 2.0（或后续版本）。如果没有安装Windows Installer，那么可以免费下载针对Windows 95、98、ME、NT 4.0和2000的版本。Windows XP和后续版本的Windows都已经包含了Windows Installer，很多旧计算机也一样。Python的下载页面上也有下载Installer的步骤。

此外，读者也可以访问Microsoft的下载网站http://www.microsoft.com/downloads，搜索"Windows Installer"（或者直接从下载菜单中选择），选择针对自己所用平台的最新版本，然后按照说明下载并安装。

如果不知道是否安装了Windows Installer，只要执行上面步骤中的第5步（双击MSI文件）即可。如果可以看到安装向导，证明一切正常。请访问http://www.python.org/2.5/msi.html查看更多和Python安装程序相关的Windows Installer高级特性。

## 1.1.2　Linux和UNIX

绝大多数Linux和UNIX的系统（包括Mac OS X）只要安装完毕，Python解释器已经默认存在了。读者可以在提示符下输入python命令进行验证，如下例所示：

```
$ python
```

运行这个命令会启动交互式Python解释器，同时有如下所示的输出：

```
Python 2.5.1 (r251:54869, Apr 18 2007, 22:08:04)
[GCC 4.0.1 (Apple Computer, Inc. build 5367)] on darwin
Type "help", "copyright", "credits" or "license" for more information.
>>>
```

---

**注意**　要退出交互式解释器，可以使用快捷键Ctrl-D（按住Ctrl键的同时按下D键）。

---

如果还没有安装Python解释器，可能会看到如下的错误信息：

```
bash: python: command not found
```

这时，读者需要自己安装Python，下面几节将会讲述如何在这些系统中安装Python。

### 1. 使用包管理器

Linux操作系统家族存在多种包管理系统和安装机制。如果你使用的是Linux具有某种形式的包管理系统，那么可以通过它很轻松地安装Python。

---

**注意**　在Linux中使用包管理器安装Python可能需要具备系统管理员（root账户）权限。

---

例如，如果使用的操作系统为Debian Linux，那么可以使用下面的命令来安装Python：

```
$ apt-get install python
```

如果是Gentoo Linux，则可以使用：

```
$ emerge python
```

在上述两例中，$表示bash的提示符。

---

**注意**　许多包管理器都有自动下载的功能，包括Yum、Synaptic（Ubuntu Linux专有的包管理器）以及其他Debian样式的管理器。你能够通过这些管理器获得Python的最新版本。

---

### 2. 从源文件编译

如果没有包管理器，或者不愿意使用，也可以自己编译Python。选择这个方法的另一个可能原因是你没有正在使用的UNIX系统的root权限（安装权限）。这个方法非常灵活，你可以在任何位置安装Python，甚至可以安装在用户的主目录（home directory）内。要编译安装Python，可以遵照以下步骤进行。

(1) 访问下载网页（参见在Windows上安装Python步骤的前两步）。

(2) 按照说明下载源代码。

(3) 下载扩展名为.tgz的文件，将其保存在临时位置。假定读者想将Python安装在自己的主目录，可以将它放置在类似于~/python的目录中。进入这个目录（比如使用cd ~/python命令）。

(4) 使用tar -xzvf Python-2.5.tgz（2.5是所下载代码的版本号）解压缩文件。如果使用的tar版本不支持z选项，可以先使用gunzip进行解压缩，然后再使用tar -xvf命令。如果解压缩过程中出错，那么试着重新下载。在下载过程中，有时也会出错。

(5) 进入解压缩好的文件夹：

```
$ cd Python-2.5
```

现在可以执行下面的命令：

```
./configure --prefix=$(pwd)
make
make install
```

最后应该能在当前文件夹内找到一个名为python的可执行文件（如果上述步骤没用的话，请参见包含在发布版中的README文件）。将当前文件夹的路径包含到环境变量PATH中，这样安装就大功告成了。

若要查看其他的配置指令，请执行以下命令：

```
./configure --help
```

## 1.1.3　苹果机（Macintosh）

如果使用的是安装了最新版本Mac OS X系统的苹果机，那么已经预先安装好了Python。只要打开终端应用程序，然后输入python命令就可以运行了。即使打算安装更新版本的Python，也应该保留这个默认的安装，因为操作系统要用到它。读者可以使用MacPorts（http://macports.org）或者Fink（http://finkproject.org）进行安装，或者按照以下步骤从Python网站获取新的发布版本。

(1) 访问标准的下载页面（参见在Windows上安装Python步骤的前两步）。

(2) 点击Mac OS X installer的链接，应该会跳转到MacPython的下载页面，上面会有更多信息。MacPython页面也有针对于旧版本Mac OS的Python。

1

（3）在下载了.dmg安装文件之后，它可能会自动挂载。如果没有，双击该文件。在已挂载的磁盘映像中，可以找到安装包文件（.mpkg）。如果双击该文件，就会打开安装向导，引领读者完成所需的步骤。

## 1.1.4　其他发行版本

现在标准的Python发行版本已经安装完毕了。除非对其他选择有特别的兴趣，否则，已安装的软件就已经足够了。如果好奇（并且够大胆），那么请继续往下读。

除了官方版本的Python之外，还有多个发行版本可供选择，其中最有名的版本可能是ActivePython，它适用于Linux、Windows、Mac OS X以及多个UNIX衍生版本。此外，Stackless Python虽然不太出名，却十分有趣。以上这些发布版本都基于Python标准实现，由C语言编写。而Jython和IronPython则是由其他语言实现的Python发行版本。如果对IDLE以外的其他开发环境有兴趣，表1-1列举了一些。

表1-1　Python的一些集成开发环境

| 集成开发环境 | 描　　述 | 下载地址 |
| --- | --- | --- |
| IDLE | 标准Python环境 | http://www.python.org/idle |
| Pythonwin | 面向Windows的环境 | http://www.python.org/download/windows |
| ActivePython | 功能完善，包含Pythonwin IDE | http://www.activestate.com |
| Komodo ① | 商业化IDE | http://www.activestate.com① |
| Wingware | 商业化IDE | http://www.wingware.com |
| BlackAdder | 商业化IDE 以及GUI生成器（Qt） | http://www.thekompany.com |
| Boa Constructor | 免费的IDE和GUI生成器 | http://boa-constructor.sf.net |
| Anjuta | Linux/UNIX上的万能IDE | http://anjuta.sf.net |
| Arachno Python | 商业化IPE | http://www.python-ide.com |
| Code Crusader | 商业化IPE | http://www.newplanetsoftware.com |
| Code Forge | 商业化IPE | http://www.codeforge.com |
| Eclipse | 流行、灵活并且开源的IDE | http://www.eclipse.org |
| eric | 使用Qt 的免费的IDE | http://eric-ide.sf.net |
| KDevelop | 针对KDE的跨语言IDE | http://www.kdevelop.org |
| VisualWx | 免费的GUI生成器 | http://visualwx.altervista.org |
| wxDesigner | 商业化GUI生成器 | http://www.roebling.de |
| wxGlade | 免费的GUI生成器 | http://wxglade.sf.net |

ActivePython是由ActiveState（http://www.activestate.com）发行的Python版本。这个版本的核心内容与Windows的标准Python发行版本相同。最大的区别在于它额外包含了许多独立的工具(模块)。如果你用Windows的话，ActivePython绝对值得一试。

Stackless Python是在原始代码基础上重新实现的Python版本，在内部实现上做了许多重要的

---

① Komodo已经开源了，因此也提供了免费版本。

改动。对于入门用户来说区别并不明显，那些更加标准的发行版本反而更好用。Stackless Python
的主要优点是允许更深层次的递归，并且多线程运行更加高效。如前所述，这些都是高级特性，
一般用户不会用到。可以从网址http://www.stackless.com处下载Stackless Python。

　　Jython（http://www.jython.org）和IronPython（http://www.ironpython.com）则与众不同——它
们是使用其他语言实现的Python。Jython利用Java实现，运行在Java虚拟机中，而IronPython则使
用C#实现，运行于公共语言运行时（Common Language Runtime，CLR）的.NET和MONO实现。
截至本书写作时，Jython相当稳定，但是落后于Python——目前Jython的版本为2.2，Python的版
本为2.5，而两个版本的语言特性有明显的区别。IronPython虽然仍非常新，但是已经具有相当的
可用性了，同时一些测试表明它的运行速度比标准的Python还要快。

## 1.1.5　时常关注，保持更新

　　Python语言正在不断发展。要了解有关最新发布版本和相关工具的资讯，python.org网站就
是一个聚宝盆。访问相应的发布版本页面，可以查看该版本的特性，比如http://python.org/2.5针
对2.5版本，该页面也链接到Andrew Kuchling对于版本新特性的详细描述页面。对于2.5版本来说，
链接地址为http://python.org/doc/2.5/whatsnew。如果在本书出版后还有新的版本发布，可以通过
访问这些网页来查看新的特性。

---

**提示**　对于3.0这个大幅度更新的版本，可以访问http://docs.python.org/dev/3.0/whatsnew/3.0.html
　　　　页面来查看相关改动的汇总。

---

　　如果希望紧跟最新发布的第三方Python模块和软件的脚步，还可以查看Python的电子邮件列
表python-announce-list。对于Python的一般讨论可以使用python-list，但是在此敬告：此列表会
发送很多邮件。这些列表都能在http://mail.python.org中找到。如果读者是Usenet用户，也能在
comp.lang.python.announce和comp.lang.python分别找到这两个邮件列表。如果问题没有办法完全
解决，还可以试试python-help邮件列表（可以前面两个列表所在的地方找到它），或者直接发邮
件到help@python.org。在这么做之前，读者应该访问http://python.org/doc/faq查看Python的FAQ，
或者直接在网络上搜索，看看自己的问题是不是已经有人问过。

## 1.2　交互式解释器

　　当启动Python的时候，会出现和下面相似的提示：

```
Python 2.5.1 (r251:54869, Apr 18 2007, 22:08:04)
[GCC 4.0.1 (Apple Computer, Inc. build 5367)] on Darwin
Type "help", "copyright", "credits" or "license" for more information.
>>>
```

---

**注意**　解释器的具体外观和错误信息都取决于所使用的版本。

---

　　这看起来好像不是很有趣，但是，请相信我，它确实充满了趣味。这是进入"黑客"殿堂的

大门，是控制计算机的第一步。从更现实的角度来说，这是交互式Python解释器。试着输入下面的命令看看它是否正常工作：

```
>>> print "Hello, world!"
```

当按下回车键后，会得到下面的输出：

```
Hello, world!
>>>
```

---

**注意**　　如果熟悉其他计算机语言，可能会习惯于每行以分号结束。Python则不用，一行就是一行，不管多少。如果喜欢的话，可以加上分号，但是不会有任何作用（除非同一行还有更多的代码），而且这也不是通行的做法。

---

发生了什么？那个>>>符号就是提示符，可以在后面写点什么，比如print "Hello, world!"。如果按下回车，Python解释器会打印出"Hello, world!"字符串，下一行又会出现一个新的提示符。

---

**注意**　　这里的术语"打印"意为在屏幕上输出文本，并非通过打印机上打印出来。

---

如果写点完全不一样的内容呢？试试看，比如：

```
>>> The Spanish Inquisition
SyntaxError: invalid syntax
>>>
```

显然，解释器不明白输入的内容（如果使用其他解释器而不是IDLE，比如Linux的命令行版本，错误信息会略有不同）。解释器能够指出什么地方错了：它会在"Spanish"这个单词上加上红色背景进行强调（在命令行版本中，则使用符号^来指明）。

读者如果喜欢，还可以继续在解释器中输入其他内容。想要提示的话，可以在提示符后输入help然后按回车。前文说过，可以按下F1获得有关IDLE的帮助。否则，只能继续乱按了。毕竟不知道怎么跟解释器交流的话还是挺没意思的，对吧？

## 1.3　算法是什么

在开始认真地编程之前，我首先解释一下什么是计算机程序设计。简单地说，它就是告诉计算机要做什么。计算机可以做很多事情，但是不太擅长自主思考，程序员像给小孩喂饭一样告诉它具体的细节，并且使用计算机能够理解的语言——算法。"算法"不过是"步骤"或者"食谱"的另外一种文绉绉的说法——对于如何做某事的一份详细描述。比如：

```
SPAM①拌SPAM、SPAM、鸡蛋和SPAM：
首先，拿一些SPAM；
然后加入一些SPAM、SPAM和鸡蛋；
如果喜欢吃特别辣的SPAM，再多加点SPAM；
煮到熟为止——每10分钟检查一次。
```

这个食谱可能不是非常有趣，但是它的组成结构还是有些讲究的。它包括一系列按顺序执行

---

① SPAM是一个著名的午餐肉品牌。——译者注

的指令。有些指令可以直接完成（"拿一些SPAM"），有些则需要考虑特定的条件（"如果需要特殊的辣味SPAM"），还有些则必须重复数次（"每10分钟检查一次"）。

食谱和算法都包括一些材料（对象、物品），以及指令（语句）。本例中，"SPAM"和"鸡蛋"就是要素，指令则包括添加SPAM、按照给定的时间烹调，等等。接下来先从一些非常简单的Python材料开始，看看能用它们做些什么。

## 1.4    数字和表达式

交互式Python解释器可以当作非常强大的计算器使用，试试以下的例子：

```
>>> 2 + 2
```

解释器会得出答案为4。这好像不是很难，那么看看下面这个：

```
>>> 53672 + 235253
288925
```

仍然没什么感觉？诚然，以上是非常普通的功能。（假定读者曾经用过计算器，知道1+2*3和(1+2)*3的区别。）在绝大多数情况下，常用算术运算符的功能和计算器的相同。这里有个潜在的陷阱，就是整数除法（在3.0版本之前的Python是这样的）。

```
>>> 1/2
0
```

发生了什么？一个整数（无小数部分的数）被另外一个整数除，计算结果的小数部分被截除了，只留下整数部分。有些时候，这个功能很有用，但通常人们只需要普通的除法。那么要怎么做呢？有两个有效的解决方案：要么用实数（包含小数点的数）而不是整数进行运算，要么让Python改变除法的执行方式。

实数在Python中被称为浮点数（Float，或者Float-point Number），如果参与除法的两个数中有一个数为浮点数，则运算结果亦为浮点数：

```
>>> 1.0 / 2.0
0.5

>>> 1/2.0
0.5
>>> 1.0/2
0.5

>>> 1/2.
0.5
```

如果希望Python只执行普通的除法，那么可以在程序（后面会讲到编写完整的程序）前加上以下语句，或者直接在解释器里面执行它：

```
>>> from __future__ import division
```

**注意**    为了清晰起见，在此说明一下，上述代码中的future前后是两个下划线：__future__。

还有另外一个方法，如果通过命令行（比如在Linux系统上）运行Python，可以使用命令开关-Qnew。使用上述两种方法，就可以只执行普通的除法运算：

```
>>> 1 / 2
0.5
```

当然，单斜线不再用作前面提到的整除了，但是Python提供了另外一个用于实现整除的操作符——双斜线：

```
>>> 1 // 2
0
```

就算是浮点数，双斜线也会执行整除：

```
>>> 1.0 // 2.0
0.0
```

1.9.2节会对__future__模块进行深入的介绍。

现在，已经了解基本的算术运算符了（加、减、乘、除）。除此之外，还有一个非常有用的运算符：

```
>>> 1 % 2
1
```

这是取余（模除）运算符——$x \% y$的结果为$x$除以$y$的余数。下面是另外一些例子：

```
>>> 10 / 3
3
>>> 10 % 3
1
>>> 9 / 3
3
>>> 9 % 3
0
>>> 2.75 % 0.5
0.25
```

这里10/3得3是因为结果被向下取整了。而3×3＝9，所以相应的余数就是1了。在计算9/3时，结果就是3，没有小数部分可供截除，因此，余数就是0了。如果要进行一些类似本章前面菜谱所述"每10分钟"检查一次的操作，那么，取余运算就非常有用了，直接检查时间%10的结果是否为0即可。（关于如何做此事的描述，参看本章后面的"管窥：if语句"部分。）从上述最后一个例子可以看到，取余运算符对浮点数也同样适用。

最后一个运算符就是幂（乘方）运算符：

```
>>> 2 ** 3
8
>>> -3 ** 2
-9
>>> (-3) ** 2
9
```

注意，幂运算符比取反（一元减运算符）的优先级要高，所以-3**2等同于-(3**2)。如果想计算(-3)**2，就需要显式说明。

## 1.4.1　长整数

Python可以处理非常大的整数：

```
>>> 10000000000000000000
10000000000000000000L
```

这里发生了什么？数字后面多加了个 L。

---

**注意**    如果使用2.2版本以前的Python，会看到如下的情况：

```
>>> 10000000000000000000
OverflowError: integer literal too large
```

新版本的Python在处理大整数时更加灵活。

---

普通整数不能大于2 147 483 647（也不能小于–2 147 483 648），如果需要更大的数，可以使用长整数。长整数的书写方法和普通整数一样，但是结尾有个L。（理论上，用小写的l也可以，但是它看起来太像数字1，所以建议不要用小写l。）

在前面的例子中，Python把整数转换为了长整数，但读者也可以自己完成。我们再来试试这个大数：

```
>>> 10000000000000000000L
10000000000000000000L
```

当然，这只是在不能处理大数的旧版本Python中很有用。

那么能不能对那些庞大的数字进行运算呢？当然可以，例如：

```
>>> 198716398716398163918 6L * 198763981726391826L + 23
39497662643200556761300 0143784791693659L
```

正如所看到的那样，长整数和普通整数可以混合使用。在绝大多数情况下，无需担心长整数和整数的区别，除非需要进行类型检查。第7章将会介绍类型检查，而这是任何时候都不应该做的事情。

## 1.4.2　十六进制和八进制

在Python中，十六进制数应该像下面这样书写：

```
>>> 0xAF
175
```

而八进制数则是：

```
>>> 010
8
```

十六进制和八进制数的首位数字都是0（如果感到迷惑不解，可以直接跳到下一章节，你不会错过任何重要的内容）。

---

**注意**    有关Python数值类型和操作符的总结，参见附录B。

---

## 1.5　变量

变量（variable）是另外一个需要熟知的概念。如果你非常厌恶数学，别担心，Python中的变量很好理解。变量基本上就是代表（或者引用）某值的名字。举例来说，如果希望用名字x代表3，只需执行下面的语句即可：

```
>>> x = 3
```

这样的操作称为赋值（assignment），数值3被赋给了变量x。另外一个说法就是：将变量x绑定到了值（或者对象）3上面。在变量被赋值之后，就可以在表达式中使用变量。

```
>>> x * 2
6
```

请注意，在使用变量之前，需要对其赋值。毕竟不代表任何值的变量也没什么意义，对吧？

**注意**　变量名可以包括字母、数字和下划线（_）。变量不能以数字开头，所以Plan9是合法变量名，而9Plan不是。

## 1.6　语句

到现在为止，我们一直都在讲述表达式，也就是"食谱"的"材料"。那么，语句（也就是指令）是什么呢？

事实上，我已经介绍了两类语句：print语句和赋值语句。那么语句和表达式之间有什么区别呢？表达式就是某件事情，而语句是做某件事情（即告诉计算机做什么）。比如2*2是4，而print 2*2则是打印4。那么区别在哪呢？毕竟，它们的行为非常相似。请看下面的例子：

```
>>> 2*2
4
>>> print 2*2
4
```

如果在交互式解释器中执行上述两行代码，结果是一样的。但这只是因为交互式解释器总是把所有表达式的值打印出来而已（都使用了相同的repr函数对结果进行呈现，参见1.11.3节）。一般情况下，Python并不会那样做。在本章后面，会看到如何抛开交互式提示符来编程，而在程序中编写类似2*2这样的表达式并不能做什么有趣的事情①。另外一方面，编写print 2*2则会打印出4。

**注意**　在Python 3.0中，print是函数，这意味着需要编写print(42)而不是print 42。除此之外，它的工作方式和语句差不多，如前文所述。

语句和表达式之间的区别在赋值时会表现得更加明显一些。因为语句不是表达式，所以没有值可供交互式解释器打印出来：

```
>>> x = 3
>>>
```

可以看到，下面立刻出现了新的提示符。但是，有些东西已经变化了，x现在绑定给了值3。

---

① 读者可能会有些奇怪。是的，它的确还是做了些事情，计算了2*2的结果。但是结果并不会在某处保存或显示给用户，它对运算本身之外的东西没有任何的副作用。

这也是能定义语句的一般性特征：它们改变了事物。比如，赋值语句改变了变量，print语句改变了屏幕显示的内容。

赋值语句可能是任何计算机程序设计语言中最重要的语句类型，尽管现在难以说清它们的重要性。变量就像临时的"存储器"[①]（就像烹饪食谱中的锅碗瓢盆一样），它的强大之处就在于，在操作变量的时候并不需要知道它们存储了什么值。比如，即使不知道x和y的值到底是多少，也会知道x*y的结果就是x和y的乘积。所以，可以在程序中通过多种方法来使用变量，而不需要知道在程序运行的时候，最终存储（或引用）的值到底是什么。

## 1.7　获取用户输入

我们在编写程序的时候，并不需要知道变量的具体值。当然，解释器最终还是得知道变量的值。可是，它怎么能知道连我们都不知道的事呢？解释器只知道我们告诉它的内容，对吧？不一定。

事实上，我们通常编写程序让别人用，我们无法预测用户会给程序提供什么值。那么，看看非常有用的input函数吧（我马上就会讲述更多关于函数的内容）：

```
>>> input("The meaning of life: ")
The meaning of life: 42
42
```

在这里，交互式解释器执行了第一行的input(...)语句。它打印出了字符串"The meaning of life: "，并以此作为新的提示符，输入42然后按下回车。input语句的结果值就是我输入的数字，它自动在最后一行被打印出来。这个例子确实不太有用，但是请接着看下面的内容：

```
>>> x = input("x: ")
x: 34
>>> y = input("y: ")
y: 42
>>> print x * y
1428
```

Python提示符（>>>）后面的语句可以算作一个完整程序的组成部分了，输入的值（34和42）由用户提供，而程序就会打印出输入的两个数的乘积1428。在编写程序的时候，并不需要知道用户输入的数是多少，对吧？

---

**注意**　这种作法非常有用，因为你可以将程序存为单独的文件，以便让其他用户可以直接执行。本章后面的"保存并执行程序"部分将会介绍如何实现。

---

**管窥：if语句**

为了让内容更有趣，我会偷偷给读者们看一些第5章之前都不会介绍的内容：if语句。if语句可以让程序在给定条件为真的情况下执行某些操作（执行另外的语句）。一类条件是使用相等运算符——进行的相等性测试。是的，是两个等号。一个等号是用来赋值的，还记得吗？

---

[①] 注意存储器一词的引号。值并没有保存在变量中——它们保存在计算机内存的深处，被变量引用。随着本书内容的深入，你会对此越来越清楚：多个变量可以引用同一个值。

可以简单地把这个条件放在if后面，然后用冒号将其和后面的语句隔开：

```
>>> if 1 == 2: print 'One equals two'
...
>>> if 1 == 1: print 'One equals one'
...
One equals one
>>>
```

可以看到，当条件为假的时候，什么都没发生；当条件为真的时候，后面的语句（本例中为print语句）被执行。注意，如果在交互式解释器内使用if语句，需要按两次回车，if语句才能执行。（第5章会对其原因进行说明，现在不必管它。）

所以，如果变量time绑定到当前时间的分钟数上，那么可以使用下面的语句检查是不是"到了整点"。

```
if time % 60 == 0: print 'On the hour!'
```

## 1.8  函数

在1.4节中曾经介绍过使用幂运算符（**）来计算乘方。事实上，可以用一个函数来代替这个运算符，这个函数就是pow：

```
>>> 2**3
8
>>> pow(2,3)
8
```

函数就像小型程序一样，可以用来实现特定的功能。Python有很多函数，它们能做很奇妙的事情。你也可以自己定义函数（后面会对此展开讲述）。因此，我们通常会把pow等标准函数称为内建函数。

上例中我使用函数的方式叫作调用函数。你可以给它提供参数（本例中的2和3），它会返回值给用户。因为它返回了值，函数调用也可以简单看作另外一类表达式，就像在本章前面讨论的算数表达式一样。[1]事实上，可以结合使用函数调用和运算符来创建更复杂的表达式：

```
>>> 10 + pow(2, 3*5)/3.0
10932.666666666666
```

**注意**　小数点后的位数会因使用的Python版本的不同而有所区别。

还有很多像这样的内建函数可以用于数值表达式。比如使用abs函数可以得到数的绝对值，round函数则会把浮点数四舍五入为最接近的整数值：

```
>>> abs(-10)
10
>>> 1/2
0
>>> round(1.0/2.0)
1.0
```

---

[1]　如果忽略了返回值，函数调用也可以看成语句。

注意最后两个表达式的区别。整数除法总是会截除结果的小数部分，而round函数则会将结果四舍五入为最接近的整数。但是如果想将给定的数值向下取整为某个特定的整数呢？比如一个人的年龄是32.9岁——但是想把它取整为32，因为她还没到33岁。Python有实现这样功能的函数（称为floor），但是不能直接使用它。与其他很多有用的函数一样，你可以在某个模块中找到floor函数。

## 1.9    模块

可以把模块想象成导入到Python以增强其功能的扩展。需要使用特殊的命令import来导入模块。前面内容提到的floor函数就在名为math的模块中：

```
>>> import math
>>> math.floor(32.9)
32.0
```

注意它是怎么起作用的：用import导入了模块，然后按照"模块.函数"的格式使用这个模块的函数。

如果想把年龄转换为整数（32）而不是浮点数（32.0），可以使用int函数[①]

```
>>> int(math.floor(32.9))
32
```

---

**注意**  还有类似的函数可以将输入数转换为其他类型（比如long和float）。事实上，它们并不完全是普通的函数——它们是类型对象（type object）。后面，我将会对类型进行详述。与floor相对的函数是ceil（ceiling的简写），可以将给定的数值转换成为大于或等于它的最小整数。

---

在确定自己不会导入多个同名函数（从不同模块导入）的情况下，你可能希望不要在每次调用函数的时候都写上模块的名字。那么，可以使用import命令的另外一种形式：

```
>>> from math import sqrt
>>> sqrt(9)
3.0
```

在使用了"from模块import函数"这种形式的import命令之后，就可以直接使用函数，而不需要模块名作为前缀。

---

**提示**  事实上，可以使用变量来引用函数（或者Python之中大多数的对象）。比如，通过foo=math.sqrt进行赋值，然后就可以使用foo来计算平方根了：foo(4)的结果为2.0。

---

### 1.9.1    cmath和复数

sqrt函数用于计算一个数的平方根。看看如果给它一个负数作为参数会如何：

---

① int函数/类型把参数转换成整数时会自动向下取整，所以在转换过程中，math.floor是多余的，可以直接用int(32.9)。

```
>>> from math import sqrt
>>> sqrt(-1)
Traceback (most recent call last):
  File "<pyshell#23>", line 1, in ?
    sqrt(-1)
ValueError: math domain error
```

或者，在其他平台会有以下结果：

```
>>> sqrt(-1)
nan
```

---

**注意** nan是一个特殊值的简写，意思是"not a number"（非数值）。

---

这也情有可原，不能求负数的平方根。真的不可以吗？其实可以：负数的平方根是虚数（这是标准的数学概念，如果感觉有些绕不过弯来，跳过即可）。那么为什么不能使用sqrt？因为它只能处理浮点数，而虚数（以及复数，即实数和虚数之和）是完全不同的。因此，它们由另外一个叫做cmath（即complex math，复数）的模块来处理。

```
>>> import cmath
>>> cmath.sqrt(-1)
1j
```

注意，我在这里并没有使用from...import...语句。因为一旦使用了这个语句，就没法使用普通的sqrt函数了。这类命名冲突可能很隐蔽，因此，除非真的需要from这个形式的模块导入语句，否则应该坚持使用普通的import。

1j是个虚数，虚数均以j（或者J）结尾，就像长整数使用L一样。我们在这里不深究复数的理论，只举最后一个例子，来看一下如何使用复数：

```
>>> (1+3j) * (9+4j)
(-3+31j)
```

可以看到，Python语言本身就提供了对复数的支持。

---

**注意** Python中没有单独的虚数类型。它们被看作实数部分为0的复数。

---

### 1.9.2 回到__future__

有传言说Guido van Rossum（Python之父）拥有一架时光机，因为在人们要求增加语言新特性的时候，这个特性通常都已经实现了。当然，我等凡夫俗子是不允许进入这架时光机的。但是Guido很善良，他将时光机的一部分以__future__这个充满魔力的模块的形式融入了Python。通过它可以导入那些在未来会成为标准Python组成部分的新特性。你已经在1.4节见识过这个模块了，而在本书余下的部分，你还将与它不期而遇。

## 1.10 保存并执行程序

交互式解释器是Python的强项之一，它让人们能够实时检验解决方案并且用这门语言做一些实验。如果想知道如何使用某些语句，那么就试试看吧！但是，在交互式解释器里面输入的一切都会在它退出的时候丢失。而我们真正想要的是编写自己和他人都能运行的程序。在本节中，将会介绍如何实现这一点。

　　首先，需要一个文本编辑器，最好是专门用来编程的。如果使用Microsoft Word这样的编辑器（我并不推荐这么做），那么得保证代码是以纯文本形式保存的。如果已经在用IDLE，那么，很幸运：用File→New Window方式创建一个新的编辑窗口即可。这样，另外一个窗口出现了，没有交互式提示符，很好！

　　先输入以下内容：

```
print 'Hello, world!'
```

　　现在选择File→Save保存程序（其实就是纯文本文件）。要确保将程序保存在一个以后能找到的地方。你应该专门建立一个存放Python项目的目录，比如Windows系统的C:\Python。在UNIX环境中，则应该建立一个类似~/python的目录。最后，还要为自己的程序文件起个有意义的名字，比如hello.py。文件名以.py结尾是很重要的。

---

**注意**　如果按照本章前面的说明安装Python，那么在~/python文件夹中已经有Python的安装文件了。但是这些安装文件会位于一个单独的子目录中（比如~/python/Python-2.5/），因此上述做法也就不会出现问题了。如果想要把程序放在其他地方，比如放在~/my_python_programs这样的文件夹中，那也没问题。

---

　　完成了吗？先别关闭包含程序的窗口，如果已经关了，那么再打开它（File→Open）。现在应该能用Edit→Run或者按下Ctrl+F5键来运行程序了（如果没有使用IDLE，请查看下一节有关如何在命令提示符下运行程序的内容）。

　　发生了什么？Hello, world!在解释器窗口内打印出来了，这就是想要的结果。解释器提示符没了（不同的版本会有所差异），但是可以按下回车键将它找回来（在解释器窗口中按下回车键）。

　　接下来，我们对上述脚本进行扩展，如下例所示：

```
name = raw_input("What is your name? ")
print 'Hello,' + name + '!'
```

---

**注意**　不用管input和raw_input的区别，稍后，我会进行介绍的。

---

　　如果运行这个程序（记得先保存），应该会在解释器窗口中看到下面的提示：

```
What is your name?
```

　　输入你的名字（比如Gumby），然后按下回车键。你将会看到如下内容：

```
Hello, Gumby!
```

　　这是不是很有趣？

## 1.10.1　通过命令提示符运行 Python 脚本

　　事实上，运行程序的方法有很多。首先，假定打开了DOS窗口或者UNIX中的Shell提示符，并且进入了某个包含Python可执行文件（在Windows中是python.exe，而UNIX中则是python）的目录，或者包含了这个可执行文件的目录已经放置在环境变量PATH中了（仅适用于Windows）。[①]同时假设，上一节的脚本文件（hello.py）也在当前的目录中。那么，可以在Windows中使用以下命令执行的脚本：

```
C:\>python hello.py
```

或者在UNIX下：

```
$ python hello.py
```

可以看到，命令是一样的，仅仅是系统提示符不同。

**注意** 如果不想跟什么环境变量打交道，可以直接指定Python解释器的完整路径。在Windows中，可以通过以下命令完成操作：

```
C:\>C:\Python25\python hello.py
```

## 1.10.2 让脚本像普通程序一样运行

有些时候希望像运行其他程序（比如Web浏览器、文本编辑器）一样运行Python程序（也叫做脚本），而不需要显式使用Python解释器。在UNIX中有个标准的实现方法：在脚本首行前面加上#!（叫做pound bang或者shebang），在其后加上用于解释脚本的程序的绝对路径（在这里，用于解释代码的程序是Python）。即使不太明白其中的原理，如果希望自己的代码能够在UNIX下顺利执行，那么只要把下面的内容放在脚本的首行即可：

```
#!/usr/bin/env python
```

不管Python二进制文件在哪里，程序都会自动执行。

**注意** 在某些操作系统中，如果安装了最新版本的Python（比如2.5），同时旧版本的Python（比如1.5.2）仍然存在（因为某些系统程序需要它，所以不能把它卸载），那么在这种情况下，/usr/bin/env技巧就不好用了，因为旧版本的Python可能会运行程序。因此需要找到新版本Python可执行文件（可能叫做python或者python2）的具体位置，然后在pound bang行中使用完整的路径，如下例所示：

```
#!/usr/bin/python2
```

具体的路径会因系统而异。

在实际运行脚本之前，必须让脚本文件具有可执行的属性：

```
$ chmod a+x hello.py
```

现在就能这样运行了（假设当前目录包含在路径中）：

```
$ hello.py
```

---

① 如果不太明白这句话的意思，或许应该跳过这部分。这部分知识并非必需的。

注意如果上述操作不起作用的话，试试./hello.py。即使当前的目录（.）并不是执行路径的一部分，这样的操作也能够成功。

如果你喜欢，还可以将文件重新命名，去掉.py扩展名让它看起来更像个普通的程序。

**试试双击怎么样**

在Windows系统中，让代码像普通程序一样运行的关键在于后缀名.py。加入双击上一节保存好的hello.py文件，如果Python安装正确，那么，一个DOS窗口就会出现，里面有"What is your name"提示，很酷吧？[①]（稍后将看到如何使用按钮、菜单等让程序看起来更棒。）

然而，像这样运行程序可能会碰到一个问题：程序运行完毕，窗口也跟着关闭了。也就是说，输入了名字以后，还没来得及看结果，程序窗口就已经关闭了。试着改改代码，在最后加上以下这行代码：

```
raw_input("Press <enter>")
```

这样，在运行程序并且输入名字之后，将会出现一个包含以下内容的DOS窗口：

```
What is your name? Gumby
Hello, Gumby!
Press <enter>
```

用户按下回车键以后，窗口就会关闭（因为程序运行结束了）。作为后面内容的预告，现在请你把文件改名为hello.pyw（这是Windows专用的文件类型），像刚才一样双击。发生了什么？什么都没有！怎么会这样呢？我会在本书后面的内容中给出答案，我保证。

## 1.10.3　注释

井号（#）在Python中有些特殊。在代码中输入它的时候，它右边的一切内容都会被忽略（这也是之前Python解释器不会被/usr/bin/env行"卡住"的原因了）。比如：

```
# 打印圆的周长：
print 2 * pi * radius
```

这里的第一行称为注释。注释是非常有用的，既为了让别人能够更容易理解程序，也为了你自己回头再看旧代码。据说程序员的第一戒律就是"汝应注释"（Thou Shalt Comment）（尽管很多刻薄的程序员的座右铭是"如果难写，就该难读"）。程序员应该确保注释说的都是重要的事情，而不要重复代码中显而易见的内容。无用的、多余的注释还不如没有。例如，下例中的注释就不好：

```
# 获得用户名：
user_name = raw_input("What is your name?")
```

即使没有注释，也应该让代码本身易于理解。幸好，Python是一门出色的语言，它能帮助程序员编写易于理解的程序。

---

## 1.11 字符串

那么，raw_input函数和"Hello,"+ name +"!"这些内容到底是什么意思？放下raw_input函数暂且不表，先来说"Hello"这个部分。

本章的第一个程序是这样的，很简单：

```
print "Hello, world!"
```

在编程类图书中，习惯上都会以这样一个程序作为开篇——问题是我还没有真正解释它是怎么工作的。前面已经介绍了print语句的基本知识（随后我会介绍更多相关的内容），但是"Hello, world!"是什么呢？是字符串（即"一串字符"）。字符串在几乎所有真实可用的Python程序中都会存在，并且有多种用法，其中最主要的用法就是表示一些文本，比如这个感叹句"Hello, world!"。

### 1.11.1 单引号字符串和转义引号

字符串是值，就像数字一样：

```
>>> "Hello, world!"
'Hello, world!'
```

但是，本例中有一个地方可能会让人觉得吃惊：当Python打印出字符串的时候，是用单引号括起来的，但我们在程序中用的是双引号。这有什么区别吗？事实上，没有区别。

```
>>> "Hello, world!"
'Hello, world!'
```

这里也用了单引号，结果是一样的。那么，为什么两个都可以用呢？因为在某些情况下，它们会派上用场：

```
>>> "Let's go!"
"Let's go!"
>>> '"Hello, world!" she said'
'"Hello, world!" she said'
```

在上面的代码中，第一段字符串包含了单引号（或者叫撇号[①]。根据这里的上下文，应该称之为撇号），这时候就不能用单引号将整个字符串括起来了。如果这么做，解释器会抱怨道（它这么做也是正确的）：

```
>>> 'Let's go!'
SyntaxError: invalid syntax
```

在这里字符串为'Let'，Python并不知道如何处理后面的s（也就是该行余下的内容）。

在第二个字符串中，句子包含了双引号。所以，出于之前所述的原因，就需要用单引号把字符串括起来了。或者，并不一定要这样做，尽管这样做很直观。另外一个选择就是：使用反斜线（\）对字符串中的引号进行转义：

```
>>> 'Let\'s go!'
"Let's go!"
```

---

① 撇号（'）在英文中用于表示所有格。——译者注

Python会明白中间的单引号是字符串中的一个字符，而不是字符串的结束标记（即便如此，Python也会在打印字符串的时候在最外层使用双引号）。有读者可能已经猜到了，对双引号也可以使用相同的方式转义：

```
>>> "\"Hello, world!\" she said"
'"Hello, world!" she said'
```

像这样转义引号十分有用，有些时候甚至还是必需的。例如，如果希望打印一个包含单双引号的字符串，不用反斜线的话能怎么办呢？比如字符串'Let\'s say "Hello, world!"'？

---

**注意**    厌烦反斜线了吧？在本章后面的内容中，将会介绍通过使用长字符串和原始字符串（两者可以联合使用）来减少绝大多数反斜线的使用。

---

### 1.11.2    拼接字符串

继续探究刚才的例子，我们可以通过另外一种方式输出同样的字符串：

```
>>> "Let's say " '"Hello, world!"'
'Let\'s say "Hello, world!"'
```

我只是用一个接着另一个的方式写了两个字符串，Python就会自动拼接它们（将它们合为一个字符串）。这种机制用得不多，有时却非常有用。不过，它只是在同时写下两个字符串时才有效，而且要一个紧接着另一个：

```
>>> x = "Hello, "
>>> y = "world!"
>>> x y
SyntaxError: invalid syntax
```

换句话说，这仅仅是书写字符串的一种特殊方法，并不是拼接字符串的一般方法。那么，该怎样拼接字符串呢？就像进行加法运算一样：

```
>>> "Hello, " + "world!"
'Hello, world!'
>>> x = "Hello, "
>>> y = "world!"
>>> x + y
'Hello, world!'
```

### 1.11.3    字符串表示，str和repr

通过前面的例子读者们可能注意到了，所有通过Python打印的字符串还是被引号括起来的。这是因为Python打印值的时候会保持该值在Python代码中的状态，而不是你希望用户所看到的状态。如果使用print语句，结果就不一样了：

```
>>> "Hello, world!"
'Hello, world!'
>>> 10000L
10000L
>>> print "Hello, world!"
Hello, world!
>>> print 10000L
10000
```

1

可以看到，长整型数10 000L被转换成了数字10 000，而且在显示给用户的时候也如此。但是当你想知道一个变量的值是多少时，可能会对它是整型还是长整型感兴趣。

我们在这里讨论的实际上是值被转换为字符串的两种机制。可以通过以下两个函数来使用这两种机制：一种是通过str函数，它会把值转换为合理形式的字符串，以便用户可以理解；另一种是通过repr函数，它会创建一个字符串，以合法的Python表达式的形式来表示值[①]。下面是一些例子：

```
>>> print repr("Hello, world!")
'Hello, world!'
>>> print repr(10000L)
10000L
>>> print str("Hello, world!")
Hello, world!
>>> print str(10000L)
10000
```

repr(x)也可以写作`x`实现（注意，`是反引号，而不是单引号）。如果希望打印一个包含数字的句子，那么反引号就很有用了。比如：

```
>>> temp = 42
>>> print "The temperature is " + temp
Traceback (most recent call last):
  File "<pyshell#61>", line 1, in ?
    print "The temperature is " + temp
TypeError: cannot add type "int" to string
>>> print "The temperature is " + `temp`
The temperature is 42
```

---

**注意**　在Python 3.0中，已经不再使用反引号了。因此，即使在旧的代码中看到了反引号，你也应该坚持使用repr。

---

第一个print语句并不能工作，那是因为不可以将字符串和数字进行相加。而第二个则可以正常工作，因为我已经通过反引号将temp的值转换为字符串"42"了。（当然，通过使用repr，也可以得到同样结果。但是，使用反引号可能更清楚一些。事实上，我也可以在本例中使用str。不过，现在对此不用过多担心。）

简而言之，str、repr和反引号是将Python值转换为字符串的3种方法。函数str让字符串更易于阅读，而repr（和反引号）则把结果字符串转换为合法的Python表达式。

## 1.11.4　input 和 raw_input 的比较

相信读者已经知道"Hello, " + name + "!"是什么意思了，那么，raw_input函数怎么用呢？input函数不够好吗？让我们试一下。在另外一个脚本文件中输入下面的语句：

```
name = input("What is your name? ")
print "Hello, " + name + "!"
```

看起来这是一个完全合法的程序。但是马上你就会看到，这样是不可行的。尝试运行该程序：

---

[①] 事实上，str和int、long一样，是一种类型。而repr仅仅是函数。

```
What is your name? Gumby
Traceback (most recent call last):
  File "C:/python/test.py", line 2, in ?
    name = input("What is your name? ")
  File "<string>", line 0, in ?
NameError: name 'Gumby' is not defined
```

问题在于input会假设用户输入的是合法的Python表达式（或多或少有些与repr函数相反的意思）。如果以字符串作为输入的名字，程序运行是没有问题的：

```
What is your name? "Gumby"
Hello, Gumby!
```

然而，要求用户带着引号输入他们的名字有点过分，因此，这就需要使用raw_input函数，它会把所有的输入当作原始数据（raw data），然后将其放入字符串中：

```
>>> input("Enter a number: ")
Enter a number: 3
3
>>> raw_input("Enter a number: ")
Enter a number: 3
'3'
```

除非对input有特别的需要，否则应该尽可能使用raw_input函数。

## 1.11.5　长字符串、原始字符串和Unicode

在结束本章之前，还会介绍另外两种书写字符串的方法。在需要长达多行的字符串或者包含多种特殊字符的字符串的时候，这些候选的字符串语法就会非常有用。

### 1. 长字符串

如果需要写一个非常非常长的字符串，它需要跨多行，那么，可以使用三个引号代替普通引号。

```
print '''This is a very long string.
It continues here.
And it's not over yet.
"Hello, world!"
Still here.'''
```

也可以使用三个双引号，如"""Like This"""。注意，因为这种与众不同的引用方式，你可以在字符串之中同时使用单引号和双引号，而不需要使用反斜线进行转义。

---

提示　普通字符串也可以跨行。如果一行之中最后一个字符是反斜线，那么，换行符本身就"转义"了，也就是被忽略了，例如：

```
print "Hello, \
world!"
```

这句会打印Hello, world!。这个用法也适用于表达式和语句：

```
>>> 1 + 2 + \
      4 + 5
12
>>> print \
      'Hello, world'
Hello, world
```

### 2. 原始字符串

原始字符串对于反斜线并不会特殊对待。在某些情况下这个特性是很有用的[①]。在普通字符串中，反斜线有特殊的作用：它会转义，让你在字符串中加入通常情况下不能直接加入的内容。例如，换行符可以写为\n，并可放于字符串中，如下所示：

```
>>> print 'Hello,\nworld!'
Hello,
world!
```

这看起来不错，但是有时候，这并非是想要的结果。如果希望在字符串中包含反斜线再加上n怎么办呢？例如，可能需要像DOS路径"C:\nowhere"这样的字符串：

```
>>> path = 'C:\nowhere'
>>> path
'C:\nowhere'
```

这看起来是正确的，但是，在打印该字符串的时候就会发现问题了：

```
>>> print path
C:
owhere
```

这并不是期望的结果，对吧？那么该怎么办呢？我可以使用反斜线对其本身进行转义：

```
>>> print 'C:\\nowhere'
C:\nowhere
```

这看起来不错，但是对于长路径，那么可能需要很多反斜线：

```
path = 'C:\\Program Files\\fnord\\foo\\bar\\baz\\frozz\\bozz'
```

在这样的情况下，原始字符串就派上用场了。原始字符串不会把反斜线当作特殊字符。在原始字符串中输入的每个字符都会与书写的方式保持一致：

```
>>> print r'C:\nowhere'
C:\nowhere
>>> print r'C:\Program Files\fnord\foo\bar\baz\frozz\bozz'
C:\Program Files\fnord\foo\bar\baz\frozz\bozz
```

可以看到，原始字符串以r开头。看起来可以在原始字符串中放入任何字符，而这种说法也是基本正确的。当然，我们也要像平常一样对引号进行转义，但是，最后输出的字符串包含了转义所用的反斜线：

```
>>> print r'Let\'s go!'
Let\'s go!
```

不能在原始字符串结尾输入反斜线。换句话说，原始字符串最后的一个字符不能是反斜线，除非你对反斜线进行转义（用于转义的反斜线会也会成为字符串的一部分）。参照上一个范例，这是一个显而易见的结论。如果最后一个字符（位于结束引号前的那个）是反斜线，Python就不清楚是否应该结束字符串：

```
>>> print r"This is illegal\"
SyntaxError: invalid token
```

---

① 尤其是在书写正则表达式时候，原始字符串会特别有用。第10章会讲述更多相关的内容。

好了，这样还是合理的，但是如果希望原始字符只以一个反斜线作为结尾的话，那该怎么办呢？（例如，DOS路径的最后一个字符有可能是反斜线。）好，本节已经告诉了你很多解决此类问题的技巧，但本质上就是把反斜线单独作为一个字符串来处理。以下就是一种简单的做法：

```
>>> print r'C:\Program Files\foo\bar' '\\'
C:\Program Files\foo\bar\
```

注意，你可以在原始字符串中同时使用单双引号，甚至三引号字符串也可以。

### 3. Unicode字符串

字符串常量的最后一种类型就是Unicode字符串（或者称为Unicode对象，与字符串并不是同一个类型）。如果你不知道什么是Unicode，那么，可能不需要了解这些内容（如果希望了解更多的信息，可以访问Unicode的网站：http://www.unicode.org）。Python中的普通字符串在内部是以8位的ASCII码形式存储的，而Unicode字符串则存储为16位Unicode字符，这样就能够表示更多的字符集了，包括世界上大多数语言的特殊字符。本节不会详细讲述Unicode字符串，仅举以下的例子来作说明：

```
>>> u'Hello, world!'
u'Hello, world!'
```

可以看到，Unicode字符串使用u前缀，就像原始字符串使用r一样。

---

**注意**    在Python 3.0中，所有字符串都是Unicode字符串。

---

## 1.12    小结

本章讲了非常多的内容。在继续下一章之前，先来看一下在本章学到了什么。

- □ 算法。算法是对如何完成一项任务的详尽描述。实际上，在编写程序的时候，就是要使用计算机能够理解的语言（如Python）来描述算法。这类对机器友好的描述就叫做程序，程序主要包含表达式和语句。
- □ 表达式。表达式是计算机程序的组成部分，它用于表示值。举例来说，2+2是表达式，表示数值4。简单的表达式是通过使用运算符（如+或者%）和函数（如pow）对字面值（比如2或者"Hello"）进行处理而构建起来的。通过把简单的表达式联合起来可以建立更加复杂的表达式（如(2+2)*(3-1)）。表达式也可以包含变量。
- □ 变量。变量是一个名字，它表示某个值。通过x=2这样的赋值可以为变量赋予新的值。赋值也是一类语句。
- □ 语句。语句是告诉计算机做某些事情的指令。它可能涉及改变变量（通过赋值）、向屏幕打印内容（如print "Hello, world!"）、导入模块或者许多其他操作。
- □ 函数。Python中的函数就像数学中的函数：它们可以带有参数，并且返回值（第6章会介绍如何编写自定义函数，读者学习之后就会发现，在返回值之前可以做很多有趣的事情）。
- □ 模块。模块是一些对Python功能的扩展，它可以被导入到Python中。例如，math模块提供了很多有用的数学函数。

- □ 程序。本章之前的内容已经介绍过编写、保存和运行Python程序的实际操作了。
- □ 字符串。字符串非常简单——就是文本片段，不过，还有很多与字符串相关的知识需要了解。在本章中，你已经看到多种书写字符串的方法。第3章将会介绍更多字符串的使用方式。

### 1.12.1　本章的新函数

本章涉及的新函数如表1-2所示。

表1-2　本章的新函数

| 函　　数 | 描　　述 |
| --- | --- |
| abs(number) | 返回数字的绝对值 |
| cmath.sqrt(number) | 返回平方根，也可以应用于负数 |
| float(object) | 将字符串和数字转换为浮点数 |
| help() | 提供交互式帮助 |
| input(prompt) | 获取用户输入 |
| int(object) | 将字符串和数字转换为整数 |
| long(object) | 将字符串和数字转换为长整型数 |
| math.ceil(number) | 返回数的上入整数，返回值的类型为浮点数 |
| math.floor(number) | 返回数的下舍整数，返回值的类型为浮点数 |
| math.sqrt(number) | 返回平方根，不适用于负数 |
| pow(x, y[, z]) | 返回x的y次幂（所得结果对z取模） |
| raw_input(prompt) | 获取用户输入，结果被看做原始字符串 |
| repr(object) | 返回值的字符串表示形式 |
| round(number[, ndigits]) | 根据给定的精度对数字进行四舍五入 |
| str(object) | 将值转换为字符串 |

### 1.12.2　接下来学什么

表达式的基础知识已经讲解完毕，接下来要探讨更高级一点的内容：数据结构。你将学习到如何不再直接和简单的值（如数字）打交道，而是把它们集中起来处理，存储在更加复杂的结构中，如列表（list）和字典（dictionary）。另外，我们还将深入了解字符串。在第5章中，将会介绍更多有关语句的知识。之后，编写漂亮的程序就手到擒来了。

# 第 2 章

# 列表和元组

**本**章将引入一个新的概念：数据结构。数据结构是通过某种方式（例如对元素进行编号）组织在一起的数据元素的集合，这些数据元素可以是数字或者字符，甚至可以是其他数据结构。在Python中，最基本的数据结构是序列（sequence）。序列中的每个元素被分配一个序号——即元素的位置，也称为索引。第一个索引是0，第二个则是1，以此类推。

**注意** 日常生活中，对某些东西计数或者编号的时候，可能会从1开始。所以Python使用的编号机制可能看起来很奇怪，但这种方法其实非常自然。在后面的章节中可以看到，这样做的一个原因是也可以从最后一个元素开始计数：序列中的最后一个元素标记为 −1，倒数第二个元素为−2，以此类推。这就意味着我们可以从第一个元素向前或者向后计数了，第一个元素位于最开始，索引为0。使用一段时间后，读者就会习惯于这种计数方式了。

本章首先对序列作一个概览，接下来讲解对所有序列（包括元组和列表）都通用的操作。这些操作同样也适用于字符串。尽管下一章才会全面介绍有关字符串操作的内容，但是本章的一些例子已经用到了字符串操作。

在完成了基本介绍之后，会开始学习如何使用列表，同时看看它有什么特别之处。然后讨论元组。元组除了不能更改之外，其他的性质和列表都很类似。

## 2.1 序列概览

Python包含 6 种内建的序列，本章重点讨论最常用的两种类型：列表和元组。其他的内建序列类型有字符串（将在下一章再次讨论）、Unicode字符串、buffer对象和xrange对象。

列表和元组的主要区别在于，列表可以修改，元组则不能。也就是说如果要根据要求来添加元素，那么列表可能会更好用；而出于某些原因，序列不能修改的时候，使用元组则更为合适。使用后者的理由通常是技术性的，它与Python内部的运作方式有关。这也是内建函数会返回元组的原因。一般来说，在自己编写的程序中，几乎在所有的情况下都可以用列表替代元组（第4章将会介绍一个需要注意的例外情况：使用元组作为字典的键。在这种情况下，因为键不可修改，所以就不能使用列表）。

在需要操作一组数值的时候，序列很好用。可以用序列表示数据库中一个人的信息——第1

个元素是姓名，第 2 个元素是年龄。根据上述内容编写一个列表（列表的各个元素通过逗号分隔，写在方括号中），如下例所示：

```
>>> edward = ['Edward Gumby', 42]
```

同时，序列也可以包含其他的序列，因此，构建如下的一个人员信息的列表也是可以的，这个列表就是你的数据库：

```
>>> edward = ['Edward Gumby', 42]
>>> john = ['John Smith', 50]
>>> database = [edward, john]
>>> database
[['Edward Gumby', 42], ['John Smith', 50]]
```

注意　Python之中还有一种名为容器（container）的数据结构。容器基本上是包含其他对象的任意对象。序列（例如列表和元组）和映射（例如字典）是两类主要的容器。序列中的每个元素都有自己的编号，而映射中的每个元素则有一个名字（也称为键）。在第4章会介绍更多有关映射的知识。至于既不是序列也不是映射的容器类型，集合（set）就是一个例子，请参见第10章的相关内容。

## 2.2　通用序列操作

所有序列类型都可以进行某些特定的操作。这些操作包括：索引（indexing）、分片（slicing）、加（adding）、乘（multiplying）以及检查某个元素是否属于序列的成员（成员资格）。除此之外，Python还有计算序列长度、找出最大元素和最小元素的内建函数。

注意　本节有一个重要的操作没有提到——迭代（iteration）。对序列进行迭代的意思是：依次对序列中的每个元素重复执行某些操作。更多信息请参见5.5节。

### 2.2.1　索引

序列中的所有元素都是有编号的——从0开始递增。这些元素可以通过编号分别访问，如下例所示：

```
>>> greeting = 'Hello'
>>> greeting[0]
'H'
```

注意　字符串就是一个由字符组成的序列。索引0指向第1个元素，在这个例子中就是字母H。

这就是索引。可以通过索引获取元素。所有序列都可以通过这种方式进行索引。使用负数索引时，Python会从右边，也就是从最后1个元素开始计数。最后1个元素的位置编号是-1（不是-0，因为那会和第1个元素重合）：

```
>>> greeting[-1]
'o'
```

字符串字面值（就此而言，其他序列字面量亦可）能够直接使用索引，而不需要一个变量引用它们。两种做法的效果是一样的：

```
>>> 'Hello'[1]
'e'
```

如果一个函数调用返回一个序列，那么可以直接对返回结果进行索引操作。例如，假设你只对用户输入年份的第4个数字感兴趣，那么，可以进行如下操作：

```
>>> fourth = raw_input('Year: ')[3]
Year: 2005
>>> fourth
'5'
```

代码清单2-1是一个示例程序，它要求输入年、月（1～12的数字）、日（1～31），然后打印出相应日期的月份名称，等等。

**代码清单2-1　索引示例**

```
# 根据给定的年月日以数字形式打印出日期
months = [
    'January',
    'February',
    'March',
    'April',
    'May',
    'June',
    'July',
    'August',
    'September',
    'October',
    'November',
    'December'
]

# 以1～31的数字作为结尾的列表
endings = ['st', 'nd', 'rd'] + 17 * ['th'] \
        + ['st', 'nd', 'rd'] + 7 * ['th'] \
        + ['st']

year    = raw_input('Year: ')
month   = raw_input('Month (1-12): ')
day     = raw_input('Day (1-31): ')

month_number = int(month)
day_number = int(day)

#记得要将月份和天数减1，以获得正确的索引
month_name = months[month_number-1]
ordinal = day + endings[day_number-1]

print month_name + ' ' + ordinal + ', ' + year
```

以下是程序执行的一部分结果：

```
Year: 1974
Month (1-12): 8
Day (1-31): 16
August 16th, 1974
```

最后一行是程序的输出。

## 2.2.2 分片

与使用索引来访问单个元素类似，可以使用分片操作来访问一定范围内的元素。分片通过冒号隔开的两个索引来实现：

```
>>> tag = '<a href="http://www.python.org">Python web site</a>'
>>> tag[9:30]
'http://www.python.org'
>>> tag[32:-4]
'Python web site'
```

分片操作对于提取序列的一部分是很有用的。而编号在这里显得尤为重要。第1个索引是要提取的第1个元素的编号，而最后的索引则是分片之后剩余部分的第1个元素的编号。请参见如下代码：

```
>>> numbers = [1, 2, 3, 4, 5, 6, 7, 8, 9, 10]
>>> numbers[3:6]
[4, 5, 6]
>>> numbers[0:1]
[1]
```

简而言之，分片操作的实现需要提供两个索引作为边界，第1个索引的元素是包含在分片内的，而第2个则不包含在分片内。

### 1. 优雅的捷径

假设需要访问最后3个元素（根据先前的例子），那么当然可以进行显式的操作：

```
>>> numbers[7:10]
[8, 9, 10]
```

现在，索引10指向的是第11个元素——这个元素并不存在，却是在最后一个元素之后[①]。明白了吗？

现在，这样的做法是可行的。但是，如果需要从列表的结尾开始计数呢？

```
>>> numbers[-3:-1]
[8, 9]
```

看来并不能以这种方式访问最后的元素。那么使用索引0作为最后一步的下一步操作所使用的元素，结果又会怎样呢？

```
>>> numbers[-3:0]
[]
```

这并不是我们所要的结果。实际上，只要分片中最左边的索引比它右边的晚出现在序列中（在这个例子中是倒数第3个比第1个晚出现），结果就是一个空的序列。幸好，可以使用一个捷径：如果分片所得部分包括序列结尾的元素，那么，只需置空最后一个索引即可：

```
>>> numbers[-3:]
[8, 9, 10]
```

---

① 为了让分片部分能够包含列表的最后一个元素，必须提供最后一个元素的下一个元素所对应的索引作为边界。

这种方法同样适用于序列开始的元素：

```
>>> numbers[:3]
[1, 2, 3]
```

实际上，如果需要复制整个序列，可以将两个索引都置空：

```
>>> numbers[:]
[1, 2, 3, 4, 5, 6, 7, 8, 9, 10]
```

代码清单2-2是一个小程序，它会提示输入URL(假设它的形式为http://www.somedomainname.com)，然后提取域名。

**代码清单2-2　分片示例**

```
# 对http://www.something.com形式的URL进行分割

url = raw_input('Please enter the URL: ')
domain = url[11:-4]

print "Domain name: " + domain
```

以下是程序运行的示例：

```
Please enter the URL: http://www.python.org
Domain name: python
```

### 2. 更大的步长

进行分片的时候，分片的开始和结束点需要进行指定（不管是直接还是间接）。而另外一个参数（在Python 2.3加入到内建类型）——步长（step length）——通常都是隐式设置的。在普通的分片中，步长是1——分片操作就是按照这个步长逐个遍历序列的元素，然后返回开始和结束点之间的所有元素。

```
>>> numbers[0:10:1]
[1, 2, 3, 4, 5, 6, 7, 8, 9, 10]
```

在这个例子中，分片包含了另外一个数字。没错，这就是步长的显式设置。如果步长被设置为比1大的数，那么就会跳过某些元素。例如，步长为2的分片包括的是从开始到结束每隔1个的元素。

```
>>> numbers[0:10:2]
[1, 3, 5, 7, 9]
numbers[3:6:3]
[4]
```

之前提及的捷径也可以使用。如果需要将每4个元素中的第1个提取出来，那么只要将步长设置为4即可：

```
>>> numbers[::4]
[1, 5, 9]
```

当然，步长不能为0（那不会执行），但步长可以是负数，此时分片从右到左提取元素：

```
>>> numbers[8:3:-1]
[9, 8, 7, 6, 5]
>>> numbers[10:0:-2]
```

```
[10, 8, 6, 4, 2]
>>> numbers[0:10:-2]
[]
>>> numbers[::-2]
[10, 8, 6, 4, 2]
>>> numbers[5::-2]
[6, 4, 2]
>>> numbers[:5:-2]
[10, 8]
```

在这里要得到正确的分片结果需要动些脑筋。开始点的元素（最左边元素）包括在结果之中，而结束点的元素（最右边的元素）则不在分片之内。当使用一个负数作为步长时，必须让开始点（开始索引）大于结束点。在没有明确指定开始点和结束点的时候，正负数的使用可能会带来一些混淆。不过在这种情况下Python会进行正确的操作：对于一个正数步长，Python会从序列的头部开始向右提取元素，直到最后一个元素；而对于负数步长，则是从序列的尾部开始向左提取元素，直到第一个元素。

### 2.2.3 序列相加

通过使用加运算符可以进行序列的连接操作：

```
>>> [1, 2, 3] + [4, 5, 6]
[1, 2, 3, 4, 5, 6]
>>> 'Hello, ' + 'world!'
'Hello, world!'
>>> [1, 2, 3] + 'world!'
Traceback (innermost last):
  File "<pyshell#2>", line 1, in ?
    [1, 2, 3] + 'world!'
TypeError: can only concatenate list (not "string") to list
```

正如错误信息所提示的，列表和字符串是无法连接在一起的，尽管它们都是序列。简单来说，两种相同类型的序列才能进行连接操作。

### 2.2.4 乘法

用数字*x*乘以一个序列会生成新的序列，而在新的序列中，原来的序列将被重复*x*次。

```
>>> 'python' * 5
'pythonpythonpythonpythonpython'
>>> [42] * 10
[42, 42, 42, 42, 42, 42, 42, 42, 42, 42]
```

**None、空列表和初始化**

空列表可以简单地通过两个中括号进行表示（[]）——里面什么东西都没有。但是，如果想创建一个占用十个元素空间，却不包括任何有用内容的列表，又该怎么办呢？可以像前面那样使用[42]*10，或者使用[0]*10，这会更加实际一些。这样就生成了一个包括10个0的列表。然而，有时候可能会需要一个值来代表空值——意味着没有在里面放置任何元素。这个时候就需要使用None。None 是一个Python的内建值，它的确切含意是"这里什么也没有"。因此，如果想初始化一个长度为10的列表，可以按照下面的例子来实现：

```
>>> sequence = [None] * 10
>>> sequence
[None, None, None, None, None, None, None, None, None, None]
```

代码清单2-3的程序会在屏幕上打印一个由字符组成的"盒子"，而这个"盒子"在屏幕上居中而且能根据用户输入的句子自动调整大小。

代码可能看起来很复杂，但只使用基本的算法——计算出有多少空格、破折号等字符，然后将它们放置到合适的位置即可。

**代码清单2-3    序列（字符串）乘法示例**

```
# 以正确的宽度在居中的"盒子"内打印一个句子

# 注意，整数除法运算符（//）只能用在Python 2.2以及后续版本，在之前的版本中，只使用普通除法（/）

sentence = raw_input("Sentence: ")

screen_width = 80
text_width = len(sentence)
box_width = text_width + 6
left_margin = (screen_width - box_width) // 2

print
print ' ' * left_margin + '+'  + '-' * (box_width-2) +  '+'
print ' ' * left_margin + '| ' + ' ' * text_width    + ' |'
print ' ' * left_margin + '| ' +        sentence      + ' |'
print ' ' * left_margin + '| ' + ' ' * text_width    + ' |'
print ' ' * left_margin + '+'  + '-' * (box_width-2) +  '+'
print
```

下面是该例子的运行情况：

```
Sentence: He's a very naughty boy!
                    +-------------------------+
                    |                         |
                    | He's a very naughty boy! |
                    |                         |
                    +-------------------------+
```

## 2.2.5  成员资格

为了检查一个值是否在序列中，可以使用in运算符。该运算符和之前已经讨论过的（例如+、*运算符）有一点不同。这个运算符检查某个条件是否为真，然后返回相应的值：条件为真返回True，条件为假返回False。这样的运算符叫做布尔运算符，而返回的值叫做布尔值。第5章的条件语句部分会介绍更多关于布尔表达式的内容。

以下是一些使用了in运算符的例子：

```
>>> permissions = 'rw'
>>> 'w' in permissions
True
>>> 'x' in permissions
False
>>> users = ['mlh', 'foo', 'bar']
```

```
>>> raw_input('Enter your user name: ') in users
Enter your user name: mlh
True
>>> subject = '$$$ Get rich now!!! $$$'
>>> '$$$' in subject
True
```

最初的两个例子使用了成员资格测试分别来检查'w'和'x'是否出现在字符串permissions中。在UNIX系统中，这两行代码可以作为查看文件可写和可执行权限的脚本。接下来的例子则是检查所提供的用户名mlh是否在用户列表中。如果程序需要执行某些安全策略，那么这个检查就派上用场了（在这种情况下，可能还需要使用密码）。最后一个例子可以作为垃圾邮件过滤器的一部分，它可以检查字符串subject是否包含字符串'$$$'。

---

**注意** 最后一个检查字符串是否包含'$$$'的例子有些不同。一般来说，in运算符会检查一个对象是否为某个序列（或者是其他的数据集合）的成员（也就是元素）。然而，字符串唯一的成员或者元素就是它的字符。下面的例子就说明了这一点：

```
>>> 'P' in 'Python'
True
```

实际上，在早期的Python版本中，以上代码是唯一能用于字符串成员资格检查的方法——也就是检查某个字符是否存在于一个字符串中。如果尝试去检查更长的子字符串（例如'$$$'），那么会得到一个错误信息（这个操作会引发TypeError，即类型错误）。为了实现这个功能，我们必须使用相关的字符串方法。第3章会介绍更多相关的内容。但是从Python 2.3起，in运算符也能实现这个功能了。

---

代码清单2-4给出了一个查看用户输入的用户名和PIN码是否存在于数据库（实际上是一个列表）中的程序。如果用户名/PIN码这一数值对存在于数据库中，那么就在屏幕上打印'Access granted'（第1章已经提到过if语句，第5章还将对其进行全面讲解）。

**代码清单2-4　序列成员资格示例**

```
# 检查用户名和PIN码

database = [
    ['albert', '1234'],
    ['dilbert', '4242'],
    ['smith', '7524'],
    ['jones', '9843']
]
username = raw_input('User name: ')
pin = raw_input('PIN code: ')

if [username, pin] in database: print 'Access granted'
```

## 2.2.6　长度、最小值和最大值

内建函数len、min和max非常有用。len函数返回序列中所包含元素的数量，min函数和max函数则分别返回序列中最大和最小的元素（在第5章的"比较运算符"部分会更加详细地介绍对象比较的内容）。

```
>>> numbers = [100, 34, 678]
>>> len(numbers)
3
>>> max(numbers)
678
>>> min(numbers)
34
>>> max(2, 3)
3
>>> min(9, 3, 2, 5)
2
```

根据上述解释，我们可以很容易地理解例子中的各个操作是如何实现的，除了最后两个表达式可能会让人有些迷惑。在这里，max函数和min函数的参数并不是一个序列，而是以多个数字直接作为参数。

## 2.3    列表：Python 的"苦力"

在前面的例子中已经用了很多次列表，它的强大之处不言而喻。本节会讨论列表不同于元组和字符串的地方：列表是可变的——可以改变列表的内容，并且列表有很多有用的、专门的方法。

### 2.3.1    list函数

因为字符串不能像列表一样被修改，所以有时根据字符串创建列表会很有用。list函数[①]可以实现这个操作：

```
>>> list('Hello')
['H', 'e', 'l', 'l', 'o']
```

注意，list函数适用于所有类型的序列，而不只是字符串。

---

提示　可以用下面的表达式将一个由字符（如前面代码中的）组成的列表转换为字符串：

　　''.join(somelist)

　　在这里，somelist是需要转换的列表。要了解这行代码真正的含义，请参考第3章有关join函数的部分。

---

### 2.3.2    基本的列表操作

列表可以使用所有适用于序列的标准操作，例如索引、分片、连接和乘法。有趣的是，列表是可以修改的。本节会介绍一些可以改变列表的方法：元素赋值、元素删除、分片赋值以及列表方法（请注意，并不是所有的列表方法都真正地改变列表）。

#### 1. 改变列表：元素赋值

改变列表是很容易的，只需要使用第1章提到的普通赋值语句即可。然而，我们并不会使用x=2这样的语句进行赋值，而是使用索引标记来为某个特定的、位置明确的元素赋值，如x[1]=2。

---

① 它实际上是一种类型而不是函数，但在这里两者的区别并不重要。

```
>>> x = [1, 1, 1]
>>> x[1] = 2
>>> x
[1, 2, 1]
```

**注意** 不能为一个位置不存在的元素进行赋值。如果的列表长度为2，那么不能为索引为100的元素进行赋值。如果要那样做，就必须创建一个长度为101（或者更长）的列表。请参考本章 "None、空列表和初始化" 一节。

### 2. 删除元素

从列表中删除元素也很容易：使用del语句来实现。

```
>>> names = ['Alice', 'Beth', 'Cecil', 'Dee-Dee', 'Earl']
>>> del names[2]
>>> names
['Alice', 'Beth', 'Dee-Dee', 'Earl']
```

注意Cecil是如何彻底消失的，并且列表的长度也从5变为了4。除了删除列表中的元素，del语句还能用于删除其他元素。它可以用于字典元素（请参考第4章）甚至是其他变量的删除操作，有关这方面的详细介绍，请参见第5章。

### 3. 分片赋值

分片是一个非常强大的特性，分片赋值操作则更加显现它的强大。

```
>>> name = list('Perl')
>>> name
['P', 'e', 'r', 'l']
>>> name[2:] = list('ar')
>>> name
['P', 'e', 'a', 'r']
```

程序可以一次为多个元素赋值了。可能有的读者会想：这有什么大不了的，难道就不能一次一个地赋值吗？当然可以，但是在使用分片赋值时，可以使用与原序列不等长的序列将分片替换：

```
>>> name = list('Perl')
>>> name[1:] = list('ython')
>>> name
['P', 'y', 't', 'h', 'o', 'n']
```

分片赋值语句可以在不需要替换任何原有元素的情况下插入新的元素。

```
>>> numbers = [1, 5]
>>> numbers[1:1] = [2, 3, 4]
>>> numbers
[1, 2, 3, 4, 5]
```

这个程序只是 "替换" 了一个空的分片，因此实际的操作是插入了一个序列。以此类推，通过分片赋值来删除元素也是可行的。

```
>>> numbers
[1, 2, 3, 4, 5]
>>> numbers[1:4] = []
>>> numbers
[1, 5]
```

上面例子的结果和del numbers[1:4]的一样。接下来请读者自己尝试利用1之外的步长,甚至是负数进行分片吧。

### 2.3.3    列表方法

之前的章节中已经介绍了什么是函数,那么现在来看看另外一个与函数密切相关的概念——方法。

方法是一个与某些对象有紧密联系的函数,对象可能是列表、数字,也可能是字符串或者其他类型的对象。一般来说,方法可以这样进行调用:

对象.方法(参数)

除了对象被放置到方法名之前,并且两者之间用一个点号隔开,方法调用与函数调用很类似。第7章将对方法到底是什么进行更详细的解释。列表提供了几个方法,用于检查或者修改其中的内容。

**1. append**

append方法用于在列表末尾追加新的对象:

```
>>> lst = [1, 2, 3]
>>> lst.append(4)
>>> lst
[1, 2, 3, 4]
```

为什么我选择了如此糟糕的变量名lst,而不是使用list来表示一个列表呢?原因在于list是一个内建函数①。如果使用list作为变量名,我就无法调用list函数了。根据给定的应用程序可以定义更好的变量名,像lst这样的变量名是毫无意义的。所以,如果需要定义一个价格列表,那么就应该使用prices、prices_of_eggs,或者 pricesOfEggs作为变量名。

注意,下面的内容很重要:append方法和其他一些方法类似,只是在恰当位置修改原来的列表。这意味着,它不是简单地返回一个修改过的新列表——而是直接修改原来的列表。一般来说这正是你想要的,但是在某些情况下,这样也会带来其他的麻烦。在本章稍后讲述sort方法时,我将再次讨论这个问题。

**2. count**

count方法统计某个元素在列表中出现的次数:

```
>>> ['to', 'be', 'or', 'not', 'to', 'be'].count('to')
2
>>> x = [[1, 2], 1, 1, [2, 1, [1, 2]]]
>>> x.count(1)
2
>>> x.count([1, 2])
1
```

**3. extend**

extend方法可以在列表的末尾一次性追加另一个序列中的多个值。换句话说,可以用新列表

---

① 实际上,从Python 2.2开始,list就是一个类型而不是函数了。(tuple和str也是如此。)如果想了解完整说明,请参见9.3.2 节。

扩展原有的列表：

```
>>> a = [1, 2, 3]
>>> b = [4, 5, 6]
>>> a.extend(b)
>>> a
[1, 2, 3, 4, 5, 6]
```

这个操作看起来很像连接操作，两者最主要区别在于：extend方法修改了被扩展的序列（在这个例子中，就是a）。而原始的连接操作则不然，它会返回一个全新的列表：

```
>>> a = [1, 2, 3]
>>> b = [4, 5, 6]
>>> a + b
[1, 2, 3, 4, 5, 6]
>>> a
[1, 2, 3]
```

你可以看到被连接的列表与之前例子中被扩展的列表是一样的，但是这一次它并没有被修改。这是因为原始的连接操作创建了一个包含了a和b副本的新列表。如果需要如下例所示的操作，那么连接操作的效率会比extend方法低。

```
>>> a = a + b
```

同样，这里也不是一个原位置操作，它并不会修改原来的列表。

我们可以使用分片赋值来实现相同的结果：

```
>>> a = [1, 2, 3]
>>> b = [4, 5, 6]
>>> a[len(a):] = b
>>> a
[1, 2, 3, 4, 5, 6]
```

虽然这么做是可行的，但是代码的可读性就不如使用extend方法了。

**4. index**

index方法用于从列表中找出某个值第一个匹配项的索引位置：

```
>>> knights = ['We', 'are', 'the', 'knights', 'who', 'say', 'ni']
>>> knights.index('who')
4
>>> knights.index('herring')
Traceback (innermost last):
  File "<pyshell#76>", line 1, in ?
    knights.index('herring')
ValueError: list.index(x): x not in list
```

当搜索单词who的时候，就会发现它在索引号为4的位置：

```
>>> knights[4]
'who'
```

然而，当搜索herring的时候，就会引发一个异常，因为这个单词没有被找到。

**5. insert**

insert方法用于将对象插入到列表中：

```
>>> numbers = [1, 2, 3, 5, 6, 7]
>>> numbers.insert(3, 'four')
```

```
>>> numbers
[1, 2, 3, 'four', 5, 6, 7]
```

与extend方法一样，insert方法的操作也可以用分片赋值来实现。

```
>>> numbers = [1, 2, 3, 5, 6, 7]
>>> numbers[3:3] = ['four']
>>> numbers
[1, 2, 3, 'four', 5, 6, 7]
```

这样做有点新奇，但是它的可读性绝对不如insert方法。

### 6. pop

pop方法会移除列表中的一个元素（默认是最后一个），并且返回该元素的值：

```
>>> x = [1, 2, 3]
>>> x.pop()
3
>>> x
[1, 2]
>>> x.pop(0)
1
>>> x
[2]
```

**注意**　pop方法是唯一一个既能修改列表又返回元素值（除了None）的列表方法。

使用pop方法可以实现一种常见的数据结构——栈。栈的原理就像堆放盘子那样。只能在顶部放一个盘子，同样，也只能从顶部拿走一个盘子。最后被放入堆栈的最先被移除（这个原则称为LIFO，即后进先出）。

对于上述两个栈操作(放入和移出)，它们有大家都认可的称谓——入栈(push)和出栈(pop)。Python没有入栈方法，但可以使用append方法来代替。pop方法和append方法的操作结果恰好相反，如果入栈（或者追加）刚刚出栈的值，最后得到的结果还是原来的栈。

```
>>> x = [1, 2, 3]
>>> x.append(x.pop())
>>> x
[1, 2, 3]
```

**提示**　如果需要实现一个先进先出（FIFO）的队列（queue），那么可以使用insert(0,...)来代替append方法。或者，也可以继续使用append方法，但必须用pop(0)来代替pop()。更好的解决方案是使用collection模块中的deque对象。要了解更详细的信息，请参见第10章。

### 7. remove

remove方法用于移除列表中某个值的第一个匹配项：

```
>>> x = ['to', 'be', 'or', 'not', 'to', 'be']
>>> x.remove('be')
>>> x
['to', 'or', 'not', 'to', 'be']
>>> x.remove('bee')
Traceback (innermost last):
```

```
   File "<pyshell#3>", line 1, in ?
      x.remove('bee')
ValueError: list.remove(x): x not in list
```

可以看到：只有第一次出现的值被移除了，而不存在于列表中的值（比如例子中的“bee”）是不会移除的。

值得注意的是，remove是一个没有返回值的原位置改变方法。它修改了列表却没有返回值，这与pop方法相反。

### 8. reverse

reverse方法将列表中的元素反向存放（我猜你们对此不会特别惊讶）：

```
>>> x = [1, 2, 3]
>>> x.reverse()
>>> x
[3, 2, 1]
```

请注意，该方法也改变了列表但不返回值（就像remove和sort）。

---

**提示**　如果需要对一个序列进行反向迭代，那么可以使用reversed函数。这个函数并不返回一个列表，而是返回一个迭代器（iterator）对象（第9章介绍了更多关于迭代器的内容）。尽管如此，使用list函数把返回的对象转换成列表也是可行的：

```
>>> x = [1, 2, 3]
>>> list(reversed(x))
[3, 2, 1]
```

---

### 9. sort

sort方法用于在原位置①对列表进行排序。在“原位置排序”意味着改变原来的列表，从而让其中的元素能按一定的顺序排列，而不是简单地返回一个已排序的列表副本。

```
>>> x = [4, 6, 2, 1, 7, 9]
>>> x.sort()
>>> x
[1, 2, 4, 6, 7, 9]
```

前面介绍过了几个改变列表却不返回值的方法，在大多数情况下这样的行为方式是很合理的（例如append方法）。但是，sort方法的这种行为方式需要重点讲解一下，因为很多人都被sort方法弄糊涂了。当用户需要一个排好序的列表副本，同时又保留原列表不变的时候，问题就出现了。为了实现这个功能，我们自然而然就想到了如下的做法（实际是错误的）：

```
>>> x = [4, 6, 2, 1, 7, 9]
>>> y = x.sort() # Don't do this!
>>> print y
None
```

因为sort方法修改了x却返回了空值，那么最后得到的是已排序的x以及值为None的y。实现这个功能的正确方法是，首先把x的副本赋值给y，然后对y进行排序，如下例所示：

```
>>> x = [4, 6, 2, 1, 7, 9]
```

---

① 从Python 2.3开始，sort方法使用了固定的排序算法，你对此可能感兴趣。

```
>>> y = x[:]
>>> y.sort()
>>> x
[4, 6, 2, 1, 7, 9]
>>> y
[1, 2, 4, 6, 7, 9]
```

再次调用x[:]得到的是包含了x所有元素的分片，这是一种很有效率的复制整个列表的方法。只是简单地把x赋值给y是没用的，因为这样做就让x和y都指向同一个列表了。

```
>>> y = x
>>> y.sort()
>>> x
[1, 2, 4, 6, 7, 9]
>>> y
[1, 2, 4, 6, 7, 9]
```

另一种获取已排序的列表副本的方法是，使用sorted函数：

```
>>> x = [4, 6, 2, 1, 7, 9]
>>> y = sorted(x)
>>> x
[4, 6, 2, 1, 7, 9]
>>> y
[1, 2, 4, 6, 7, 9]
```

这个函数实际上可以用于任何序列，却总是返回一个列表：[1]

```
>>> sorted('Python')
['h', 'n', 'o', 'P', 't', 'y']
```

如果想把一些元素按相反的顺序排列，可以先使用sort（或者sorted），然后再调用reverse方法，[2] 或者也可以使用reverse参数，下一节将对此进行描述。

**10. 高级排序**

如果希望元素能按照特定的方式进行排序（而不是sort函数默认的方式，即根据Python的默认排序规则按升序排列元素，第5章内对此进行讲解），那么可以通过compare(x,y)的形式自定义比较函数。compare(x,y)函数会在x < y时返回负数，在x > y时返回正数，如果x = y则返回0（根据你的定义）。定义好该函数之后，就可以提供给sort方法作为参数了。内建函数cmp提供了比较函数的默认实现方式：

```
>>> cmp(42, 32)
1
>>> cmp(99, 100)
-1
>>> cmp(10, 10)
0
>>> numbers = [5, 2, 9, 7]
>>> numbers.sort(cmp)
>>> numbers
[2, 5, 7, 9]
```

sort方法有另外两个可选的参数——key和reverse。如果要使用它们，那么就要通过名字来

---

① sorted函数可以用于任何可迭代的对象。有关可迭代对象的详细内容，请参见第9章。
② 注意，需要分两次对列表调用sort方法以及reverse方法。如果打算通过x.sort().reverse()来实现，会发现行不通，因为x.sort()返回的是None。当然，sorted(x).reverse()是正确的做法。——译者注

指定（这叫做关键字参数，请参见第6章以了解更多的内容）。参数key与参数cmp类似——必须提供一个在排序过程中使用的函数。然而，该函数并不是直接用来确定对象的大小，而是为每个元素创建一个键，然后所有元素根据键来排序。因此，如果要根据元素的长度进行排序，那么可以使用len作为键函数：

```
>>> x = ['aardvark', 'abalone', 'acme', 'add', 'aerate']
>>> x.sort(key=len)
>>> x
['add', 'acme', 'aerate', 'abalone', 'aardvark']
```

另一个关键字参数reverse是简单的布尔值（True或者是False。第5章会讲述更详细的内容），用来指明列表是否要进行反向排序。

```
>>> x = [4, 6, 2, 1, 7, 9]
>>> x.sort(reverse=True)
>>> x
[9, 7, 6, 4, 2, 1]
```

cmp、key、reverse参数都可以用于sorted函数。在多数情况下，为cmp或key提供自定义函数是非常有用的。第6章将会讲述如何定义自己的函数。

---

**提示** 如果想了解更多有关排序的内容，可以查看Andrew Dalke的"Sorting Mini-HOWTO"，链接是：http://wiki.python.org/moin/HowTo/Sorting。

---

## 2.4 元组：不可变序列

元组与列表一样，也是一种序列。唯一的不同是元组不能修改。[①]（你可能注意到了，字符串也是如此。）创建元组的语法很简单：如果你用逗号分隔了一些值，那么你就自动创建了元组。

```
>>> 1, 2, 3
(1, 2, 3)
```

元组也是（大部分时候是）通过圆括号括起来的：

```
>>> (1, 2, 3)
(1, 2, 3)
```

空元组可以用没有包含内容的两个圆括号来表示：

```
>>> ()
()
```

那么如何实现包括一个值的元组呢。实现方法有些奇特——必须加个逗号，即使只有一个值：

```
>>> 42
42
>>> 42,
(42,)
>>> (42,)
(42,)
```

---

① 元组和列表在技术实现上有一些不同，但是在实际使用时，可能不会注意到。而且，元组没有像列表一样的方法。别问我为什么。

最后两个例子生成了一个长度为1的元组，而第一个例子根本不是元组。逗号是很重要的，只添加圆括号也是没用的：(42)和42是完全一样的。但是，一个逗号却能彻底地改变表达式的值：

```
>>> 3*(40+2)
126
>>> 3*(40+2,)
(42, 42, 42)
```

## 2.4.1  tuple函数

tuple函数的功能与list函数基本上是一样的：以一个序列作为参数并把它转换为元组。[①]如果参数就是元组，那么该参数就会被原样返回：

```
>>> tuple([1, 2, 3])
(1, 2, 3)
>>> tuple('abc')
('a', 'b', 'c')
>>> tuple((1, 2, 3))
(1, 2, 3)
```

## 2.4.2  基本元组操作

元组其实并不复杂——除了创建元组和访问元组元素之外，也没有太多其他操作，可以参照其他类型的序列来实现：

```
>>> x = 1, 2, 3
>>> x[1]
2
>>> x[0:2]
(1, 2)
```

元组的分片还是元组，就像列表的分片还是列表一样。

## 2.4.3  那么，意义何在

现在你可能会想到底有谁会需要像元组那样的不可变序列呢？难道就不能在不改变其中内容的时候坚持只用列表吗？一般来说这是可行的。但是由于以下两个重要的原因，元组是不可替代的。

- 元组可以在映射（和集合的成员）中当作键使用——而列表则不行（本章导言部分提到过映射，更多有关映射的内容，请参看第4章）。
- 元组作为很多内建函数和方法的返回值存在，也就是说你必须对元组进行处理。只要不尝试修改元组，那么，"处理"元组在绝大多数情况下就是把它们当作列表来进行操作（除非需要使用一些元组没有的方法，例如index和count）。

一般来说，列表可能更能满足对序列的所有需求。

---

① tuple并不是真正的函数——而是一种类型。在之前讲述list函数的时候，我也提到了这一点。同时，与list函数一样，目前也可以放心地忽略这一点。

## 2.5 小结

让我们回顾本章所涵盖的一些最重要的内容。

- **序列**。序列是一种数据结构，它包含的元素都进行了编号（从0开始）。典型的序列包括列表、字符串和元组。其中，列表是可变的（可以进行修改），而元组和字符串是不可变的（一旦创建了就是固定的）。通过分片操作可以访问序列的一部分，其中分片需要两个索引号来指出分片的起始和结束位置。要想改变列表，则要对相应的位置进行赋值，或者使用赋值语句重写整个分片。
- **成员资格**。in操作符可以检查一个值是否存在于序列（或者其他的容器）中。对字符串使用in操作符是一个特例，它可以查找子字符串。
- **方法**。一些内建类型（例如列表和字符串，元组则不在其中）具有很多有用的方法。这些方法有些像函数，不过它们与特定值联系得更密切。方法是面向对象编程的一个重要的概念，稍后的第7章中会对其进行讨论。

### 2.5.1 本章的新函数

本章涉及的新函数如表2-1所示。

表2-1 本章的新函数

| 函　　数 | 描　　述 |
| --- | --- |
| cmp(x, y) | 比较两个值 |
| len(seq) | 返回序列的长度 |
| list(seq) | 把序列转换成列表 |
| max(args) | 返回序列或者参数集合中的最大值 |
| min(args) | 返回序列或者参数集合中的最小值 |
| reversed(seq) | 对序列进行反向迭代 |
| sorted(seq) | 返回已排序的包含seq所有元素的列表 |
| tuple(seq) | 把序列转换成元组 |

### 2.5.2 接下来学什么

序列已经介绍完了，下一章会继续介绍由字符组成的序列，即字符串。

# 第 3 章

# 使用字符串

**3**

**读**者已经知道什么是字符串，也知道如何创建它们。利用索引和分片访问字符串中的单个字符也已经不在话下了。那么本章将会介绍如何使用字符串格式化其他的值（如打印特殊格式的字符串），并简单了解一下利用字符串的分割、连接、搜索等方法能做些什么。

## 3.1　基本字符串操作

所有标准的序列操作（索引、分片、乘法、判断成员资格、求长度、取最小值和最大值）对字符串同样适用，上一章已经讲述了这些操作。但是，请记住字符串都是不可变的。因此，如下所示的项或分片赋值都是不合法的：

```
>>> website = 'http://www.python.org'
>>> website[-3:] = 'com'
Traceback (most recent call last):
  File "<pyshell#19>", line 1, in ?
    website[-3:] = 'com'
TypeError: object doesn't support slice assignment
```

## 3.2　字符串格式化：精简版

如果初次接触Python编程，那么Python提供的所有字符串格式化功能可能用不到太多。因此，这里只简单介绍一些主要的内容。如果读者对细节感兴趣，可以参见下一节，否则可以直接阅读3.4节。

字符串格式化使用字符串格式化操作符（这个名字还是很恰当的）即百分号%来实现。

---

**注意**　%也可以用作模运算（求余）操作符。

---

在%的左侧放置一个字符串（格式化字符串），而右侧则放置希望被格式化的值。可以使用一个值，如一个字符串或者数字，也可以使用多个值的元组或者下一章将会讨论的字典（如果希望格式化多个值的话），这部分内容将在下一章进行讨论。一般情况下使用元组：

```
>>> format = "Hello, %s. %s enough for ya?"
>>> values = ('world', 'Hot')
>>> print format % values
Hello, world. Hot enough for ya?
```

**注意**　如果使用列表或者其他序列代替元组，那么序列会被解释为一个值。只有元组和字典（将在第4章讨论）可以格式化一个以上的值。

格式化字符串的%s部分称为转换说明符（conversion specifier），它们标记了需要插入转换值的位置。s表示值会被格式化为字符串——如果不是字符串，则会用str将其转换为字符串。这个方法对大多数值都有效。其他转换说明符请参见本章后面的表3-1。

**注意**　如果要在格式化字符串里面包括百分号，那么必须使用%%，这样Python就不会将百分号误认为是转换说明符了。

如果要格式化实数（浮点数），可以使用f说明转换说明符的类型，同时提供所需要的精度：一个句点再加上希望保留的小数位数。因为格式化转换说明符总是以表示类型的字符结束，所以精度应该放在类型字符前面：

```
>>> format = "Pi with three decimals: %.3f"
>>> from math import pi
>>> print format % pi
Pi with three decimals: 3.142
```

---

### 模板字符串

string模块提供另外一种格式化值的方法：模板字符串。它的工作方式类似于很多UNIX Shell里的变量替换。如下所示，substitute这个模板方法会用传递进来的关键字参数foo替换字符串中的$foo（有关关键字参数的详细信息，请参看第6章）：

```
>>> from string import Template
>>> s = Template('$x, glorious $x!')
>>> s.substitute(x='slurm')
'slurm, glorious slurm!'
```

如果替换字段是单词的一部分，那么参数名就必须用括号括起来，从而准确指明结尾：

```
>>> s = Template("It's ${x}tastic!")
>>> s.substitute(x='slurm')
"It's slurmtastic!"
```

可以使用$$插入美元符号：

```
>>> s = Template("Make $$ selling $x!")
>>> s.substitute(x='slurm')
'Make $ selling slurm!'
```

除了关键字参数之外，还可以使用字典变量提供值/名称对（参见第4章）。

```
>>> s = Template('A $thing must never $action.')
>>> d = {}
>>> d['thing'] = 'gentleman'
>>> d['action'] = 'show his socks'
>>> s.substitute(d)
'A gentleman must never show his socks.'
```

方法safe_substitute不会因缺少值或者不正确使用$字符而出错。[1]

---

[1] 更多信息请参见Python库参考手册的4.1.2节。

## 3.3    字符串格式化：完整版

格式化操作符的右操作数可以是任意类型，如果是元组或者映射类型（如字典），那么字符串格式化将会有所不同。我们尚未涉及映射（如字典），在此先了解一下元组。第4章还会详细介绍映射的格式化。

如果右操作数是元组的话，则其中的每一个元素都会被单独格式化，每个值都需要一个对应的转换说明符。

> **注意**    如果需要转换的元组作为转换表达式的一部分存在，那么必须将它用圆括号括起来，以避免出错。
>
> ```
> >>> '%s plus %s equals %s' % (1, 1, 2)
> '1 plus 1 equals 2'
> >>> '%s plus %s equals %s' % 1, 1, 2 # Lacks parentheses!
> Traceback (most recent call last):
>   File "<stdin>", line 1, in ?
> TypeError: not enough arguments for format string
> ```

基本的转换说明符（与此相对应的是完整的转换说明符，也就是包括映射键的说明符，详细内容参见第4章）包括以下部分。注意，这些项的顺序是至关重要的。

(1) **%字符**：标记转换说明符的开始。

(2) **转换标志**（可选）：- 表示左对齐；+ 表示在转换值之前要加上正负号；" "（空白字符）表示正数之前保留空格；0 表示转换值若位数不够则用0填充。

(3) **最小字段宽度**（可选）：转换后的字符串至少应该具有该值指定的宽度。如果是*，则宽度会从值元组中读出。

(4) **点（.）后跟精度值**（可选）：如果转换的是实数，精度值就表示出现在小数点后的位数。如果转换的是字符串，那么该数字就表示最大字段宽度。如果是*，那么精度将会从元组中读出。

(5) **转换类型**：参见表3-1。

表3-1    字符串格式化转换类型

| 转换类型 | 含  义 |
| --- | --- |
| d, i | 带符号的十进制整数 |
| o | 不带符号的八进制 |
| u | 不带符号的十进制 |
| x | 不带符号的十六进制（小写） |
| X | 不带符号的十六进制（大写） |
| e | 科学计数法表示的浮点数（小写） |
| E | 科学计数法表示的浮点数（大写） |
| f, F | 十进制浮点数 |
| g | 如果指数大于-4或者小于精度值则和e相同，其他情况与f相同 |
| G | 如果指数大于-4或者小于精度值则和E相同，其他情况则与F相同 |
| c | 单字符（接受整数或者单字符字符串） |
| r | 字符串（使用repr转换任意Python对象） |
| s | 字符串（使用str转换任意Python对象） |

接下来几个小节将对转换说明符的各个元素进行详细讨论。

### 3.3.1 简单转换

简单的转换只需要写出转换类型, 使用起来很简单:

```
>>> 'Price of eggs: $%d' % 42
'Price of eggs: $42'
>>> 'Hexadecimal price of eggs: %x' % 42
'Hexadecimal price of eggs: 2a'
>>> from math import pi
>>> 'Pi: %f...' % pi
'Pi: 3.141593...'
>>> 'Very inexact estimate of pi: %i' % pi
'Very inexact estimate of pi: 3'
>>> 'Using str: %s' % 42L
'Using str: 42'
>>> 'Using repr: %r' % 42L
'Using repr: 42L'
```

### 3.3.2 字段宽度和精度

转换说明符可以包括字段宽度和精度。字段宽度是转换后的值所保留的最小字符个数, 精度(对于数字转换来说)则是结果中应该包含的小数位数, 或者(对于字符串转换来说)是转换后的值所能包含的最大字符个数。

这两个参数都是整数(首先是字段宽度, 然后是精度), 通过点号(.)分隔。虽然两个都是可选的参数, 但如果只给出精度, 就必须包含点号:

```
>>> '%10f' % pi        # 字段宽 10
'  3.141593'
>>> '%10.2f' % pi      # 字段宽 10, 精度 2
'      3.14'
>>> '%.2f' % pi        # 精度 2
'3.14'
>>> '%.5s' % 'Guido van Rossum'
'Guido'
```

可以使用*(星号)作为字段宽度或者精度(或者两者都使用*), 此时数值会从元组参数中读出:

```
>>> '%.*s' % (5, 'Guido van Rossum')
'Guido'
```

### 3.3.3 符号、对齐和用 0 填充

在字段宽度和精度值之前还可以放置一个"标志", 该标志可以是零、加号、减号或空格。零表示数字将会用0进行填充。

```
>>> '%010.2f' % pi
'0000003.14'
```

注意, 在010中开头的那个0并不意味着字段宽度说明符为八进制数, 它只是个普通的Python数值。当使用010作为字段宽度说明符的时候, 表示字段宽度为10, 并且用0进行填充空位, 而不

是说字段宽度为8：

```
>>> 010
8
```

减号（-）用来左对齐数值：

```
>>> '%-10.2f' % pi
'3.14'
```

可以看到，在数字的右侧多出了额外的空格。

而空白（""）意味着在正数前加上空格。这在需要对齐正负数时会很有用：

```
>>> print ('% 5d' % 10) + '\n' + ('% 5d' % -10)
 10
-10
```

最后说说加号（+），它表示不管是正数还是负数都标示出符号（同样是在对齐时很有用）：

```
>>> print ('%+5d' % 10) + '\n' + ('%+5d' % -10)
+10
-10
```

代码清单3-1中的代码将使用星号字段宽度说明符来格式化一张包含水果价格的表格，表格的总宽度由用户输入。因为是由用户提供信息，所以就不能在转换说明符中将字段宽度硬编码。使用星号运算符就可以从转换元组中读出字段宽度。

**代码清单3-1  字符串格式化示例**

```
# 使用给定的宽度打印格式化后的价格列表

width = input('Please enter width: ')

price_width = 10
item_width = width - price_width

header_format = '%-*s%*s'
format        = '%-*s%*.2f'

print '=' * width

print header_format % (item_width, 'Item', price_width, 'Price')

print '-' * width

print format % (item_width, 'Apples', price_width, 0.4)
print format % (item_width, 'Pears', price_width, 0.5)
print format % (item_width, 'Cantaloupes', price_width, 1.92)
print format % (item_width, 'Dried Apricots (16 oz.)', price_width, 8)
print format % (item_width, 'Prunes (4 lbs.)', price_width, 12)

print '=' * width
```

下面是程序运行示例：

```
Please enter width: 35
===================================
Item                          Price
-----------------------------------
Apples                         0.40
```

```
Pears                    0.50
Cantaloupes              1.92
Dried Apricots (16 oz.)  8.00
Prunes (4 lbs.)         12.00
===================================
```

## 3.4 字符串方法

前面几节已经介绍了很多列表的方法，字符串的方法还要丰富得多，这是因为字符串从string模块中"继承"了很多方法，而在早期版本的Python中，这些方法都是作为函数出现的（如果真的需要的话，还是能找到这些函数的）。

因为字符串的方法实在太多，在这里只介绍一些特别有用的。全部方法请参见附录B。在字符串方法的描述中，可以在本章找到关联到其他方法的参考（用"请参见"标记），或请参见附录B。

---

### 但是字符串未死

尽管字符串方法完全来源于string模块，但是这个模块还包括一些不能作为字符串方法使用的常量和函数。maketrans函数就是其中之一，后面会将它和translate方法一起介绍。下面是一些有用的字符串常量。[1]

❑ string.digits：包含数字0~9的字符串。

❑ string.letters：包含所有字母（大写或小写）的字符串。

❑ string.lowercase：包含所有小写字母的字符串。

❑ string.printable：包含所有可打印字符的字符串。

❑ string.punctuation：包含所有标点的字符串。

❑ string.uppercase：包含所有大写字母的字符串。

字母字符串常量（例如string.letters）与地区有关（也就是说，其具体值取决于Python所配置的语言）。[2]如果可以确定自己使用的是ASCII，那么可以在变量中使用ascii_前缀，例如string.ascii_letters。

---

### 3.4.1 find

find方法可以在一个较长的字符串中查找子串。它返回子串所在位置的最左端索引。如果没有找到则返回-1。

```
>>> 'With a moo-moo here, and a moo-moo there'.find('moo')
7
>>> title = "Monty Python's Flying Circus"
>>> title.find('Monty')
0
>>> title.find('Python')
```

---

[1] 对于此模块的更多介绍，请参见Python库参考手册（http://python.org/doc/lib/module-string.html）的4.1节。

[2] 在Python 3.0中，string.letters和其相关内容都会被移除。如果需要则应该使用string.ascii_letters常量代替。

```
6
>>> title.find('Flying')
15
>>> title.find('Zirquss')
-1
```

在第2章中我们初识了成员资格，我们在subject中使用了'$$$'表达式建立了一个垃圾邮件过滤器。也可以使用find方法（Python 2.3以前的版本中也可用，但是in操作符只能用来查找字符串中的单个字符）：

```
>>> subject = '$$$ Get rich now!!! $$$'
>>> subject.find('$$$')
0
```

---

**注意**　字符串的find方法并不返回布尔值。如果返回的是0，则证明在索引0位置找到了子串。

---

这个方法还可以接收可选的起始点和结束点参数：

```
>>> subject = '$$$ Get rich now!!! $$$'
>>> subject.find('$$$')
0
>>> subject.find('$$$', 1) # 只提供起始点
20
>>> subject.find('!!!')
16
>>> subject.find('!!!', 0, 16) # 提供起始点和结束点
-1
```

注意，由起始和终止值指定的范围（第二个和第三个参数）包含第一个索引，但不包含第二个索引。这在Python中是个惯例。

附录B：rfind、index、rindex、count、startwith、endswith。

### 3.4.2　join

join方法是非常重要的字符串方法，它是split方法的逆方法，用来连接序列中的元素：

```
>>> seq = [1, 2, 3, 4, 5]
>>> sep = '+'
>>> sep.join(seq) # 连接数字列表
Traceback (most recent call last):
  File "<stdin>", line 1, in ?
TypeError: sequence item 0: expected string, int found
>>> seq = ['1', '2', '3', '4', '5']
>>> sep.join(seq) # 连接字符串列表
'1+2+3+4+5'
>>> dirs = '', 'usr', 'bin', 'env'
>>> '/'.join(dirs)
'/usr/bin/env'
>>> print 'C:' + '\\'.join(dirs)
C:\usr\bin\env
```

可以看到，需要被连接的序列元素都必须是字符串。注意最后两个例子中使用了目录的列表，而在格式化时，根据UNIX和DOS/Windows的约定，使用了不同的分隔符号（在DOS版中还增加了驱动器名）。

请参见：split。

### 3.4.3 lower

lower方法返回字符串的小写字母版。

```
>>> 'Trondheim Hammer Dance'.lower()
'trondheim hammer dance'
```

如果想要编写"不区分大小写"的代码的话，那么这个方法就派上用场了——代码会忽略大小写状态。例如，如果想在列表中查找一个用户名是否存在：列表包含字符串'gumby'，而用户输入的是'Gumby'，就找不到了：

```
>>> if 'Gumby' in ['gumby', 'smith', 'jones']: print 'Found it!'
...
>>>
```

如果存储的是'Gumby'而用户输入'gumby'甚至是'GUMBY'，结果也是一样的。解决方法就是在存储和搜索时把所有名字都转换为小写。代码如下：

```
>>> name = 'Gumby'
>>> names = ['gumby', 'smith', 'jones']
>>> if name.lower() in names: print 'Found it!'
...
Found it!
>>>
```

请参见：translate。

附录B：islower、capitalize、swapcase、title、istitle、upper、isupper。

---

**标题转换**

和lower方法相关的是title方法（参见附录B），它会将字符串转换为标题——也就是所有单词的首字母大写，而其他字母小写。但是它使用的单词划分方法可能会得到并不自然的结果：

```
>>> "that's all folks".title()
"That'S All, Folks"
```

再介绍另外一个string模块的capwords函数：

```
>>> import string
>>> string.capwords("that's all, folks")
"That's All, Folks"
```

当然，如果要得到正确首字母大写的标题（这要根据你的风格而定，可能要小写冠词、连词及5个字母以下的介词等），那么还是得自己把握。

---

### 3.4.4 replace

replace方法返回某字符串的所有匹配项均被替换之后得到字符串。

```
>>> 'This is a test'.replace('is', 'eez')
'Theez eez a test'
```

如果曾经用过文字处理程序中的"查找并替换"功能的话，就不会质疑这个方法的用处了。

请参见：translate。

附录B：expandtabs。

### 3.4.5　split

这是一个非常重要的字符串方法，它是join的逆方法，用来将字符串分割成序列。

```
>>> '1+2+3+4+5'.split('+')
['1', '2', '3', '4', '5']
>>> '/usr/bin/env'.split('/')
['', 'usr', 'bin', 'env']
>>> 'Using  the  default'.split()
['Using', 'the', 'default']
```

注意，如果不提供任何分隔符，程序会把所有空格作为分隔符（空格、制表、换行等）。

请参见：join。

附录B：rsplit、splitlines 。

### 3.4.6　strip

strip方法返回去除两侧（不包括内部）空格的字符串：

```
>>> '         internal whitespace is kept          '.strip()
'internal whitespace is kept'
```

它和lower方法一起使用的话就可以很方便的对比输入的和存储的值。让我们回到lower部分中的用户名的例子，假设用户在输入名字时无意中在名字后面加上了空格：

```
>>> names = ['gumby', 'smith', 'jones']
>>> name = 'gumby '
>>> if name in names: print 'Found it!'
...
>>> if name.strip() in names: print 'Found it!'
...
Found it!
>>>
```

也可以指定需要去除的字符，将它们列为参数即可。

```
>>> '*** SPAM * for * everyone!!! ***'.strip(' *!')
'SPAM * for * everyone'
```

这个方法只会去除两侧的字符，所以字符串中的星号没有被去掉。

附录B：lstrip、rstrip。

### 3.4.7　translate

translate方法和replace方法一样，可以替换字符串中的某些部分，但是和前者不同的是，translate方法只处理单个字符。它的优势在于可以同时进行多个替换，有些时候比replace效率高得多。

使用这个方法的方式有很多（比如替换换行符或者其他因平台而异的特殊字符）。但是让我们考虑一个简单的例子（很简单的例子）：假设需要将纯正的英文文本转换为带有德国口音的版本。为此，需要把字符c替换为k把s替换为z。

在使用translate转换之前，需要先完成一张转换表。转换表中是以某字符替换某字符的对应关系。因为这个表（事实上是字符串）有多达256个项目，我们还是不要自己写了，使用string模块里面的maketrans函数就行。

maketrans函数接受两个参数：两个等长的字符串，表示第一个字符串中的每个字符都用第二个字符串中相同位置的字符替换。明白了吗？来看一个简单的例子，代码如下：

```
>>> from string import maketrans
>>> table = maketrans('cs', 'kz')
```

### 转换表中都有什么

转换表是包含替换ASCII字符集中256个字符的替换字母的字符串。

```
>>> table = maketrans('cs', 'kz')
>>> len(table)
256
>>> table[97:123]
'abkdefghijklmnopqrztuvwxyz'
>>> maketrans('', '')[97:123]
'abcdefghijklmnopqrstuvwxyz'
```

正如你看到的，我已经把小写字母部分的表提取出来了。看一下这个表和空转换（没有改变任何东西）中的字母表。空转换包含一个普通的字母表，而在它前面的代码中，字母c和s分别被替换为k和z。

创建这个表以后，可以将它用作translate方法的参数，进行字符串的转换如下：

```
>>> 'this is an incredible test'.translate(table)
'thiz iz an inkredible tezt'
```

translate的第二个参数是可选的，这个参数是用来指定需要删除的字符。例如，如果想要模拟一句语速超快的德国语，可以删除所有空格：

```
>>> 'this is an incredible test'.translate(table, ' ')
'thizizaninkredibletezt'
```

请参见：replace, lower。

### 非英语字符串的问题

有些时候类似于lower这样的字符串方法并不能如我们所愿地进行工作，比如要使用一个非英语字母的字母表。假设我们想将大写挪威字母BØLLEFRØ转换为小写字母：

```
>>> print 'BØLLEFRØ'.lower()
bøllefrø
```

可惜没有成功。因为Python没有把Ø当作真正的字母。本例中，可以使用translate方法完成转换：

```
>>> table = maketrans('ÆØÅ', 'æøå')
>>> word = 'KÅPESØM'
```

```
>>> print word.lower()
kåpesøm
>>> print word.translate(table)
KåPESøM
>>> print word.translate(table).lower()
kåpesøm
```

那么接下来使用Unicode可能也会解决问题：

```
>>> print u'ærnæringslære'.upper()
ÆRNÆRINGSLÆRE
```

locale模块中也有一些国际化相关的功能。

## 3.5    小结

本章介绍了字符串的两种非常重要的使用方式。

**字符串格式化**：求模操作符（%）可以用来将其他值转换为包含转换标志的字符串，例如%s。它还能用来对值进行不同方式的格式化，包括左右对齐、设定字段宽度以及精度值，增加符号（正负号）或者左填充数字0等。

**字符串方法**：字符串有很多方法。有些非常有用（比如split和join），有些则用的很少（比如istitle或者capitalize）。

### 3.5.1    本章的新函数

本章新涉及的函数如表3-2所示。

表3-2    本章的新函数

| 函　　数 | 描　　述 |
| --- | --- |
| string.capwords(s[, sep]) | 使用split函数分割字符串s（以sep为分隔符），使用capitalize函数将分割得到的各单词首字母大写，并且使用join函数以sep为分隔符将各单词连接起来 |
| string.maketrans(from, to) | 创建用于转换的转换表 |

### 3.5.2    接下来学什么

列表、字符串和字典是Python中最重要的3种数据类型。列表和字符串已经学习过了，那么下面是什么呢？下一章中的主要内容是字典，以及字典如何支持索引以及其他方式的键（比如字符串和元组）。字典也提供了一些方法，但是数量没有字符串多。

# 第4章

# 字典：当索引不好用时

**我**们已经了解到，列表这种数据结构适合于将值组织到一个结构中，并且通过编号对其进行引用。在本章中，你将学到一种通过名字来引用值的数据结构。这种类型的数据结构称为映射（mapping）。字典是Python中唯一内建的映射类型。字典中的值并没有特殊的顺序，但是都存储在一个特定的键（Key）下。键可以是数字、字符串甚至是元组。

## 4.1 字典的使用

字典这个名称已经给出了有关这个数据结构功能的一些提示：一方面，对于普通的书来说，都是按照从头到尾的顺序进行阅读。如果愿意，也可以快速翻到某一页，这有点像Python的列表。另一方面，构造字典的目的，不管是现实中的字典还是在Python中的字典，都是为了可以通过轻松查找某个特定的词语（键），从而找到它的定义（值）。

某些情况下，字典比列表更加适用，比如：

- 表示一个游戏棋盘的状态，每个键都是由坐标值组成的元组；
- 存储文件修改时间，用文件名作为键；
- 数字电话/地址簿。

假如有一个人名列表如下：

```
>>> names = ['Alice', 'Beth', 'Cecil', 'Dee-Dee', 'Earl']
```

如果要创建一个可以存储这些人的电话号码的小型数据库，应该怎么做呢？一种方法是建立一个新的列表。假设只存储四位的分机电话号码，那么可以得到与下面相似的列表：

```
>>> numbers = ['2341', '9102', '3158', '0142', '5551']
```

建立了这些列表后，可以通过如下方式查找Cecil的电话号码：

```
>>> numbers[names.index('Cecil')]
3158
```

| 整数还是数字字符串 |
| --- |

看到这里，读者可能会有疑问：为什么用字符串而不用整数表示电话号码呢？考虑一下Dee-Dee的电话号码会怎么样：

```
>>> 0142
98
```

这并不是我们想要的结果，是吗？就像第1章曾经简略地提到的那样，八进制数字均以0开头。不能像那样表示十进制数字。

```
>>> 0912
File "<stdin>", line 1
0912
   ^
SyntaxError: invalid syntax
```

**教训就是**：电话号码（以及其他可能以0开头的数字）应该表示为数字字符串，而不是整数。

这样做虽然可行，但是并不实用。真正需要的效果应该类似下面这样：

```
>>> phonebook['Cecil']
3158
```

你猜怎么着？如果phonebook是字典，就能像上面那样操作了。

## 4.2    创建和使用字典

字典可以通过下面的方式创建：

```
phonebook = {'Alice': '2341', 'Beth': '9102', 'Cecil': '3258'}
```

字典由多个键及与其对应的值构成的键-值对组成（我们也把键-值对称为项）。在上例中，名字是键，电话号码是值。每个键和它的值之间用冒号（:）隔开，项之间用逗号（,）隔开，而整个字典是由一对大括号括起来。空字典（不包括任何项）由两个大括号组成，像这样：{}。

**注意**    字典中的键是唯一的（其他类型的映射也是如此），而值并不唯一。

### 4.2.1    dict函数

可以用dict函数[①]，通过其他映射（比如其他字典）或者（键，值）对的序列建立字典。

```
>>> items = [('name', 'Gumby'), ('age', 42)]
>>> d = dict(items)
>>> d
{'age': 42, 'name': 'Gumby'}
>>> d['name']
'Gumby'
```

dict函数也可以通过关键字参数来创建字典，如下例所示：

```
>>> d = dict(name='Gumby', age=42)
>>> d
{'age': 42, 'name': 'Gumby'}
```

尽管这可能是dict函数最有用的功能，但是还能以映射作为dict函数的参数，以建立其项与映射相同的字典（如果不带任何参数，则dict函数返回一个新的空字典，就像list、tuple以及str

---

① dict函数根本不是真正的函数。它是个类型，就像list、tuple和str一样。

等函数一样）。如果另一个映射也是字典（毕竟这是唯一内建的映射类型），也可以使用本章稍后讲到的字典方法copy。

### 4.2.2 基本字典操作

字典的基本行为在很多方面与序列（sequence）类似：

- □ len(d)返回d中项（键-值对）的数量；
- □ d[k]返回关联到键k上的值；
- □ d[k]=v将值v关联到键k上；
- □ del d[k]删除键为k的项；
- □ k in d检查d中是否有含有键为k的项。

尽管字典和列表有很多特性相同，但也有下面一些重要的区别。

- □ **键类型**：字典的键不一定为整型数据（但也可以是），键可以是任意的不可变类型，比如浮点型（实型）、字符串或者元组。
- □ **自动添加**：即使键起初在字典中并不存在，也可以为它赋值，这样字典就会建立新的项。而（在不使用append方法或者其他类似操作的情况下）不能将值关联到列表范围之外的索引上。
- □ **成员资格**：表达式k in d（d为字典）查找的是键，而不是值。表达式v in l（l为列表）则用来查找值，而不是索引。这样看起来好像有些不太一致，但是当习惯以后就会感觉非常自然了。毕竟，如果字典含有指定的键，查找相应的值也就很容易了。

---

**提示** 在字典中检查键的成员资格比在列表中检查值的成员资格更高效，数据结构的规模越大，两者的效率差距越明显。

---

第一点——键可以是任意不可变类型——是字典最强大的地方。第二点也很重要。看看下面的区别：

```
>>> x = []
>>> x[42] = 'Foobar'
Traceback (most recent call last):
  File "<stdin>", line 1, in ?
IndexError: list assignment index out of range
>>> x = {}
>>> x[42] = 'Foobar'
>>> x
{42: 'Foobar'}
```

首先，程序试图将字符串'Foobar'关联到一个空列表的42号位置上——这显然是不可能的，因为这个位置根本不存在。为了将其变为可能，我必须用[None]*43或者其他方式初始化x，而不能仅使用[ ]。但是，下一个例子工作得很好。我将'Foobar'关联到空字典的键42上，没问题！新的项已经添加到字典中，我达到目的了。

代码清单4-1所示是电话本例子的代码。

**代码清单4-1    字典示例**

```
# 一个简单的数据库

# 字典使用人名作为键。每个人用另一个字典来表示，其键'phone'和'addr'分别表示他们的电话号码和地址。

people = {
    'Alice': {
        'phone': '2341',
        'addr': 'Foo drive 23'
    },

    'Beth': {
        'phone': '9102',
        'addr': 'Bar street 42'
    },

    'Cecil': {
        'phone': '3158',
        'addr': 'Baz avenue 90'
    }
}

# 针对电话号码和地址使用的描述性标签，会在打印输出的时候用到
labels = {
    'phone': 'phone number',
    'addr': 'address'
}

name = raw_input('Name: ')

# 查找电话号码还是地址?
request = raw_input('Phone number (p) or address (a)?')

# 使用正确的键:
if request == 'p': key = 'phone'
if request == 'a': key = 'addr'

# 如果名字是字典中的有效键才打印信息:
if name in people: print "%s's %s is %s." % \
    (name, labels[key], people[name][key])
```

下面是程序的运行示例：

```
Name: Beth
Phone number (p) or address (a)? p
Beth's phone number is 9102.
```

## 4.2.3    字典的格式化字符串

在第3章，已经见过如何使用字符串格式化功能来格式化元组中所有的值。如果使用的是字典（只以字符串作为键的）而不是元组，会使字符串格式化更酷一些。在每个转换说明符（conversion specifier）中的%字符后面，可以加上键（用圆括号括起来的），后面再跟上其他说明元素。

```
>>> phonebook
{'Beth': '9102', 'Alice': '2341', 'Cecil': '3258'}
```

```
>>> "Cecil's phone number is %(Cecil)s." % phonebook
"Cecil's phone number is 3258."
```

除了增加的字符串键之外，转换说明符还是像以前一样工作。当以这种方式使用字典的时候，只要所有给出的键都能在字典中找到，就可以使用任意数量的转换说明符。这类字符串格式化在模板系统中非常有用（本例中使用HTML）。

```
>>> template = '''<html>
    <head><title>%(title)s</title></head>
    <body>
    <h1>%(title)s</h1>
    <p>%(text)s</p>
    </body>'''
>>> data = {'title': 'My Home Page', 'text': 'Welcome to my home page!'}
>>> print template % data
<html>
<head><title>My Home Page</title></head>
<body>
<h1>My Home Page</h1>
<p>Welcome to my home page!</p>
</body>
```

**注意** string.Template类（第3章提到过）对于这类应用也是非常有用的。

### 4.2.4 字典方法

就像其他内建类型一样，字典也有方法。这些方法非常有用，但是可能不会像列表或者字符串方法那样被频繁地使用。读者最好先简单浏览一下本节，了解有哪些方法可用，然后在需要的时候再回过头来查看特定方法的具体用法。

#### 1. clear

clear方法清除字典中所有的项。这是个原地操作（类似于list.sort），所以无返回值（或者说返回None）。

```
>>> d = {}
>>> d['name'] = 'Gumby'
>>> d['age'] = 42
>>> d
{'age': 42, 'name': 'Gumby'}
>>> returned_value = d.clear()
>>> d
{}
>>> print returned_value
None
```

为什么这个方法有用呢？考虑一下两种情况。下面是第1种：

```
>>> x = {}
>>> y = x
>>> x['key'] = 'value'
>>> y
{'key': 'value'}
>>> x = {}
>>> y
```

```
{'key': 'value'}
```

然后是第2种情况：

```
>>> x = {}
>>> y = x
>>> x['key'] = 'value'
>>> y
{'key': 'value'}
>>> x.clear()
>>> y
{}
```

两种情况中，x和y最初对应同一个字典。情况1中，我通过将x关联到一个新的空字典来"清空"它，这对y一点影响也没有，它还关联到原先的字典。这可能是所需要的行为，但是如果真的想清空原始字典中所有的元素，必须使用clear方法。正如在情况2中所看到的，y随后也被清空了。

**2. copy**

copy方法返回一个具有相同键-值对的新字典（这个方法实现的是浅复制（shallow copy），因为值本身就是相同的，而不是副本）。

```
>>> x = {'username': 'admin', 'machines': ['foo', 'bar', 'baz']}
>>> y = x.copy()
>>> y['username'] = 'mlh'
>>> y['machines'].remove('bar')
>>> y
{'username': 'mlh', 'machines': ['foo', 'baz']}
>>> x
{'username': 'admin', 'machines': ['foo', 'baz']}
```

可以看到，当在副本中替换值的时候，原始字典不受影响，但是，如果修改了某个值（原地修改，而不是替换），原始的字典也会改变，因为同样的值也存储在原字典中（就像上面例子中的machines列表一样）。

避免这个问题的一种方法就是使用深复制（deep copy），复制其包含的所有值。可以使用copy模块的deepcopy函数来完成操作：

```
>>> from copy import deepcopy
>>> d = {}
>>> d['names'] = ['Alfred', 'Bertrand']
>>> c = d.copy()
>>> dc = deepcopy(d)
>>> d['names'].append('Clive')
>>> c
{'names': ['Alfred', 'Bertrand', 'Clive']}
>>> dc
{'names': ['Alfred', 'Bertrand']}
```

**3. fromkeys**

fromkeys方法使用给定的键建立新的字典，每个键都对应一个默认的值None。

```
>>> {}.fromkeys(['name', 'age'])
{'age': None, 'name': None}
```

刚才的例子中首先构造了一个空字典，然后调用它的fromkeys方法，建立另外一个词典——

有些多余。此外，您还可以直接在dict上面调用该方法，前面讲过，dict是所有字典的类型（关于类型和类的概念在第7章中会深入讨论）。

```
>>> dict.fromkeys(['name', 'age'])
{'age': None, 'name': None}
```

如果不想使用None作为默认值，也可以自己提供默认值。

```
>>> dict.fromkeys(['name', 'age'], '(unknown)')
{'age': '(unknown)', 'name': '(unknown)'}
```

**4. get**

get方法是个更宽松的访问字典项的方法。一般来说，如果试图访问字典中不存在的项时会出错：

```
>>> d = {}
>>> print d['name']
Traceback (most recent call last):
  File "<stdin>", line 1, in ?
KeyError: 'name'
```

而用get就不会：

```
>>> print d.get('name')
None
```

可以看到，当使用get访问一个不存在的键时，没有任何异常，而得到了None值。还可以自定义"默认"值，替换None：

```
>>> d.get('name', 'N/A')
'N/A'
```

如果键存在，get用起来就像普通的字典查询一样：

```
>>> d['name'] = 'Eric'
>>> d.get('name')
'Eric'
```

代码清单4-2演示了一个代码清单4-1程序的修改版本，它使用get方法访问"数据库"实体。

**代码清单4-2　字典方法示例**

```
# 使用get()的简单数据库

# 这里添加代码清单4-1中插入数据库的代码

labels = {
    'phone': 'phone number',
    'addr': 'address'
}

name = raw_input('Name: ')

# 查找电话号码还是地址?
request = raw_input('Phone number (p) or address (a)? ')

# 使用正确的键:
key = request # 如果请求既不是'p'也不是'a'
if request == 'p': key = 'phone'
```

```
if request == 'a': key = 'addr'

# 使用get()提供默认值:
person = people.get(name, {})
label = labels.get(key, key)
result = person.get(key, 'not available')

print "%s's %s is %s." % (name, label, result)
```

下面是程序运行的输出。注意get方法带来的灵活性如何使得程序在用户输入我们并未准备的值时也能做出合理的反应。

```
Name: Gumby
Phone number (p) or address (a)? batting average
Gumby's batting average is not available.
```

### 5. has_key

has_key方法可以检查字典中是否含有特定的键。表达式d.has_key(k)相当于表达式k in d。使用哪个方式很大程度上取决于个人的喜好。Python 3.0中不包括这个函数。

下面是一个使用has_key方法的例子：

```
>>> d = {}
>>> d.has_key('name')
False
>>> d['name'] = 'Eric'
>>> d.has_key('name')
True
```

### 6. items和iteritems

items方法将字典所有的项以列表方式返回，列表中的每一项都表示为（键，值）对的形式。但是项在返回时并没有遵循特定的次序。

```
>>> d = {'title': 'Python Web Site', 'url': 'http://www.python.org', 'spam': 0}
>>> d.items()
[('url', 'http://www.python.org'), ('spam', 0), ('title', 'Python Web Site')]
```

iteritems方法的作用大致相同，但是会返回一个迭代器对象而不是列表：

```
>>> it = d.iteritems()
>>> it
<dictionary-iterator object at 169050>
>>> list(it) # Convert the iterator to a list
[('url', 'http://www.python.org'), ('spam', 0), ('title', 'Python Web Site')]
```

在很多情况下使用iteritems会更加高效（尤其是想要迭代结果的情况下）。关于迭代器的更多信息，请参见第9章。

### 7. keys和iterkeys

keys方法将字典中的键以列表形式返回，而iterkeys则返回针对键的迭代器。

### 8. pop

pop方法用来获得对应于给定键的值，然后将这个键-值对从字典中移除。

```
>>> d = {'x': 1, 'y': 2}
>>> d.pop('x')
```

```
1
>>> d
{'y': 2}
```

### 9. popitem

popitem方法类似于list.pop，后者会弹出列表的最后一个元素。但不同的是，popitem弹出随机的项，因为字典并没有"最后的元素"或者其他有关顺序的概念。若想一个接一个地移除并处理项，这个方法就非常有效了（因为不用首先获取键的列表）。

```
>>> d
{'url': 'http://www.python.org', 'spam': 0, 'title': 'Python Web Site'}
>>> d.popitem()
('url', 'http://www.python.org')
>>> d
{'spam': 0, 'title': 'Python Web Site'}
```

尽管popitem和列表的pop方法很类似，但字典中没有与append等价的方法。因为字典是无序的，类似于append的方法是没有任何意义的。

### 10. setdefault

setdefault方法在某种程度上类似于get方法，能够获得与给定键相关联的值，除此之外，setdefault还能在字典中不含有给定键的情况下设定相应的键值。

```
>>> d = {}
>>> d.setdefault('name', 'N/A')
'N/A'
>>> d
{'name': 'N/A'}
>>> d['name'] = 'Gumby'
>>> d.setdefault('name', 'N/A')
'Gumby'
>>> d
{'name': 'Gumby'}
```

可以看到，当键不存在的时候，setdefault返回默认值并且相应地更新字典。如果键存在，那么就返回与其对应的值，但不改变字典。默认值是可选的，这点和get一样。如果不设定，会默认使用None。

```
>>> d = {}
>>> print d.setdefault('name')
None
>>> d
{'name': None}
```

### 11. update

update方法可以利用一个字典项更新另外一个字典：

```
>>> d = {
        'title': 'Python Web Site',
        'url': 'http://www.python.org',
        'changed': 'Mar 14 22:09:15 MET 2008'
    }
>>> x = {'title': 'Python Language Website'}
>>> d.update(x)
>>> d
{'url': 'http://www.python.org', 'changed':
```

'Mar 14 22:09:15 MET 2008', 'title': 'Python Language Website'}

提供的字典中的项会被添加到旧的字典中，若有相同的键则会进行覆盖。

update方法可以使用与调用dict函数（或者类型构造函数）同样的方式进行调用，这点在本章前面已经讨论。这就意味着update可以和映射、拥有（键，值）对的队列（或者其他可迭代的对象）以及关键字参数一起调用。

**12. values和itervalues**

values方法以列表的形式返回字典中的值（itervalues返回值的迭代器）。与返回键的列表不同的是，返回值的列表中可以包含重复的元素：

```
>>> d = {}
>>> d[1] = 1
>>> d[2] = 2
>>> d[3] = 3
>>> d[4] = 1
>>> d.values()
[1, 2, 3, 1]
```

## 4.3    小结

本章介绍了如下内容。

**映射**：映射可以使用任意不可变对象标识元素。最常用的类型是字符串和元组。Python唯一内建的映射类型是字典。

**利用字典格式化字符串**：可以通过在格式化说明符中包括名称（键）来对字典应用字符串格式化操作。当在字符格式化中使用元组时，还需要对元组中每一个元素都设定"格式化说明符"。在使用字典时，所用的说明符可以比在字典中用到的项少。

**字典的方法**：字典有很多方法，调用的方式和调用列表以及字符串方法的方式相同。

### 4.3.1    本章的新函数

本章涉及的新函数如表4-1所示。

表4-1    本章的新函数

| 函    数 | 描    述 |
| --- | --- |
| dict(seq) | 用（键，值）对（或者映射和关键字参数）建立字典 |

### 4.3.2    接下来学什么

到现在为止，已经介绍了很多有关Python的基本数据类型的知识，并且讲解了如何使用它们来建立表达式。那么请回想一下第1章的内容，计算机程序还有另外一个重要的组成因素——语句。下一章我们会对语句进行详细的讨论。

# 第 5 章

# 条件、循环和其他语句

**读** 者学到这里估计都有点不耐烦了。好吧，这些数据结构什么的看起来都挺好，但还是没法用它们做什么事，对吧？

下面开始，进度会慢慢加快。前面已经介绍过了几种基本语句（print语句、import语句、赋值语句）。在深入介绍条件语句和循环语句之前，我们先来看看这几种基本语句更多的使用方法。随后你会看到列表推导式（list comprehension）如何扮演循环和条件语句的角色——尽管它本身是表达式。最后介绍pass、del和exec语句的用法。

## 5.1 print 和 import 的更多信息

随着更加深入地学习Python，可能会出现这种感觉：有些自以为已经掌握的知识点，还隐藏着一些让人惊讶的特性。首先来看看print①和import的几个比较好的特性。

---

**提示** 对于很多应用程序来说，使用logging模块记日志比print语句更合适。更多细节请参见第19章。

---

### 5.1.1 使用逗号输出

前面的章节中讲解过如何使用print来打印表达式——不管是字符串还是其他类型进行自动转换后的字符串。但是事实上打印多个表达式也是可行的，只要将它们用逗号隔开就好：

```
>>> print 'Age:', 42
Age: 42
```

可以看到，每个参数之间都插入了一个空格符。

---

**注意** print的参数并不能像我们预期那样构成一个元组：

```
>>> 1, 2, 3
(1, 2, 3)
>>> print 1, 2, 3
1 2 3
>>> print (1, 2, 3)
(1, 2, 3)
```

---

① 在Python 3.0中，print不再是语句——而是函数（功能基本不变）。

如果想要同时输出文本和变量值，却又不希望使用字符串格式化的话，那这个特性就非常有用了：

```
>>> name = 'Gumby'
>>> salutation = 'Mr.'
>>> greeting = 'Hello,'
>>> print greeting, salutation, name
Hello, Mr. Gumby
```

注意，如果greeting字符串不带逗号，那么结果中怎么能得到逗号呢？像下面这样做是不行的：

```
print greeting, ',', salutation, name
```

因为上面的语句会在逗号前加入空格。下面是一种解决方案：

```
print greeting + ',', salutation, name
```

这样一来，问候语后面就只会增加一个逗号。

如果在结尾处加上逗号，那么接下来的语句会与前一条语句在同一行打印，例如：

```
print 'Hello,',
print 'world!'
```

输出Hello,World!。[①]

## 5.1.2　把某件事作为另一件事导入

从模块导入函数的时候，通常可以使用

```
import somemodule
```

或者

```
from somemodule import somefunction
```

或者

```
from somemodule import somefunction, anotherfunction, yetanotherfunction
```

或者

```
from somemodule import *
```

只有确定自己想要从给定的模块导入所有功能时，才应该使用最后一个版本。但是如果两个模块都有open函数，那又该怎么办？只需使用第一种方式导入，然后像下面这样使用函数：

```
module1.open(...)
module2.open(...)
```

但还有另外的选择：可以在语句末尾增加一个as子句，在该子句后给出想要使用的别名。例如为整个模块提供别名：

```
>>> import math as foobar
>>> foobar.sqrt(4)
2.0
```

---

① 这只在脚本中起作用，而在交互式Python会话中则没有效果。在交互式会话中，所有的语句都会被单独执行（并且打印出内容）。

或者为函数提供别名：

```
>>> from math import sqrt as foobar
>>> foobar(4)
2.0
```

对于open函数，可以像下面这样使用：

```
from module1 import open as open1
from module2 import open as open2
```

---

**注意** 有些模块，例如os.path是分层次安排的（一个模块在另一个模块的内部）。有关模块结构的更多信息，请参见第10章关于包的部分。

---

## 5.2 赋值魔法

就算是不起眼的赋值语句也有一些特殊的技巧。

### 5.2.1 序列解包

赋值语句的例子已经给过不少，其中包括对变量和数据结构成员的（比如列表中的位置和分片以及字典中的槽）赋值。但赋值的方法还不止这些。比如，多个赋值操作可以同时进行：

```
>>> x, y, z = 1, 2, 3
>>> print x, y, z
1 2 3
```

很有用吧？用它交换两个（或更多个）变量也是没问题的：

```
>>> x, y = y, x
>>> print x, y, z
2 1 3
```

事实上，这里所做的事情叫做序列解包（sequence unpacking）或递归解包——将多个值的序列解开，然后放到变量的序列中。更形象一点儿的表示就是：

```
>>> values = 1, 2, 3
>>> values
(1, 2, 3)
>>> x, y, z = values
>>> x
1
```

当函数或者方法返回元组（或者其他序列或可迭代对象）时，这个特性尤其有用。假设需要获取（和删除）字典中任意的键-值对，可以使用popitem方法，这个方法将键-值作为元组返回。那么这个元组就可以直接赋值到两个变量中：

```
>>> scoundrel = {'name': 'Robin', 'girlfriend': 'Marion'}
>>> key, value = scoundrel.popitem()
>>> key
'girlfriend'
>>> value
'Marion'
```

它允许函数返回一个以上的值并且打包成元组，然后通过一个赋值语句很容易进行访问。所解包的序列中的元素数量必须和放置在赋值符号=左边的变量数量完全一致，否则Python会在赋值时引发异常：

```
>>> x, y, z = 1, 2
Traceback (most recent call last):
  File "<stdin>", line 1, in <module>
ValueError: need more than 2 values to unpack
>>> x, y, z = 1, 2, 3, 4
Traceback (most recent call last):
  File "<stdin>", line 1, in <module>
ValueError: too many values to unpack
```

注意    Python 3.0中有另外一个解包的特性：可以像在函数的参数列表中一样使用星号运算符（参见第6章）。例如，a, b, *rest = [1, 2, 3, 4]最终会在a和b都被赋值之后将所有其他的参数都收集到rest中。本例中，rest的结果将会是[3, 4]。使用星号的变量也可以放在第一个位置，这样它就总会包含一个列表。右侧的赋值语句可以是可迭代对象。

## 5.2.2　链式赋值

链式赋值（chained assignment）是将同一个值赋给多个变量的捷径。它看起来有些像上节中的并行赋值，不过这里只处理一个值：

```
x = y = somefunction()
```

和下面语句的效果是一样的：

```
y = somefunction()
x = y
```

注意上面的语句和下面的语句不一定等价：

```
x = somefunction()
y = somefunction()
```

有关链式赋值更多的信息，请参见本章中的"同一性运算符"一节。

## 5.2.3　增量赋值

这里没有将赋值表达式写为x=x+1，而是将表达式运算符（本例中是±）放置在赋值运算符=的左边，写成x+=1。这种写法叫做增量赋值（augmented assignment），对于*、/、%等标准运算符都适用：

```
>>> x = 2
>>> x += 1
>>> x *= 2
>>> x
6
```

对于其他数据类型也适用（只要二元运算符本身适用于这些数据类型即可）：

```
>>> fnord = 'foo'
>>> fnord += 'bar'
>>> fnord *= 2
>>> fnord
'foobarfoobar'
```

增量赋值可以让代码更加紧凑和简练，很多情况下会更易读。

## 5.3 语句块：缩进的乐趣

语句块并非一种语句，而是在掌握后面两节的内容之前应该了解的知识。

语句块是在条件为真（条件语句）时执行或者执行多次（循环语句）的一组语句。在代码前放置空格来缩进语句即可创建语句块。

---

**注意** 使用tab字符也可以缩进语句块。Python将一个tab字符解释为到下一个tab字符位置的移动，而一个tab字符位置为8个空格，但是标准且推荐的方式是只用空格，尤其是在每个缩进需要4个空格的时候。

---

块中的每行都应该缩进同样的量。下面的伪代码（并非真正Python代码）展示了缩进的工作方式：

```
this is a line
this is another line:
    this is another block
    continuing the same block
    the last line of this block
phew, there we escaped the inner block
```

很多语言使用特殊单词或者字符（比如begin或{)来表示一个语句块的开始，用另外的的单词或者字符（比如end或者})表示语句块的结束。在Python中，冒号（:）用来标识语句块的开始，块中的每一个语句都是缩进的（缩进量相同）。当回退到和已经闭合的块一样的缩进量时，就表示当前块已经结束了（很多程序编辑器和集成开发环境都知道如何缩进语句块，可以帮助用户轻松把握缩进）。

现在我确信你已经等不及想知道语句块怎么使用了。废话不多说，我们来看一下。

## 5.4 条件和条件语句

到目前为止的程序都是一条一条语句顺序执行的。在这部分中会介绍让程序选择是否执行语句块的方法。

### 5.4.1 这就是布尔变量的作用

真值（也叫做布尔值，这个名字根据在真值上做过大量研究的George Boole命名的）是接下来内容的主角。

---

**注意** 如果注意力足够集中，你就会发现在第1章的"管窥：if语句"中就已经描述过if语句。到目前为止这个语句还没有被正式介绍。实际上，还有很多if语句的内容没有介绍。

---

下面的值在作为布尔表达式的时候，会被解释器看作假（false）：

```
False    None    0    ""    ()    []    {}
```

换句话说，也就是标准值False和None、所有类型的数字0（包括浮点型、长整型和其他类型）、空序列（比如空字符串、元组和列表）以及空的字典都为假。其他的一切[1]都被解释为真，包括特殊值True[2]。

明白了吗？也就是说Python中的所有值都能被解释为真值，初次接触的时候可能会有些搞不明白，但是这点的确非常有用。"标准的"布尔值为True和False。在一些语言中（例如C和Python2.3以前的版本），标准的布尔值为0（表示假）和1（表示真）。事实上，True和False只不过是1和0的一种"华丽"的说法而已——看起来不同，但作用相同。

```
>>> True
True
>>> False
False
>>> True == 1
True
>>> False == 0
True
>>> True + False + 42
43
```

那么，如果某个逻辑表达式返回1或0（在老版本Python中），那么它实际的意思是返回True或False。

布尔值True和False属于布尔类型，bool函数可以用来（和list、str以及tuple一样）转换其他值。

```
>>> bool('I think, therefore I am')
True
>>> bool(42)
True
>>> bool('')
False
>>> bool(0)
False
```

因为所有值都可以用作布尔值，所以几乎不需要对它们进行显式转换（可以说Python会自动转换这些值）。

> **注意**　尽管[ ]和""都是假值（也就是说bool([ ])==bool("")==False），它们本身却并不相等（也就是说[ ]!=""）。对于其他不同类型的假值对象也是如此（例如()!=Flase）。

## 5.4.2　条件执行和 if 语句

真值可以联合使用（马上就要介绍），但还是让我们先看看它们的作用。试着运行下面的脚本：

```
name = raw_input('What is your name? ')
if name.endswith('Gumby'):
    print 'Hello, Mr. Gumby'
```

这就是if语句，它可以实现条件执行。即如果条件（在if和冒号之间的表达式）判定为真，

---

[1]　至少当我们讨论内建类型时是这样——第9章内会讨论构建自己的可以被解释为真或者假的对象。

[2]　Python经验丰富的Laura Creighton解说这个区别类似于"有些东西"和"没有东西"的区别，而不是真和假的区别。

那么后面的语句块（本例中是单个print语句）就会被执行。如果条件为假，语句块就不会被执行（你猜到了，不是吗）。

> **注意** 在第1章的"管窥：if语句"中，所有语句都写在一行中。这种书写方式和上例中的使用单行语句块的方式是等价的。

### 5.4.3　else子句

前一节的例子中，如果用户输入了以Gumby作为结尾的名字，那么name.endswith方法就会返回真，使得if进入语句块，打印出问候语。也可以用else子句增加一种选择（之所以叫做子句是因为它不是独立的语句，而只能作为if语句的一部分）。

```
name = raw_input('What is your name? ')
if name.endswith('Gumby'):
    print 'Hello, Mr. Gumby'
else:
    print 'Hello, stranger'
```

如果第1个语句块没有被执行（因为条件被判定为假），那么就会转入第2个语句块，可以看到，阅读Python代码很容易，不是吗？大声把代码读出来（从if开始），听起来就像正常（也可能不是很正常）句子一样。

### 5.4.4　elif子句

如果需要检查多个条件，就可以使用elif，它是else if的简写，也是if和else子句的联合使用，也就是具有条件的else子句。

```
num = input('Enter a number: ')
if num > 0:
    print 'The number is positive'
elif num < 0:
    print 'The number is negative'
else:
    print 'The number is zero'
```

> **注意** 可以使用int(raw_input(…))函数来代替input(…)。关于两者的区别，请参见第1章。

### 5.4.5　嵌套代码块

下面的语句中加入了一些不必要的内容。if语句里面可以嵌套使用if语句，就像下面这样：

```
name = raw_input('What is your name? ')
if name.endswith('Gumby'):
    if name.startswith('Mr.'):
        print 'Hello, Mr. Gumby'
    elif name.startswith('Mrs.'):
        print 'Hello, Mrs. Gumby'
    else:
        print 'Hello, Gumby'
else:
    print 'Hello, stranger'
```

如果名字是以Gumby结尾的话，还要检查名字的开头——在第一个语句块中的单独的if语句中。注意这里elif的使用。最后一个选项中（else子句）没有条件——如果其他的条件都不满足就使用最后一个。可以把任何一个else子句放在语句块外。如果把里面的else子句放在外面的话，那么不以Mr.或者Mrs.开头（假设这个名字是Gumby）的名字都被忽略掉了。如果不写最后一个else子句，那么陌生人就被忽略掉。

### 5.4.6　更复杂的条件

以上就是有关if语句的所有知识。下面让我们回到条件本身，因为它们才是条件执行时真正有趣的部分。

#### 1. 比较运算符

用在条件中的最基本的运算符就是比较运算符了，它们用来比较其他对象。比较运算符已经总结在表5-1中。

表5-1　Python中的比较运算符

| 表 达 式 | 描 述 |
| --- | --- |
| x == y | x 等于 y |
| x < y | x 小于 y |
| x > y | x 大于 y |
| x >= y | x 大于等于 y |
| x <= y | x 小于等于 y |
| x != y | x 不等于 y |
| x is y | x 和 y是同一个对象 |
| x is not y | x 和 y是不同的对象 |
| x in y | x 是 y容器（例如，序列）的成员 |
| x not in y | x 不是 y容器（例如，序列）的成员 |

**比较不兼容类型**

理论上，对于相对大小的任意两个对象x和y都是可以使用比较运算符（例如，<和<=）比较的，并且都会得到一个布尔值结果。但是只有在x和y是相同或者近似类型的对象时，比较才有意义（例如，两个整形数或者一个整形数和一个浮点形数进行比较）。

正如将一个整形数添加到一个字符串中是没有意义的，检查一个整形是否比一个字符串小，看起来也是毫无意义的。但奇怪的是，在Python 3.0之前的版本中这却是可以的。对于此类比较行为，读者应该敬而远之，因为结果完全不可靠，在每次程序执行的时候得到的结果都可能不同。在Python 3.0中，比较不兼容类型的对象已经不再可行。

---

**注意**　如果你偶然遇见x <> y这样的表达式，它的意思其实就是x!=y。不建议使用 <> 运算符，应该尽量避免使用它。

在Python中比较运算和赋值运算一样是可以连接的——几个运算符可以连在一起使用，比如：0<age<100。

---

**提示** 比较对象的时候可以使用第2章中介绍的内建的cmp函数。

---

有些运算符值得特别关注，下面的章节中会对此进行介绍。

**2. 相等运算符**

如果想要知道两个东西是否相等，应该使用相等运算符，即两个等号==：

```
>>> "foo" == "foo"
True
>>> "foo" == "bar"
False
```

两个等号？为什么不像数学里面一样，只用一个呢？我相信聪明的你一定能够理解，但还是写个程序来看看：

```
>>> "foo" = "foo"
SyntaxError: can't assign to literal
```

单个相等运算符是赋值运算符，是用来改变值的，而不能用来比较。

**3. is：同一性运算符**

这个运算符比较有趣。它看起来和==一样，事实上却不同：

```
>>> x = y = [1, 2, 3]
>>> z = [1, 2, 3]
>>> x == y
True
>>> x == z
True
>>> x is y
True
>>> x is z
False
```

到最后一个例子之前，一切看起来都很好，但是最后一个结果很奇怪，x和z相等却不等同，为什么呢？因为is运算符是判定同一性而不是相等性的。变量x和y都被绑定到同一个列表上，而变量z被绑定在另外一个具有相同数值和顺序的列表上。它们的值可能相等，但是却不是同一个对象。

这看起来有些不可理喻吧？看看这个例子：

```
>>> x = [1, 2, 3]
>>> y = [2, 4]
>>> x is not y
True
>>> del x[2]
>>> y[1] = 1
>>> y.reverse()
```

本例中，首先包括两个不同的列表x和y。可以看到x is not y与（x is y相反），这个已经知道了。之后我改动了以下列表，尽管它们的值相等了，但是还是两个不同的列表。

```
>>> x == y
True
>>> x is y
False
```

显然，两个列表值等但是不等同。

总结一下：使用==运算符来判定两个对象是否相等，使用is判定两者是否等同（同一个对象）。

**警告**  避免将is运算符用于比较类似数值和字符串这类不可变值。由于Python内部操作这些对象的方式的原因，使用is运算符的结果是不可预测的。

### 4. in：成员资格运算符

in运算符已经介绍过了（在2.2.5节）。它可以像其他比较运算符一样在条件语句中使用。

```
name = raw_input('What is your name? ')
if 's' in name:
    print 'Your name contains the letter "s".'
else:
    print 'Your name does not contain the letter "s".'
```

### 5. 字符串和序列比较

字符串可以按照字母顺序排列进行比较。

```
>>> "alpha" < "beta"
True
```

**注意**  实际的顺序可能会因为使用不同的本地化设置（locale）而和上边的例子所有不同（请参见标准库文档中locale模块一节）。

如果字符串内包括大写字母，那么结果就会有点乱（实际上，字符是按照本身的顺序值排列的。一个字母的顺序值可以用ord函数查到，ord函数与chr函数功能相反）。如果要忽略大小写字母的区别，可以使用字符串方法upper和lower（请参见第3章）。

```
>>> 'FnOrD'.lower() == 'Fnord'.lower()
True
```

其他的序列也可以用同样的方式进行比较，不过比较的不是字符而是其他类型的元素。

```
>>> [1, 2] < [2, 1]
True
```

如果一个序列中包括其他序列元素，比较规则也同样适用于序列元素。

```
>>> [2, [1, 4]] < [2, [1, 5]]
True
```

### 6. 布尔运算符

返回布尔值的对象已经介绍过许多（事实上，所有值都可以解释为布尔值，所有的表达式也都返回布尔值）。但有时想要检查一个以上的条件。例如，如果需要编写读取数字并且判断该数字是否位于1～10之间（包括10）的程序，可以像下面这样做：

```
number = input('Enter a number between 1 and 10: ')
```

```
if number <= 10:
    if number >= 1:
        print 'Great!'
    else:
        print 'Wrong!'
else:
    print 'Wrong!'
```

这样做没问题，但是方法太笨了。笨在需要写两次Print'Wrong!'。在复制上浪费精力可不是好事。那么怎么办？很简单：

```
number = input('Enter a number between 1 and 10: ')
if number <= 10 and number >= 1:
    print 'Great!'
else:
    print 'Wrong!'
```

**注意** 本例中，还有（或者说应该使用）更简单的方法，即使用连接比较：1<=number<=10。

and运算符就是所谓的布尔运算符。它连接两个布尔值，并且在两者都为真时返回真，否则返回假。与它同类的还有两个运算符，or和not。使用这3个运算符就可以随意结合真值。

```
if ((cash > price) or customer_has_good_credit) and not out_of_stock:
    give_goods()
```

### 短路逻辑和条件表达式

布尔运算符有个有趣的特性：只有在需要求值时才进行求值。举例来说，表达式x and y需要两个变量都为真时才为真，所以如果x为假，表达式就会立刻返回false，而不管y的值。实际上，如果x为假，表达式会返回x的值——否则它就返回y的值。（能明白它是怎么达到预期效果的吗？）这种行为被称为短路逻辑（short-circuit logic）或惰性求值（lazy evaluation）：布尔运算符通常被称为逻辑运算符，就像你看到的那样第2个值有时"被短路了"。这种行为对于or来说也同样适用。在表达式x or y中，x为真时，它直接返回x值，否则返回y值。（应该明白什么意思吧？）注意，这意味着在布尔运算符之后的所有代码都不会执行。

这有什么用呢？它主要是避免了无用地执行代码，可以作为一种技巧使用，假设用户应该输入他/她的名字，但也可以选择什么都不输入，这时可以使用默认值'<unknown>'。可以使用if语句，但是可以很简洁的方式：

```
name = raw_input('Please enter your name: ') or '<unknown>'
```

换句话说，如果raw_input语句的返回值为真（不是空字符串），那么它的值就会赋给name，否则将默认的'<unknown>'赋值给name。

这类短路逻辑可以用来实现C和Java中所谓的三元运算符（或条件运算符）。[1]Python 2.5中有一个内置的条件表达式，像下面这样：

---

[1] 更深入的解释，请参见Alex Mertelli的Python CookBook中关于该主题的讨论（http://aspn.activestate.com/ASPN/Cookbook/Python/Recipe/52310）。

```
a if b else c
```

如果b为真，返回a，否则，返回c。（注意，这个运算符不用引入临时变量，就可以直接使用，从而得到与raw_input例子中同样的结果。）

### 5.4.7　断言

If语句有个非常有用的"近亲"，它的工作方式多少有点像下面这样（伪代码）：

```
if not condition:
    crash program
```

究竟为什么会需要这样的代码呢？就是因为与其让程序在晚些时候崩溃，不如在错误条件出现时直接让它崩溃。一般说来，你可以要求某些条件必须为真（例如，在检查函数参数的属性时，或者作为初期测试和调试过程中的辅助条件）。语句中使用的关键字是assert。

```
>>> age = 10
>>> assert 0 < age < 100
>>> age = -1
>>> assert 0 < age < 100
Traceback (most recent call last):
  File "<stdin>", line 1, in ?
AssertionError
```

如果需要确保程序中的某个条件一定为真才能让程序正常工作的话，assert语句就有用了，它可以在程序中置入检查点。

条件后可以添加字符串，用来解释断言：

```
>>> age = -1
>>> assert 0 < age < 100, 'The age must be realistic'
Traceback (most recent call last):
  File "<stdin>", line 1, in ?
AssertionError: The age must be realistic
```

## 5.5　循环

现在你已经知道当条件为真（或假）时如何执行了，但是怎么才能重复执行多次呢？例如，需要实现一个每月提醒你付房租的程序，但是就我们目前学到的知识而言，需要像下面这样编写程序（伪代码）：

```
发邮件
等一个月
发邮件
等一个月
发邮件
等一个月
（继续下去……）
```

但是如果想让程序继续执行直到人为停止它呢？比如想像下面这样做（还是伪代码）：

```
当我们没有停止时：
发邮件
等一个月
```

或者换个简单些的例子。假设想要打印1～100的所有数字，就得再次用这个笨方法：

```
print 1
print 2
print 3
...
print 99
print 100
```

但是如果准备用这种笨方法也就不会学Python了，对吧？

### 5.5.1 while循环

为了避免上例中笨重的代码，可以像下面这样做：

```
x = 1
while x <= 100:
    print x
    x += 1
```

那么Python里面应该如何写呢？你猜对了，就像上面那样。不是很复杂吧？一个循环就可以确保用户输入了名字：

```
name = ''
while not name:
    name = raw_input('Please enter your name: ')
print 'Hello, %s!' % name
```

运行这个程序看看，然后在程序要求输入名字时按下回车键。程序会再次要求输入名字，因为name还是空字符串，其求值结果为false。

---

**提示** 如果直接输入一个空格作为名字又会如何？试试看。程序会接受这个名字，因为包括一个空格的字符串并不是空的，所以不会判定为假。小程序因此出现了瑕疵，修改起来也很简单：只需要把while not name改为while not name or name.isspace()即可，或者可以使用while not name.strip()。

---

### 5.5.2 for循环

while语句非常灵活。它可以用来在任何条件为真的情况下重复执行一个代码块。一般情况下这样就够用了，但是有些时候还得量体裁衣。比如要为一个集合（序列和其他可迭代对象）的每个元素都执行一个代码块。

---

**注意** 可迭代对象是指可以按次序迭代的对象（也就是用于for循环中的）。有关可迭代和迭代器的更多信息，请参见第9章，现在读者可以将其看作序列。

---

这个时候可以使用for语句：

```
words = ['this', 'is', 'an', 'ex', 'parrot']
for word in words:
    print word
```

**或者**

```
numbers = [0, 1, 2, 3, 4, 5, 6, 7, 8, 9]

for number in numbers:
    print number
```

因为迭代（循环的另外一种说法）某范围的数字是很常见的，所以有个内建的范围函数供使用：

```
>>> range(0, 10)
[0, 1, 2, 3, 4, 5, 6, 7, 8, 9]
```

Range函数的工作方式类似于分片。它包含下限（本例中为0），但不包含上限（本例中为10）。如果希望下限为0，可以只提供上限：

```
>>> range(10)
[0, 1, 2, 3, 4, 5, 6, 7, 8, 9]
```

下面的程序会打印1～100的数字：

```
for number in range(1,101):
    print number
```

它比之前的while循环更简洁。

---

**提示**    如果能使用for循环，就尽量不用while循环。

---

xrange函数的循环行为类似于range函数，区别在于range函数一次创建整个序列，而xrange一次只创建一个数[①]。当需要迭代一个巨大的序列时xrange会更高效，不过一般情况下不需要过多关注它。

### 5.5.3   循环遍历字典元素

一个简单的for语句就能遍历字典的所有键，就像遍历访问序列一样：

```
d = {'x': 1, 'y': 2, 'z': 3}
for key in d:
    print key, 'corresponds to', d[key]
```

在Python 2.2之前，还只能用keys等字典方法来获取键（因为不允许直接迭代字典）。如果只需要值，可以使用d.values替代d.keys。d.items方法会将键-值对作为元组返回，for循环的一大好处就是可以循环中使用序列解包：

```
for key, value in d.items():
    print key, 'corresponds to', value
```

---

**注意**    字典元素的顺序通常是没有定义的。换句话说，迭代的时候，字典中的键和值都能保证被处理，但是处理顺序不确定。如果顺序很重要的话，可以将键值保存在单独的列表中，例如在迭代前进行排序。

---

①在Python 3.0中，range会被转换成xrange风格的函数。

### 5.5.4　一些迭代工具

在Python中迭代序列（或者其他可迭代对象）时，有一些函数非常好用。有些函数位于itertools模块中（第10章中介绍），还有一些Python的内建函数也十分方便。

#### 1. 并行迭代

程序可以同时迭代两个序列。比如有下面两个列表：

```
names = ['anne', 'beth', 'george', 'damon']
ages = [12, 45, 32, 102]
```

如果想要打印名字和对应的年龄，可以像下面这样做：

```
for i in range(len(names)):
    print names[i], 'is', ages[i], 'years old'
```

这里i是循环索引的标准变量名。

而内建的zip函数就可以用来进行并行迭代，可以把两个序列"压缩"在一起，然后返回一个元组的列表：

```
>>> zip(names, ages)
[('anne', 12), ('beth', 45), ('george', 32), ('damon', 102)]
```

现在我可以在循环中解包元组：

```
for name, age in zip(names, ages):
    print name, 'is', age, 'years old'
```

zip函数也可以作用于任意多的序列。关于它很重要的一点是zip可以处理不等长的序列，当最短的序列"用完"的时候就会停止：

```
>>> zip(range(5), xrange(100000000))
[(0, 0), (1, 1), (2, 2), (3, 3), (4, 4)]
```

在上面的代码中，不推荐用range替换xrange——尽管只需要前5个数字，但range会计算所有的数字，这要花费很长的时间。而使用xrange就没这个问题了，它只计算前5个数字。

#### 2. 按索引迭代

有些时候想要迭代访问序列中的对象，同时还要获取当前对象的索引。例如，在一个字符串列表中替换所有包含'xxx'的子字符串。实现的方法肯定有很多，假设你想像下面这样做：

```
for string in strings:
    if 'xxx' in string:
        index = strings.index(string) # Search for the string in the list of strings
        strings[index] = '[censored]'
```

没问题，但是在替换前要搜索给定的字符串似乎没必要。如果不替换的话，搜索还会返回错误的索引（前面出现的同一个词的索引）。一个比较好的版本如下：

```
index = 0
for string in strings:
    if 'xxx' in string:
        strings[index] = '[censored]'
    index += 1
```

方法有些笨，不过可以接受。另一种方法是使用内建的enumerate函数：

```
for index, string in enumerate(strings):
    if 'xxx' in string:
        strings[index] = '[censored]'
```

这个函数可以在提供索引的地方迭代索引-值对。

### 3. 翻转和排序迭代

让我们看看另外两个有用的函数：reversed和sorted。它们同列表的reverse和sort（sorted和sort使用同样的参数）方法类似，但作用于任何序列或可迭代对象上，不是原地修改对象，而是返回翻转或排序后的版本：

```
>>> sorted([4, 3, 6, 8, 3])
[3, 3, 4, 6, 8]
>>> sorted('Hello, world!')
[' ', '!', ',', 'H', 'd', 'e', 'l', 'l', 'l', 'o', 'o', 'r', 'w']
>>> list(reversed('Hello, world!'))
['!', 'd', 'l', 'r', 'o', 'w', ' ', ',', 'o', 'l', 'l', 'e', 'H']
>>> ''.join(reversed('Hello, world!'))
'!dlrow ,olleH'
```

注意，虽然sorted方法返回列表，reversed方法却返回一个更加不可思议的可迭代对象。它们具体的含义不用过多关注，大可在for循环以及join方法中使用，而不会有任何问题。不过却不能直接对它使用索引、分片以及调用list方法，如果希望进行上述处理，那么可以使用list类型转换返回的对象，上面的例子中已经给出具体的做法。

## 5.5.5 跳出循环

一般来说，循环会一直执行到条件为假，或者到序列元素用完时。但是有些时候可能会提前中断一个循环，进行新的迭代（新一"轮"的代码执行），或者仅仅就是想结束循环。

### 1. break

结束（跳出）循环可以使用break语句。假设需要寻找100以内的最大平方数，那么程序可以开始从100往下迭代到0。当找到一个平方数时就不需要继续循环了，所以可以跳出循环：

```
from math import sqrt
for n in range(99, 0, -1):
    root = sqrt(n)
    if root == int(root):
        print n
        break
```

如果执行这个程序的话，会打印出81，然后程序停止。注意，上面代码中range函数增加了第3个参数——表示步长，步长表示每对相邻数字之间的差别。将其设置为负值的话就会像例子中一样反向迭代。它也可以用来跳过数字：

```
>>> range(0, 10, 2)
[0, 2, 4, 6, 8]
```

### 2. continue

continue语句比break语句用得要少得多。它会让当前的迭代结束，"跳"到下一轮循环的开始。它最基本的意思是"跳过剩余的循环体，但是不结束循环"。当循环体很大而且很复杂的时候，这会很有用，有些时候因为一些原因可能会跳过它——这个时候可以使用continue语句：

```
for x in seq:
    if condition1: continue
    if condition2: continue
    if condition3: continue

    do_something()
    do_something_else()
    do_another_thing()
    etc()
```

很多时候，只要使用if语句就可以了：

```
for x in seq:
    if not (condition1 or condition2 or condition3):
        do_something()
        do_something_else()
        do_another_thing()
        etc()
```

尽管continue语句非常有用，它却不是最本质的。应该习惯使用break语句，因为在while True语句中会经常用到它。下一节会对此进行介绍。

### 3. while True/break习语

Python中的while和for循环非常灵活，但一旦使用while语句就会遇到一个需要更多功能的问题。如果需要当用户在提示符下输入单词时做一些事情，并且在用户不输入单词后结束循环。可以使用下面的方法：

```
word = 'dummy'
while word:
    word = raw_input('Please enter a word: ')
    # 处理word:
    print 'The word was ' + word
```

下面是一个会话示例：

```
Please enter a word: first
The word was first
Please enter a word: second
The word was second
Please enter a word:
```

代码按要求的方式工作（大概还能做些比直接打印出单词更有用的工作）。但是代码有些丑。在进入循环之前需要给word赋一个哑（未使用的）值。使用哑值（dummy value）就是工作没有尽善尽美的标志。让我们试着避免它：

```
word = raw_input('Please enter a word: ')
while word:
    # 处理word:
    print 'The word was ' + word
    word = raw_input('Please enter a word: ')
```

哑值不见了。但是有重复的代码（这样也不好）：要用一样的赋值语句在两个地方两次调用raw_input。能否不这么做呢？可以使用while True/break语句：

```
while True:
    word = raw_input('Please enter a word: ')
    if not word: break
    # 处理word:
    print 'The word was ' + word
```

while True的部分实现了一个永远不会自己停止的循环。但是在循环内部的if语句中加入条件可以的，在条件满足时调用break语句。这样一来就可以在循环内部任何地方而不是只在开头（像普通的while循环一样）终止循环。if/break语句自然地将循环分为两部分：第1部分负责初始化（在普通的while循环中，这部分需要重复），第2部分则在循环条件为真的情况下使用第1部分内初始化好的数据。

尽管应该避免在代码中频繁使用break语句（因为这可能会让循环的可读性降低，尤其是在一个循环中使用多个break语句的时候），但这个特殊的技术用得非常普遍，大多数Python程序员（包括你自己）都能理解你的意思。

### 5.5.6　循环中的else子句

当在循环内使用break语句时，通常是因为"找到"了某物或者因为某事"发生"了。在跳出时做一些事情是很简单的（比如print n），但是有些时候想要在没有跳出之前做些事情。那么怎么判断呢？可以使用布尔变量，在循环前将其设定为False，跳出后设定为True。然后再使用if语句查看循环是否跳出了：

```
broke_out = False
for x in seq:
    do_something(x)
    if condition(x):
        broke_out = True
        break
    do_something_else(x)
if not broke_out:
    print "I didn't break out!"
```

更简单的方式是在循环中增加一个else子句——它仅在没有调用break时执行。让我们用这个方法重写刚才的例子：

```
from math import sqrt
for n in range(99, 81, -1):
    root = sqrt(n)
    if root == int(root):
        print n
        break
else:
    print "Didn't find it!"
```

注意我将下限改为81（不包括81）以测试else子句。如果执行程序的话，它会打印出"Didn't find it!"，因为（就像在break那节看到的一样）100以内最大的平方数是81。for和while循环中都可以使用continue、break语句和else子句。

## 5.6　列表推导式——轻量级循环

列表推导式（list comprehension）是利用其他列表创建新列表（类似于数学术语中的集合推导式）的一种方法。它的工作方式类似于for循环，也很简单：

```
>>> [x*x for x in range(10)]
[0, 1, 4, 9, 16, 25, 36, 49, 64, 81]
```

列表由range(10)中每个x的平方组成。太容易了？如果只想打印出那些能被3整除的平方数呢？那么可以使用模除运算符——y%3，当数字可以被3整除时返回0（注意，x能被3整除时，x的平方必然也可以被3整除）。这个语句可以通过增加一个if部分添加到列表推导式中：

```
>>> [x*x for x in range(10) if x % 3 == 0]
[0, 9, 36, 81]
```

也可以增加更多for语句的部分：

```
>>> [(x, y) for x in range(3) for y in range(3)]
[(0, 0), (0, 1), (0, 2), (1, 0), (1, 1), (1, 2), (2, 0), (2, 1), (2, 2)]
```

作为对比，下面的代码使用两个for语句创建了相同的列表：

```
result = []
for x in range(3):
    for y in range(3)
        result.append((x, y))
```

也可以和if子句联合使用，像以前一样：

```
>>> girls = ['alice', 'bernice', 'clarice']
>>> boys = ['chris', 'arnold', 'bob']
>>> [b+'+'+g for b in boys for g in girls if b[0] == g[0]]
['chris+clarice', 'arnold+alice', 'bob+bernice']
```

这样就得到了那些名字首字母相同的男孩和女孩。

> **注意** 使用普通的圆括号而不是方括号不会得到"元组推导式"。在Python 2.3及以前的版本中只会得到错误。在最近的版本中，则会得到一个生成器。请参见9.7节获得更多信息。

---

**更优方案**

男孩/女孩名字对的例子其实效率不高，因为它会检查每个可能的配对。Python有很多解决这个问题的方法，下面的方法是Alex Martelli推荐的：

```
girls = ['alice', 'bernice', 'clarice']
boys = ['chris', 'arnold', 'bob']
letterGirls = {}
for girl in girls:
    letterGirls.setdefault(girl[0], []).append(girl)
print [b+'+'+g for b in boys for g in letterGirls[b[0]]]
```

这个程序建造了一个叫做letterGirl的字典，其中每一项都把单字母作为键，以女孩名字组成的列表作为值。（setdefault字典方法在前一章中已经介绍绍过。）在字典建立后，列表推导式循环整个男孩集合，并且查找那些和当前男孩名字首字母相同的女孩集合。这样列表推导式就不用尝试所有的男孩女孩的组合，检查首字母是否匹配。

---

## 5.7 三人行

作为本章的结束，让我们走马观花地看一下另外3个语句：pass、del和exec。

### 5.7.1 什么都没发生

有的时候，程序什么事情都不用做。这种情况不多，但是一旦出现，就应该让pass语句出马了：

```
>>> pass
>>>
```

似乎没什么动静。

那么究竟为什么使用一个什么都不做的语句？它可以在的代码中做占位符使用。比如程序需要一个if语句，然后进行测试，但是缺少其中一个语句块的代码，考虑下面的情况：

```
if name == 'Ralph Auldus Melish':
    print 'Welcome!'
elif name == 'Enid':
    # 还没完……
elif name == 'Bill Gates':
    print 'Access Denied'
```

代码不会执行，因为Python中空代码块是非法的。解决方法就是在语句块中加上一个pass语句：

```
if name == 'Ralph Auldus Melish':
    print 'Welcome!'
elif name == 'Enid':
    # 还没完……
    pass
elif name == 'Bill Gates':
    print 'Access Denied'
```

**注意** 注释和pass语句联合的替代方案是插入字符串。对于那些没有完成的函数（参见第6章）和类（参见第7章）来说这个方法尤其有用，因为它们会扮演文档字符串（docstring）的角色（第6章中会有解释）。

### 5.7.2 使用del删除

一般来说，Python会删除那些不再使用的对象（因为使用者不会再通过任何变量或者数据结构引用它们）：

```
>>> scoundrel = {'age': 42, 'first name': 'Robin', 'last name': 'of Locksley'}
>>> robin = scoundrel
>>> scoundrel
{'age': 42, 'first name': 'Robin', 'last name': 'of Locksley'}
>>> robin
{'age': 42, 'first name': 'Robin', 'last name': 'of Locksley'}
>>> scoundrel = None
>>> robin
{'age': 42, 'first name': 'Robin', 'last name': 'of Locksley'}
>>> robin = None
```

首先，robin和scoundrel都被绑定到同一个字典上。所以当设置scoundrel为None的时候，字典通过robin还是可用的。但是当我把robin也设置为None的时候，字典就"漂"在内存里面了，没有任何名字绑定到它上面。没有办法获取和使用它，所以Python解释器（以其无穷的智慧）直接删除了那个字典（这种行为被称为垃圾收集）。注意，也可以使用None之外的其他值。字典同样会"消失不见"。

另外一个方法就是使用del语句（我们在第2章和第4章里面用来删除序列和字典元素的语句，记得吗？），它不仅会移除一个对象的引用，也会移除那个名字本身。

```
>>> x = 1
>>> del x
>>> x
Traceback (most recent call last):
  File "<pyshell#255>", line 1, in ?
    x
NameError: name 'x' is not defined
```

看起来很简单，但有时理解起来有些难度。例如，下面的例子中，x和y都指向同一个列表：

```
>>> x = ["Hello", "world"]
>>> y = x
>>> y[1] = "Python"
>>> x
['Hello', 'Python']
```

会有人认为删除x后，y也就随之消失了，但并非如此：

```
>>> del x
>>> y
['Hello', 'Python']
```

为什么会这样？x和y都指向同一个列表。但是删除x并不会影响y。原因就是删除的只是名称，而不是列表本身（值）。事实上，在Python中是没有办法删除值的（也不需要过多考虑删除值的问题，因为在某个值不再使用的时候，Python解释器会负责内存的回收）。

### 5.7.3　使用 exec 和 eval 执行和求值字符串

有些时候可能会需要动态地创造Python代码，然后将其作为语句执行或作为表达式计算，这可能近似于"黑暗魔法"——在此之前，一定要慎之又慎，仔细考虑。

**警告**　本节中，会学到如何执行存储在字符串中的Python代码。这样做会有很严重的潜在安全漏洞。如果程序将用户提供的一段内容中的一部分字符串作为代码执行，程序可能会失去对代码执行的控制，这种情况在网络应用程序——比如CGI脚本中尤其危险，这部分内容会在第15章介绍。

#### 1. exec
执行一个字符串的语句是exec[1]：

```
>>> exec "print 'Hello, world!'"
Hello, world!
```

但是，使用简单形式的exec语句绝不是好事。很多情况下可以给它提供命名空间——可以放

---
[1] 在 **Python 3.0** 中，exec是一个函数而不是语句。

置变量的地方。你想这样做,从而使代码不会干扰命名空间(也就是改变你的变量),比如,下面的代码中使用了名称sqrt:

```
>>> from math import sqrt
>>> exec "sqrt = 1"
>>> sqrt(4)
Traceback (most recent call last):
  File "<pyshell#18>", line 1, in ?
    sqrt(4)
TypeError: object is not callable: 1
```

想想看,为什么一开始我们要这样做?exec语句最有用的地方在于可以动态地创建代码字符串。如果字符串是从其他地方获得的——很有可能是用户——那么几乎不能确定其中到底包含什么代码。所以为了安全起见,可以增加一个字典,起到命名空间的作用。

---

**注意** 命名空间的概念,或称为作用域(scope),是非常重要的知识。下一章会深入学习,但是现在可以把它想象成保存变量的地方,类似于不可见的字典。所以在程序执行x=1这类赋值语句时,就将键x和值1放在当前的命名空间内,这个命名空间一般来说都是全局命名空间(到目前为止绝大多数都是如此),但这并不是必需的。

---

可以通过增加in <scope>来实现,其中的<scope>就是起到放置代码字符串命名空间作用的字典。

```
>>> from math import sqrt
>>> scope = {}
>>> exec 'sqrt = 1' in scope
>>> sqrt(4)
2.0
>>> scope['sqrt']
1
```

可以看到,潜在的破坏性代码并不会覆盖sqrt函数,原来的函数能正常工作,而通过exec赋值的变量sqrt只在它的作用域内有效。

注意,如果需要将scope打印出来的话,会看到其中包含很多东西,因为内建的__builtins__字典自动包含所有的内建函数和值:

```
>>> len(scope)
2
>>> scope.keys()
['sqrt', '__builtins__']
```

**2. eval**

eval(用于"求值")是类似于exec的内建函数。exec语句会执行一系列Python语句,而eval会计算Python表达式(以字符串形式书写),并且返回结果值。(exec语句并不返回任何对象,因为它本身就是语句。)例如,可以使用下面的代码创建一个Python计算器:

```
>>> eval(raw_input("Enter an arithmetic expression: "))
Enter an arithmetic expression: 6 + 18 * 2
42
```

**注意** 表达式eval(raw_input(...))事实上等同于input(...)。在Python 3.0中，raw_input被重命名为input。

跟exec一样，eval也可以使用命名空间。尽管表达式几乎不像语句那样为变量重新赋值。(事实上，可以给eval语句提供两个命名空间，一个全局的一个局部的。全局的必须是字典，局部的可以是任何形式的映射。)

**警告** 尽管表达式一般不给变量重新赋值，但它们的确可以（比如可以调用函数给全局变量重新赋值）。所以使用eval语句对付一些不可信任的代码并不比exec语句安全。目前，在Python内没有任何执行不可信任代码的安全方式。一个可选的方案是使用Python的实现，比如Jython（参见第17章），以及使用一些本地机制，比如Java的sandbox功能。

**初探作用域**

给exec或者eval语句提供命名空间时，还可以在真正使用命名空间前放置一些值进去：

```
>>> scope = {}
>>> scope['x'] = 2
>>> scope['y'] = 3
>>> eval('x * y', scope)
6
```

同理，exec或者eval调用的作用域也能在另外一个上面使用：

```
>>> scope = {}
>>> exec 'x = 2' in scope
>>> eval('x*x', scope)
4
```

事实上，exec语句和eval语句并不常用，但是它们可以作为后兜里的得力工具（当然，这仅仅是比喻而已）。

## 5.8 小结

本章中介绍了几类语句和其他知识。

- **打印**。print语句可以用来打印由逗号隔开的多个值。如果语句以逗号结尾，后面的print语句会在同一行内继续打印。
- **导入**。有些时候，你不喜欢你想导入的函数名——还有可能由于其他原因使用了这个函数名。可以使用import...as...语句进行函数的局部重命名。
- **赋值**。通过序列解包和链式赋值功能，多个变量赋值可以一次性赋值，通过增量赋值可以原地改变变量。
- **块**。块是通过缩排使语句成组的一种方法。它们可以在条件以及循环语句中使用，后面的章节中会介绍，块也可以在函数和类中使用。

□ **条件**。条件语句可以根据条件（布尔表达式）执行或者不执行一个语句块。几个条件可以串联使用if/elif/else。这个主题下还有一种变体叫做条件表达式，形如a if b else c。

□ **断言**。断言简单来说就是肯定某事（布尔表达式）为真，也可在后面跟上这么认为的原因。如果表达式为假，断言就会让程序崩溃（事实上是产生异常——第8章会介绍）。比起让错误潜藏在程序中，直到你不知道它源于何处，更好的方法是尽早找到错误。

□ **循环**。可以为序列（比如一个范围内的数字）中的每一个元素执行一个语句块，或者在条件为真的时候继续执行一段语句。可以使用continue语句跳过块中的其他语句然后继续下一次迭代，或者使用break语句跳出循环。还可以选择在循环结尾加上else子句，当没有执行循环内部的break语句的时候便会执行else子句中的内容。

□ **列表推导式**。它不是真正的语句，而是看起来像循环的表达式，这也是我将它归到循环语句中的原因。通过列表推导式，可以从旧列表中产生新的列表、对元素应用函数、过滤掉不需要的元素，等等。这个功能很强大，但是很多情况下，直接使用循环和条件语句（工作也能完成），程序会更易读。

□ **pass、del、exec和eval语句**。pass语句什么都不做，可以作为占位符使用。del语句用来删除变量，或者数据结构的一部分，但是不能用来删除值。exec语句用与执行Python程序相同的方式来执行字符串。内建的eval函数对写在字符串中的表达式进行计算并且返回结果。

## 5.8.1  本章的新函数

本章涉及的新函数如表5-2所示。

表5-2  本章的新函数

| 函　　数 | 描　　述 |
| --- | --- |
| chr(n) | 当传入序号n时，返回n所代表的包含一个字符的字符串，(0≤n<256) |
| eval(source[, globals[, locals]]) | 将字符串作为表达式计算，并且返回值 |
| enumerate(seq) | 产生用于迭代的（索引，值）对 |
| ord(c) | 返回单字符字符串的int值 |
| range([start,] stop[, step]) | 创建整数的列表 |
| reversed(seq) | 产生seq中值的反向版本，用于迭代 |
| sorted(seq[, cmp][, key][, reverse]) | 返回seq中值排序后的列表 |
| xrange([start,] stop[, step]) | 创造xrange对象用于迭代 |
| zip(seq1, seq2,...) | 创造用于并行迭代的新序列 |

## 5.8.2  接下来学什么

现在基本知识已经学完了。实现任何自己能想到的算法已经没问题了，也可以让程序读取参数并且打印结果。下面两章中，将会介绍可以创建较大程序，却不让代码冗长的知识。这也就是我们所说的抽象（abstraction）。

# 第 6 章

抽 象

6

本章将会介绍如何将语句组织成函数，这样，你可以告诉计算机如何做事，并且只需告诉一次。有了函数以后，就不必反反复复向计算传递同样的具体指令了。本章还会详细介绍参数（parameter）和作用域（scope）的概念，以及递归的概念及其在程序中的用途。

## 6.1 懒惰即美德

目前为止我们所写的程序都很小，如果想要编写大型程序，很快就会遇到麻烦。考虑一下如果在一个地方编写了一段代码，但在另一个地方也要用到这段代码，这时会发生什么。例如，假设我们编写了一小段代码来计算斐波那契数列（任一个数都是前两数之和的数字序列）：

```
fibs = [0, 1]
for i in range(8):
    fibs.append(fibs[-2] + fibs[-1])
```

运行之后，fibs会包含菲波那契数列的前10个数字：

```
>>> fibs
[0, 1, 1, 2, 3, 5, 8, 13, 21, 34]
```

如果想要一次计算前10个数的话，没有问题。你甚至可以将用户输入的数字作为动态范围的长度使用，从而改变for语句块循环的次数：

```
fibs = [0, 1]
num = input('How many Fibonacci numbers do you want? ')
for i in range(num-2):
    fibs.append(fibs[-2] + fibs[-1])
print fibs
```

---

**注意** 在本例中，读取字符串可以使用raw_input函数，然后再用int函数将其转换为整数。

---

但是如果想用这些数字做其他事情呢？当然可以在需要的时候重写同样的循环，但是如果已经编写的是一段复杂的代码——比如下载一系列网页并且计算词频——应该怎么做呢？你是否希望在每次需要的时候把所有的代码重写一遍呢？当然不用，真正的程序员不会这么做的，他们都很懒，但不是用错误的方式犯懒，换句话说就是他们不做无用功。

那么真正的程序员怎么做？他们会让自己的程序抽象一些，上面的程序可以改写为较抽象的版本：

```
num = input('How many numbers do you want? ')
print fibs(num)
```

这个程序的具体细节已经写得很清楚了（读入数值，然后打印结果）。事实上计算斐波那契数列是由一种抽象的方式完成的：只需要告诉计算机去做就好，不用特别说明应该怎么做。名为fibs的函数被创建，然后在需要计算斐波那契数列的地方调用它即可。如果这函数要被调用很多次的话，这么做会节省很多精力。

## 6.2 抽象和结构

抽象可以节省很多工作，实际上它的作用还要更大，它是使得计算机程序可以让人读懂的关键（这也是最基本的要求，不管是读还是写程序）。计算机非常乐于处理精确和具体的指令，但是人可就不同了。如果有人问我去电影院怎么走，估计他不会希望我回答"向前走10步，左转90度，再走5步，右转45度，走123步"。弄不好就迷路了，对吧？

现在，如果我告诉他"一直沿着街走，过桥，电影院就在左手边"，这样就明白多了吧！关键在于大家都知道怎么走路和过桥，不需要明确指令来指导这些事。

组织计算机程序也是类似的。程序应该是非常抽象的，就像"下载网页、计算频率，打印每个单词的频率"一样易懂。事实上，我们现在就能把这段描述翻译成Python程序：

```
page = download_page()
freqs = compute_frequencies(page)
for word, freq in freqs:
    print word, freq
```

虽然没有明确地说出它是怎么做的，但读完代码就知道程序做什么了。只需要告诉计算机下载网页并且计算词频。这些操作的具体细节会在其他地方给出——在单独的函数定义中。

## 6.3 创建函数

函数是可以调用的（可能带有参数，也就是放在圆括号中的值），它执行某种行为并且返回一个值[1]。一般来说，内建的callable函数可以用来判断函数是否可调用：

```
>>> import math
>>> x = 1
>>> y = math.sqrt
>>> callable(x)
False
>>> callable(y)
True
```

---

**注意** 函数callable在Python 3.0中不再可用，需要使用表达式hasattr(func, __call__)代替。有关hasattr的更多信息，请参见第7章。

---

[1] 并非所有Python函数都有返回值，更多信息请参见本章后面章节。

就像前一节内容中介绍的，创建函数是组织程序的关键。那么怎么定义函数呢？使用def（或"函数定义"）语句即可：

```
def hello(name):
    return 'Hello, ' + name + '!'
```

运行这段程序就会得到一个名为hello的新函数，它可以返回一个将输入的参数作为名字的问候语。可以像使用内建函数一样使用它：

```
>>> print hello('world')
Hello, world!
>>> print hello('Gumby')
Hello, Gumby!
```

很精巧吧？那么想想看怎么写个返回斐波那契数列列表的函数吧。简单！只需要使用刚才的代码，把从用户输入获取数字改为作为参数接收数字：

```
def fibs(num):
    result = [0, 1]
    for i in range(num-2):
        result.append(result[-2] + result[-1])
    return result
```

执行这段语句后，编译器就知道如何计算斐波那契数列了——所以现在就不用关注细节了，只要用函数fibs就行：

```
>>> fibs(10)
[0, 1, 1, 2, 3, 5, 8, 13, 21, 34]
>>> fibs(15)
[0, 1, 1, 2, 3, 5, 8, 13, 21, 34, 55, 89, 144, 233, 377]
```

本例中的num和result的名字都是随便起的，但是return语句非常重要。return语句是用来从函数中返回值[①]的（前例中的hello函数也有用到）。

### 6.3.1 文档化函数

如果想要给函数写文档，让其他使用该函数人能理解的话，可以加入注释（以#开头）。另外一个方式就是直接接上字符串。这类字符串在其他地方可能会非常有用，比如在def语句后面（以及在模块或者类的开头——有关类的更多内容请参见第7章，有关模块的更多内容请参见第10章）。如果在函数的开头写下字符串，它就会作为函数的一部分进行存储，这称为文档字符串。下面代码演示了如何给函数添加文档字符串：

```
def square(x):
    'Calculates the square of the number x.'
    return x*x
```

文档字符串可以按如下方式访问：

```
>>> square.__doc__
'Calculates the square of the number x.'
```

---

① 函数可以返回一个以上的值，元组中返回即可。——译者注

**注意** __doc__ 是函数属性。第7章中会介绍更多关于属性的知识。属性名中的双下划线表示它是个特殊属性。这类特殊和"魔法"属性会在第9章讨论。

内建的 help 函数是非常有用的。在交互式解释器中使用它，就可以得到关于函数，包括它的文档字符串的信息：

```
>>> help(square)
Help on function square in module __main__:

square(x)
    Calculates the square of the number x.
```

第10章中会再次对 help 函数进行讨论。

### 6.3.2  并非真正函数的函数

数学意义上的函数，总在计算其参数后返回点什么。Python的有些函数却并不返回任何东西。在其他语言中（比如Pascal），这类函数可能有其他名字（比如过程）。但是Python的函数就是函数，即便它从学术上讲并不是函数。没有 return 语句，或者虽有 return 语句但 return 后边没有跟任何值的函数不返回值：

```
def test():
    print 'This is printed'
    return
    print 'This is not'
```

这里的 return 语句只起到结束函数的作用：

```
>>> x = test()
This is printed
```

可以看到，第2个 print 语句被跳过了（类似于循环中的 break 语句，不过这里是跳出函数）。但是如果 test 不返回任何值，那么 x 又引用什么呢？让我们看看：

```
>>> x
>>>
```

没东西，再仔细看看：

```
>>> print x
None
```

好熟悉的值：None。所以所有的函数的确都返回了东西：当不需要它们返回值的时候，它们就返回None。看来刚才"有些函数并不真的是函数"的说法有些不公平了。

**警告** 千万不要被默认行为所迷惑。如果在if语句内返回值，那么要确保其他分支也有返回值，这样一来当调用者期待一个序列的时候，就不会意外地返回None。

## 6.4  参数魔法

函数使用起来很简单，创建起来也不复杂。但函数参数的用法有时就有些神奇了。还是先从最基础的介绍起。

## 6.4.1 值从哪里来

函数被定义后，所操作的值是从哪里来的呢？一般来说不用担心这些，编写函数只是给程序需要的部分（也可能是其他程序）提供服务，能保证函数在被提供给可接受参数的时候正常工作就行，参数错误的话显然会导致失败（一般来说这时候要用断言和异常，第8章会介绍异常）。

> **注意** 写在def语句中函数名后面的变量通常叫做函数的**形参**，而**调用**函数的时提供的值是**实参**，或者称为**参数**。一般来说，本书在介绍的时候对于两者的区别并不会吹毛求疵。如果这种区别影响较大的话，我会将实参称为"值"以区别于形参。

## 6.4.2 我能改变参数吗

函数通过它的参数获得一系列值。那么这些值能改变吗？如果改变了又会怎样？参数只是变量而已，所以它们的行为其实和你预想的一样。在函数内为参数赋予新值不会改变外部任何变量的值：

```
>>> def try_to_change(n):
        n = 'Mr. Gumby'

>>> name = 'Mrs. Entity'
>>> try_to_change(name)
>>> name
'Mrs. Entity'
```

在try_to_change内，参数n获得了新值，但是它没有影响到name变量。n实际上是个完全不同的变量，具体的工作方式类似于下面这样：

```
>>> name = 'Mrs. Entity'
>>> n = name # 这句的作用基本上等于传参数
>>> n = 'Mr. Gumby' # 在函数内部完成的
>>> name
'Mrs. Entity'
```

结果是显而易见的。当变量n改变的时候，变量name不变。同样，当在函数内部把参数重绑定（赋值）的时候，函数外的变量不会受到影响。

> **注意** 参数存储在**局部作用域**（local scope）内，本章后面会介绍。

字符串（以及数字和元组）是不可变的，即无法被修改（也就是说只能用新的值覆盖）。所以它们做参数的时候也就无需多做介绍。但是考虑一下如果将可变的数据结构如列表用作参数的时候会发生什么：

```
>>> def change(n):
        n[0] = 'Mr. Gumby'

>>> names = ['Mrs. Entity', 'Mrs. Thing']
>>> change(names)
```

```
>>> names
['Mr. Gumby', 'Mrs. Thing']
```

本例中，参数被改变了。这就是本例和前面例子中至关重要的区别。前面的例子中，局部变量被赋予了新值，但是这个例子中变量names所绑定的列表的确改变了。有些奇怪吧？其实这种行为并不奇怪，下面不用函数调用再做一次：

```
>>> names = ['Mrs. Entity', 'Mrs. Thing']
>>> n = names # 再来一次，模拟传参行为
>>> n[0] = 'Mr. Gumby' # 改变列表
>>> names
['Mr. Gumby', 'Mrs. Thing']
```

这类情况在前面已经出现了多次。当两个变量同时引用一个列表的时候，它们的确是同时引用一个列表。就是这么简单。如果想避免出现这种情况，可以复制一个列表的副本。当在序列中做切片的时候，返回的切片总是一个副本。因此，如果你复制了整个列表的切片，将会得到一个副本：

```
>>> names = ['Mrs. Entity', 'Mrs. Thing']
>>> n = names[:]
```

现在n和name包含两个独立（不同）的列表，其值相等：

```
>>> n is names
False
>>> n == names
True
```

如果现在改变n（就像在函数change中做的一样），则不会影响到names：

```
>>> n[0] = 'Mr. Gumby'
>>> n
['Mr. Gumby', 'Mrs. Thing']
>>> names
['Mrs. Entity', 'Mrs. Thing']
```

再用change试一下：

```
>>> change(names[:])
>>> names
['Mrs. Entity', 'Mrs. Thing']
```

现在参数n包含一个副本，而原始的列表是安全的。

---

**注意**    可能有的读者会发现这样的问题：函数的局部名称——包括参数在内——并不和外面的函数名称（全局的）冲突。关于作用域的更多信息，后面的章节会进行讨论。

---

### 1. 为什么要修改参数

使用函数改变数据结构（比如列表或字典）是一种将程序抽象化的好方法。假设需要编写一个存储名字并且能用名字、中间名或姓查找联系人的程序，可以使用下面的数据结构：

```
storage = {}
storage['first'] = {}
storage['middle'] = {}
storage['last'] = {}
```

storage这个数据结构是带有3个键'first'、'middle'和'last'的字典。每个键下面都又存储一个字典。子字典中，可以使用名字（名字、中间名或姓）作为键，插入联系人列表作为值。比如要把我自己的名字加入这个数据结构，可以像下面这么做：

```
>>> me = 'Magnus Lie Hetland'
>>> storage['first']['Magnus'] = [me]
>>> storage['middle']['Lie'] = [me]
>>> storage['last']['Hetland'] = [me]
```

每个键下面都存储了一个以人名组成的列表。本例中，列表中只有我。

现在如果想得到所有注册的中间名为Lie的人，可以像下面这么做：

```
>>> storage['middle']['Lie']
['Magnus Lie Hetland']
```

将人名加到列表中的步骤有点枯燥乏味，尤其是要加入很多姓名相同的人时，因为需要扩展已经存储了那些名字的列表。例如，下面加入我姐姐的名字，而且假设不知道数据库中已经存储了什么：

```
>>> my_sister = 'Anne Lie Hetland'
>>> storage['first'].setdefault('Anne', []).append(my_sister)
>>> storage['middle'].setdefault('Lie', []).append(my_sister)
>>> storage['last'].setdefault('Hetland', []).append(my_sister)
>>> storage['first']['Anne']
['Anne Lie Hetland']
>>> storage['middle']['Lie']
['Magnus Lie Hetland', 'Anne Lie Hetland']
```

如果要写个大程序来这样更新列表，那么很显然程序很快就会变得臃肿且笨拙不堪了。

抽象的要点就是隐藏更新时烦琐的细节，这个过程可以用函数实现。下面的例子就是初始化数据结构的函数：

```
def init(data):
    data['first'] = {}
    data['middle'] = {}
    data['last'] = {}
```

上面的代码只是把初始化语句放到了函数中，使用方法如下：

```
>>> storage = {}
>>> init(storage)
>>> storage
{'middle': {}, 'last': {}, 'first': {}}
```

可以看到，函数包办了初始化的工作，让代码更易读。

---

**注意** 字典的键并没有特定的顺序，所以当字典打印出来的时候，顺序是不同的。如果读者在自己的解释器中打印出的顺序不同，请不要担心，这是很正常的。

---

在编写存储名字的函数前，先写个获得名字的函数：

```
def lookup(data, label, name):
    return data[label].get(name)
```

标签（比如'middle'）以及名字（比如'Lie'）可以作为参数提供给lookup函数使用，这样会获得包含全名的列表。换句话说，如果我的名字已经存储了，可以像下面这样做：

```
>>> lookup(storage, 'middle', 'Lie')
['Magnus Lie Hetland']
```

注意，返回的列表和存储在数据结构中的列表是相同的，所以如果列表被修改了，那么也会影响数据结构（没有查询到人的时候就问题不大了，因为函数返回的是None）。

```
def store(data, full_name):
    names = full_name.split()
    if len(names) == 2: names.insert(1, '')
    labels = 'first', 'middle', 'last'
    for label, name in zip(labels, names):
        people = lookup(data, label, name)
        if people:
            people.append(full_name)
        else:
            data[label][name] = [full_name]
```

store函数执行以下步骤。

(1) 使用参数data和full_name进入函数，这两个参数被设置为函数在外部获得的一些值。

(2) 通过拆分full_name，得到一个叫做names的列表。

(3) 如果names的长度为2（只有首名和末名），那么插入一个空字符串作为中间名。

(4) 将字符串'first'、'middle'和'last'作为元组存储在labels中（也可以使用列表，这里只是为了方便而去掉括号）。

(5) 使用zip函数联合标签和名字，对于每一个（lable,name）对，进行以下处理：

□ 获得属于给定标签和名字的列表；

□ 将full_name添加到列表中，或者插入一个需要的新列表。

来试用一下刚刚实现的程序：

```
>>> MyNames = {}
>>> init(MyNames)
>>> store(MyNames, 'Magnus Lie Hetland')
>>> lookup(MyNames, 'middle', 'Lie')
['Magnus Lie Hetland']
```

### 好像可以工作，再试试：

```
>>> store(MyNames, 'Robin Hood')
>>> store(MyNames, 'Robin Locksley')
>>> lookup(MyNames, 'first', 'Robin')
['Robin Hood', 'Robin Locksley']
>>> store(MyNames, 'Mr. Gumby')
>>> lookup(MyNames, 'middle', '')
['Robin Hood', 'Robin Locksley', 'Mr. Gumby']
```

可以看到，如果某些人的名字、中间名或姓相同，那么结果中会包含所有这些人的信息。

---

**注意** 这类程序很适合进行面向对象程序设计，下一章内会讨论到如何进行面向对象程序设计。

---

### 2. 如果我的参数不可变呢

在某些语言（比如C++、Pascal和Ada）中，重新绑定参数并且使这些改变影响到函数外的变量是很平常的事情。但在Python中这是不可能的：函数只能修改参数对象本身。但是如果你的参数不可变（比如是数字），又该怎么办呢？

不好意思，没有办法。这个时候你应该从函数中返回所有你需要的值（如果值多于一个的话就以元组形式返回）。例如，将变量的数值增1的函数可以这样写：

```
>>> def inc(x): return x + 1
...
>>> foo = 10
>>> foo = inc(foo)
>>> foo
11
```

如果真的想改变参数，那么可以使用一点小技巧，即将值放置在列表中：

```
>>> def inc(x): x[0] = x[0] + 1
...
>>> foo = [10]
>>> inc(foo)
>>> foo
[11]
```

这样就会只返回新值，代码看起来也比较清晰。

### 6.4.3 关键字参数和默认值

目前为止我们所使用的参数都叫做位置参数，因为它们的位置很重要，事实上比它们的名字更加重要。本节中引入的这个功能可以回避位置问题，当你慢慢习惯使用这个功能以后，就会发现程序规模越大，它们的作用也就越大。

考虑下面的两个函数：

```
def hello_1(greeting, name):
    print '%s, %s!' % (greeting, name)

def hello_2(name, greeting):
    print '%s, %s!' % (name, greeting)
```

两个代码所实现的是完全一样的功能，只是参数顺序反过来了：

```
>>> hello_1('Hello', 'world')
Hello, world!
>>> hello_2('Hello', 'world')
Hello, world!
```

有些时候（尤其是参数很多的时候），参数的顺序是很难记住的。为了让事情简单些，可以提供参数的名字：

```
>>> hello_1(greeting='Hello', name='world')
Hello, world!
```

这样一来，顺序就完全没影响了：

```
>>> hello_1(name='world', greeting='Hello')
Hello, world!
```

但参数名和值一定要对应：

```
>>> hello_2(greeting='Hello', name='world')
world, Hello!
```

这类使用参数名提供的参数叫做关键字参数。它的主要作用在于可以明确每个参数的作用，也就避免了下面这样的奇怪的函数调用：

```
>>> store('Mr. Brainsample', 10, 20, 13, 5)
```

可以使用：

```
>>> store(patient='Mr. Brainsample', hour=10, minute=20, day=13, month=5)
```

尽管这么做打的字就多了些，但是很显然，每个参数的含义变得更加清晰。而且就算弄乱了参数的顺序，对于程序的功能也没有任何影响。

关键字参数最厉害的地方在于可以在函数中给参数提供默认值：

```
def hello_3(greeting='Hello', name='world'):
    print '%s, %s!' % (greeting, name)
```

当参数具有默认值的时候，调用的时候就不用提供参数了！可以不提供、提供一些或提供所有的参数：

```
>>> hello_3()
Hello, world!
>>> hello_3('Greetings')
Greetings, world!
>>> hello_3('Greetings', 'universe')
Greetings, universe!
```

可以看到，位置参数这个方法不错，只是在提供名字的时候同时还要提供问候语。但是如果只想提供 name 参数，而让 greeting 使用默认值该怎么办呢？相信此刻你已经猜到了：

```
>>> hello_3(name='Gumby')
Hello, Gumby!
```

很简洁吧？还没完。位置参数和关键字参数是可以联合使用的。把位置参数放置在前面就可以了。如果不这样做，解释器会不知道它们到底谁是谁（也就是它们应该处的位置）。

---

**注意**　除非完全清楚程序的功能和参数的意义，否则应该避免混合使用位置参数和关键字参数。一般来说，只有在强制要求的参数个数比可修改的具有默认值的参数个数少的时候，才使用上面提到的参数书写方法。

---

例如，hello 函数可能需要名字作为参数，但是也允许用户自定义名字，问候语和标点：

```
def hello_4(name, greeting='Hello', punctuation='!'):
    print '%s, %s%s' % (greeting, name, punctuation)
```

函数的调用方式很多，下面是其中一些：

```
>>> hello_4('Mars')
Hello, Mars!
>>> hello_4('Mars', 'Howdy')
Howdy, Mars!
>>> hello_4('Mars', 'Howdy', '...')
Howdy, Mars...
>>> hello_4('Mars', punctuation='.')
Hello, Mars.
>>> hello_4('Mars', greeting='Top of the morning to ya')
```

```
Top of the morning to ya, Mars!
>>> hello_4()
Traceback (most recent call last):
  File "<pyshell#64>", line 1, in ?
    hello_4()
TypeError: hello_4() takes at least 1 argument (0 given)
```

**注意**　如果为name也赋予默认值，那么最后一个语句就不会产生异常。

很灵活吧？我们也不需要做多少工作。下一节中我们可以做得更灵活。

### 6.4.4　收集参数

有些时候让用户提供任意数量的参数是很有用的。比如在名字存储程序中（本章前面"为什么我想要修改参数"一节用到的），用户每次只能存一个名字。如果能像下面这样存储多个名字就更好了：

```
>>> store(data, name1, name2, name3)
```

用户可以给函数提供任意多的参数。实现起来也不难。

试着像下面这样定义函数：

```
def print_params(*params):
    print params
```

这里我只指定了一个参数，但是前面加上了个星号。这是什么意思？让我们用一个参数调用函数看看会发生什么：

```
>>> print_params('Testing')
('Testing',)
```

可以看到，结果作为元组打印出来，因为里面有个逗号（长度为1的元组有些怪，不是吗）。所以在参数前使用星号就能打印出元组？那么在Params中使用多个参数看看会发生什么：

```
>>> print_params(1, 2, 3)
(1, 2, 3)
```

参数前的星号将所有值放置在同一个元组中。可以说是将这些值收集起来，然后使用。不知道能不能与普通参数联合使用。让我们再写个函数：

```
def print_params_2(title, *params):
    print title
    print params
```

试试看：

```
>>> print_params_2('Params:', 1, 2, 3)
Params:
(1, 2, 3)
```

没问题！所以星号的意思就是"收集其余的位置参数"。如果不提供任何供收集的元素，params就是个空元组：

```
>>> print_params_2('Nothing:')
Nothing:
()
```

的确如此，很有用。那么能不能处理关键字参数（也是参数）呢？

```
>>> print_params_2('Hmm...', something=42)
Traceback (most recent call last):
  File "<pyshell#60>", line 1, in ?
    print_params_2('Hmm...', something=42)
TypeError: print_params_2() got an unexpected keyword argument 'something'
```

看来不行。所以我们需要另外一个能处理关键字参数的"收集"操作。那么语法应该怎么写呢？会不会是"**"？

```
def print_params_3(**params):
    print params
```

至少解释器没有报错。调用一下看看：

```
>>> print_params_3(x=1, y=2, z=3)
{'z': 3, 'x': 1, 'y': 2}
```

返回的是字典而不是元组。放一起用看看：

```
def print_params_4(x, y, z=3, *pospar, **keypar):
    print x, y, z
    print pospar
    print keypar
```

和我们期望的结果别无二致：

```
>>> print_params_4(1, 2, 3, 5, 6, 7, foo=1, bar=2)
1 2 3
(5, 6, 7)
{'foo': 1, 'bar': 2}
>>> print_params_4(1, 2)
1 2 3
()
{}
```

联合使用这些功能，可以做的事就多了。如果你想知道几种功能联合起来如何工作（或者说是否允许这么做），那就自己动手试试看吧（下一节中，会看到*和**是怎么用来进行函数调用的，不管是否在函数定义中使用）。

现在回到原来的问题上：怎么实现多个名字同时存储。解决方案如下：

```
def store(data, *full_names):
    for full_name in full_names:
        names = full_name.split()
        if len(names) == 2: names.insert(1, '')
        labels = 'first', 'middle', 'last'
        for label, name in zip(labels, names):
            people = lookup(data, label, name)
            if people:
                people.append(full_name)
            else:
                data[label][name] = [full_name]
```

使用这个函数就像上一节中的只接受一个名字的函数一样简单：

```
>>> d = {}
>>> init(d)
>>> store(d, 'Han Solo')
```

但是现在可以这样使用：

```
>>> store(d, 'Luke Skywalker', 'Anakin Skywalker')
>>> lookup(d, 'last', 'Skywalker')
['Luke Skywalker', 'Anakin Skywalker']
```

## 6.4.5　参数收集的逆过程

如何将参数收集为元组和字典已经讨论过了，但是事实上，如果使用*和**的话，也可以执行相反的操作。那么参数收集的逆过程是什么样？假设有如下函数：

```
def add(x, y): return x + y
```

**注意**　operator模块中包含此函数的效率更高的版本。

比如说有个包含由两个要相加的数字组成的元组：

```
params = (1, 2)
```

这个过程或多或少有点像我们上一节中介绍的方法的逆过程。不是要收集参数，而是分配它们在"另一端"。使用*运算符就简单了——不过是在调用而不是在定义时使用：

```
>>> add(*params)
3
```

对于参数列表来说工作正常，只要扩展的部分是最新的就可以。可以使用同样的技术来处理字典——使用双星号运算符。假设之前定义了hello_3，那么可以这样使用：

```
>>> params = {'name': 'Sir Robin', 'greeting': 'Well met'}
>>> hello_3(**params)
Well met, Sir Robin!
```

在定义或者调用函数时使用星号（或者双星号）仅传递元组或字典，所以可能没遇到什么麻烦：

```
>>> def with_stars(**kwds):
        print kwds['name'], 'is', kwds['age'], 'years old'

>>> def without_stars(kwds):
        print kwds['name'], 'is', kwds['age'], 'years old'
>>> args = {'name': 'Mr. Gumby', 'age': 42}
>>> with_stars(**args)
Mr. Gumby is 42 years old
>>> without_stars(args)
Mr. Gumby is 42 years old
```

可以看到，在with_stars中，我在定义和调用函数时都使用了星号。而在without_starts中两处都没用，但得到了同样的效果。所以星号只在定义函数（允许使用不定数目的参数）或者调用（"分割"字典或者序列）时才有用。

**提示**   使用拼接（Splicing）操作符"传递"参数很有用，因为这样一来就不用关心参数的个数之类的问题，例如：

```
def foo(x, y, z, m=0, n=0):
    print x, y, z, m, n
def call_foo(*args,**kwds):
    print "Calling foo!"
    foo(*args,**kwds)
```

在调用超类的构造函数时这个方法尤其有用（请参见第9章获取更多信息）。

## 6.4.6   练习使用参数

有了这么多种提供和接受参数的方法，很容易犯晕吧！所以让我们把这些方法放在一起举个例子。首先，我定义了一些函数：

```
def story(**kwds):
    return 'Once upon a time, there was a ' \
           '%(job)s called %(name)s.' % kwds

def power(x, y, *others):
    if others:
        print 'Received redundant parameters:', others
    return pow(x, y)

def interval(start, stop=None, step=1):
    'Imitates range() for step > 0'
    if stop is None:            # 如果没有为stop提供值……
        start, stop = 0, start  # 指定参数
    result = []
    i = start                   # 计算start索引
    while i < stop:             # 直到计算到stop的索引
        result.append(i)        # 将索引添加到result内……
        i += step               # 用step (>0) 增加索引i……
    return result
```

### 让我们试一下：

```
>>> print story(job='king', name='Gumby')
Once upon a time, there was a king called Gumby.
>>> print story(name='Sir Robin', job='brave knight')
Once upon a time, there was a brave knight called Sir Robin.
>>> params = {'job': 'language', 'name': 'Python'}
>>> print story(**params)
Once upon a time, there was a language called Python.
>>> del params['job']
>>> print story(job='stroke of genius', **params)
Once upon a time, there was a stroke of genius called Python.
>>> power(2,3)
8
>>> power(3,2)
9
>>> power(y=3,x=2)
8
>>> params = (5,) * 2
>>> power(*params)
```

```
3125
>>> power(3, 3, 'Hello, world')
Received redundant parameters: ('Hello, world',)
27
>>> interval(10)
[0, 1, 2, 3, 4, 5, 6, 7, 8, 9]
>>> interval(1,5)
[1, 2, 3, 4]
>>> interval(3,12,4)
[3, 7, 11]
>>> power(*interval(3,7))
Received redundant parameters: (5, 6)
81
```

这些函数应该多加练习，加以掌握。

## 6.5 作用域

到底什么是变量？你可以把它们看作是值的名字。在执行x=1赋值语句后，名称x引用到值1。这就像用字典一样，键引用值，当然，变量和所对应的值用的是个"不可见"的字典。实际上这么说已经很接近真实情况了。内建的vars函数可以返回这个字典：

```
>>> x = 1
>>> scope = vars()
>>> scope['x']
1
>>> scope['x'] += 1
>>> x
2
```

---

**警告** 一般来说，vars所返回的字典是不能修改的，因为根据官方Python文档的说法，结果是未定义的。换句话说，可能得不到想要的结果。

---

这类"不可见字典"叫做命名空间或者作用域。那么到底有多少个命名空间？除了全局作用域外，每个函数调用都会创建一个新的作用域：

```
>>> def foo(): x = 42
...
>>> x = 1
>>> foo()
>>> x
1
```

这里的foo函数改变（重绑定）了变量x，但是在最后的时候，x并没有变。这是因为当调用foo的时候，新的命名空间就被创建了，它作用于foo内的代码块。赋值语句x=42只在内部作用域（局部命名空间）起作用，所以它并不影响外部（全局）作用域中的x。函数内的变量被称为局部变量（local variable，这是与全局变量相反的概念）。参数的工作原理类似于局部变量，所以用全局变量的名字作为参数名并没有问题。

```
>>> def output(x): print x
...
>>> x = 1
>>> y = 2
```

```
>>> output(y)
2
```

目前为止一切正常。但是如果需要在函数内部访问全局变量怎么办呢？而且只想读取变量的值（也就是说不想重绑定变量），一般来说是没有问题的：

```
>>> def combine(parameter): print parameter + external
...
>>> external = 'berry'
>>> combine('Shrub')
Shrubberry
```

**警告** 像这样引用全局变量是很多错误的引发原因。慎重使用全局变量。

### 屏蔽引发的问题

读取全局变量一般来说并不是问题，但是还是有个会出问题的事情。如果局部变量或者参数的名字和想要访问的全局变量名相同的话，就不能直接访问了。全局变量会被局部变量屏蔽。

如果的确需要的话，可以使用globals函数获取全局变量值，该函数的近亲是vars，它可以返回全局变量的字典（locals返回局部变量的字典）。例如，如果前例中有个叫做parameter的全局变量，那么就不能在combine函数内部访问该变量，因为你有一个与之同名的参数。必要时，能使用globals()['parameter']获取：

```
>>> def combine(parameter):
        print parameter + globals()['parameter']
...
>>> parameter = 'berry'
>>> combine('Shrub')
Shrubberry
```

接下来讨论重绑定全局变量（使变量引用其他新值）。如果在函数内部将值赋予一个变量，它会自动成为局部变量——除非告知Python将其声明为全局变量[①]。那么怎么才能告诉Python这是一个全局变量呢？

```
>>> x = 1
>>> def change_global():
        global x
        x = x + 1

>>> change_global()
>>> x
2
```

小菜一碟！

---

[①] 注意只有在需要的时候才使用全局变量。它们会让代码变得混乱和不灵活。局部变量可以让代码更加抽象，因为它们是在函数中"隐藏"的。 ——译者注

---

**嵌套作用域**

Python的函数是可以嵌套的，也就是说可以将一个函数放在另一个里面[①]。下面是一个例子：

```
def foo():
    def bar():
        print "Hello, world!"
    bar()
```

嵌套一般来说并不是那么有用，但它有一个很突出的应用，例如需要用一个函数"创建"另一个。也就意味着可以像下面这样（在其他函数内）书写函数：

```
def multiplier(factor):
    def multiplyByFactor(number):
        return number*factor
    return multiplyByFactor
```

一个函数位于另外一个里面，外层函数返回里层函数。也就是说函数本身被返回了，但并没有被调用。重要的是返回的函数还可以访问它的定义所在的作用域。换句话说，它"带着"它的环境（和相关的局部变量）。

每次调用外层函数，它内部的函数都被重新绑定，factor变量每次都有一个新的值。由于Python的嵌套作用域，来自（multiplier的）外部作用域的这个变量，稍后会被内层函数访问。例如：

```
>>> double = multiplier(2)
>>> double(5)
10
>>> triple = multiplier(3)
>>> triple(3)
9
>>> multiplier(5)(4)
20
```

类似multiplyByFactor函数存储子封闭作用域的行为叫做闭包（closure）。

外部作用域的变量一般来说是不能进行重新绑定的。但在Python 3.0中，nonlocal关键字被引入。它和global关键字的使用方式类似，可以让用户对外部作用域（但并非全局作用域）的变量进行赋值。

---

## 6.6　递归

前面已经介绍了很多关于创建和调用函数的知识。函数也可以调用其他函数。令人惊讶的是函数可以调用自身，下面将对此进行介绍。

递归这个词对于没接触过程序设计的人来说可能会比较陌生。简单说来就是引用（或者调用）自身的意思。来看一个有点幽默的定义：

*recur sion \ri-'k&r-zh&n\ n: see recursion.*

（递归[名词]：见递归）。

---

[①] 这个话题稍微有些复杂，如果读者刚刚接触函数和作用域，现在可以先跳过。

递归的定义（包括递归函数定义）包括它们自身定义内容的引用。由于每个人对递归的掌握程度不同，它可能会让人大伤脑筋，也可能是小菜一碟。为了深入理解它，读者应该买本计算机科学方面的好书，常用Python解释器也能帮助理解。

使用"递归"的幽默定义来定义递归一般来说是不可行的，因为那样什么也做不了。我们需要查找递归的意思，结果它告诉请参见递归，无穷尽也。一个类似的函数定义如下：

```
def recursion():
    return recursion()
```

显然它做不了任何事情——和刚才那个递归的假定义一样没用。运行一下，会发生什么事情？欢迎尝试：不一会儿，程序直接就崩溃了（发生异常）。理论上讲，它应该永远运行下去。然而每次调用函数都会用掉一点内存，在足够的的函数调用发生后（在之前的调用返回后），空间就不够了，程序会以一个"超过最大递归深度"的错误信息结束。

这类递归叫做无穷递归（infinite recursion），类似于以while True开始的无穷循环，中间没有break或者return语句。因为（理论上讲）它永远不结束。我们想要的是能做一些有用的事情的递归函数。有用的递归函数包含以下几部分：

- 当函数直接返回值时有基本实例（最小可能性问题）；
- 递归实例，包括一个或者多个问题最小部分的递归调用。

这里的关键就是将问题分解为小部分，递归不能永远继续下去，因为它总是以最小可能性问题结束，而这些问题又存储在基本实例中的。

所以才会让函数调用自身。但是怎么将其实现呢？做起来没有看起来这么奇怪。就像我刚才说的那样，每次函数被调用时，针对这个调用的新命名空间会被创建，意味着当函数调用"自身"时，实际上运行的是两个不同的函数（或者说是同一个函数具有两个不同的命名空间）。实际上，可以将它想象成和同种类的一个生物进行对话的另一个生物对话。

### 6.6.1 两个经典：阶乘和幂

本节中，我们会看到两个经典的递归函数。首先，假设想要计算数$n$的阶乘。$n$的阶乘定义为$n \times (n-1) \times (n-2) \times \cdots \times 1$。很多数学应用中都会用到它（比如计算将$n$个人排为一行共有多少种方法）。那么怎么计算呢？可以使用循环：

```
def factorial(n):
    result = n
    for i in range(1,n):
        result *= i
    return result
```

这个方法可行而且很容易实现。它的过程主要是：首先，将result赋到$n$上，然后result依次与1~$n$-1的数相乘，最后返回结果。下面来看看使用递归的版本。关键在于阶乘的数学定义，下面就是：

- 1的阶乘是1；
- 大于1的数$n$的阶乘是$n$乘$n$-1的阶乘 。

可以看到，这个定义完全符合刚才所介绍的递归的两个条件。

现在考虑如何将定义实现为函数。理解了定义本身以后，实现其实很简单：

```
def factorial(n):
    if n == 1:
        return 1
    else:
        return n * factorial(n-1)
```

这就是定义的直接实现。只要记住函数调用factorial(n)是和调用factorial(n-1)不同的实体就行。

考虑另外一个例子。假设需要计算幂，就像内建的pow函数或者**运算符一样。可以用很多种方法定义一个数的（整数）幂。先看一个简单的例子：power(x,n)（x为n的幂次）是x自乘n-1次的结果（所以x用作乘数n次）。所以power(2,3)是2乘自身两次：$2 \times 2 \times 2 = 8$。

实现很简单：

```
def power(x, n):
    result = 1
    for i in range(n):
        result *= x
    return result
```

程序很小巧，接下来把它改编为递归版本：

☐ 对于任意数字x来说，power(x,0)是1；

☐ 对于任何大于0的数来说，power(x,n)是x乘以(x,n-1)的结果。

同样，可以看到这与简单版本的递归定义的结果相同。

理解定义是最困难的部分——实现起来就简单了：

```
def power(x, n):
    if n == 0:
        return 1
    else:
        return x * power(x, n-1)
```

文字描述的定义再次被转换为了程序语言（Python代码）。

---

**提示**　如果函数或算法很复杂而且难懂的话，在实现前用自己的话明确地定义一下是很有帮助的。这类使用"准程序语言"编写的程序称为**伪代码**。

---

那么递归有什么用？就不能用循环代替吗？答案是肯定的，在大多数情况下可以使用循环，而且大多数情况下还会更有效率（至少会高效一些）。但是在多数情况下，递归更加易读，有时会大大提高可读性，尤其当读程序的人懂得递归函数的定义的时候。尽管可以避免编写使用递归的程序，但作为程序员来说还是要理解递归算法以及其他人写的递归程序，这也是最基本的。

## 6.6.2　另外一个经典：二分法查找

作为递归实践的最后一个例子，来看看这个叫做二分法查找（binary search）的算法例子。

您可能玩过一个猜谜游戏，通过询问20个问题，被询问者回答是或者不是，然后猜测别人在想什么。对于大多数问题来说，都可以将可能性（或多或少）减半。比如已经知道答案是个人，那么可以问"你是不是在想一个女人",显然,提问者不会上来就问"你是不是在想约翰·克立斯[①]——除非提问者会读心术。这个游戏的数学版本就是猜数字。例如,被提问者可能在想一个1～100的数字,提问者需要猜中它。当然,提问者可以耐心地猜上100次,但是真正需要猜多少次呢?

答案就是只需要问7次即可。第一个问题类似于"数字是否大于50",如果被提问者回答说数字大于50,那么就问"是否大于75",然后继续将满足条件的值=等分(排除不满足条件的),直到找到正确答案。这个不需要太多考虑就能解答出来。

很多其他问题上也能用同样的方法解决。一个很普遍的问题就是查找一个数字是否存在于一个(排过序)的序列中,还要找到具体位置。还可以使用同样的过程。"这个数字是否在序列正中间的右边",如果不是的话,"那么是否在第二个1/4范围内(左侧靠右)",然后这样继续下去。提问者对数字可能存在的位置上下限心里有数,然后用每个问题继续切分可能的距离。

这个算法的本身就是递归的定义,亦可用递归实现。让我们首先重看定义,以保证知道自己在做什么:

□ 如果上下限相同,那么就是数字所在位置,返回;
□ 否则找到两者的中点(上下限的平均值),查找数字是在左侧还是在右侧,继续查找数字所在的那半部分。

这个递归例子的关键就是顺序,所以当找到中间元素的时候,只需比较它和所查找的数字,如果要查找数字较大,那么该数字一定在右侧,反之在左侧。递归部分就是"继续查找数字所在的那半部分",因为搜索的具体实现可能会和定义中完全相同。(注意搜索的算法返回的是数字应该在的位置——如果它本身不在序列中,那么所返回位置上的其实是其他数字。)

下面来实现一个二分法查找:

```
def search(sequence, number, lower, upper):
    if lower == upper:
        assert number == sequence[upper]
        return upper
    else:
        middle = (lower + upper) // 2
        if number > sequence[middle]:
            return search(sequence, number, middle+1, upper)
        else:
            return search(sequence, number, lower, middle)
```

完全符合定义。如果lower==upper,那么返回upper,也就是上限。注意,程序假设(断言)所查找的数字一定会被找到(number==sequence[upper])。如果没有到达基本实例,先找到middle,检查数字是在左边还是在右边,然后使用新的上下限继续调用递归过程。也可以将限制设为可选以方便用。只要在函数定义的开始部分加入下面的条件语句即可:

```
def search(sequence, number, lower=0, upper=None):
    if upper is None: upper = len(sequence)-1
    ...
```

---

① 约翰·克立斯(John Cleese),英国著名喜剧大师,曾出演《环游世界80天》、《哈利波特》以及《霹雳娇娃2》等影片。这里选择他的名字为例,是因为他是Monty Python的创始人和元老。——译者注

现在如果不提供限制，程序会自动设定查找范围为整个序列，看看行不行：

```
>>> seq = [34, 67, 8, 123, 4, 100, 95]
>>> seq.sort()
>>> seq
[4, 8, 34, 67, 95, 100, 123]
>>> search(seq, 34)
2
>>> search(seq, 100)
5
```

但不必这么麻烦，一则可以直接使用列表方法index，如果想要自己实现的话，只要从程序的开始处循环迭代直到找到数字就行了。

当然可以，使用index没问题。但是只使用循环可能效率有点低。刚才说过查找100内的一个数（或位置），只需要7个问题即可。用循环的话，在最糟糕的情况下要问100个问题。"没什么大不了的"，有人可能会这样想。但是如果列表有100 000 000 000 000 000 000 000 000 000 000个元素，要循环这么多次（可能对于Python的列表来说这个大小有些不现实），就"有什么大不了的"了。二分查找法只需要117个问题。很有效吧？[①]

---

**提示**　标准库中的bisect模块可以非常有效地实现二分查找。

---

## 函数式编程

到现在为止，函数的使用方法和其他对象（字符串、数值、序列，等等）基本上一样，它们可以分配给变量、作为参数传递以及从其他函数返回。有些编程语言（比如Scheme或者LISP）中使用函数几乎可以完成所有的事情，尽管在Python（经常会创建自定义的对象——下一章会讲到）中不用那么倚重函数，但也可以进行函数式程序设计。

Python在应对这类"函数式编程"方面有一些有用的函数：map、filter和reduce函数（Python 3.0中这些都被移至functools模块中）[②]。map和filter函数在目前版本的Python中并不是特别有用，并且可以使用列表推导式代替。不过读者可以使用map函数将序列中的元素全部传递给一个函数：

```
>>> map(str, range(10)) # Equivalent to [str(i) for i in range(10)]
['0', '1', '2', '3', '4', '5', '6', '7', '8', '9']
```

filter函数可以基于一个返回布尔值的函数对元素进行过滤。

```
>>> def func(x):
...     return x.isalnum()
...
>>> seq = ["foo", "x41", "?!", "***"]
>>> filter(func, seq)
['foo', 'x41']
```

---

[①] 事实上，可观测到的宇宙内的粒子总数是$10^{87}$，也就是说只要290个问题就能分辨它们了！

[②] 除此之外还有apply函数。但这个函数被前面讲到的拼接操作符所取代。

本例中，使用列表推导式可以不用专门定义一个函数：

```
>>> [x for x in seq if x.isalnum()]
['foo', 'x41']
```

事实上，还有个叫做lambda表达式的特性，可以创建短小的函数[①]。

```
>>> filter(lambda x: x.isalnum(), seq)
['foo', 'x41']
```

还是列表推导式更易读吧？

reduce函数一般来说不能轻松被列表推导式替代，但是通常用不到这个功能。它会将序列的前两个元素与给定的函数联合使用，并且将它们的返回值和第3个元素继续联合使用，直到整个序列都处理完毕，并且得到一个最终结果。例如，需要计算一个序列的数字的和，可以使用reduce函数加上lambda x,y:x+y（继续使用相同的数字）：[②]

```
>>> numbers = [72, 101, 108, 108, 111, 44, 32, 119, 111, 114, 108, 100, 33]
>>> reduce(lambda x, y: x+y, numbers)
1161
```

当然，这里也可以使用内建函数sum。

## 6.7    小结

本章介绍了关于抽象的常见知识以及函数的特殊知识。

- **抽象**。抽象是隐藏多余细节的艺术。定义处理细节的函数可以让程序更抽象。
- **函数定义**。函数使用def语句定义。它们是由语句组成的块，可以从"外部世界"获取值（参数），也可以返回一个或者多个值作为运算的结果。
- **参数**。函数从参数中得到需要的信息，也就是函数调用时设定的变量。Python中有两类参数：位置参数和关键字参数。参数在给定默认值时是可选的。
- **作用域**。变量存储在作用域（也叫做命名空间）中。Python中有两类主要的作用域——全局作用域和局部作用域。作用域可以嵌套。
- **递归**。函数可以调用自身，如果它这么做了就叫做递归。一切用递归实现的功能都可以用循环实现，但是有些时候递归函数更易读。
- **函数式编程**。Python有一些进行函数型编程的机制。包括lambda表达式以及map、filter和reduce函数。

### 6.7.1    本章的新函数

本章涉及的新函数如表6-1所示。

---

[①] "lambda" 来源于希腊字母，在数学中表示匿名函数。

[②] 事实上，不是使用lambda函数，而是在operator模块引入针对每个内建运算符的add函数。使用operator模块中的函数通常比用自己的函数更有效率。

表6-1　本章的新函数

| 函　数 | 描　述 |
| --- | --- |
| map(func, seq [, seq, ...]) | 对序列中的每个元素应用函数 |
| filter(func, seq) | 返回其函数为真的元素的列表 |
| reduce(func, seq [, initial]) | 等同于func(func(func(seq[0], seq[1]), seq[2]), ...) |
| sum(seq) | 返回seq中所有元素的和 |
| apply(func[, args[, kwargs]]) | 调用函数，可以提供参数 |

### 6.7.2　接下来学什么

　　下一章会通过面向对象程序设计，把抽象提升到一个新高度。你将学到如何创建自定义对象的类型（或者说类），和Python提供的类型（比如字符串、列表和字典）一起使用，以及如何利用这些知识编写出运行更快、更清晰的程序。如果你真正掌握了下一章的内容，编写大型程序会毫不费力。

6

# 第 7 章

# 更加抽象

7

**前**几章介绍了Python主要的内建对象类型（数字、字符串、列表、元组和字典），以及内建函数和标准库的用法，还有定义函数的方法。现在看来，还差一点——创建自己的对象。这正是本章要介绍的内容。

为什么要自定义对象呢？建立自己的对象类型可能很酷，但是做什么用呢？使用字典、序列、数字和字符串来创建函数，完成这项工作还不够吗？这样做当然可以，但是创建自己的对象（尤其是类型或者被称为类的对象）是Python的核心概念——非常核心，事实上，Python被称为面向对象的语言（和SmallTalk、C++、Java以及其他语言一样）。本章将会介绍如何创建对象，以及多态、封装、方法、特性、超类以及继承的概念——新知识很多。那么我们开始吧。

---

**注意**　熟悉面向对象程序设计概念的读者应该也了解构造函数。本章不会提到构造函数，关于它的完整讨论，请参见第9章。

---

## 7.1　对象的魔力

在面向对象程序设计中，术语对象（object）基本上可以看做数据（特性）以及由一系列可以存取、操作这些数据的方法所组成的集合。使用对象替代全局变量和函数的原因可能有很多。其中对象最重要的优点包括以下几方面。

- □ **多态**（Polymorphism）：意味着可以对不同类的对象使用同样的操作，它们会像被"施了魔法一般"工作。
- □ **封装**（Encapsulation）：对外部世界隐藏对象的工作细节。
- □ **继承**（Inheritance）：以通用的类为基础建立专门的类对象。

在许多关于面向对象程序设计的介绍中，这几个概念的顺序是不同的。封装和继承会首先被介绍，因为它们被用作现实世界中的对象的模型。这种方法不错，但是在我看来，面向对象程序设计最有趣的特性是多态。（以我的经历来看）它也是让大多数人犯晕的特性。所以本章会以多态开始，而且这一个概念就足以让你喜欢面向对象程序设计了。

### 7.1.1 多态

术语多态来自希腊语，意思是"有多种形式"。多态意味着就算不知道变量所引用的对象类型是什么，还是能对它进行操作，而它也会根据对象（或类）类型的不同而表现出不同的行为。例如，假设一个食品销售的商业网站创建了一个在线支付系统。程序会从系统的其他部分（或者以后可能会设计的其他类似系统）获得一"购物车"中的商品，接下来要做的就是算出总价然后使用信用卡支付。

当你的程序获得商品时，首先想到的可能是如何具体地表示它们。比如需要将它们作为元组接收，像下面这样：

```
('SPAM', 2.50)
```

如果需要描述性标签和价格，这样就够了。但是这个程序还是不够灵活。我们假设网站支持拍卖服务，价格在货物卖出之前会逐渐降低。如果用户能够把对象放入购物车，然后处理结账（你的系统部分），等价格到了满意的程度后按下"支付"按钮就好了。

但是这样一来简单的元组就不能满足需要了。为了实现这个功能，代码每次询问价格的时候，对象都需要检查当前的价格（通过网络的某些功能），价格不能固定在元组中。解决起来不难，只要写个函数：

```
# 不要这样做
def getPrice(object):
    if isinstance(object, tuple):
        return object[1]
    else:
        return magic_network_method(object)
```

> **注意** 这里用isinstance进行类型/类检查是为了说明一点，类型检查一般说来并不是什么好方法，能不用则不用。函数isinstance在7.2.6节会介绍。

前面的代码中使用isinstance函数查看对象是否为元组。如果是的话，就返回它的第2个元素，否则会调用一些"有魔力的"网络方法。

假设网络功能部分已经存在，那么问题已经解决了，目前为止是这样。但程序还不是很灵活。如果某些聪明的程序员决定用十六进制数的字符串来表示价格，然后存储在字典中的键"price"下面呢？没问题，只要更新函数：

```
# 不要这样做
def getPrice(object):
    if isinstance(object, tuple):
        return object[1]
    elif isinstance(object, dict):
        return int(object['price'])
    else: return magic_network_method(object)
```

现在是不是已经考虑到了所有的可能性？但是如果某些人希望为存储在其他键下面的价格增加新的字典类型呢？那又怎么办呢？可以再次更新getPrice函数，但是这种工作还要做多长时间？每次有人要实现价格对象的不同功能时，都要再次实现你的模块。但是如果这个模块已经卖出去了并且转到了其他更酷的项目中，那么要怎么应付客户？显然这是个不灵活且不切实际的实现多种行为的代码编写方式。

那么应该怎么办？可以让对象自己进行操作。听起来很清楚，但是想一下，这样做会轻松很多。每个新的对象类型都可以检索和计算自己的价格并且返回结果，只需向它询问价格即可。这时候多态（在某种程度上还有封装）就要出场了。

### 1. 多态和方法

程序接收到一个对象，完全不了解该对象的内部实现方式——它可能有多种"形状"。你要做的就是询问价格，这就够了，实现方法是我们熟悉的：

```
>>> object.getPrice()
2.5
```

绑定到对象特性上面的函数称为方法（method）。我们已经见过字符串、列表和字典方法。实际上多态也已经出现过：

```
>>> 'abc'.count('a')
1
>>> [1, 2, 'a'].count('a')
1
```

对于变量x来说，不需要知道它是字符串还是列表，就可以调用它的count方法，不用管它是什么类型（只要你提供了一个字符作为参数即可）。

让我们做个实验吧。标准库random中包含choice函数，可以从序列中随机选出元素。给变量赋值：

```
>>> from random import choice
>>> x = choice(['Hello, world!', [1, 2, 'e', 'e', 4]])
```

运行后，变量x可能会包含字符串'Hello, world!'，也有可能包含列表[1, 2, 'e', 'e', 4]——不用关心到底是哪个类型。要关心的就是在变量x中字符e出现多少次，而不管x是字符串还是列表。可以使用刚才的count函数，结果如下：

```
>>> x.count('e')
2
```

本例中，看来是列表胜出了。但是关键点在于不需要检测类型：只需要知道x有个叫做count的方法，带有一个字符作为参数，并且返回整数值就够了。如果其他人创建的对象类也有count方法，那也无所谓，你只需要像用字符串和列表一样使用该对象就行了。

### 2. 多态的多种形式

任何不知道对象到底是什么类型，但是又要对对象"做点儿什么"的时候，都会用到多态。这不仅限于方法，很多内建运算符和函数都有多态的性质，考虑下面这个例子：

```
>>> 1+2
3
>>> 'Fish'+'license'
'Fishlicense'
```

这里的加运算符对于数字（本例中为整数）和字符串（以及其他类型的序列）都能起作用。为说明这一点，假设有个叫做add的函数，它可以将两个对象相加。那么可以直接将其定义成上面的形式（功能等同但比operator模块中的add函数效率低些）。

```
def add(x, y):
    return x+y
```

对于很多类型的参数都可以用：

```
>>> add(1, 2)
3
>>> add('Fish', 'license')
'Fishlicense'
```

看起来有些傻，但是关键在于参数可以是任何支持加法的对象[①]。如果需要编写打印对象长度消息的函数，只需对象具有长度（len函数可用）即可。

```
def length_message(x):
    print "The length of", repr(x), "is", len(x)
```

可以看到，函数中还使用了repr函数，repr函数是多态特性的代表之一，可以对任何东西使用。让我们看看：

```
>>> length_message('Fnord')
The length of 'Fnord' is 5
>>> length_message([1, 2, 3])
The length of [1, 2, 3] is 3
```

很多函数和运算符都是多态的——你写的绝大多数程序可能都是，即便你并非有意这样。只要使用多态函数和运算符，就会与"多态"发生关联。事实上，唯一能够毁掉多态的就是使用函数显式地检查类型，比如type、isinstance以及issubclass函数等。如果可能的话，应该尽力避免使用这些毁掉多态的方式。真正重要的是如何让对象按照你所希望的方式工作，不管它是否是正确的类型（或者类）。

---

**注意** 这里所讨论的多态的形式是Python式编程的核心，也是被称为"鸭子类型"（duck typing）的东西。这个词出自俗语"如果它像鸭子一样呱呱大叫……"。有关它的更多信息，请参见http://en.wikipedia.org/wiki/Duck_typing。

---

### 7.1.2 封装

封装是指向程序中的其他部分隐藏对象的具体实现细节的原则。听起来有些像多态，也是使用对象而不用知道其内部细节，两者概念有些类似，因为它们都是抽象的原则，它们都会帮助处理程序组件而不用过多关心多余细节，就像函数做的一样。

但是封装并不等同于多态。多态可以让用户对于不知道是什么类（对象类型）的对象进行方法调用，而封装是可以不用关心对象是如何构建的而直接进行使用。听起来还是有些相似？让我们用多态而不用封装写个例子，假设有个叫做OpenObject的类（本章后面会学到如何创建类）：

```
>>> o = OpenObject() # This is how we create objects...
>>> o.setName('Sir Lancelot')
```

---

[①] 注意，这类对象只支持同类的加法。调用add(1,'license')不会起作用。

```
>>> o.getName()
'Sir Lancelot'
```

创建了一个对象（通过像调用函数一样调用类）后，将变量o绑定到该对象上。可以使用setName和getName方法（假设已经由OpenObject类提供）。一切看起来都很完美。但是假设变量o将它的名字存储在全局变量globalName中：

```
>>> globalName
'Sir Lancelot'
```

这就意味着在使用OpenObject类的实例时候，不得不关心globalName的内容。实际上要确保不会对它进行任何更改：

```
>>> globalName = 'Sir Gumby'
>>> o.getName()
'Sir Gumby'
```

如果创建了多个OpenObject实例的话就会出现问题，因为变量相同，所以可能会混淆：

```
>>> o1 = OpenObject()
>>> o2 = OpenObject()
>>> o1.setName('Robin Hood')
>>> o2.getName()
'Robin Hood'
```

可以看到，设定一个名字后，其他的名字也就自动设定了。这可不是想要的结果。

基本上，需要将对象进行抽象，调用方法的时候不用关心其他的东西，比如它是否干扰了全局变量。所以能将名字"封装"在对象内吗？没问题。可以将其作为特性（attribute）存储。

正如方法一样，特性是作为变量构成对象的一部分，事实上方法更像是绑定到函数上的属性（在本章的7.2.3节中会看到方法和函数重要的不同点）。

如果不用全局变量而用特性重写类，并且重命名为ClosedObject，它会像下面这样工作：

```
>>> c = ClosedObject()
>>> c.setName('Sir Lancelot')
>>> c.getName()
'Sir Lancelot'
```

目前为止还不错。但是，值可能还是存储在全局变量中的。那么再创建另一个对象：

```
>>> r = ClosedObject()
>>> r.setName('Sir Robin')
r.getName()
'Sir Robin'
```

可以看到新的对象的名称已经正确设置。这可能正是我们期望的。但是第一个对象怎么样了呢？

```
>>> c.getName()
'Sir Lancelot'
```

名字还在！这是因为对象有它自己的状态（state）。对象的状态由它的特性（比如名称）来描述。对象的方法可以改变它的特性。所以就像是将一大堆函数（方法）捆在一起，并且给予它们访问变量（特性）的权力，它们可以在函数调用之间保持保存的值。

本章后面的"再论私有化"一节也会对Python的封装机制进行更详细的介绍。

### 7.1.3 继承

继承是另外一个懒惰（褒义）的行为。程序员不想把同一段代码输入好几次。之前使用的函数避免了这种情况，但是现在又有个更微妙的问题。如果已经有了一个类，而又想建立一个非常类似的呢？新的类可能只是添加几个方法。在编写新类时，又不想把旧类的代码全都复制过去。

比如说有个Shape类，可以用来在屏幕上画出指定的形状。现在需要创建一个叫做Rectangle的类，它不但可以在屏幕上画出指定的形状，而且还能计算该形状的面积。但又不想把Shape里面已经写好的draw方法再写一次。那么该怎么办？可以让Rectangle从Shape类继承方法。在Rectangle对象上调用draw方法时，程序会自动从Shape类调用该方法。（参见7.2.5节。）

## 7.2 类和类型

现在读者可能对什么是类有了大体感觉——或者已经有些不耐烦听我对它进行更多介绍了。在开始介绍之前，先来认识一下什么是类，以及它和类型又有什么不同（或相同）。

### 7.2.1 类到底是什么

前面的部分中，类这个词已经多次出现，可以将它或多或少地视为种类或者类型的同义词。从很多方面来说，这就是类——一种对象。所有的对象都属于某一个类，称为类的实例（instance）。

例如，现在请往窗外看，鸟就是"鸟类"的实例。鸟类是一个非常通用（抽象）的类，具有很多子类：看到的鸟可能属于子类"百灵鸟"。可以将"鸟类"想象成所有鸟的集合，而"百灵鸟类"是其中的一个子集。当一个对象所属的类是另外一个对象所属类的子集时，前者就被称为后者的子类（subclass），所以"百灵鸟类"是"鸟类"的子类。相反，"鸟类"是"百灵鸟类"的超类（superclass）。

---

**注意** 正日常交谈中，可能经常用复数来描述对象的类，比如birds或者larkes。Python中，习惯上都使用单数名词，并且首字母大写，比如Bird和Lark。

---

这样一比喻，子类和超类就容易理解了。但是在面向对象程序设计中，子类的关系是隐式的，因为一个类的定义取决于它所支持的方法。类的所有实例都会包含这些方法，所以所有子类的所有实例都有这些方法。定义子类只是个定义更多（也有可能是重载已经存在的）的方法的过程。

例如，鸟类Bird可能支持fly方法，而企鹅类Penguin（Bird的子类）可能会增加个eatFish方法。当创建Penguin类时，可能会想要重写（override）超类的fly方法，对于Penguin的实例来说，这个方法要么什么也不做，要么就产生异常（参见第8章），因为penguin（企鹅）不会fly（飞）。

---

**注意** 在旧版本的Python中，类和类型之间有很明显的区别。内建的对象是基于类型的，自定义的对象则是基于类的。可以创建类但是不能创建类型。最近版本的Python中，事情有了些变化。基本类型和类之间的界限开始模糊了。可以创建内建类型的子类（或子类型），而这些类型的行为更类似于类。在越来越熟悉这门语言后会注意到这一点。如果感兴趣的话，第9章中会有关于这方面的更多信息。

---

## 7.2.2   创建自己的类

终于来了！可以创建自己的类了！先来看一个简单的类：

```
__metaclass__ = type # 确定使用新式类

class Person:
    def setName(self, name):
        self.name = name

    def getName(self):
        return self.name

    def greet(self):
        print "Hello, world! I'm %s." % self.name
```

> **注意**  所谓的旧式类和新式类之间是有区别的。除非是Python 3.0之前版本中默认附带的代码，
> 否则再继续使用旧式类已无必要。新式类的语法中，需要在模块或者脚本开始的地方放
> 置赋值语句__metaclass__ = type（并不会在每个例子中显式地包含这行语句）。除此之
> 外也有其他的方法，例如继承新式类（比如object）。后面马上就会介绍继承的知识。在
> Python 3.0中，旧式类的问题不用再担心，因为它们根本就不存在了。请参见第9章获取
> 更多信息。

这个例子包含3个方法定义，除了它们是写在class语句里面外，一切都像是函数定义。Person
当然是类的名字。class语句会在函数定义的地方创建自己的命名空间（参见7.2.4节）。一切看起
来都挺好，但是那个self参数看起来有点奇怪。它是对于对象自身的引用。那么它是什么对象？
让我们创建一些实例看看：

```
>>> foo = Person()
>>> bar = Person()
>>> foo.setName('Luke Skywalker')
>>> bar.setName('Anakin Skywalker')
>>> foo.greet()
Hello, world! I'm Luke Skywalker.
>>> bar.greet()
Hello, world! I'm Anakin Skywalker.
```

好了，例子一目了然，应该能说明self的用处了。在调用foo的setName和greet函数时，foo
自动将自己作为第一个参数传入函数中——因此形象地命名为self。对于这个变量，每个人可能
都会有自己的叫法，但是因为它总是对象自身，所以习惯上总是叫做self。

显然这就是self的用处和存在的必要性。没有它的话，成员方法就没法访问他们要对其特性
进行操作的对象本身了。

和之前一样，特性是可以在外部访问的：

```
>>> foo.name
'Luke Skywalker'
>>> bar.name = 'Yoda'
>>> bar.greet()
Hello, world! I'm Yoda.
```

**提示**　如果知道foo是Person的实例的话，那么还可以把foo.greet()看作Person.greet(foo)方便的简写。

### 7.2.3　特性、函数和方法

（在前面提到的）self参数事实上正是方法和函数的区别。方法（更专业一点可以称为绑定方法）将它们的第一个参数绑定到所属的实例上，因此您无需显示提供该参数。当然也可以将特性绑定到一个普通函数上，这样就不会有特殊的self参数了：

```
>>> class Class:
        def method(self):
            print 'I have a self!'

>>> def function():
        print "I don't..."

>>> instance = Class()
>>> instance.method()
I have a self!
>>> instance.method = function
>>> instance.method()
I don't...
```

注意，self参数并不依赖于调用方法的方式，前面我们使用的是instance.method（实例.方法）的形式，可以随意使用其他变量引用同一个方法：

```
>>> class Bird:
        song = 'Squaawk!'
        def sing(self):
            print self.song

>>> bird = Bird()
>>> bird.sing()
Squaawk!
>>> birdsong = bird.sing
>>> birdsong()
Squaawk!
```

尽管最后一个方法调用看起来与函数调用十分相似，但是变量birdsong引用绑定方法[①]bird.sing上，也就意味着这还是会对self参数进行访问（也就是说，它仍旧绑定到类的相同实例上）。

**再论私有化**

默认情况下，程序可以从外部访问一个对象的特性。再次使用前面讨论过的有关封装的例子：

```
>>> c.name
'Sir Lancelot'
>>> c.name = 'Sir Gumby'
>>> c.getName()
'Sir Gumby'
```

---

① 第9章中，将会介绍类是如何调用超类的方法的（具体来说就是超类的构造器）。这些方法直接通过类调用，它们没有绑定自己的self参数到任何东西上，所以叫做非绑定方法。

　　有些程序员觉得这样做是可以的，但是有些人（比如SmallTalk之父，SmallTalk的对象特性只允许由同一个对象的方法访问）觉得这样就破坏了封装的原则。他们认为对象的状态对于外部应该是完全隐藏（不可访问）的。有人可能会奇怪为什么他们会站在如此极端的立场上。每个对象管理自己的特性还不够吗？为什么还要对外部世界隐藏呢？毕竟如果能直接使用ClosedObject的name特性的话就不用使用setName和getName方法了。

　　关键在于其他程序员可能不知道（可能也不应该知道）你的对象内部的具体操作。例如，ClosedObject可能会在其他对象更改自己的名字的时候，给一些管理员发送邮件消息。这应该是setName方法的一部分。但是如果直接用c.name设定名字会发生什么？什么都没发生，Email也没发出去。为了避免这类事情的发生，应该使用私有（private）特性，这是外部对象无法访问，但getName和setName等访问器（accessor）能够访问的特性。

---

**注意**　第9章中，将会介绍有关属性（property）的知识，它是访问器最有力的替代者。

---

　　Python并不直接支持私有方式，而要靠程序员自己把握在外部进行特性修改的时机。毕竟在使用对象前应该知道如何使用。但是，可以用一些小技巧达到私有特性的效果。

　　为了让方法或者特性变为私有（从外部无法访问），只要在它的名字前面加上双下划线即可：

```
class Secretive:

    def __inaccessible(self):
        print "Bet you can't see me..."

    def accessible(self):
        print "The secret message is:"
        self.__inaccessible()
```

　　现在__inaccessible从外界是无法访问的，而在类内部还能使用（比如从accessible）访问：

```
>>> s = Secretive()
>>> s.__inaccessible()
Traceback (most recent call last):
  File "<pyshell#112>", line 1, in ?
    s.__inaccessible()
AttributeError: Secretive instance has no attribute '__inaccessible'
>>> s.accessible()
The secret message is:
Bet you can't see me...
```

　　尽管双下划线有些奇怪，但是看起来像是其他语言中的标准的私有方法。真正发生的事情才是不标准的。类的内部定义中，所有以双下划线开始的名字都被“翻译”成前面加上单下划线和类名的形式。

```
>>> Secretive._Secretive__inaccessible
<unbound method Secretive.__inaccessible>
```

　　在了解了这些幕后的事情后，实际上还是能在类外访问这些私有方法，尽管不应该这么做：

```
>>> s._Secretive__inaccessible()
Bet you can't see me...
```

　　简而言之，确保其他人不会访问对象的方法和特性是不可能的，但是这类“名称变化术”就是他们不应该访问这些函数或者特性的强有力信号。

如果不需要使用这种方法但是又想让其他对象不要访问内部数据，那么可以使用单下划线。这不过是个习惯，但的确有实际效果。例如，前面有下划线的名字都不会被带星号的import语句（from module import *）导入[①]。

### 7.2.4  类的命名空间

下面的两个语句（几乎）等价：

```
def foo(x): return x*x
foo = lambda x: x*x
```

两者都创建了返回参数平方的函数，而且都将变量foo绑定到函数上。变量foo可以在全局（模块）范围进行定义，也可处于局部的函数或方法内。定义类时，同样的事情也会发生，所有位于class语句中的代码都在特殊的命名空间中执行——类命名空间（class namespace）。这个命名空间可由类内所有成员访问。并不是所有Python程序员都知道类的定义其实就是执行代码块，这一点非常有用，比如，在类的定义区并不只限定只能使用def语句：

```
>>> class C:
        print 'Class C being defined...'

Class C being defined...
>>>
```

看起来有点傻，但是看看下面的：

```
class MemberCounter:
    members = 0
    def init(self):
        MemberCounter.members += 1

>>> m1 = MemberCounter()
>>> m1.init()
>>> MemberCounter.members
1
>>> m2 = MemberCounter()
>>> m2.init()
>>> MemberCounter.members
2
```

上面的代码中，在类作用域内定义了一个可供所有成员（实例）访问的变量，用来计算类的成员数量。注意init用来初始化所有实例：第9章中，我会让这一过程自动化（即把它变成一个适当的构造函数）。

就像方法一样，类作用域内的变量也可以被所有实例访问：

```
>>> m1.members
2
>>> m2.members
2
```

---

① 有些语言支持多种层次的成员变量（特性）私有性。比如Java就支持4种级别。尽管单双下划线在某种程度上给出两个级别的私有性，但Python并没有真正的私有化支持。

那么在实例中重绑定members特性呢?

```
>>> m1.members = 'Two'
>>> m1.members
'Two'
>>> m2.members
2
```

新numbers值被写到了m1的特性中，屏蔽了类范围内的变量。这跟函数内的局部和全局变量的行为十分类似，就像第6章中讨论的"屏蔽的问题"。

## 7.2.5　指定超类

就像本章前面我们讨论的一样，子类可以扩展超类的定义。将其他类名写在class语句后的圆括号内可以指定超类:

```
class Filter:
    def init(self):
        self.blocked = []
    def filter(self, sequence):
        return [x for x in sequence if x not in self.blocked]
class SPAMFilter(Filter): # SPAMFilter是Filter的子类
    def init(self): # 重写Filter超类中的init方法
        self.blocked = ['SPAM']
```

Filter是个用于过滤序列的通用类，事实上它不能过滤任何东西:

```
>>> f = Filter()
>>> f.init()
>>> f.filter([1, 2, 3])
[1, 2, 3]
```

Filter类的用处在于它可以用作其他类的基类（超类），比如SPAMFilter类，可以将序列中的'SPAM'过滤出去。

```
>>> s = SPAMFilter()
>>> s.init()
>>> s.filter(['SPAM', 'SPAM', 'SPAM', 'SPAM', 'eggs', 'bacon', 'SPAM'])
['eggs', 'bacon']
```

注意SPAMFilter定义的两个要点。

□ 这里用提供新定义的方式重写了Filter的init定义。

□ filter方法的定义是从Filter类中拿过来（继承）的，所以不用重写它的定义。

第二个要点揭示了继承的用处:我可以写一大堆不同的过滤类，全都从Filter继承，每一个我都可以使用已经实现的filter方法。这就是前面提到过的有用的懒惰。

## 7.2.6　检查继承

如果想要查看一个类是否是另一个的子类，可以使用内建的issubclass函数:

```
>>> issubclass(SPAMFilter, Filter)
True
>>> issubclass(Filter, SPAMFilter)
False
```

如果想要知道已知类的基类（们），可以直接使用它的特殊特性__bases__：

```
>>> SPAMFilter.__bases__
(<class __main__.Filter at 0x171e40>,)
>>> Filter.__bases__
()
```

同样，还能用使用isinstance方法检查一个对象是否是一个类的实例：

```
>>> s = SPAMFilter()
>>> isinstance(s, SPAMFilter)
True
>>> isinstance(s, Filter)
True
>>> isinstance(s, str)
False
```

---

**注意** 使用isinstance并不是个好习惯，使用多态会更好一些。

---

可以看到，s是SPAMFilter类的(直接)实例，但是它也是Filter类的间接实例,因为SPAMFilter是Filter的子类。另外一种说法就是SPAMFilters类就是Filters类。可以从前一个例子中看到，isinstance对于类型也起作用,比如字符串类型 (str)。

如果只想知道一个对象属于哪个类,可以使用__class__特性：

```
>>> s.__class__
<class __main__.SPAMFilter at 0x1707c0>
```

---

**注意** 如果使用__metaclass__=type或从object继承的方式来定义新式类，那么可以使用type(s)查看实例所属的类。

---

### 7.2.7 多个超类

可能有的读者注意到了上一节中的代码有些奇怪：也就是__bases__这个复数形式。而且文中也提到过可以找到一个类的基类（们），也就暗示它的基类可能会多于一个。事实上就是这样,建立几个新的类来试试看：

```
class Calculator:
    def calculate(self, expression):
        self.value = eval(expression)

class Talker:
    def talk(self):
        print 'Hi, my value is', self.value

class TalkingCalculator(Calculator, Talker):
    pass
```

子类（TalkingCalculator）自己不做任何事，它从自己的超类继承所有的行为。它从Calculator类那里继承calculate方法，从Talker类那里继承talk方法，这样它就成了会说话的计算器（talking calculator）。

```
>>> tc = TalkingCalculator()
>>> tc.calculate('1+2*3')
>>> tc.talk()
Hi, my value is 7
```

这种行为称为多重继承（multiple inheritance），是个非常有用的工具。但除非读者特别熟悉多重继承，否则应该尽量避免使用，因为有些时候会出现不可预见的麻烦。

当使用多重继承时，有个需要注意的地方。如果一个方法从多个超类继承（也就是说你有两个具有相同名字的不同方法），那么必须要注意一下超类的顺序（在class语句中）：先继承的类中的方法会重写后继承的类中的方法。所以如果前例中Calculator类也有个叫做talk的方法，那么它就会重写Talker的talk方法（使其不可访问）。如果把它们的顺序掉过来，像下面这样：

```
class TalkingCalculator(Talker, Calculator): pass
```

就会让Talker的talk方法可用了。如果超类们共享一个超类，那么在查找给定方法或者属性时访问超类的顺序称为MRO（Method Resolution Order，方法判定顺序），使用的算法相当复杂。幸好，它工作得很好，所以不用过多关心。

## 7.2.8　接口和内省

"接口"的概念与多态有关。在处理多态对象时，只要关心它的接口（或称"协议"）即可，也就是公开的方法和特性。在Python中，不用显式地指定对象必须包含哪些方法才能作为参数接收。例如，不用（像在Java中一样）显式地编写接口，可以在使用对象的时候假定它可以实现你所要求的行为。如果它不能实现的话，程序就会失败。

一般来说只需要让对象符合当前的接口（换句话说就是实现当前方法），但是还可以更灵活一些。除了调用方法然后期待一切顺利之外，还可检查所需方法是否已经存在。如果不存在，就需要做些其他事情：

```
>>> hasattr(tc, 'talk')
True
>>> hasattr(tc, 'fnord')
False
```

上面的代码中，对象tc（TalkingCalculator，本章前面例子中的类）有个叫做talk的特性（包含一个方法），但是并没有fnord特性。如果需要的话，甚至还能检查talk特性是否可调用：

```
>>> callable(getattr(tc, 'talk', None))
True
>>> callable(getattr(tc, 'fnord', None))
False
```

---

**注意**　callable函数在Python 3.0中已不再可用。可以使用hasattr(x,'__call__')来代替callable(x)。

---

这段代码使用了getattr函数，而没有在if语句内使用hasattr函数直接访问特性，getattr函数允许提供默认值（本例中为None），以便在特性不存在时使用，然后对返回的对象使用callable函数。

**注意** 与getattr相对应的函数是setattr，可以用来设置对象的特性：

```
>>> setattr(tc, 'name', 'Mr. Gumby')
>>> tc.name
'Mr. Gumby'
```

如果要查看对象内所有存储的值，那么可以使用__dict__特性。如果真的想要找到对象是由什么组成的，可以看看inspect模块。这是为那些想要编写对象浏览器（以图形方式浏览Python对象的程序）以及其他需要类似功能的程序的高级用户准备的。关于对象和模块的更多信息，可以参见10.2节。

## 7.3 一些关于面向对象设计的思考

关于面向对象设计的书籍已经很多，尽管这并不是本书所关注的主题，但还是给出一些要点。

- 将属于一类的对象放在一起。如果一个函数操纵一个全局变量，那么两者最好都在类内作为特性和方法出现。
- 不要让对象过于亲密。方法应该只关心自己实例的特性。让其他实例管理自己的状态。
- 要小心继承，尤其是多重继承。继承机制有时很有用，但也会在某些情况下让事情变得过于复杂。多继承难以正确使用，更难以调试。
- 简单就好。让你的方法小巧。一般来说，多数方法都应能在30秒内被读完（以及理解），尽量将代码行数控制在一页或者一屏之内。

当考虑需要什么类以及类要有什么方法时，应该尝试下面的方法。

(1) 写下问题的描述（程序要做什么），把所有名词、动词和形容词加下划线。

(2) 对于所有名词，用作可能的类。

(3) 对于所有动词，用作可能的方法。

(4) 对于所有形容词，用作可能的特性。

(5) 把所有方法和特性分配到类。

现在已经有了面向对象模型的草图了。还可以考虑类和对象之间的关系（比如继承或协作）以及它们的作用，可以用以下步骤精炼模型。

(1) 写下（或者想象）一系列的使用实例，也就是的程序应用时的场景，试着包括所有的功能。

(2) 一步步考虑每个使用实例，保证模型包括所有需要的东西。如果有些遗漏的话就添加进来。如果某处不太正确则改正。继续，直到满意为止。

当认为已经有了可以应用的模型时，那就可以开工了。可能需要修正自己的模型，或者是程序的一部分。幸好，在Python中不用过多关心这方面的事情，因为很简单，只要投入进去就行（如果需要面向对象程序设计方面的更多指导，请参见第19章推荐的书目）。

## 7.4 小结

本章不仅介绍了更多关于Python语言的信息，并且介绍了几个可能完全陌生的概念。下面总结一下。

**对象**。对象包括特性和方法。特性只是作为对象的一部分的变量，方法则是存储在对象内的函数。（绑定）方法和其他函数的区别在于方法总是将对象作为自己的第一个参数，这个参数一般称为self。

**类**。类代表对象的集合（或一类对象），每个对象（实例）都有一个类。类的主要任务是定义它的实例会用到的方法。

**多态**。多态是实现将不同类型和类的对象进行同样对待的特性——不需要知道对象属于哪个类就能调用方法。

**封装**。对象可以将它们的内部状态隐藏（或封装）起来。在一些语言中，这意味着对象的状态（特性）只对自己的方法可用。在Python中，所有的特性都是公开可用的，但是程序员应该在直接访问对象状态时谨慎行事，因为他们可能无意中使得这些特性在某些方面不一致。

**继承**。一个类可以是一个或者多个类的子类。子类从超类继承所有方法。可以使用多个超类，这个特性可以用来组成功能的正交部分（没有任何联系）。普通的实现方式是使用核心的超类和一个或者多个混合的超类。

**接口和内省**。一般来说，对于对象不用探讨过深。程序员可以靠多态调用自己需要的方法。不过如果想要知道对象到底有什么方法和特性，有些函数可以帮助完成这项工作。

**面向对象设计**。关于如何（或者说是否应该进行）面向对象设计有很多的观点。不管你持什么观点，完全理解这个问题，并且创建容易理解的设计是很重要的。

### 7.4.1　本章的新函数

本章涉及的新函数如表7-1所示。

表7-1　本章的新函数

| 函　数 | 描　述 |
| --- | --- |
| callable(object) | 确定对象是否可调用（比如函数或者方法） |
| getattr(object, name[, default]) | 确定特性的值，可选择提供默认值 |
| hasattr(object, name) | 确定对象是否有给定的特性 |
| isinstance(object, class) | 确定对象是否是类的实例 |
| issubclass(A, B) | 确定A是否为B的子类 |
| random.choice(sequence) | 从非空序列中随机选择元素 |
| setattr(object, name, value) | 设定对象的给定特性为value |
| type(object) | 返回对象的类型 |

## 7.4.2　接下来学什么

前面已经介绍了许多关于创建自己的对象以及自定义对象的作用。在轻率地进军Python特殊方法的魔法阵（第9章）之前，让我们先喘口气，看看介绍异常处理的简短的一章。

# 第 8 章

# 异　　常

**在**编写程序的时候，程序员通常需要辨别事件的正常过程和异常（非正常）的情况。这类异常事件可能是错误（比如试图除以0），或者是不希望经常发生的事情。为了能够处理这些异常事件，可以在所有可能发生这类事件的地方都使用条件语句（比如让程序检查除法的分母是否为零）。但是，这么做可能不仅会没效率和不灵活，而且还会让程序难以阅读。你可能会想直接忽略这些异常事件，期望它们永不发生，但Python的异常对象提供了非常强大的替代解决方案。

本章介绍如何创建和引发自定义的异常，以及处理异常的各种方法。

## 8.1　什么是异常

Python用异常对象（exception object）来表示异常情况。遇到错误后，会引发异常。如果异常对象并未被处理或捕捉，程序就会用所谓的回溯（traceback，一种错误信息）终止执行：

```
>>> 1/0
Traceback (most recent call last):
  File "<stdin>", line 1, in ?
ZeroDivisionError: integer division or modulo by zero
```

如果这些错误信息就是异常的全部功能，那么它也就不必存在了。事实上，每个异常都是一些类（本例中是ZeroDivisionError）的实例，这些实例可以被引发，并且可以用很多种方法进行捕捉，使得程序可以捉住错误并且对其进行处理，而不是让整个程序失效。

## 8.2　按自己的方式出错

异常可以在某些东西出错时自动引发。在学习如何处理异常之前，先看一下自己如何引发异常，以及创建自己的异常类型。

### 8.2.1　raise语句

为了引发异常，可以使用一个类（应该是Exception的子类）或者实例参数调用raise语句。使用类时，程序会自动创建类的一个实例。下面是一些简单的例子，使用了内建的Exception异常类：

```
>>> raise Exception
Traceback (most recent call last):
  File "<stdin>", line 1, in ?
Exception
>>> raise Exception('hyperdrive overload')
Traceback (most recent call last):
  File "<stdin>", line 1, in ?
Exception: hyperdrive overload
```

第一个例子raise Exceptioin引发了一个没有任何有关错误信息的普通异常。后一个例子中，则添加了错误信息hyperdive overload。

内建的异常类有很多。Python库参考手册的Built-in Exceptions一节中有关于它们的描述。用交互式解释器也可以分析它们，这些内建异常都可以在exceptions模块（和内建的命名空间）中找到。可以使用dir函数列出模块的内容，这部分内容会在第10章中讲到：

```
>>> import exceptions
>>> dir(exceptions)
['ArithmeticError', 'AssertionError', 'AttributeError', ...]
```

读者的解释器中，这个名单可能要长得多——出于对易读性的考虑，这里删除了大部分名字。所有这些异常都可以用在raise语句中：

```
>>> raise ArithmeticError
Traceback (most recent call last):
  File "<stdin>", line 1, in ?
ArithmeticError
```

表8-1描述了一些最重要的内建异常类：

表8-1 一些内建异常

| 类　名 | 描　述 |
| --- | --- |
| Exception | 所有异常的基类 |
| AttributeError | 特性引用或赋值失败时引发 |
| IOError | 试图打开不存在文件（包括其他情况）时引发 |
| IndexError | 在使用序列中不存在的索引时引发 |
| KeyError | 在使用映射中不存在的键时引发 |
| NameError | 在找不到名字（变量）时引发 |
| SyntaxError | 在代码为错误形式时引发 |
| TypeError | 在内建操作或者函数应用于错误类型的对象时引发 |
| ValueError | 在内建操作或者函数应用于正确类型的对象，但是该对象使用不合适的值时引发 |
| ZeroDivisionError | 在除法或者模除操作的第二个参数为0时引发 |

## 8.2.2　自定义异常类

尽管内建的异常类已经包括了大部分的情况，而且对于很多要求都已经足够了，但有些时候还是需要创建自己的异常类。比如在超光速推进装置过载（hyperdrive overload）的例子中，如果能有个具体的HyperDriveError类来表示超光速推进装置的错误状况是不是更自然一些呢？错误信息是足够了，但是会在8.3节中看到，可以根据异常所在的类，选择性地处理当前类型的异常。所以如果想要使用特殊的错误处理代码处理超光速推进装置的错误，那么就需要一个独立于exceptions模块的异常类。

那么如何创建自己的异常类呢？就像其他类一样，只是要确保从Exception类继承（不管是间接的或者是直接的，也就是说继承其他的内建异常类也是可以的）。那么编写一个自定义异常类基本上就像下面这样：

```
class SomeCustomException(Exception): pass
```

还不能做太多事，对吧？（如果你愿意，也可以向你的异常类中增加方法。）

## 8.3　捕捉异常

前面曾经提到过，关于异常的最有意思的地方就是可以处理它们（通常叫做诱捕或者捕捉异常）。这个功能可以使用try/except语句来实现。假设创建了一个让用户输入两个数，然后进行相除的程序，像下面这样：

```
x = input('Enter the first number: ')
y = input('Enter the second number: ')
print x/y
```

程序工作正常，假如用户输入0作为第二个数

```
Enter the first number: 10
Enter the second number: 0
Traceback (most recent call last):
  File "exceptions.py", line 3, in ?
    print x/y
ZeroDivisionError: integer division or modulo by zero
```

为了捕捉异常并且做出一些错误处理（本例中只是输出一些更友好的错误信息），可以这样重写程序：

```
try:
    x = input('Enter the first number: ')
    y = input('Enter the second number: ')
    print x/y
except ZeroDivisionError:
    print "The second number can't be zero!"
```

看起来用if语句检查y值会更简单一些，本例中这样做的确很好。但是如果需要给程序加入更多除法，那么就得给每个除法加个if语句。而使用try/except的话只需要一个错误处理器。

---

**注意**　　*如果没有捕捉异常，它就会被"传播"到调用的函数中。如果在那里依然没有捕获，这些异常就会"浮"到程序的最顶层。也就是说你可以捕捉到在其他人的函数中所引发的异常。有关这方面的更多信息，请参见8.10节。*

---

### 看，没参数

如果捕捉到了异常，但是又想重新引发它（也就是说要传递异常，不进行处理），那么可以调用不带参数的raise（还能在捕捉到异常时显式地提供具体异常，在8.6节会对此进行解释）。

举个例子吧，看看这么做多有用：考虑一下一个能"屏蔽"ZeroDivisionError（除零错误）的计算器类。如果这个行为被激活，那么计算器就会打印错误信息，而不是让异常传播。如果在与用户进行交互的过程中使用，那么这就有用了，但是如果是在程序内部使用，引发异常会更好些。因此"屏蔽"机制就可以关掉了，下面是这样一个类的代码：

```
class MuffledCalculator:
    muffled = False
    def calc(self, expr):
        try:
            return eval(expr)
        except ZeroDivisionError:
            if self.muffled:
                print 'Division by zero is illegal'
            else:
                raise
```

---

**注意**　如果除零行为发生而屏蔽机制被打开，那么calc方法会（隐式地）返回None。换句话说，如果打开了屏蔽机制，那么就不应依赖返回值。

---

下面是这个类的用法示例，分别打开和关闭了屏蔽：

```
>>> calculator = MuffledCalculator()
>>> calculator.calc('10/2')
5
>>> calculator.calc('10/0') # No muffling
Traceback (most recent call last):
  File "<stdin>", line 1, in ?
  File "MuffledCalculator.py", line 6, in calc
    return eval(expr)
  File "<string>", line 0, in ?
ZeroDivisionError: integer division or modulo by zero
>>> calculator.muffled = True
>>> calculator.calc('10/0')
Division by zero is illegal
```

当计算器没有打开屏蔽机制时，ZeroDivisionError被捕捉但已传递了。

## 8.4　不止一个 except 子句

如果运行上一节的程序并且在提示符后面输入非数字类型的值，就会产生另外一个异常：

```
Enter the first number: 10
Enter the second number: "Hello, world!"
Traceback (most recent call last):
  File "exceptions.py", line 4, in ?
    print x/y
TypeError: unsupported operand type(s) for /: 'int' and 'str'
```

因为except子句只寻找ZeroDivisionError异常，这次的错误就溜过了检查并导致程序终止。为了捕捉这个异常，可以直接在同一个try/except语句后面加上另一个except子句：

```
try:
    x = input('Enter the first number: ')
    y = input('Enter the second number: ')
    print x/y
```

```
except ZeroDivisionError:
    print "The second number can't be zero!"
except TypeError:
    print "That wasn't a number, was it?"
```

这次用if语句实现可就复杂了。怎么检查一个值是否能被用在除法中？方法很多，但是目前最好的方式是直接将值用来除一下看看是否奏效。

还应该注意到，异常处理并不会搞乱原来的代码，而增加一大堆if语句检查可能的错误情况会让代码相当难读。

## 8.5 用一个块捕捉两个异常

如果需要用一个块捕捉多个类型异常，那么可以将它们作为元组列出，像下面这样：

```
try:
    x = input('Enter the first number: ')
    y = input('Enter the second number: ')

    print x/y
except (ZeroDivisionError, TypeError, NameError):
    print 'Your numbers were bogus...'
```

上面的代码中，如果用户输入字符串或者其他类型的值，而不是数字，或者第2个数为0，都会打印同样的错误信息。当然，只打印一个错误信息并没什么帮助。另外一个方案就是继续要求输入数字直到可以进行除法运算为止。8.8节中会介绍如何实现这一功能。

注意，except子句中异常对象外面的圆括号很重要。忽略它们是一种常见的错误，那样你会得不到想要的结果。关于这方面的解释，请参见8.6节。

## 8.6 捕捉对象

如果希望在except子句中访问异常对象本身，可以使用两个参数（注意，就算要捕捉到多个异常，也只需向except子句提供一个参数——一个元组）。比如，如果想让程序继续运行，但是又因为某种原因想记录下错误（比如只是打印给用户看），这个功能就很有用。下面的示例程序会打印异常（如果发生的话），但是程序会继续运行：

```
try:
    x = input('Enter the first number: ')
    y = input('Enter the second number: ')
    print x/y
except (ZeroDivisionError, TypeError), e:
    print e①
```

---

**注意**　在Python 3.0中，except子句会被写作except (ZeroDivisionError, TypeError) as e。

---

① 在这个小程序中，except子句再次捕捉了两种异常，但是因为你可以显式地捕捉对象本身，所以异常可以打印出来，用户就能看到发生了什么（8.8节会介绍一个更有用的程序）。——译者注

## 8.7   真正的全捕捉

就算程序能处理好几种类型的异常，但有些异常还会从眼皮底下溜走。比如还用那个除法程序来举例，在提示符下面直接按回车，不输入任何东西，会得到一个类似下面这样的错误信息（栈跟踪）：

```
Traceback (most recent call last):
  File 'exceptions.py', line 3, in ?
    x = input('Enter the first number: ')
File '<string>', line 0

  ^
SyntaxError: unexpected EOF while parsing
```

这个异常逃过了try/except语句的检查，这很正常。程序员无法预测会发生什么，也不能对其进行准备。在这些情况下，与其用那些并非捕捉这些异常的try/except语句隐藏异常，还不如让程序立刻崩溃。

但是如果真的想用一段代码捕捉所有异常，那么可以在except子句中忽略所有的异常类：

```
try:
    x = input('Enter the first number: ')
    y = input('Enter the second number: ')
    print x/y
except:
    print 'Something wrong happened...'
```

现在可以做任何事情了：

```
Enter the first number: "This" is *completely* illegal 123
Something wrong happened...
```

---

**警告**   像这样捕捉所有异常是危险的，因为它会隐藏所有程序员未想到并且未做好准备处理的错误。它同样会捕捉用户终止执行的Ctrl+C企图，以及用sys.exit函数终止程序的企图，等等。这时用except Exception, e会更好些，或者对异常对象e进行一些检查。

---

## 8.8   万事大吉

有些情况中，一些坏事发生时执行一段代码是很有用的；可以像对条件和循环语句那样，给try/except语句加个else子句：

```
try:
    print 'A simple task'
except:
    print 'What? Something went wrong?'
else:
    print 'Ah... It went as planned.'
```

运行之后会得到如下输出：

---

```
A simple task
Ah... It went as planned.
```

---

使用else子句可以实现在8.5节中提到的循环：

```
while True:
    try:
        x = input('Enter the first number: ')
        y = input('Enter the second number: ')
        value = x/y
        print 'x/y is', value
    except:
        print 'Invalid input. Please try again.'
    else:
        break
```

这里的循环只在没有异常引发的情况下才会退出（由else子句中的break语句退出）。换句话说，只要有错误发生，程序会不断要求重新输入。下面是一个例子的运行情况：

```
Enter the first number: 1
Enter the second number: 0
Invalid input. Please try again.
Enter the first number: 'foo'
Enter the second number: 'bar'
Invalid input. Please try again.
Enter the first number: baz
Invalid input. Please try again.
Enter the first number: 10
Enter the second number: 2
x/y is 5
```

之前提到过，可以使用空的except子句来捕捉所有Exception类的异常（也会捕捉其所有子类的异常）。百分之百捕捉到所有的异常是不可能的，因为try/except语句中的代码可能会出问题，比如使用旧风格的字符串异常或者自定义的异常类不是Exception类的子类。不过如果需要使用excpet Exception的话，可以使用8.6节中的技巧在除法程序中打印更加有用的错误信息：

```
while True:
    try:
        x = input('Enter the first number: ')
        y = input('Enter the second number: ')
        value = x/y
        print 'x/y is', value
    except Exception,e:
        print 'Invalid input:',e
        print 'Please try again'
    else:
        break
```

下面是示例运行：

```
Enter the first number: 1
Enter the second number: 0
Invalid input: integer division or modulo by zero
Please try again
Enter the first number: 'x'
Enter the second number: 'y'
Invalid input: unsupported operand type(s) for /: 'str' and 'str'
Please try again
Enter the first number: quuux
Invalid input: name 'quuux' is not defined
```

```
Please try again
Enter the first number: 10
Enter the second number: 2
x/y is 5
```

## 8.9　最后……

最后，是finally子句。它可以用来在可能的异常后进行清理。它和try子句联合使用：

```
x = None
try:
    x = 1/0
finally:
    print 'Cleaning up...'
    del x
```

上面的代码中，finally子句肯定会被执行，不管try子句中是否发生异常（在try子句之前初始化x的原因是如果不这样做，由于ZeroDivisionError的存在，x就永远不会被赋值。这样就会导致在finally子句中使用del删除它的时候产生异常，而且这个异常是无法捕捉的）。

运行这段代码，在程序崩溃之前，对于变量x的清理就完成了：

```
Cleaning up...
Traceback (most recent call last):
  File "C:\python\div.py", line 4, in ?
    x = 1/0
ZeroDivisionError: integer division or modulo by zero
```

因为使用del语句删除一个变量是非常不负责的清理手段，所以finally子句用于关闭文件或者网络套接字时会非常有用（更多信息请参看第14章）。还可以在同一条语句中组合使用try、except、finally和else（或者其中3个）。

```
try:
    1/0
except NameError:
    print "Unknown variable"
else:
    print "That went well!"
finally:
    print "Cleaning up."
```

注意　在Python 2.5之前的版本内，finally子句需要独立使用，而不能作为try语句的except子句使用。如果都要使用的话，那么需要两条语句。但在Python 2.5及其之后的版本中，可以尽情地组合这些子句。

## 8.10　异常和函数

异常和函数能很自然地一起工作。如果异常在函数内引发而不被处理，它就会传播至（浮到）函数调用的地方。如果在那里也没有处理异常，它就会继续传播，一直到达主程序（全局作用域）。如果那里没有异常处理程序，程序会带着栈跟踪中止。看个例子：

```
>>> def faulty():
...     raise Exception('Something is wrong')
...
>>> def ignore_exception():
...     faulty()
...
>>> def handle_exception():
...     try:
...         faulty()
...     except:
...         print 'Exception handled'
...
>>> ignore_exception()
Traceback (most recent call last):
  File '<stdin>',line 1, in ?
  File '<stdin>',line 2, in ignore_exception
  File '<stdin>',line 2, in faulty
Exception: Something is wrong
>>> handle_exception()
Exception handled
```

可以看到，faulty中产生的异常通过faulty和ignore_exception传播，最终导致了栈跟踪。同样地，它也传播到了handle_exception，但在这个函数中被try/except语句处理。

## 8.11 异常之禅

异常处理并不是很复杂。如果知道某段代码可能会导致某种异常，而又不希望程序以堆栈跟踪的形式终止，那么就根据需要添加try/except或者try/finally语句（或者它们的组合）进行处理。

有些时候，条件语句可以实现和异常处理同样的功能，但是条件语句可能在自然性和可读性上差些。而从另一方面来看，某些程序中使用if/else实现会比使用try/except要好。让我们看几个例子。

假设有一个字典，我们希望打印出存储在特定的键下面的值。如果该键不存在，那么什么也不做。代码可能像下面这样写：

```
def describePerson(person):
    print 'Description of', person['name']
    print 'Age:', person['age']
    if 'occupation' in person:
        print 'Occupation:', person['occupation']
```

如果给程序提供包含名字Throatwobbler Mangrove和年龄42（没有职业）的字典的函数，会得到如下输出：

```
Description of Throatwobbler Mangrove
Age: 42
```

如果添加了职业camper，会得到如下输出：

```
Description of Throatwobbler Mangrove
Age: 42
Occupation: camper
```

代码非常直观，但是效率不高（尽管这里主要关心的是代码的简洁性）。程序会两次查找'occupation'键，其中一次用来查看键是否存在（在条件语句中），另外一次获得值（打印）。另外一个解决方案如下：

```
def describePerson(person):
    print 'Description of', person['name']
    print 'Age:', person['age']
    try:
        print 'Occupation: ' + person['occupation']
    except KeyError: pass
```

---

注意　这里在打印职业时使用加号而不是逗号。否则字符串'Occupation:'在异常引发之前就会
　　　被输出。

---

这个程序直接假定'occupation'键存在。如果它的确存在，那么就会省事一些。直接取出它的值再打印输出即可——不用额外检查它是否真的存在。如果该键不存在，则会引发KeyError异常，而被except子句捕捉到。

在查看对象是否存在特定特性时，try/except也很有用。假设想要查看某对象是否有write特性，那么可以使用如下代码：

```
try:
    obj.write
except AttributeError:
    print 'The object is not writeable'
else:
    print 'The object is writeable'
```

这里的try子句仅仅访问特性而不用对它做别的有用的事情。如果AttributeError异常引发，就证明对象没有这个特性，反之存在该特性。这是实现第7章中介绍的getattr（7.2.8节）方法的替代方法，至于更喜欢使用哪种方法，完全是个人喜好。其实在内部实现getattr时也是使用这种方法：它试着访问特性并且捕捉可能引发的AttributeError异常。

注意，这里所获得的效率提高并不多（微乎其微），一般来说（除非程序有性能问题）程序开发人员不用过多担心这类优化问题。在很多情况下，使用try/except语句比使用if/else会更自然一些（更"Python化"），应该养成尽可能使用try/except语句的习惯[1]。

## 8.12　小结

本章的主题如下。

□ **异常对象**。异常情况（比如发生错误）可以用异常对象表示。它们可以用几种方法处理，但是如果忽略的话，程序就会中止。

□ **警告**。警告类似于异常，但是（一般来说）仅仅打印错误信息。

---

[1] try/except语句在Python中的表现可以用海军少将Grace Hopper的妙语解释："请求宽恕易于请求许可。"在做一件事时去处理可能出现的错误，而不是在开始做事前就进行大量的检查，这个策略可以总结为习语"看前就跳"（Leap Before You Look）。

- **引发异常**。可以使用raise语句引发异常。它接受异常类或者异常实例作为参数。还能提供两个参数（异常和错误信息）。如果在except子句中不使用参数调用raise，它就会"重新引发"该子句捕捉到的异常。
- **自定义异常类**：用继承Exception类的方法可以创建自己的异常类。
- **捕捉异常**。使用try语句的except子句捕捉异常。如果在except子句中不特别指定异常类，那么所有的异常都会被捕捉。异常可以放在元组中以实现多个异常的指定。如果给except提供两个参数，第2个参数就会绑定到异常对象上。同样，在一个try/except语句中能包含多个except子句，用来分别处理不同的异常。
- **else子句**。除了except子句，可以使用else子句。如果主try块中没有引发异常，else子句就会被执行。
- **finally**。如果需要确保某些代码不管是否有异常引发都要执行（比如清理代码），那么这些代码可以放置在finally[①]子句中。
- **异常和函数**。在函数内引发异常时，它就会被传播到到函数调用的地方（对于方法也是一样）。

## 8.12.1 本章的新函数

本章涉及的新函数如表8-2所示。

表8-2 本章的新函数

| 函 数 | 描 述 |
| --- | --- |
| warnings.filterwarnings(action,...) | 用于过滤警告 |

## 8.12.2 接下来学什么

本章讲异常，内容可能有些意外（双关语），而下一章的内容真的很不可思议，嗯，近乎不可思议。

---

[①] 注意，在一个try语句中不能同时使用except和finally子句——但是一个子句可以放置在另一个子句中。

# 第 9 章

# 魔法方法、属性和迭代器

在Python中，有的名称会在前面和后面都加上两个下划线，这种写法很特别。前面几章中已经出现过一些这样的名称（比如__future__），这种拼写表示名字有特殊含义，所以绝不要在自己的程序中使用这种名字。在Python中，由这些名字组成的集合所包含的方法称为魔法（或特殊）方法。如果对象实现了这些方法中的某一个，那么这个方法会在特殊的情况下（确切地说是根据名字）被Python调用。而几乎没有直接调用它们的必要。

本章会详细讨论一些重要的魔法方法（最重要的是__init__方法和一些处理对象访问的方法，这些方法允许你创建自己的序列或者是映射）。本章还会讲述两个相关的主题：属性（在以前版本的Python中通过魔法方法来处理，现在则通过property函数）和迭代器（使用魔法方法__iter__来允许迭代器在for循环中使用），本章最后有一个相关的示例，其中有些知识点已经介绍过，可以用于处理一些相对复杂的问题。

## 9.1 准备工作

很久以前（Python 2.2中），对象的工作方式就有了很大改变。这种改变产生了一些影响，对于刚开始使用Python的人来说，大多数改变都不是很重要①。值得注意的是，尽管可能使用的是新版的Python，但一些特性（比如属性和super函数）不会在老式的类上起作用。为了确保类是新型的，应该把赋值语句__metaclass__=type放在你的模块的最开始（第7章中提到过），或者（直接或者间接）子类化内建类（实际上是类型）object（或其他一些新式类）。考虑下面的两个类。

```
class NewStyle(object):
    more_code_here
class OldStyle:
    more_code_here
```

在这两个类中，NewStyle是新式的类，OldStyle是旧式的类。如果文件以__metaclass__ = type开始，那么两个类都是新式类。

---

① 在Alex Martelli所著的《Python技术手册》（*Python in a Nutshell*）的第8章有关于旧式和新式类之间区别的深入讨论。

**注意** 除此之外，还可以在自己的类的作用域中对\_\_metaclass\_\_变量赋值。这样只会为这个类设定元类。元类是其他类（或类型）的类——这是个更高级的主题。要了解关于元类的更多信息，请参见Guido van Rossum的技术性文章Unifying types and classes in Python 2.2 （http://python.org/2.2/descrintro.html）。或者在互联网上搜索术语python metaclasses。

在本书所有示例代码中都没有显式地设定元类（或者子类化object）。如果要没有兼容之前旧版Python的需要，建议你将所有类写为新式的类，并且使用super函数（稍后会在9.2.3节讨论）这样的特性。

**注意** 在Python 3.0中没有"旧式"的类，也不需要显式地子类化object或者将元类设置为type。所有的类都会隐式地成为object的子类——如果没有明确超类的话，就会直接子类化；否则会间接子类化。

## 9.2 构造方法

首先要讨论的第一个魔法方法是构造方法。如果读者以前没有听过构造方法这个词，那么说明一下：构造方法是一个很奇特的名字，它代表着类似于以前例子中使用过的那种名为init的初始化方法。但构造方法和其他普通方法不同的地方在于，当一个对象被创建后，会立即调用构造方法。因此，刚才我做的那些工作现在就不用做了：

```
>>> f = FooBar()
>>> f.init()
```

构造方法能让它简化成如下形式：

```
>>> f = FooBar()
```

在Python中创建一个构造方法很容易。只要把init方法的名字从简单的init修改为魔法版本\_\_init\_\_即可：

```
class FooBar:
    def __init__(self):
        self.somevar = 42
>>> f = FooBar()
>>> f.somevar
42
```

现在一切都很好。但如果给构造方法传几个参数的话，会有什么情况发生呢？看看下面的代码：

```
class FooBar:
    def __init__(self, value=42):
        self.somevar = value
```

你认为可以怎样使用它呢？因为参数是可选的，所以你可以继续，当什么事也没发生。但如果要使用参数（或者不让参数是可选的）的时候会发生什么？我相信你已经猜到了，一起来看看结果吧：

```
>>> f = FooBar('This is a constructor argument')
>>> f.somevar
'This is a constructor argument'
```

在Python所有的魔法方法中，__init__是使用最多的一个。

---

**注意**    Python中有一个魔法方法叫做__del__，也就是析构方法。它在对象就要被垃圾回收之前
调用。但发生调用的具体时间是不可知的。所以建议读者尽力避免使用__del__函数。

---

## 9.2.1    重写一般方法和特殊的构造方法

第7章中介绍了继承的知识。每个类都可能拥有一个或者多个超类，它们从超类那里继承行
为方式。如果一个方法在B类的一个实例中被调用（或一个属性被访问），但在B类中没有找到该
方法，那么就会去它的超类A里面找。考虑下面的两个类：

```
class A:
    def hello(self):
        print "Hello, I'm A."
class B(A):
    pass
```

A类定义了一个叫做hello的方法，被B类继承。下面是一个说明类是如何工作的例子：

```
>>> a = A()
>>> b = B()
>>> a.hello()
Hello, I'm A.
>>> b.hello()
Hello, I'm A.
```

因为B类没有定义自己的hello方法，所以当hello被调用时，原始的信息就被打印出来。

在子类中增加功能的最基本的方式就是增加方法。但是也可以重写一些超类的方法来自定义
继承的行为。B类也能重写这个方法。比如下面的例子中B类的定义被修改了。

```
class B(A):
    def hello(self):
        print "Hello, I'm B."
```

使用这个定义，b.hello()能产生一个不同的结果。

```
>>> b = B()
>>> b.hello()
Hello, I'm B.
```

重写是继承机制中的一个重要内容，对于构造方法尤其重要。构造方法用来初始化新创建对
象的状态，大多数子类不仅要拥有自己的初始化代码，还要拥有超类的初始化代码。虽然重写的
机制对于所有方法来说都是一样的，但是当处理构造方法比重写普通方法时，更可能遇到特别的
问题：如果一个类的构造方法被重写，那么就需要调用超类（你所继承的类）的构造方法，否则
对象可能不会被正确地初始化。

考虑下面的Bird类：

```
class Bird:
```

```
def __init__(self):
    self.hungry = True
def eat(self):
    if self.hungry:
        print 'Aaaah...'
        self.hungry = False
    else:
        print 'No, thanks!'
```

这个类定义所有的鸟都具有的一些最基本的能力：吃。下面是这个类的用法示例：

```
>>> b = Bird()
>>> b.eat()
Aaaah...
>>> b.eat()
No, thanks!
```

就像能在这个例子中看到的，鸟吃过了以后，它就不再饥饿。现在考虑子类SongBird，它添加了唱歌的行为。

```
class SongBird(Bird):
    def __init__(self):
        self.sound = 'Squawk!'
    def sing(self):
        print self.sound
```

SongBird类和Bird类一样容易使用：

```
>>> sb = SongBird()
>>> sb.sing()
Squawk!
```

因为SongBird是Bird的一个子类，它继承了eat方法，但如果调用eat方法，就会产生一个问题：

```
>>> sb.eat()
Traceback (most recent call last):
  File "<stdin>", line 1, in ?
  File "birds.py", line 6, in eat
    if self.hungry:
AttributeError: SongBird instance has no attribute 'hungry'
```

异常很清楚地说明了错误：SongBird没有hungry特性。原因是这样的：在SongBird中，构造方法被重写，但新的构造方法没有任何关于初始化hungry特性的代码。为了达到预期的效果，SongBird的构造方法必须调用其超类Bird的构造方法来确保进行基本的初始化。有两种方法能达到这个目的：调用超类构造方法的未绑定版本，或者使用super函数。后面两节会介绍这两种技术。

## 9.2.2　调用未绑定的超类构造方法

本节所介绍的内容主要是历史遗留问题。在目前版本的Python中，使用super函数（下一节会介绍）会更为简单明了（在Python 3.0中更是如此）。但是很多遗留的代码还会使用到本节介绍的方法，所以读者还是要了解一些。而且它很有用，这是一个了解绑定和未绑定方法之间区别的好例子。

那么下面进入实际内容。不要被本节的标题吓到，放松。其实调用超类的构造方法很容易（也很有用）。下面我先给出在上一节末尾提出的问题的解决方法。

```
class SongBird(Bird):
    def __init__(self):
        Bird.__init__(self)
        self.sound = 'Squawk!'
    def sing(self):
        print self.sound
```

SongBird类中只添加了一行代码——Bird.__init__(self)。在解释这句真正的含义之前，首先来演示一下执行的效果。

```
>>> sb = SongBird()
>>> sb.sing()
Squawk!
>>> sb.eat()
Aaaah...
>>> sb.eat()
No, thanks!
```

为什么会有这样的结果？在调用一个实例的方法时，该方法的self参数会被自动绑定到实例上（这称为绑定方法）。前面已经给出了几个类似的例子了。但如果直接调用类的方法（比如Bird.__init__），那么就没有实例会被绑定。这样就可以自由地提供需要的self参数。这样的方法称为未绑定（unbound）方法，也就是这节标题中所提到的。

通过将当前的实例作为self参数提供给未绑定方法，SongBird就能够使用其超类构造方法的所有实现，也就是说属性hungry能被设置。

### 9.2.3　使用super函数

如果读者不想坚守旧版Python阵营，那么就应该使用super函数。它只能在新式类中使用，不管怎样，你都应该尽量使用新式类。当前的类和对象可以作为super函数的参数使用，调用函数返回的对象的任何方法都是调用超类的方法，而不是当前类的方法。那么就可以不用在SongBird的构造方法中使用Bird，而直接使用super(SongBird,self)。除此之外，__init__方法能以一个普通的（绑定）方式被调用。

---

**注意**　在Python 3.0中，super函数可以不带任何参数进行调用，功能依然具有"魔力"。

---

下面的例子是对bird[①]例子的更新。

```
__metaclass__ = type # super函数只在新式类中起作用
class Bird:
    def __init__(self):
        self.hungry = True
    def eat(self):
        if self.hungry:
            print 'Aaaah...'
            self.hungry = False
```

---

① 注意Bird是object的子类，这样它就成为了一个新式类。——译者注

```
        else:
            print 'No, thanks!'
class SongBird(Bird):
    def __init__(self):
        super(SongBird, self).__init__()
        self.sound = 'Squawk!'
    def sing(self):
        print self.sound
```

这个新式的版本的运行结果和旧式版本的一样：

```
>>> sb = SongBird()
>>> sb.sing()
Squawk!
>>> sb.eat()
Aaaah...
>>> sb.eat()
No, thanks!
```

### 为什么super函数这么超级

在我看来，super函数比在超类中直接调用未绑定方法更直观。但这并不是它的唯一优点。super函数实际上是很智能的，因此即使类已经继承多个超类，它也只需要使用一次super函数（但要确保所有的超类的构造方法都使用了super函数）。在一些含糊的情况下使用旧式类会很别扭（比如两个超类共同继承一个超类），但能被新式类和super函数自动处理。内部的具体工作原理不用理解，但必须清楚地知道：在大多数情况下，调用超类的未绑定的构造方法（或者其他的方法）是更好的选择。

那么，super函数到底返回什么？一般来说读者不用担心这个问题，就假装它返回的是所需的超类好了。实际上它返回了一个super对象，这个对象负责进行方法解析。当对其特性进行访问时，它会查找所有的超类（以及超类的超类），直到找到所需的特性为止（或者引发一个AttributeError异常）。

## 9.3　成员访问

尽管__init__是目前为止提到的最重要的特殊方法，但还有一些其他的方法提供的作用也很重要。本节会讨论常见的魔法方法的集合，它可以创建行为类似于序列或映射的对象。

基本的序列和映射的规则很简单，但如果要实现它们全部功能就需要实现很多魔法函数。幸好，还是有一些捷径的，下面马上会说到。

**注意**　规则（protocol）这个词在Python中会经常使用，用来描述管理某种形式的行为的规则。这与第7章中提到的接口的概念有点类似。规则说明了应该实现何种方法和这些方法应该做什么。因为Python中的多态性是基于对象的行为的（而不是基于祖先，例如它所属的类或者超类，等等）。这是一个重要的概念：在其他的语言中对象可能被要求属于某一个类，或者被要求实现某个接口，但Python中只是简单地要求它遵守几个给定的规则。因此成为了一个序列，你所需要做的只是遵循序列的规则。

## 9.3.1 基本的序列和映射规则

序列和映射是对象的集合。为了实现它们基本的行为（规则），如果对象是不可变的，那么就需要使用两个魔法方法，如果是可变的则需要使用4个。

- ❑ __len__(self)：这个方法应该返回集合中所含项目的数量。对于序列来说，这就是元素的个数；对于映射来说，则是键–值对的数量。如果__len__返回0（并且没有实现重写该行为的__nonzero__），对象会被当作一个布尔变量中的假值（空的列表，元组，字符串和字典也一样）进行处理。

- ❑ __getitem__(self,key)：这个方法返回与所给键对应的值。对于一个序列，键应该是一个0~n-1的整数（或者像后面所说的负数），n是序列的长度；对于映射来说，可以使用任何种类的键。

- ❑ __setitem__(self,key,value)：这个方法应该按一定的方式存储和key相关的value，该值随后可使用__getitem__来获取。当然，只能为可以修改的对象定义这个方法。

- ❑ __delitem__(self,key)：这个方法在对一部分对象使用del语句时被调用，同时必须删除和元素相关的键。这个方法也是为可修改的对象定义的（并不是删除全部的对象，而只删除一些需要移除的元素）。

对这些方法的附加要求如下。

- ❑ 对于一个序列来说，如果键是负整数，那么要从末尾开始计数。换句话说就是x[-n]和x[len(x)-n]是一样的。

- ❑ 如果键是不合适的类型（例如，对序列使用字符串作为键），会引发一个TypeError异常。

- ❑ 如果序列的索引是正确的类型，但超出了范围，应该引发一个IndexError异常。

让我们实践一下，看看如果创建一个无穷序列，会发生什么：

```
def checkIndex(key):
    """
    所给的键是能接受的索引吗？

    为了能被接受，键应该是一个非负的整数。如果它不是一个整数，会引发TypeError；如果它是负数，则会引发IndexError
    （因为序列是无限长的）。
    """
    if not isinstance(key, (int, long)): raise TypeError
    if key<0: raise IndexError

class ArithmeticSequence:
    def __init__(self, start=0, step=1):
        """
        初始化算术序列

        起始值——序列中的第一个值
        步长——两个相邻值之间的差别
        改变——用户修改的值的字典
        """
        self.start = start          # 保存开始值
        self.step = step            # 保存步长值
        self.changed = {}           # 没有项被修改
```

```
    def __getitem__(self, key):
        """
        Get an item from the arithmetic sequence.
        """
        checkIndex(key)

        try: return self.changed[key]        # 修改了吗?
        except KeyError:                      # 否则……
            return self.start + key*self.step # ……计算值

    def __setitem__(self, key, value):
        """
        修改算术序列中的一个项
        """
        checkIndex(key)

        self.changed[key] = value            # 保存更改后的值
```

这里实现的是一个算术序列，该序列中的每个元素都比它前面的元素大一个常数。第一个值是由构造方法参数start（默认为0）给出的，而值与值之间的步长是由step设定的（默认为1）。用户能通过名为changed的方法将特例规则保存在字典中，从而修改一些元素的值，如果元素没有被修改，那就计算self start+key*self step的值。

下面是如何使用这个类的例子：

```
>>> s = ArithmeticSequence(1, 2)
>>> s[4]
9
>>> s[4] = 2
>>> s[4]
2
>>> s[5]
11
```

注意，没有实现__del__方法的原因是我希望删除元素是非法的：

```
>>> del s[4]
Traceback (most recent call last):
  File "<stdin>", line 1, in ?
AttributeError: ArithmeticSequence instance has no attribute '__delitem__'
```

这个类没有__len__方法，因为它是无限长的。

如果使用了一个非法类型的索引，就会引发TypeError异常，如果索引的类型是正确的但超出了范围（在本例中为负数），则会引发IndexError异常：

```
>>> s["four"]
Traceback (most recent call last):
  File "<stdin>", line 1, in ?
  File "arithseq.py", line 31, in __getitem__
    checkIndex(key)
  File "arithseq.py", line 10, in checkIndex
    if not isinstance(key, int): raise TypeError
TypeError
>>> s[-42]
Traceback (most recent call last):
  File "<stdin>", line 1, in ?
  File "arithseq.py", line 31, in __getitem__
    checkIndex(key)
```

```
File "arithseq.py", line 11, in checkIndex
    if key<0: raise IndexError
IndexError
```

索引检查是通过用户自定义的checkIndex函数实现的。

有一件关于checkIndex函数的事情可能会让人吃惊，即isinstance函数的使用（这个函数应尽量避免使用，因为类或类型检查和Python中多态的目标背道而驰）。因为Python的语言规范上明确指出索引必须是整数（包括长整数），所以上面的代码才会如此使用。遵守标准是使用类型检查的（很少的）正当理由之一。

---

**注意** 分片操作也是可以模拟的。当对支持__getitem__方法的实例进行分片操作时，分片对象作为键提供。分片对象在Python库参考（http://python.org/doc/lib）的2.1节中slice函数部分有介绍。Python 2.5有一个更加专门的方法叫做__index__，它允许你在分片中使用非整形限制。只要你想处理基本序列规则之外的事情，那么这个方法尤其有用。

---

### 9.3.2 子类化列表，字典和字符串

到目前为止本书已经介绍了基本的序列/映射规则的4个方法，官方语言规范也推荐实现其他的特殊方法和普通方法（参见Python 参考手册的3.4.5节http://www.python.org/doc/ref/sequence-types.html），包括9.6节描述的__iter__方法在内。实现所有的这些方法（为了让自己的对象和列表或者字典一样具有多态性）是一项繁重的工作，并且很难做好。如果只想在一个操作中自定义行为，那么其他的方法就不用实现。这就是程序员的懒惰（也是常识）。

那么应该怎么做呢？关键词是继承。能继承的时候为什么还要全部实现呢？标准库有3个关于序列和映射规则(UserList、UserString和UserDict)可以立即使用的实现,在较新版本的Python中,可以子类化内建类型（注意,如果类的行为和默认的行为很接近这就很有用,如果需要重新实现大部分方法,那么还不如重新写一个类）。

因此，如果希望实现一个和内建列表行为相似的序列，可以子类化list来实现。

---

**注意** 当子类化一个内建类型——比如list的时候，也就间接地将object子类化了。因此该类就自动成为新式类，这就意味着可以使用像super函数这样的特性了。

---

下面看看例子，带有访问计数的列表。

```
class CounterList(list):
    def __init__(self, *args):
        super(CounterList, self).__init__(*args)
        self.counter = 0
    def __getitem__(self, index):
        self.counter += 1
        return super(CounterList, self).__getitem__(index)
```

CounterList类严重依赖于它的超类（list）的行为。CounterList类没有重写任何的方法（和append、extend、index一样）都能被直接使用。在两个被重写的方法中，super方法被用来调用

相应的超类的方法，只在__init__中添加了所需的初始化counter特性的行为，并在__getitem__中更新了counter特性。

---

**注意** 重写__getitem__并非获取用户访问的万全之策，因为还有其他访问列表内容的途径，比如通过pop方法。

---

这里是CounterList如何使用的例子：

```
>>> cl = CounterList(range(10))
>>> cl
[0, 1, 2, 3, 4, 5, 6, 7, 8, 9]
>>> cl.reverse()
>>> cl
[9, 8, 7, 6, 5, 4, 3, 2, 1, 0]
>>> del cl[3:6]
>>> cl
[9, 8, 7, 3, 2, 1, 0]
>>> cl.counter
0
>>> cl[4] + cl[2]
9
>>> cl.counter
2
```

正如看到的，CounterList在很多方面和列表的作用一样，但它有一个counter特性（被初始化为0），每次列表元素被访问时，它都会自增，所以在执行加法cl[4] + cl[2]后，这个值自增两次，变为2。

## 9.4　更多魔力

魔法名称的用途有很多，我目前所演示的只是所有用途中的一小部分。大部分的特殊方法都是为高级的用法准备的，所以我不会在这里详细讨论。但如果感兴趣，可以模拟数字，让对象像函数那样被调用，影响对象的比较，等等。关于特殊函数的更多内容请参考《Python 参考手册》中的3.4节（http://www.python.org/doc/ref/specialnames.html）。

## 9.5　属性

第7章曾经提过访问器方法。访问器是一个简单的方法，它能够使用getHeight、setHeight这样的名字来得到或者重绑定一些特性（可能是类的私有属性——具体内容请参见第7章的"再论私有化"部分）。如果在访问给定的特性时必须要采取一些行动，那么像这样的封装状态变量（特性）就很重要。比如下面例子中的Rectangle类：

```
class Rectangle:
    def __init__(self):
        self.width = 0
        self.height = 0
    def setSize(self, size):
        self.width, self.height = size
    def getSize(self):
        return self.width, self.height
```

下面的例子演示如何使用这个类：

```
>>> r = Rectangle()
>>> r.width = 10
>>> r.height = 5
>>> r.getSize()
(10, 5)
>>> r.setSize((150, 100))
>>> r.width
150
```

在上面的例子中，getSize和setSize方法是一个名为size的假想特性的访问器方法，size是由width和height构成的元组。读者可以随意使用一些更有趣的方法替换这里的函数，例如计算面积或者对角线的长度。这些代码没错，但却有缺陷。当程序员使用这个类时不应该还要考虑它是怎么实现的（封装）。如果有一天要改变类的实现，将size变成一个真正的特性，这样width和height就可以动态算出，那么就要把它们放到一个访问器方法中去，并且任何使用这个类的程序都必须重写。客户代码（使用代码的代码）应该能够用同样的方式对待所有特性。

那么怎么解决呢？把所有的属性都放到访问器方法中？这当然没问题。但如果有很多简单的特性，那么就很不现实了（有点儿笨）。如果那样做就得写很多访问器方法，它们除了返回或者设置特性就不做任何事了。复制加粘贴式或切割代码式的编程方式显然是很糟糕的（尽管是在一些语言中针对这样的特殊问题很普遍）。幸好，Python能隐藏访问器方法，让所有特性看起来一样。这些通过访问器定义的特性被称为属性。

实际上在Python中有两种创建属性的机制。我主要讨论新的机制——只在新式类中使用的property函数，然后我会简单地说明一下如何使用特殊方法实现属性。

## 9.5.1　property函数

property函数的使用很简单。如果已经编写了一个像上节的Rectangle那样的类，那么只要增加一行代码（除了要子类化object，或者使用\_\_metaclass\_\_=type语句以外）：

```
__metaclass__ = type
class Rectangle:
    def __init__(self):
        self.width = 0
        self.height = 0
    def setSize(self, size):
        self.width, self.height = size
    def getSize(self):
        return self.width, self.height
    size = property(getSize, setSize)
```

在这个新版的Rectangle中，property函数创建了一个属性，其中访问器函数被用作参数（先是取值，然后是赋值），这个属性命为size。这样一来就不再需要担心是怎么实现的了，可以用同样的方式处理width、heigth和size。

```
>>> r = Rectangle()
>>> r.width = 10
>>> r.height = 5
>>> r.size
```

```
(10, 5)
>>> r.size = 150, 100
>>> r.width
150
```

很明显，size特性仍然取决于getSize和setSize中的计算。但它们看起来就像普通的属性一样。

---

**注意** 如果属性的行为很奇怪，那么要确保你所使用的类为新式类（通过直接或间接子类化object，或直接设置元类）；如果不是的话，虽然属性的取值部分还是可以工作，但赋值部分就不一定了（取决于Python的版本），这很让人困惑。

---

实际上，property函数可以用0、1、3或者4个参数来调用。如果没有参数，产生的属性既不可读，也不可写。如果只使用一个参数调用（一个取值方法），产生的属性是只读的。第3个参数（可选）是一个用于删除特性的方法(它不要参数)。第4个参数(可选)是一个文档字符串。property的4个参数分别被叫做fget、fset、fdel和doc，如果想要一个属性是只写的，并且有一个文档字符串，可以使用关键字参数的方式来实现。

尽管这一节很短（只是对property函数的简单说明），但它却十分的重要。理论上说，在新式类中应该使用property函数而不是访问器方法。

---

### 它是如何工作的

有的读者很想知道property函数是如何实现它的功能的，那么在这里解释一下，不感兴趣的读者可以跳过。实际上，property函数不是一个真正的函数，它是其实例拥有很多特殊方法的类，也正是那些方法完成了所有的工作。涉及的方法是__get__、__set__和__delete__。这3个方法合在一起，就定义了描述符规则。实现了其中任何一个方法的对象就叫描述符(descriptor)。描述符的特殊之处在于它们是如何被访问的。比如，程序读取一个特性时（尤其是在实例中访问该特性，但该特性在类中定义时），如果该特性被绑定到实现了__get__方法的对象上，那么就会调用__get__方法（结果值也会被返回），而不只是简单地返回对象。实际上这就是属性的机制，即绑定方法，静态方法和类成员方法(下一节会介绍更多的信息)还有super函数。《Python参考手册》(http://python.org/doc/ref/ descriptors.html) 包括有关描述符规则的简单说明。一个更全面的信息源是Raymond Hettinger的How To Guide for Descriptors (http://users. rcn.com/python/download/Descriptor.htm)。

---

## 9.5.2 静态方法和类成员方法

在讨论实现属性的旧方法前，先让我们绕道而行，看看另一对实现方法和新式属性的实现方法类似的特征。静态方法和类成员方法分别在创建时分别被装入Staticmethod类型和Classmethod类型的对象中。静态方法的定义没有self参数，且能够被类本身直接调用。类方法在定义时需要名为cls的类似于self的参数，类成员方法可以直接用类的具体对象调用。但cls参数是自动被绑定到类的，请看下面的例子：

```
__metaclass__ = type

class MyClass:

    def smeth():
        print 'This is a static method'
    smeth = staticmethod(smeth)

    def cmeth(cls):
        print 'This is a class method of', cls
    cmeth = classmethod(cmeth)
```

手动包装和替换方法的技术看起来有点单调。在Python 2.4中，为这样的包装方法引入了一个叫做装饰器（decorator）的新语法（它能对任何可调用的对象进行包装，既能够用于方法也能用于函数）。使用@操作符，在方法（或函数）的上方将装饰器列出，从而指定一个或者更多的装饰器（多个装饰器在应用时的顺序与指定顺序相反）。

```
__metaclass__ = type

class MyClass:

    @staticmethod
    def smeth():
        print 'This is a static method'

    @classmethod
    def cmeth(cls):
        print 'This is a class method of', cls
```

定义了这些方法以后，就可以像下面的例子那样使用（例子中没有实例化类）：

```
>>> MyClass.smeth()
This is a static method
>>> MyClass.cmeth()
This is a class method of <class '__main__.MyClass'>
```

静态方法和类成员方法在Python中向来都不是很重要,主要的原因是大部分情况下可以使用函数或者绑定方法代替。在早期的版本中没有得到支持也是一个原因。但即使看不到两者在当前代码中的大量应用，也不要忽视静态方法和类成员方法的应用（比如工厂函数），可以好好地考虑一下使用新技术。

### 9.5.3    __getattr__、__setattr__和它的朋友们

拦截（intercept）对象的所有特性访问是可能的，这样可以用旧式类实现属性（因为property方法不能使用）。为了在访问特性的时候可以执行代码，必须使用一些魔法方法。下面的4种方法提供了需要的功能（在旧式类中只需要后3个）。

❑ __getattribute__(self,name)：当特性name被访问时自动被调用（只能在新式类中使用）。

❑ __getattr__(self,name)：当特性name被访问且对象没有相应的特性时被自动调用。

❑ __setattr__(self,name,value)：当试图给特性name赋值时会被自动调用。

□ __delattr__(self, name)：当试图删除特性name时被自动调用。

尽管和使用property函数相比有点复杂（而且在某些方面效率更低），但这些特殊方法是很强大的，因为可以对处理很多属性的方法进行再编码。

下面还是Rectangle的例子，但这次使用的是特殊方法：

```
class Rectangle:
    def __init__(self):
        self.width = 0
        self.height = 0
    def __setattr__(self, name, value):
        if name == 'size':
            self.width, self.height = value
        else:
            self.__dict__[name] = value
    def __getattr__(self, name):
        if name == 'size':
            return self.width, self.height
        else:
            raise AttributeError
```

这个版本的类需要注意增加的管理细节。当思考这个例子时，下面的两点应该引起读者的重视。

□ __setattr__方法在所涉及的特性不是size时也会被调用。因此，这个方法必须把两方面都考虑进去：如果属性是size，那么就像前面那样执行操作，否则就要使用特殊方法__dict__，该特殊方法包含一个字典，字典里面是所有实例的属性。为了避免__setattr__方法被再次调用（这样会使程序陷入死循环），__dict__方法被用来代替普通的特性赋值操作。

□ __getattr__方法只在普通的特性没有被找到的时候调用，这就是说如果给定的名字不是size，这个特性不存在，这个方法会引发一个AttributeError异常。如果希望类和hasattr或者是getattr这样的内建函数一起正确地工作，__getattr__方法就很重要。如果使用的是size属性，那么就会使用在前面的实现中找到的表达式。

注意　就像死循环陷阱和__setattr__有关系一样，还有一个陷阱和__getattribute__有关系。因为__getattribute__拦截所有特性的访问（在新式类中），也拦截对__dict__的访问！访问__getattribute__中与Self相关的特性时，使用超类的__getattribute__方法（使用super函数）是唯一安全的途径。

## 9.6　迭代器

在前面的章节中，我提到过迭代器（和可迭代），本节将对此进行深入讨论。只讨论一个特殊方法——__iter__，这个方法是迭代器规则（iterator protocol）的基础。

### 9.6.1　迭代器规则

迭代的意思是重复做一些事很多次，就像在循环中做的那样。到现在为止只在for循环中对序列和字典进行过迭代，但实际上也能对其他对象进行迭代：只要该对象实现了__iter__方法。

　　__iter__方法会返回一个迭代器（iterator），所谓的迭代器就是具有next方法（这个方法在调用时不需要任何参数）的对象。在调用next方法时，迭代器会返回它的下一个值。如果next方法被调用，但迭代器没有值可以返回，就会引发一个StopIteration异常。

---

**注意**　迭代器规则在Python 3.0中有一些变化。在新的规则中，迭代器对象应该实现__next__方法，而不是next。而新的内建函数next可以用于访问这个方法。换句话说，next(it)等同于3.0之前版本中的it.next()。

---

　　迭代规则的关键是什么？为什么不使用列表？因为列表的杀伤力太大。如果有一个函数，可以一个接一个地计算值，那么在使用时可能是计算一个值时获取一个值——而不是通过列表一次性获取所有值。如果有很多值，列表就会占用太多的内存。但还有其他的理由：使用迭代器更通用、更简单、更优雅。让我们看看一个不使用列表的例子，因为要用的话，列表的长度必须无限。

　　这里的"列表"是一个斐波那契数列。使用的迭代器如下：

```
class Fibs:
    def __init__(self):
        self.a = 0
        self.b = 1
    def next(self):
        self.a, self.b = self.b, self.a+self.b
        return self.a
    def __iter__(self):
        return self
```

　　注意，迭代器实现了__iter__方法，这个方法实际上返回迭代器本身。在很多情况下，__iter__会放到其他的会在for循环中使用的对象中。这样一来，程序就能返回所需的迭代器。此外，推荐使迭代器实现它自己的__iter__方法，然后就能直接在for循环中使用迭代器本身了。

---

**注意**　正式的说法是，一个实现了__iter__方法的对象是可迭代的，一个实现了next方法的对象则是迭代器。

---

　　首先，产生一个Fibs对象：

```
>>> fibs = Fibs()
```

　　可在for循环中使用该对象——比如去查找在斐波那契数列中比1000大的数中的最小的数：

```
>>> for f in fibs:
        if f > 1000:
            print f
            break

...
1597
```

　　因为设置了break，所以循环在这里停止了，否则循环会一直继续下去。

提示　内建函数iter可以从可迭代的对象中获得迭代器。

```
>>> it = iter([1, 2, 3])
>>> it.next()
1
>>> it.next()
2
```

除此之外，它也可以从函数或者其他可调用对象中获取可迭代对象（请参见Python库参考http://docs.python.org/lib/获取更多信息）。

### 9.6.2　从迭代器得到序列

除了在迭代器和可迭代对象上进行迭代（这是经常做的）外，还能把它们转换为序列。在大部分能使用序列的情况下（除了在索引或者分片等操作中），都能使用迭代器（或者可迭代对象）替换。关于这个的一个很有用的例子是使用list构造方法显式地将迭代器转化为列表。

```
>>> class TestIterator:
        value = 0
        def next(self):
            self.value += 1
            if self.value > 10: raise StopIteration
            return self.value
        def __iter__(self):
            return self

...
>>> ti = TestIterator()
>>> list(ti)
[1, 2, 3, 4, 5, 6, 7, 8, 9, 10]
```

## 9.7　生成器

生成器是Python新引入的概念，由于历史原因，它也叫简单生成器。它和迭代器可能是近几年来引入的最强大的两个特性。但是，生成器的概念则要更高级一些，需要花些工夫才能理解它是如何工作的以及它有什么用处。生成器可以帮助读者写出非常优雅的代码，当然，编写任何程序时不使用生成器也是可以的。

生成器是一种用普通的函数语法定义的迭代器。它的工作方式可以用例子来很好地展现。让我们先看看怎么创建和使用生成器，然后再了解一下它的内部机制。

### 9.7.1　创建生成器

创建一个生成器就像创建函数一样简单。相信你已经厌倦了斐波那契数列的例子，所以下面会换一个例子来说明生成器的知识。首先创建一个展开嵌套列表的函数。参数是一个列表，和下面这个很像：

```
nested = [[1, 2], [3, 4], [5]]
```

换句话说就是一个列表的列表。函数应该按顺序打印出列表中的数字。解决的办法如下：

```
def flatten(nested):
    for sublist in nested:
        for element in sublist:
            yield element
```

这个函数的大部分是简单的。首先迭代提供的嵌套列表中的所有子列表，然后按顺序迭代子列表中的元素。如果最后一行是print element的话，那么就容易理解了，不是吗？

这里的yield语句是新知识。任何包含yield语句的函数称为生成器。除了名字不同以外，它的行为和普通的函数也有很大的差别。这就在于它不是像return那样返回值，而是每次产生多个值。每次产生一个值（使用yield语句），函数就会被冻结：即函数停在那点等待被重新唤醒。函数被重新唤醒后就从停止的那点开始执行。

接下来可以通过在生成器上迭代来使用所有的值。

```
>>> nested = [[1, 2], [3, 4], [5]]
>>> for num in flatten(nested):
        print num
...
1
2
3
4
5

or

>>> list(flatten(nested))
[1, 2, 3, 4, 5]
```

### 循环生成器

Python 2.4引入了列表推导式的概念（请参见第5章），生成器推导式（或称生成器表达式）和列表推导式的工作方式类似，只不过返回的不是列表而是生成器（并且不会立刻进行循环）。所返回的生成器允许你像下面这样一步一步地进行计算：

```
>>> g = ((i+2)**2 for i in range(2,27))
>>> g.next()
16
```

和列表推导式不同的就是普通圆括号的使用方式，在这样简单的例子中，还是推荐大家使用列表推导式。但如果读者希望将可迭代对象（例如生成大量的值）"打包"，那么最好不要使用列表推导式，因为它会立即实例化一个列表，从而丧失迭代的优势。

更妙的地方在于生成器推导式可以在当前的圆括号内直接使用，例如在函数调用中，不用增加另外一对圆括号，换句话说，可以像下面这样编写代码：

```
sum(i**2 for i in range(10))
```

## 9.7.2 递归生成器

上一节创建的生成器只能处理两层嵌套，为了处理嵌套使用了两个for循环。如果要处理任意层的嵌套该怎么办？例如，可能要使用来表示树形结构（也可用于特定的树类，但原理是一样的)。每层嵌套需要增加一个for循环，但因为不知道有几层嵌套，所以必须把解决方案变得更灵活。现在是求助于递归（recursion）的时候了。

```
def flatten(nested):
    try:
        for sublist in nested:
            for element in flatten(sublist):
                yield element
    except TypeError:
        yield nested
```

当flatten被调用时，有两种可能性（处理递归时大部分都是有两种情况）：基本情况和需要递归的情况。在基本的情况中，函数被告知展开一个元素（比如一个数字），这种情况下，for循环会引发一个TypeError异常（因为试图对一个数字进行迭代），生成器会产生一个元素。

如果展开的是一个列表（或者其他的可迭代对象），那么就要进行特殊处理。程序必须遍历所有的子列表（一些可能不是列表），并对它们调用flatten。然后使用另一个for循环来产生被展开的子列表中的所有元素。这可能看起来有点不可思议，但却能工作。

```
>>> list(flatten([[[1],2],3,4,[5,[6,7]],8]))
[1, 2, 3, 4, 5, 6, 7, 8]
```

这么做只有一个问题：如果nested是一个类似于字符串的对象（字符串、Unicode、UserString、等等），那么它就是一个序列，不会引发TypeError，但是你不想对这样的对象进行迭代。

---

**注意**　不应该在flatten函数中对类似于字符串的对象进行迭代，出于两个主要的原因。首先，需要实现的是将类似于字符串的对象当成原子值，而不是当成应被展开的序列。其次，对它们进行迭代实际上会导致无穷递归，因为一个字符串的第一个元素是另一个长度为1的字符串，而长度为1的字符串的第一个元素就是字符串本身。

---

为了处理这种情况，则必须在生成器的开始处添加一个检查语句。试着将传入的对象和一个字符串拼接，看看会不会出现TypeError，这是检查一个对象是不是似类于字符串的最简单、最快速的方法[①]。下面是加入了检查语句的生成器：

```
def flatten(nested):
    try:
        # 不要迭代类似字符串的对象:
        try: nested + ''
        except TypeError: pass
        else: raise TypeError
        for sublist in nested:
            for element in flatten(sublist):
                yield element
    except TypeError:
        yield nested
```

如果表达式nested+''引发了一个TypeError，它就会被忽略。然而如果没有引发TypeError，那么内层try语句中的else子句就会引发一个它自己的TypeError异常。这就会按照原来的样子生

---

[①] 感谢Alex Martelli指出了这个习惯用法和在这里使用的重要性。

成类似于字符串的对象（在except子句的外面），了解了吗？

这里有一个例子展示了这个版本的类应用于字符串的情况：

```
>>> list(flatten(['foo', ['bar', ['baz']]]))
['foo', 'bar', 'baz']
```

上面的代码没有执行类型检查。这里没有测试nested是否是一个字符串（可以使用isinstance函数完成检查），而只是检查nested的行为是不是像一个字符串（通过和字符串拼接来检查）。

### 9.7.3    通用生成器

如果到目前的所有例子你都看懂了，那应该或多或少地知道如何使用生成器了。生成器是一个包含yield关键字的函数。当它被调用时，在函数体中的代码不会被执行，而会返回一个迭代器。每次请求一个值，就会执行生成器中的代码，直到遇到一个yield或者return语句。yield语句意味着应该生成一个值。return语句意味着生成器要停止执行（不再生成任何东西，return语句只有在一个生成器中使用时才能进行无参数调用）。

换句话说，生成器是由两部分组成：生成器的函数和生成器的迭代器。生成器的函数是用def语句定义的，包含yield的部分，生成器的迭代器是这个函数返回的部分。按一种不是很准确的说法，两个实体经常被当做一个，合起来叫做生成器。

```
>>> def simple_generator():
        yield 1
...
>>> simple_generator
<function simple_generator at 153b44>
>>> simple_generator()
<generator object at 1510b0>
```

生成器的函数返回的迭代器可以像其他的迭代器那样使用。

### 9.7.4    生成器方法

生成器的新特征（在Python 2.5中引入）是在开始运行后为生成器提供值的能力。表现为生成器和"外部世界"进行交流的渠道，要注意下面两点。

- 外部作用域访问生成器的send方法，就像访问next方法一样，只不过前者使用一个参数（要发送的"消息"——任意对象）。
- 在内部则挂起生成器，yield现在作为表达式而不是语句使用，换句话说，当生成器重新运行的时候，yield方法返回一个值，也就是外部通过send方法发送的值。如果next方法被使用，那么yield方法返回None。

注意，使用send方法（而不是next方法）只有在生成器挂起之后才有意义（也就是说在yield函数第一次被执行之后）。如果在此之前需要给生成器提供更多信息，那么只需使用生成器函数的参数。

**提示**    如果真对想刚刚启动的生成器使用send方法，那么可以将None作为其参数进行调用。

下面是一个非常简单的例子，可以说明这种机制：

```
def repeater(value):
    while True:
        new = (yield value)
        if new is not None: value = new
```

使用方法如下：

```
r = repeater(42)
r.next()
42
r.send("Hello, world!")
"Hello, world!"
```

注意看yield表达式周围的括号的使用。虽然并未严格要求，但在使用返回值的时候，安全起见还是要闭合yield表达式。

生成器还有其他两个方法（在Python 2.5及以后的版本中）。

□ throw方法（使用异常类型调用，还有可选的值以及回溯对象）用于在生成器内引发一个异常（在yield表达式中）。

□ close方法（调用时不用参数）用于停止生成器。

close方法（在需要的时候也会由Python垃圾收集器调用）也是建立在异常的基础上的。它在yield运行处引发一个GeneratorExit异常，所以如果需要在生成器内进行代码清理的话，则可以将yield语句放在try/finally语句中。如果需要的话，还可以捕捉GeneratorExit异常，但随后必需将其重新引发（可能在清理之后）、引发另外一个异常或者直接返回。试着在生成器的close方法被调用后再通过生成器生成一个值则会导致RuntimeError异常。

---

**提示**　有关更多生成器方法的信息，以及如何将生成器转换为简单的协同程序（coroutine）的方法，请参见PEP 342（http://www.python.org/dev/peps/pep-0342/）。

---

### 9.7.5　模拟生成器

生成器在旧版本的Python中是不可用的。下面介绍的就是如何使用普通的函数模拟生成器。先从生成器的代码开始。首先将下面语句放在函数体的开始处：

```
result = []
```

如果代码已经使用了result这个名字，那么应该用其他名字代替（使用一个更具描述性的名字是一个好主意），然后将下面这种形式的代码：

```
yield some_expression
```

用下面的语句替换：

```
result.append(some_expression)
```

最后，在函数的末尾，添加下面这条语句：

```
return result
```

尽管这个版本可能不适用于所有生成器，但对大多数生成器来说是可行的（比如，它不能用于一个无限的生成器，当然不能把它的值放入列表中）。

下面是flatten生成器用普通的函数重写的版本：

```
def flatten(nested):
    result = []
    try:
        #不要迭代类似字符串的对象:
        try: nested + ''
        except TypeError: pass
        else: raise TypeError
        for sublist in nested:
            for element in flatten(sublist):
                result.append(element)
    except TypeError:
        result.append(nested)
    return result
```

## 9.8    八皇后问题

现在已经学习了所有的魔法方法，是把它们用于实践的时候了。本节会介绍如何使用生成器解决经典的编程问题。

### 9.8.1    生成器和回溯

生成器是逐渐产生结果的复杂递归算法的理想实现工具。没有生成器的话，算法就需要一个作为额外参数传递的半成品方案，这样递归调用就可以在这个方案上建立起来。如果使用生成器，那么所有的递归调用只要创建自己的yield部分。前一个递归版本的flatten程序中使用的就是后一种做法，相同的策略也可以用在遍历（Traverse）图和树型结构中。

在一些应用程序中，答案必须做很多次选择才能得出。并且程序不只是在一个层面上而必须在递归的每个层面上做出选择。拿生活中的例子打个比方好了，首先想象一下你要出席一个很重要的会议。但你不知道在哪儿开会，在你面前有两扇门，开会的地点就在其中的一扇门后面，于是有人挑了左边的进入，然后又发现两扇门。后来再选了左边的门，结果却错了，于是回溯到刚才的两扇门那里，并选择右边的门，结果还是错的，于是再次回溯，直到回到了开始点，再在那里选择右边的门。

---

**图和树**

如果读者没有听过图和树，那么应该尽快学习。它们是程序设计和计算机科学中的重要概念。如果想了解更多，应该找一本与计算机科学、离散数学、数据结构或算法相关的书籍来学习。你可以从下面链接的网页中得到树和图的简单定义：

❑ http://mathworld.wolfram.com/Graph.html
❑ http://mathworld.wolfram.com/Tree.html
❑ http://www.nist.gov/dads/HTML/tree.html
❑ http://www.nist.gov/dads/HTML/graph.html

在互联网上搜索以及访问维基百科全书（http://wikipedia.org）会获得更多信息。

这样的回溯策略在解决需要尝试每种组合，直到找到一种解决方案的问题时很有用。这类问题能按照下面伪代码的方式解决：

```
# 伪代码
第1层所有的可能性:
    第2层所有的可能性:
        ......
            第n层所有的可能性:
                可行吗?
```

为了直接使用for循环来实现，就必须知道会遇到的具体判断层数，如果无法得知层数信息，那么可以使用递归。

### 9.8.2　问题

这是一个深受喜爱的计算机科学谜题：有一个棋盘和8个要放到上面的皇后。唯一的要求是皇后之间不能形成威胁。也就是说，必须把它们放置成每个皇后都不能吃掉其他皇后的状态。怎样才能做到呢？皇后要如何放置呢？

这是一个典型的回溯问题：首先尝试放置第1个皇后（在第1行），然后放置第2个，依次类推。如果发现不能放置下一个皇后，就回溯到上一步，试着将皇后放到其他的位置。最后，或者尝试完所有的可能或者找到解决方案。

问题会告知，棋盘上只有8个皇后，但我们假设有任意数目的皇后（这样就更合实际生活中的回溯问题），怎么解决？如果你要自己解决，那么不要继续读了，因为解决方案马上要给出。

注意　实际上对于这个问题有更高效的解决方案，如果想了解更多的细节，那么可以在网上搜索，以得到很多有价值的信息。访问http://www.cit.gu.edu.au/~sosic/nqueens.html可以找到关于各种解决方案的简单介绍。

### 9.8.3　状态表示

为了表示一个可能的解决方案（或者方案的一部分），可以使用元组（或者列表）。每个元组中元素都指示相应行的皇后的位置（也就是列）。如果state[0]==3，那么就表示在第1行的皇后是在第4列（记得么，我们是从0开始计数的）。当在某一个递归的层面（一个具体的行）时，只能知道上一行皇后的位置，因此需要一个长度小于8的状态元组（或者小于皇后的数目）。

注意　使用列表来代替元组表示状态也是可行的。具体使用哪个只是一个习惯的问题。一般来说，如果序列很小而且是静态的，元组是一个好的选择。

### 9.8.4　寻找冲突

首先从一些简单的抽象开始。为了找到一种没有冲突的设置（没有皇后会被其他的皇后吃掉），首先必须定义冲突是什么。为什么不在定义的时候把它定义成一个函数？

　　已知的皇后的位置被传递给conflict函数（以状态元组的形式），然后由函数判断下一个的皇后的位置会不会有新的冲突。

```
def conflict(state, nextX):
    nextY = len(state)
    for i in range(nextY):
        if abs(state[i]-nextX) in (0, nextY-i):
            return True
    return False
```

　　参数nextX代表下一个皇后的水平位置（x坐标或列），nextY代表垂直位置（y坐标或行）。这个函数对前面的每个皇后的位置做一个简单的检查，如果下一个皇后和前面的皇后有同样的水平位置，或者是在一条对角线上，就会发生冲突，接着返回True。如果没有这样的冲突发生，那么返回False，不太容易理解的是下面的表达式：

```
abs(state[i]-nextX) in (0, nextY-i)
```

　　如果下一个皇后和正在考虑的前一个皇后的水平距离为0（列相同）或者等于垂直距离（在一条对角线上）就返回True，否则就返回False。

## 9.8.5　基本情况

　　八皇后问题的实现虽然有点不太好实现，但如果使用生成器就没什么难的了。如果不习惯于使用递归，那么你最好不要自己动手解决这个问题。需要注意的是这个解决方案的效率不是很高，因此如果皇后的数目很多的话，运行起来就会有点慢。

　　从基本的情况开始：最后一个皇后。你想让它做什么？假设你想找出所有可能的解决方案；这样一来，它能根据其他皇后的位置生成它自己能占据的所有位置（可能没有）。能把这样的情况直接描绘出。

```
def queens(num, state):
    if len(state) == num-1:
        for pos in range(num):
            if not conflict(state, pos):
                yield pos
```

　　用人类的语言来描述，它的意思是：如果只剩一个皇后没有放置，那么遍历它的所有可能的位置，并且返回没有冲突发生的位置。num参数是皇后的总数。state参数是存放前面皇后的位置信息的元组。假设有4个皇后，前3个分别被放置在1、3、0号位置，如图9-1所示（不要在意第4行的白色皇后）。

　　正如在图中看到的，每个皇后占据了一行，并且位置的标号已经到了最大（在Python中都是从0开始的）：

```
>>> list(queens(4, (1,3,0)))
[2]
```

　　代码看起来就像一个魔咒。使用list来让生成器生成列表中的所有值。在这种情况下，只有一个位置是可行的。白色皇后被放置在了如图9-1所示的位置（注意颜色没有特殊含义，是程序的一部分）。

图9-1 在一个4×4的棋盘上放4个皇后

### 9.8.6 需要递归的情况

现在，让我们看看解决方案中的递归部分。完成基本情况后，递归函数会假定（通过归纳）所有的来自低层（有更高编号的皇后）的结果都是正确的。因此需要做的就是为前面的queen函数的实现中的if语句增加else子句。

那么递归调用会得到什么结果呢？你想得到所有低层皇后的位置，对吗？假设将位置信息作为一个元组返回。在这种情况下，需要修改基本情况也返回一个元组（长度为1），稍后就会那么做。

这样一来，程序从前面的皇后得到了包含位置信息的元组，并且要为后面的皇后提供当前皇后的每种合法的位置信息。为了让程序继续运行下去，接下来需要做的就是把当前的位置信息添加到元组中并传给后面的皇后。

```
...
else:
    for pos in range(num):
        if not conflict(state, pos):
            for result in queens(num, state + (pos,)):
                yield (pos,) + result
```

for pos和if not conflict部分和前面的代码相同，因此可以稍微简化一下代码。添加一些默认的参数：

```
def queens(num=8, state=()):
    for pos in range(num):
        if not conflict(state, pos):
            if len(state) == num-1:
                yield (pos,)
            else:
```

```
        for result in queens(num, state + (pos,)):
            yield (pos,) + result
```

如果觉得代码很难理解，那么就把代码做的事用自己的语言来叙述，这样能有所帮助。（还记得在(pos,)中的逗号使其必须被设置为元组而不是简单地加上括号吗？）

生成器queens能给出所有的解决方案（那就是放置皇后的所有的合法方法）：

```
>>> list(queens(3))
[]
>>> list(queens(4))
[(1, 3, 0, 2), (2, 0, 3, 1)]
>>> for solution in queens(8):
...     print solution
...
(0, 4, 7, 5, 2, 6, 1, 3)
(0, 5, 7, 2, 6, 3, 1, 4)
...
(7, 2, 0, 5, 1, 4, 6, 3)
(7, 3, 0, 2, 5, 1, 6, 4)
>>>
```

如果用8个皇后做参数来运行queens，会看到很多解决方案闪过，来看看有多少种方案：

```
>>> len(list(queens(8)))
92
```

## 9.8.7  打包

在结束八皇后问题之前，试着将输出处理得更容易理解一点。清理输出总是一个好的习惯，因为这样很容易发现错误。

```
def prettyprint(solution):
    def line(pos, length=len(solution)):
        return '. ' * (pos) + 'X ' + '. ' * (length-pos-1)
    for pos in solution:
        print line(pos)
```

注意prettyprint中创建了一个小的助手函数。之所以将其放在prettyprint内，是因为我们假设在外面的任何地方都不会用到它。下面打印出一个令我满意的随机解决方案。可以看到该方案是正确的。

```
>>> import random
>>> prettyprint(random.choice(list(queens(8))))
. . . . . . X . .
. X . . . . . .
. . . . . . X .
X . . . . . . .
. . . X . . . .
. . . . . . . X
. . . . . X . .
. . X . . . . .
```

对应的图示为图9-2。用Python是不是很有趣？

图9-2    八皇后问题多种解决方案中的一个

## 9.9    小结

本章介绍了很多魔法方法，下面来总结一下。

- **旧式类和新式类**：Python中类的工作方式正在发生变化。目前（3.0版本以前）的Python内有两种类，旧式类已经过时，新式类在2.2版本中被引入，它提供了一些新的特征（比如使用super函数和property函数，而旧式类就不能）。为了创建新式类，必须直接或间接子类化object，或者设置__metaclass__属性也可以。

- **魔法方法**：在Python中有一些特殊的方法（名字是以双下划线开始和结束的）。这些方法和函数只有很小的不同，但其中的大部分方法在某些情况下被Python自动调用（比如__init__在对象被创建后调用）。

- **构造方法**：这是面向对象的语言共有的，可能要为自己写的每个类实现构造方法。构造方法被命名为__init__并且在对象被创建后立即自动调用。

- **重写**：一个类能通过实现方法来重写它的超类中定义的这些方法和属性。如果新方法要调用重写版本的方法，可以从超类（旧式类）直接调用未绑定的版本或者使用super函数（新式类）。

- **序列和映射**：创建自己的序列或者映射需要实现所有的序列或是映射规则的方法，包括__getitem__和__setitem__这样的特殊方法。通过子类化list（或者UserList）和dict（或者UserDict）能节省很多工作。

- **迭代器**：迭代器是带有next方法的简单对象。迭代器能在一系列的值上进行迭代。当没有值可供迭代时，next方法就会引发StopIteration异常。可迭代对象有一个返回迭代器的__iter__方法，它能像序列那样在for循环中使用。一般来说，迭代器本身也是可迭代的，即迭代器有返回它自己的next方法。

□ **生成器**：生成器函数（或者方法）是包含了关键字yield的函数（或方法）。当被调用时，生成器函数返回一个生成器（一种特殊的迭代器）。可以使用send、throw和close方法让活动生成器和外界交互。

□ **八皇后问题**：八皇后问题在计算机科学领域内无人不知，使用生成器可以很轻松地解决这个问题。问题描述的是如何在棋盘上放置8个皇后，使其不会互相攻击。

### 9.9.1  本章的新函数

本章涉及的新函数如表9-1所示。

表9-1  本章的新函数

| 函　　数 | 描　　述 |
| --- | --- |
| iter(obj) | 从一个可迭代的对象得到迭代器 |
| property(fget, fset, fdel, doc) | 返回一个属性，所有的参数都是可选的 |
| super(class, obj) | 返回一个类的超类的绑定实例 |

注意，iter和super可能会使用一些其他（未在这里介绍的）参数进行调用。要了解更多的信息，请参见"Standard Python Documentation"（标准Python文档）（http://python.org/doc）。

### 9.9.2  接下来学什么

到目前为止，Python语言的大部分知识都介绍了。那么剩下的那么多章是讲什么的呢？还有很多内容要学，后面的内容很多是关于Python怎么通过各种方法和外部世界联系的。接下来我们还会讨论测试、扩展、打包和一些项目的具体实现，所以请继续努力吧。

# 第 10 章

# 自 带 电 池 10

现在已经介绍了Python语言的大部分基础知识。Python语言的核心非常强大，同时还提供了更多值得一试的工具。Python的标准安装中还包括一组模块，称为标准库(standard library)。之前已经介绍了一些模块（例如math和cmath，其中包括了用于计算实数和复数的数学函数），但是标准库还包含其他模块。本章将向读者展示这些模块的工作方式，讨论如何分析它们，学习它们所提供的功能。本章后面的内容会对标准库进行概括，并且着重介绍一部分有用的模块。

## 10.1 模块

现在你已经知道如何创建和执行自己的程序（或脚本）了，也学会了怎么用import从外部模块获取函数并且为自己的程序所用：

```
>>> import math
>>> math.sin(0)
0.0
```

让我们来看看怎样编写自己的模块。

### 10.1.1 模块是程序

任何Python程序都可以作为模块导入。假设你写了一个如代码清单10-1所示的程序，并且将它保存为hello.py文件（名字很重要）。

**代码清单10-1  一个简单的模块**

```
# hello.py
print "Hello, world!"
```

程序保存的位置也很重要。下一节中你会了解更多这方面的知识，现在假设将它保存在C:\python（Windows）或者~/python（UNIX/Mac OS X）目录中，接着就可以执行下面的代码，告诉解释器在哪里寻找模块了（以Windows目录为例）：

```
>>> import sys
>>> sys.path.append('c:/python')
```

**提示** 在UNIX系统中，不能只是简单地将字符串'~/python'添加到sys.path中，必须使用完整的路径（例如/home/yourusername/python）。如果你希望将这个操作自动完成，可以使用sys.path.expanduser('~/python')。

我这里所做的只是告诉解释器：除了从默认的目录中寻找之外，还需要从目录c:\python中寻找模块。完成这个步骤之后，就能导入自己的模块了（存储在c:\python\hello.py文件中）：

```
>>> import hello
Hello, world!
```

**注意** 在导入模块的时候，你可能会看到有新文件出现——在本例中是c:\python\hello.pyc。这个以.pyc为扩展名的文件是（平台无关的）经过处理（编译）的、已经转换成Python能够更加有效地处理的文件。如果稍后导入同一个模块，Python会导入.pyc文件而不是.py文件，除非.py文件已改变，在这种情况下，会生成新的.pyc文件。删除.pyc文件不会损害程序（只要等效的.py文件存在即可）——必要的时候系统还会创建新的.pyc文件。

如你所见，在导入模块的时候，其中的代码被执行了。不过，如果再次导入该模块，就什么都不会发生了：

```
>>> import hello
>>>
```

为什么这次没用了？因为导入模块并不意味着在导入时执行某些操作（比如打印文本）。它们主要用于定义，比如变量、函数和类等。此外，因为只需要定义这些东西一次，导入模块多次和导入一次的效果是一样的。

---

### 为什么只是一次

这种"只导入一次"（import-only-once）的行为在大多数情况下是一种实质性优化，对于以下情况尤其重要：两个模块互相导入。

在大多数情况下，你可能会编写两个互相访问函数和类的模块以便实现正确的功能。举例来说，假设创建了两个模块——clientdb和billing——分别包含了用于客户端数据库和计费系统的代码。客户端数据库可能需要调用计费系统的功能（比如每月自动将账单发送给客户），而计费系统可能也需要访问客户端数据库的功能，以保证计费准确。

如果每个模块都可以导入数次，那么就出问题了。模块clientdb会导入billing，而billing又导入clientdb，然后clientdb又……你应该能想象到这种情况。这个时候导入就成了无限循环。（无限递归，记得吗？）但是，因为在第二次导入模块的时候什么都不会发生，所以循环会终止。

如果坚持重新载入模块，那么可以使用内建的reload函数。它带有一个参数（要重新载入的模块），并且返回重新载入的模块。如果你在程序运行的时候更改了模块并且希望将这些更改反映出来，那么这个功能会比较有用。要重新载入hello模块（只包含一个print语句），可以像下面这么做：

```
>>> hello = reload(hello)
Hello, world!
```

这里假设hello已经被导入过（一次）。那么，通过将reload函数的返回值赋给hello，我们使用重新载入的版本替换了原先的版本。如你所见，问候语已经打印出来了，在此我完成了模块的导入。

如果你已经通过实例化bar模块中的Foo类创建了一个对象x，然后重新载入bar模块，那么不管通过什么方式都无法重新创建引用bar的对象x，x仍然是旧版本Foo类的实例（源自旧版本的bar）。如果需要x基于重新载入的模块bar中的新Foo类进行创建，那么你就得重新创建它了。

注意，Python 3.0已经去掉了reload函数。尽管使用exec能够实现同样的功能，但是应该尽可能避免重新载入模块。

## 10.1.2 模块用于定义

综上所述，模块在第一次导入到程序中时被执行。这看起来有点用——但并不算很有用。真正的用处在于它们（像类一样）可以保持自己的作用域。这就意味着定义的所有类和函数以及赋值后的变量都成为了模块的特性。这看起来挺复杂的，用起来却很简单。

### 1. 在模块中定义函数

假设我们编写了一个类似代码清单10-2的模块，并且将它存储为hello2.py文件。同时，假设我们将它放置到Python解释器能够找到的地方——可以使用前一节中的sys.path方法，也可以用10.1.3节中的常规方法。

提示　如果希望模块能够像程序一样被执行（这里的程序是用于执行的，而不是真正作为模块使用的），可以对Python解释器使用-m切换开关来执行程序。如果progname.py（注意后缀）文件和其他模块都已被安装（也就是导入了progname），那么运行python -m progname args命令就会运行带命令行参数args的progname程序。

**代码清单10-2　包含函数的简单模块**

```
# hello2.py
def hello():
    print "Hello, world!"
```

可以像下面这样导入：

```
>>> import hello2
```

模块会被执行，这意味着hello函数在模块的作用域内被定义了。因此可以通过以下方式来访问函数：

```
>>> hello2.hello()
Hello, world!
```

我们可以通过同样的方法来使用任何在模块的全局作用域中定义的名称。

我们为什么要这样做呢？为什么不在主程序中定义好一切呢？主要原因是代码重用（code reuse）。如果把代码放在模块中，就可以在多个程序中使用这些代码了。这意味着如果编写了一个非常棒的客户端数据库，并且将它放在叫做clientdb的模块中，那么你就可以在计费的时候、发送垃圾邮件的时候（当然我可不希望你这么做）以及任何需要访问客户数据的程序中使用这个模块了。如果没有将这段代码放在单独的模块中，那么就需要在每个程序中重写这些代码了。因此请记住：为了让代码可重用，请将它模块化！（是的，这当然也关乎抽象。）

## 2. 在模块中增加测试代码

模块被用来定义函数、类和其他一些内容，但是有些时候（事实上是经常），在模块中添加一些检查模块本身是否能正常工作的测试代码是很有用的。举例来说，假如想要确保hello函数正常工作，你可能会将hello2模块重写为新的模块——代码清单10-3中定义的hello3。

**代码清单10-3    带有问题测试代码的简单模块**

```
# hello3.py
def hello():
    print "Hello, world!"


# A test:
hello()
```

这看起来是合理的，如果将它作为普通程序运行，会发现它能够正常工作。但如果将它作为模块导入，然后在其他程序中使用hello函数，测试代码就会被执行，就像本章开头的第一个hello模块一样：

```
>>> import hello3
Hello, world!
>>> hello3.hello()
Hello, world!
```

这可不是你想要的。避免这种情况的关键在于："告知"模块本身是作为程序运行还是导入到其他程序。为了实现这一点，需要使用__name__变量：

```
>>> __name__
'__main__'
>>> hello3.__name__
'hello3'
```

如你所见，在"主程序"（包括解释器的交互式提示符在内）中，变量__name__的值是'__main__'。而在导入的模块中，这个值就被设定为模块的名字。因此，为了让模块的测试代码更加好用，可以将其放置在if语句中，如代码清单10-4所示。

**代码清单10-4    使用条件测试代码的模块**

```
# hello4.py

def hello():
    print "Hello, world!"

def test():
    hello()

if __name__ == '__main__': test()
```

如果将它作为程序运行，hello函数会被执行。而作为模块导入时，它的行为就会像普通模块一样：

```
>>> import hello4
>>> hello4.hello()
Hello, world!
```

如你所见，我将测试代码放在了test函数中，也可以直接将它们放入if语句。但是，将测试代码放入独立的test函数会更灵活，这样做即使在把模块导入其他程序之后，仍然可以对其进行测试：

```
>>> hello4.test()
Hello, world!
```

**注意**　如果需要编写更完整的测试代码，将其放置在单独的程序中会更好。关于编写测试代码的更多内容，参见第16章。

### 10.1.3　让你的模块可用

前面的例子中，我改变了sys.path，其中包含了（字符串组成的）一个目录列表，解释器在该列表中查找模块。然而一般来说，你可能不想这么做。在理想情况下，一开始sys.path本身就应该包含正确的目录（包括模块的目录）。有两种方法可以做到这一点：一是将模块放置在合适的位置，另外则是告诉解释器去哪里查找需要的模块。下面几节将探讨这两种方法。

#### 1. 将模块放置在正确位置

将模块放置在正确位置（或者说某个正确位置，因为会有多种可能性）是很容易的。只需要找出Python解释器从哪里查找模块，然后将自己的文件放置在那里即可。

**注意**　如果机器上面的Python解释器是由管理员安装的，而你又没有管理员权限，可能无法将模块存储在Python使用的目录中。这种情况下，你需要使用另外一个解决方案：告诉解释器去哪里查找。

你可能记得，那些（称为搜索路径的）目录的列表可以在sys模块中的path变量中找到：

```
>>> import sys, pprint
>>> pprint.pprint(sys.path)
['C:\\Python25\\Lib\\idlelib',
 'C:\\WINDOWS\\system32\\python25.zip',
 'C:\\Python25',
 'C:\\Python25\\DLLs',
 'C:\\Python25\\lib',
 'C:\\Python25\\lib\\plat-win',
 'C:\\Python25\\lib\\lib-tk',
 'C:\\Python25\\lib\\site-packages']
```

**提示**　如果你的数据结构过大，不能在一行打印完，可以使用pprint模块中的pprint函数替代普通的print语句。pprint是个相当好的打印函数，能够提供更加智能的打印输出。

这是安装在Windows上的Python 2.5的标准路径，你的结果可能会有些许不同。关键在于每个字符串都提供了一个放置模块的目录，解释器可以从这些目录中找到所需的模块。尽管这些目录都可以使用，但site-packages目录是最佳选择，因为它就是用来做这些事情的。查看你自己的sys.path，找到site-packages目录，将代码清单10-4的模块存储在其中，要记得改名，比如改成another_hello.py，然后测试：

```
>>> import another_hello
>>> another_hello.hello()
Hello, world!
```

只要将模块放入类似site-packages这样的目录中，所有程序就都能将其导入了。

### 2. 告诉编译器去哪里找

"将模块放置在正确的位置"这个解决方案对于以下几种情况可能并不适用：

- 不希望将自己的模块填满Python解释器的目录；
- 没有在Python解释器目录中存储文件的权限；
- 想将模块放在其他地方。

最后一点是"想将模块放在其他地方"，那么就要告诉解释器去哪里找。你之前已经看到了一种方法，就是编辑sys.path，但这不是通用的方法。标准的实现方法是在PYTHONPATH环境变量中包含模块所在的目录。

PYTHONPATH环境变量的内容会因为使用的操作系统不同而有所差异（参见下面的"环境变量"），但从基本上来说，它与sys.path很类似———一个目录列表。

#### 环境变量

环境变量并不是Python解释器的一部分——它们是操作系统的一部分。基本上，它相当于Python变量，不过是在Python解释器外设置的。有关设置的方法，你应该参考操作系统文档，这里只给出一些相关提示。

在UNIX和Mac OS X中，你可以在一些每次登录都要执行的shell文件内设置环境变量。如果你使用类似bash的shell文件，那么要设置的就是.bashrc，你可以在主目录中找到它。将下面的命令添加到这个文件中，从而将~/python加入到PYTHONPATH：

```
export PYTHONPATH=$PYTHONPATH:~/python
```

注意，多个路径以冒号分隔。其他的shell可能会有不同的语法，所以你应该参考相关的文档。

对于Windows系统，你可以使用控制面板编辑变量（适用于高级版本的Windows，比如Windows XP、2000、NT和Vista，旧版本的，比如Windows 98就不适用了，而需要修改autoexec.bat文件，下一段会讲到）。依次点击开始菜单→设置→控制面板。进入控制面板后，双击"系统"图标。在打开的对话框中选择"高级"选项卡，点击"环境变量"按钮。这时会弹出一个分为上下两栏的对话框：其中一栏是用户变量，另外一栏是系统变量，需要修改的是用户变量。如果你看到其中已经有PYTHONPATH项，那么选中它，单击"编辑"按钮进行编辑。如果没有，单击"新建"按钮，然后使用PYTHONPATH作为"变量名"，输入目录作为"变量值"。

注意，多个目录以分号分隔。

　　如果上面的方法不行，你可以编辑autoexec.bat文件，该文件可以在C盘的根目录下找到（假设是以标准模式安装的Windows）。用记事本（或者IDLE编辑器）打开它，增加一行设置PYTHONPATH的内容。如果想要增加目录C:\python，可以像下面这样做：

```
set PYTHONPATH=%PYTHONPATH%;C:\python
```

注意，你所使用的IDE可能会有自身的机制，用于设置环境变量和Python路径。

---

**提示**　你不需要使用PYTHONPATH来更改sys.path。路径配置文件提供了一个有用的捷径，可以让Python替你完成这些工作。路径配置文件是以.pth为扩展名的文件，包括应该添加到sys.path中的目录信息。空行和以#开头的行都会被忽略。以import开头的文件会被执行。为了执行路径配置文件，需要将其放置在可以找到的地方。对于Windows来说，使用sys.prefix定义的目录名（可能类似于C:\Python22）；在UNIX和Mac OSX中则使用site-packages目录（更多信息可以参见Python库参考中site模块的内容，这个模块在Python解释器初始化时会自动导入）。

---

### 3. 命名模块

　　你可能注意到了，包含模块代码的文件的名字要和模块名一样，再加上.py扩展名。在Windows系统中，你也可以使用.pyw扩展名。有关文件扩展名含义的更多信息请参见第12章。

## 10.1.4　包

　　为了组织好模块，你可以将它们分组为包（package）。包基本上就是另外一类模块，有趣的地方就是它们能包含其他模块。当模块存储在文件中时（扩展名.py），包就是模块所在的目录。为了让Python将其作为包对待，它必须包含一个命名为__init__的文件（模块）。如果将它作为普通模块导入的话，文件的内容就是包的内容。比如有个名为constants的包，文件constants/__init__.py包括语句PI=3.14，那么你可以像下面这么做：

```
import constants
print constants.PI
```

为了将模块放置在包内，直接把模块放在包目录内即可。

　　比如，如果要建立一个叫做drawing的包，其中包括名为shapes和colors的模块，你就需要创建表10-1中所示的文件和目录（UNIX路径名）。

表10-1　简单的包布局

| 文件/目录 | 描　　述 |
| --- | --- |
| ~/python/ | PYTHONPATH中的目录 |
| ~/python/drawing/ | 包目录（drawing包） |
| ~/python/drawing/__init__.py | 包代码（drawing模块） |
| ~/python/drawing/colors.py | colors模块 |
| ~/python/drawing/shapes.py | shapes模块 |

对于表10-1中的内容，假定你已经将目录~/python放置在PYTHONPATH。在Windows系统中，只要用c:\python替换~/python，并且将正斜线换为反斜线即可。

依照这个设置，下面的语句都是合法的：

```
import drawing              # (1) Imports the drawing package
import drawing.colors       # (2) Imports the colors module
from drawing import shapes  # (3) Imports the shapes module
```

在第1条语句drawing中__init__模块的内容是可用的，但drawing和colors模块则不可用。在执行第2条语句之后，colors模块可用了，但只能通过全名drawing.colors来使用。在执行第3条语句之后，shapes模块可用，可以通过短名（也就是仅使用shapes）来使用。注意，这些语句只是例子，执行顺序并不是必需的。例如，不用像我一样，在导入包的模块前导入包本身，第2条语句可以独立使用，第3条语句也一样。我们还可以在包之间进行嵌套。

## 10.2　探究模块

在讲述标准库模块前，先教你如何独立地探究模块。这种技能极有价值，因为作为Python程序员，在职业生涯中可能会遇到很多有用的模块，我又不能在这里一一介绍。目前的标准库已经大到可以出本书了（事实上已经有这类书了），而且它还在增长。每次新的模块发布后，都会添加到标准库中，一些模块经常发生一些细微的变化和改进。同时，你还能在网上找到些有用的模块并且可以很快理解（grok）[1]它们，从而让编程轻而易举地成为一种享受。

### 10.2.1　模块中有什么

探究模块最直接的方式就是在Python解释器中研究它们。当然，要做的第一件事就是导入它。假设你听说有个叫做copy的标准模块：

```
>>> import copy
```

没有引发异常，所以它是存在的。但是它能做什么？它又有什么？

#### 1. 使用dir

查看模块包含的内容可以使用dir函数，它会将对象的所有特性（以及模块的所有函数、类、变量等）列出。如果想要打印出dir(copy)的内容，你会看到一长串名字（试试看）。一些名字以下划线开始，暗示（约定俗成）它们并不是为在模块外部使用而准备的。所以让我们用列表推导式（如果不记得如何使用了，请参见5.6节）过滤掉它们：

```
>>> [n for n in dir(copy) if not n.startswith('_')]
['Error', 'PyStringMap', 'copy', 'deepcopy', 'dispatch_table', 'error', 'name', 't']
```

这个列表推导式是个包含dir(copy)中所有不以下划线开头的名字的列表。它比完整列表要清楚些。[2]

---

① 术语“神入”（grok）是黑客语言，意思是“完全理解”，源自Robert A.Heinlein的小说*Stranger in a Strange Land*（《陌生土地上的陌生人》）。

② 如果喜欢用tab实现，那么应该查看库参考中的readline和rlcompleter模块。它们在探究模块时很有用。

——译者注

### 2. \_\_all\_\_变量

在上一节中，通过列表推导式所做的事情是推测我可能会在copy模块中看到什么。但是我们可以直接从列表本身获得正确答案。在完整的dir(copy)列表中，你可能注意到了\_\_all\_\_这个名字。这个变量包含一个列表，该列表与我之前通过列表推导式创建的列表很类似——除了这个列表在模块本身中已被默认设置。我们来看看它都包含哪些内容：

```
>>> copy.__all__
['Error', 'copy', 'deepcopy']
```

我的猜测还不算太离谱吧。列表推导式得到的列表只是多出了几个我用不到的名字。但是\_\_all\_\_列表从哪来，它为什么会在那儿？第一个问题容易回答。它是在copy模块内部被设置的，像下面这样（从copy.py直接复制而来的代码）：

```
__all__ = ["Error", "copy", "deepcopy"]
```

那么它为什么在那呢？它定义了模块的公有接口（public interface）。更准确地说，它告诉解释器：从模块导入所有名字代表什么含义。因此，如果你使用如下代码：

```
from copy import *
```

那么，你就能使用\_\_all\_\_变量中的4个函数。要导入PyStringMap的话，你就得显式地实现，或者导入copy然后使用copy.PyStringMap，或者使用from copy import PyStringMap。

在编写模块的时候，像设置\_\_all\_\_这样的技术是相当有用的。因为模块中可能会有一大堆其他程序不需要或不想要的变量、函数和类，\_\_all\_\_会"客气地"将它们过滤了出去。如果没有设定\_\_all\_\_，用import *语句默认将会导入模块中所有不以下划线开头的全局名称。

## 10.2.2 用help获取帮助

目前为止，你已经通过自己的创造力和Python的多个函数和特殊特性的知识探究了copy模块。对于这样的探究工作，交互式解释器是个非常强大的工具，而对该语言的精通程度决定了对模块探究的深度。不过，还有个标准函数能够为你提供日常所需的信息，这个函数叫做help。让我们先用copy函数试试：

```
>>> help(copy.copy)
Help on function copy in module copy:

copy(x)
    Shallow copy operation on arbitrary Python objects.

    See the module's __doc__ string for more info.

>>>
```

这些内容告诉你：copy带有一个参数x，并且是"浅复制操作"。但是它还提到了模块的\_\_doc\_\_字符串。这是什么呢？你可能记得第6章提到的文档字符串，它是写在函数开头并且简述函数功能的字符串。这个字符串可以通过函数的\_\_doc\_\_特性引用。就像从上面的帮助文本中所理解到的一样，模块也可以有文档字符串（写在模块开头），类也一样（写在类开头）。

事实上，前面的帮助文本是从copy函数的文档字符串中取出的。

**10**

```
>>> print copy.copy.__doc__
Shallow copy operation on arbitrary Python objects.

    See the module's __doc__ string for more info.
```

使用help与直接检查文档字符串相比，它的好处在于会获得更多信息，比如函数签名（也就是所带的参数）。试着调用help(copy)（对模块本身）看看得到什么。它会打印出很多信息，包括copy和deepcopy之间区别的透彻的讨论（从本质来说，deepcopy(x)会将存储在x中的值作为属性进行复制，而copy(x)只是复制x，将x中的值绑定到副本的属性上）。

### 10.2.3    文档

模块信息的自然来源当然是文档。我把对文档的讨论推后在这里，是因为自己先检查模块总是快一些。举例来说，你可能会问"range的参数是什么"。不用在Python书籍或者标准Python文档中寻找有关range的描述，而是可以直接查看：

```
>>> print range.__doc__
range([start,] stop[, step]) -> list of integers

Return a list containing an arithmetic progression of integers.
range(i, j) returns [i, i+1, i+2,..., j-1]; start (!) defaults to 0.
When step is given, it specifies the increment (or decrement).
For example, range(4) returns [0, 1, 2, 3]. The end point is omitted!
These are exactly the valid indices for a list of 4 elements.
```

这样就获得了关于range函数的精确描述，因为Python解释器可能已经运行了（在编程的时候，经常会像这样怀疑函数的功能），访问这些信息花不了几秒钟。

但是，并非每个模块和函数都有不错的文档字符串（尽管都应该有），有些时候可能需要十分透彻地描述这些模块和函数是如何工作的。大多数从网上下载的模块都有相关文档。在我看来，学习Python编程最有用的文档莫过于Python库参考，它对所有标准库中的模块都有描述。如果想要查看Python的知识，十有八九我都会去查阅它。库参考可以在线浏览（http://python.org/doc/lib），并且提供下载，其他一些标准文档（比如Python指南或者Python语言参考）也是如此。所有这些文档都可以在Python网站上（http://python.org/doc）找到。

### 10.2.4    使用源代码

到目前为止，所讨论的探究技术在大多数情况下都已经够用了。但是，对于希望真正理解Python语言的人来说，要了解模块，是不能脱离源代码的。阅读源代码，事实上是学习Python最好的方式，除了自己编写代码外。

真正的阅读不是问题，但是问题在于源代码在哪里。假设我们希望阅读标准模块copy的源代码，去哪里找呢？一种方案是检查sys.path，然后自己找，就像解释器做的一样。另外一种快捷的方法是检查模块的__file__属性：

```
>>> print copy.__file__
C:\Python24\lib\copy.py
```

**注意**　如果文件名以.pyc结尾，只要查看对应的以.py结尾的文件即可。

就在那！你可以使用代码编辑器打开copy.py（比如IDLE），然后查看它是如何工作的。

**警告**　在文本编辑器中打开标准库文件的时候，你也承担着意外修改它的风险。这样做可能会破坏它，所以在关闭文件的时候，你必须确保没有保存任何可能做出的修改。

注意，一些模块并不包含任何可以阅读的Python源代码。它们可能已经融入到解释器内了（比如sys模块），或者可能是使用C程序语言写成的[①]。（请查看第17章以获得更多使用C语言扩展Python的信息。）

## 10.3　标准库：一些最爱

有的读者会觉得本章的标题不知所云。"充电时刻"（batteries included）这个短语最开始由Frank Stajano创造，用于描述Python丰富的标准库。安装Python后，你就"免费"获得了很多有用的模块（充电电池）。因为获得这些模块的更多信息的方式很多（在本章的第一部分已经解释过了），我不会在这里列出完整的参考资料（因为要占去很大篇幅），但是我会对一些我最喜欢的标准模块进行说明，从而激发你对模块进行探究的兴趣。你会在"项目章节"（第20章～第29章）碰到更多的标准模块。模块的描述并不完全，但是会强调每个模块比较有趣的特征。

### 10.3.1　sys

sys这个模块让你能够访问与Python解释器联系紧密的变量和函数，其中一些在表10-2中列出。

表 10-2　sys模块中一些重要的函数和变量

| 函数/变量 | 描　　述 |
| --- | --- |
| argv | 命令行参数，包括脚本名称 |
| exit([arg]) | 退出当前的程序，可选参数为给定的返回值或者错误信息 |
| modules | 映射模块名字到载入模块的字典 |
| path | 查找模块所在目录的目录名列表 |
| platform | 类似sunos5或者win32的平台标识符 |
| stdin | 标准输入流——一个类文件（file-like）对象 |
| stdout | 标准输出流——一个类文件对象 |
| stderr | 标准错误流——一个类文件对象 |

变量sys.argv包含传递到Python解释器的参数，包括脚本名称。

函数sys.exit可以退出当前程序（如果在try/finally块中调用，finally子句的内容仍然会被执行，第8章对此进行了探讨）。你可以提供一个整数作为参数，用来标识程序是否成功运行，这是UNIX

––––––––––––––

[①] 如果模块是使用C语言编写的，你也可以查看它的C源代码。

的一个惯例。大多数情况下使用该整数的默认值就可以了（也就是0，表示成功）。或者你也可以提供字符串参数，用作错误信息，这对于用户找出程序停止运行的原因会很有用。这样，程序就会在退出的时候提供错误信息和标识程序运行失败的代码。

映射sys.modules将模块名映射到实际存在的模块上，它只应用于目前导入的模块。

sys.path模块变量在本章前面讨论过，它是一个字符串列表，其中的每个字符串都是一个目录名，在import语句执行时，解释器就会从这些目录中查找模块。

sys.platform模块变量（它是个字符串）是解释器正在其上运行的“平台”名称。它可能是标识操作系统的名字（比如sunos5或者win32），也可能标识其他种类的平台，如果运行Jython的话，就是Java虚拟机（比如java1.4.0）。

sys.stdin、sys.stdout和sys.stderr模块变量是类文件流对象。它们表示标准UNIX概念中的标准输入、标准输出和标准错误。简单来说，Python利用sys.stdin获得输入（比如用于函数input和raw_input中的输入），利用sys.stdout输出。第11章会介绍更多有关文件（以及这3个流）的知识。

举例来说，我们思考一下反序打印参数的问题。当你通过命令行调用Python脚本时，可能会在后面加上一些参数——这就是命令行参数（command-line argument）。这些参数会放置在sys.argv列表中，脚本的名字为sys.argv[0]。反序打印这些参数很简单，如代码清单10-5所示。

**代码清单10-5　反序打印命令行参数**

```
# reverseargs.py
import sys
args = sys.argv[1:]
args.reverse()
print ' '.join(args)
```

正如你所看到的，我对sys.argv进行了复制。你可以修改原始的列表，但是这样做通常是不安全的，因为程序的其他部分可能也需要包含原始参数的sys.argv。注意，我跳过了sys.argv的第一个元素，这是脚本的名字。我使用args.reverse()方法对列表进行反向排序，但是不能打印出这个操作结果的，这是个返回None的原地修改操作。下面是另外一种做法：

```
[print ' '.join(reversed(sys.argv[1:]))
```

最后，为了保证输出得更好，我使用了字符串方法join。让我们试试看结果如何（假设这里使用UNIX Shell，但是在MS-DOS提示符下它也会工作得同样好）：

```
$ python reverseargs.py this is a test
test a is this
```

## 10.3.2　os

os模块提供了访问多个操作系统服务的功能。os模块包括的内容很多，表10-3中只是其中一些最有用的函数和变量。另外，os和它的子模块os.path还包括一些用于检查、构造、删除目录和文件的函数，以及一些处理路径的函数（例如，os.path.split和os.path.join让你在大部分情况下都可以忽略os.pathsep）。关于它的更多信息，请参见标准库文档。

表10-3　os模块中一些重要函数和变量

| 函数/变量 | 描　述 |
| --- | --- |
| environ | 对环境变量进行映射 |
| system(command) | 在子shell中执行操作系统命令 |
| sep | 路径中的分隔符 |
| pathsep | 分隔路径的分隔符 |
| linesep | 行分隔符('\n'、'\r'、or '\r\n') |
| urandom(n) | 返回 n 字节的加密强随机数据 |

os.environ映射包含本章前面讲述过的环境变量。比如要访问系统变量PYTHONPATH，可以使用表达式os.environ['PYTHONPATH']。这个映射也可以用来更改系统环境变量，不过并非所有系统都支持。

os.system函数用于运行外部程序。也有一些函数可以执行外部程序，包括execv，它会退出Python解释器，并且将控制权交给被执行程序。还有popen，它可以创建与程序连接的类文件。关于这些函数的更多信息，请参见标准库文档。

**提示**　当前版本的Python中，包括subprocess模块，它包括了os.system、execv和popen函数的功能。

os.sep模块变量是用于路径名中的分隔符。UNIX（以及Mac OS X中命令行版本的Python）中的标准分隔符是"/"，Windows中的是"\\"（即Python针对单个反斜线的语法），而Mac OS中的是":"（有些平台上，os.altsep包含可选的路径分隔符，比如Windows中的"/"）。

你可以在组织路径的时候使用os.pathsep，就像在PYTHONPATH中一样。pathsep用于分割路径名：UNIX（以及Mac OS X中的命令行版本的Python）使用":"，Windows使用":"，Mac OS使用"::"。

模块变量os.linesep用于文本文件的字符串分隔符。UNIX中（以及Mac OS X中命令行版本的Python）为一个换行符（\n），Mac OS中为单个回车符（\r），而在Windows中则是两者的组合（\r\n）。

urandom函数使用一个依赖于系统的"真"（至少是足够强度加密的）随机数的源。如果正在使用的平台不支持它，你会得到NotImplementedError异常。

例如，有关启动网络浏览器的问题。system这个命令可以用来执行外部程序，这在可以通过命令行执行程序（或者命令）的环境中很有用。例如在UNIX系统中，你可以用它来列出某个目录的内容以及发送Email，等等。同时，它对在图形用户界面中启动程序也很有用，比如网络浏览器。在UNIX中，你可以使用下面的代码（假设/usr/bin/firefox路径下有一个浏览器）：

```
os.system('/usr/bin/firefox')
```

以下是Windows版本的调用代码（也同样假设使用浏览器的安装路径）：

```
os.system(r'c:\"Program Files"\"Mozilla Firefox"\firefox.exe')
```

注意，我很仔细地将Program Files和Mozilla Firefox放入引号中，不然DOS（它负责处理这个命令）就会在空格处停下来（对于在PYTHONPATH中设定的目录来说，这点也同样重要）。同时，注意必须使用反斜线，因为DOS会被正斜线弄糊涂。如果运行程序，你会注意到浏览器会试图打开叫做Files"\Mozilla…的网站——也就是在空格后面的命令部分。另一方面，如果试图在IDLE中运行该代码，你会看到DOS窗口出现了，但是没有启动浏览器并没有出现，除非关闭DOS窗口。总之，使用以上代码并不是完美的解决方法。

另外一个可以更好地解决问题的函数是Windows特有的函数——os.startfile：

```
os.startfile(r'c:\Program Files\Mozilla Firefox\firefox.exe')
```

可以看到，os.startfile接受一般路径，就算包含空格也没问题（也就是不用像在os.system例子中那样将Program Fiels放在引号中）。

注意，在Windows中，由os.system（或者os.startfile）启动了外部程序之后，Python程序仍然会继续运行，而在UNIX中，程序则会中止，等待os.system命令完成。

---

**更好的解决方案：WEBBROWSER**

在大多数情况下，os.system函数很有用，但是对于启动浏览器这样特定的任务来说，还有更好的解决方案：webbrowser模块。它包括open函数，它可以自动启动Web浏览器访问给定的URL。例如，如果希望程序使用Web浏览器打开Python的网站（启动新浏览器或者使用已经运行的浏览器），那么可以使用以下代码：

```
import webbrowser
webbrowser.open('http://www.python.org')
```

网页就会弹出来了，很简洁吧？

---

### 10.3.3  fileinput

第11章将会介绍很多读写文件的知识，现在先做个简短的介绍。fileinput模块让你能够轻松地遍历文本文件的所有行。如果通过以下方式调用脚本（假设在UNIX命令行下）：

```
$ python some_script.py file1.txt file2.txt file3.txt
```

这样就可以依次对file1.txt到file3.txt文件中的所有行进行遍历了。你还能对提供给标准输入（sys.stdin，记得吗）的文本行进行遍历。比如在UNIX的管道中，使用标准的UNIX命令cat：

```
$ cat file.txt | python some_script.py
```

如果使用fileinput模块，在UNIX管道中使用cat来调用脚本的效果和将文件名作为命令行参数提供给脚本是一样的。fileinput模块最重要的函数如表10-4所示。

fileinput.input是其中最重要的函数。它会返回能够用于for循环遍历的对象。如果不想使用默认行为（fileinput查找需要循环遍历的文件），那么可以给函数提供（序列形式的）一个或多个文件名。你还能将inplace参数设为真值（inplace=True）以进行原地处理。对于要访问的每一行，需要打印出替代的内容，以返回到当前的输入文件中。在进行原地处理的时候，可选的

backup参数将文件名扩展备份到通过原始文件创建的备份文件中。

表10-4　fileinput模块中重要的函数

| 函　　数 | 描　　述 |
| --- | --- |
| input([files[, inplace[, backup]]]) | 便于遍历多个输入流中的行 |
| filename() | 返回当前文件的名称 |
| lineno() | 返回当前（累计）的行数 |
| filelineno() | 返回当前文件的行数 |
| isfirstline() | 检查当前行是否是文件的第一行 |
| isstdin() | 检查最后一行是否来自sys.stdin |
| nextfile() | 关闭当前文件，移动到下一个文件 |
| close() | 关闭序列 |

fileinput.filename函数返回当前正在处理的文件名（也就是包含了当前正在处理的文本行的文件）。

fileinput.lineno返回当前行的行数。这个数值是累计的，所以在完成一个文件的处理并且开始处理下一个文件的时候，行数并不会重置，而是将上一个文件的最后行数加1作为计数的起始。

fileinput.filelineno函数返回当前处理文件的当前行数。每次处理完一个文件并且开始处理下一个文件时，行数都会重置为1，然后重新开始计数。

fileinput.isfirstline函数在当前行是当前文件的第一行时返回真值，反之返回假值。

fileinput.isstdin函数在当前文件为sys.stdin时返回真值，否则返回假值。

fileinput.nextfile函数会关闭当前文件，跳到下一个文件，跳过的行并不计。在你知道当前文件已经处理完的情况下，这个函数就比较有用了——比如每个文件都包含经过排序的单词，而你需要查找某个词。如果已经在排序中找到了这个词的位置，那么你就能放心地跳到下一个文件了。

fileinput.close函数关闭整个文件链，结束迭代。

为了演示fileinput的使用，我们假设已经编写了一个Python脚本，现在想要为其代码行进行编号。为了让程序在完成代码行编号之后仍然能够正常运行，我们必须通过在每一行的右侧加上作为注释的行号来完成编号工作。我们可以使用字符串格式化来将代码行和注释排成一行。假设每个程序行最多有40个字符，然后把行号注释加在后面。代码清单10-6展示了使用fileinput以及inplace参数的来完成这项工作的简单方法。

**代码清单10-6　为Python脚本添加行号**

```
# numberlines.py

import fileinput

for line in fileinput.input(inplace=True):
    line = line.rstrip()
    num = fileinput.lineno()
    print '%-40s # %2i' % (line, num)
```

如果你像下面这样在程序本身上运行这个程序：

```
$ python numberlines.py numberlines.py
```

程序会变成类似于代码清单10-7那样。注意，程序本身已经被更改了，如果这样运行多次，最终会在每一行中添加多个行号。我们可以回忆一下之前的内容：rstrip是可以返回字符串副本的字符串方法，右侧的空格都被删除（请参见3.4节，以及附录B中的表B-6）。

**代码清单10-7    为已编号的行进行编号**

```
# numberlines.py                        # 1
                                        # 2
import fileinput                        # 3
                                        # 4
for line in fileinput.input(inplace=1): # 5
    line = line.rstrip()                # 6
    num = fileinput.lineno()            # 7
    print '%-40s # %2i' % (line, num)   # 8
```

**警告**   要小心使用inplace参数，它很容易破坏文件。你应该在不使用inplace设置的情况下仔细测试自己的程序（这样只会打印出结果），在确保程序工作正常后再修改文件。

另外一个使用fileinput的例子，请参见本章后面的random模块部分。

## 10.3.4   集合、堆和双端队列

在程序设计中，我们会遇到很多有用的数据结构，而Python支持其中一些相对通用的类型，例如字典（或者说散列表）、列表（或者说动态数组）是语言必不可少的一部分。其他一些数据结构尽管不是那么重要，但有些时候也能派上用场。

### 1. 集合

集合（Set）在Python 2.3才引入。Set类位于sets模块中。尽管可以在现在的代码中创建Set实例，但是除非想要兼容以前的程序，否则没有什么必要这样做。在Python 2.3中，集合通过set类型的实现成为了语言的一部分，这意味着不需要导入sets模块了——直接创建集合即可：

```
>>> set(range(10))
set([0, 1, 2, 3, 4, 5, 6, 7, 8, 9])
```

集合是由序列（或者其他可迭代的对象）构建的。它们主要用于检查成员资格，因此副本是被忽略的：

```
>>> set([0, 1, 2, 3, 0, 1, 2, 3, 4, 5])
set([0, 1, 2, 3, 4, 5])
```

和字典一样，集合元素的顺序是随意的，因此我们不应该以元素的顺序作为依据进行编程：

```
>>> set(['fee', 'fie', 'foe'])
set(['foe', 'fee', 'fie'])
```

除了检查成员资格外，还可以使用标准的集合操作（可能是你通过数学了解到的），比如求并集和交集，可以使用方法，也可以使用对整数进行位操作时使用的操作（参见附录B）。比如想

要找出两个集合的并集，可以使用其中一个集合的union方法或者使用按位与（OR）运算符"|"：

```
>>> a = set([1, 2, 3])
>>> b = set([2, 3, 4])
>>> a.union(b)
set([1, 2, 3, 4])
>>> a | b
set([1, 2, 3, 4])
```

以下列出了一些其他方法和对应的运算符，方法的名称已经清楚地表明了其用途：

```
>>> c = a & b
>>> c.issubset(a)
True
>>> c <= a
True
>>> c.issuperset(a)
False
>>> c >= a
False
>>> a.intersection(b)
set([2, 3])
>>> a & b
set([2, 3])
>>> a.difference(b)
set([1])
>>> a - b
set([1])
>>> a.symmetric_difference(b)
set([1, 4])
>>> a ^ b
set([1, 4])
>>> a.copy()
set([1, 2, 3])
>>> a.copy() is a
False
```

还有一些原地运算符和对应的方法，以及基本方法add和remove。关于这方面更多的信息，请参看Python库参考的3.7节（http://python.org/doc/lib/types-set.html）。

**提示** 如果需要一个函数，用于查找并且打印两个集合的并集，可以使用来自set类型的union方法的未绑定版本。这种做法很有用，比如结合reduce来使用：

```
>>> mySets = []
>>> for i in range(10):
...     mySets.append(set(range(i,i+5)))
...
>>> reduce(set.union, mySets)
set([0, 1, 2, 3, 4, 5, 6, 7, 8, 9, 10, 11, 12, 13])
```

集合是可变的，所以不能用做字典中的键。另外一个问题就是集合本身只能包含不可变（可散列的）值，所以也就不能包含其他集合。在实际当中，集合的集合是很常用的，所以这就是个问题了。幸好还有个frozenset类型，用于代表不可变（可散列）的集合：

```
>>> a = set()
>>> b = set()
```

```
>>> a.add(b)
Traceback (most recent call last):
File "<stdin>", line 1, in ?
TypeError: set objects are unhashable
>>> a.add(frozenset(b))
```

frozenset构造函数创建给定集合的副本，不管是将集合作为其他集合成员还是字典的键，frozenset都很有用。

### 2. 堆

另外一个众所周知的数据结构是堆（heap），它是优先队列的一种。使用优先队列能够以任意顺序增加对象，并且能在任何时间（可能在增加对象的同时）找到（也可能是移除）最小的元素，也就是说它比用于列表的min方法要有效率得多。

事实上，Python中并没有独立的堆类型，只有一个包含一些堆操作函数的模块，这个模块叫做heapq（q是queue的缩写，即队列），包括6个函数（参见表10-5），其中前4个直接和堆操作相关。你必须将列表作为堆对象本身。

表10-5　heapq模块中重要的函数

| 函　　数 | 描　　述 |
| --- | --- |
| heappush(heap, x) | 将x入堆 |
| heappop(heap) | 将堆中最小的元素弹出 |
| heapify(heap) | 将heap属性强制应用到任意一个列表 |
| heapreplace(heap, x) | 将堆中最小的元素弹出，同时将x入堆 |
| nlargest(n, iter) | 返回iter中第$n$大的元素 |
| nsmallest(n, iter) | 返回iter中第$n$小的元素 |

heappush函数用于增加堆的项。注意，不能将它用于任何之前讲述的列表中，它只能用于通过各种堆函数建立的列表中。原因是元素的顺序很重要（尽管看起来是随意排列，元素并不是进行严格排序的）。

```
>>> from heapq import *
>>> from random import shuffle
>>> data = range(10)
>>> shuffle(data)
>>> heap = []
>>> for n in data:
...     heappush(heap, n)
>>> heap
[0, 1, 3, 6, 2, 8, 4, 7, 9, 5]
>>> heappush(heap, 0.5)
>>> heap
[0, 0.5, 3, 6, 1, 8, 4, 7, 9, 5, 2]
```

元素的顺序并不像看起来那么随意。它们虽然不是严格排序的，但是也有规则的：位于$i$位置上的元素总比$i//2$位置处的元素大（反过来说就是$i$位置处的元素总比$2*i$以及$2*i+1$位置处的元素小）。这是底层堆算法的基础，而这个特性称为堆属性（heap property）。

heappop函数弹出最小的元素，一般来说都是在索引0处的元素，并且会确保剩余元素中最小的那个占据这个位置（保持刚才提到的堆属性）。一般来说，尽管弹出列表的第一个元素并不是很有效率，但是在这里不是问题，因为heappop在"幕后"会做一些精巧的移位操作：

```
>>> heappop(heap)
0
>>> heappop(heap)
0.5
>>> heappop(heap)
1
>>> heap
[2, 5, 3, 6, 9, 8, 4, 7]
```

heapify函数使用任意列表作为参数，并且通过尽可能少的移位操作，将其转换为合法的堆（事实上是应用了刚才提到的堆属性）。如果没有用heappush建立堆，那么在使用heappush和heappop前应该使用这个函数。

```
>>> heap = [5, 8, 0, 3, 6, 7, 9, 1, 4, 2]
>>> heapify(heap)
>>> heap
[0, 1, 5, 3, 2, 7, 9, 8, 4, 6]
```

heapreplace函数不像其他函数那么常用。它弹出堆的最小元素，并且将新元素推入。这样做比调用heappop之后再调用heappush更高效。

```
>>> heapreplace(heap, 0.5)
0
>>> heap
[0.5, 1, 5, 3, 2, 7, 9, 8, 4, 6]
>>> heapreplace(heap, 10)
0.5
>>> heap
[1, 2, 5, 3, 6, 7, 9, 8, 4, 10]
```

heapq模块中剩下的两个函数nlargest(n,iter)和nsmallest(n,iter)分别用来寻找任何可迭代对象iter中第 $n$ 大或第 $n$ 小的元素。你可以使用排序（比如使用sorted函数）和分片来完成这个工作，但是堆算法更快而且更有效地使用内存（还有一个没有提及的优点：更易用）。

### 3. 双端队列（以及其他集合类型）

双端队列（double-ended queue，或称deque）在需要按照元素增加的顺序来移除元素时非常有用。Python 2.4增加了collections模块，它包括deque类型。

**注意**　Python 2.5中的collections模块只包括deque类型和defaultdict类型，为不存在的键提供默认值的字典，未来可能会加入二叉树（B-Tree）和斐波那契堆（Fibonacci heap）。

双端队列通过可迭代对象（比如集合）创建，而且有些非常有用的方法，如下例所示：

```
>>> from collections import deque
>>> q = deque(range(5))
>>> q.append(5)
>>> q.appendleft(6)
>>> q
deque([6, 0, 1, 2, 3, 4, 5])
>>> q.pop()
```

```
5
>>> q.popleft()
6
>>> q.rotate(3)
>>> q
deque([2, 3, 4, 0, 1])
>>> q.rotate(-1)
>>> q
deque([3, 4, 0, 1, 2])
```

双端队列好用的原因是它能够有效地在开头（左侧）增加和弹出元素，这是在列表中无法实现的。除此之外，使用双端队列的好处还有：能够有效地旋转（rotate）元素（也就是将它们左移或右移，使头尾相连）。双端队列对象还有extend和extendleft方法，extend和列表的extend方法差不多，extendleft则类似于appendleft。注意，extendleft使用的可迭代对象中的元素会反序出现在双端队列中。

### 10.3.5  time

time模块所包括的函数能够实现以下功能：获得当前时间、操作时间和日期、从字符串读取时间以及格式化时间为字符串。日期可以用实数（从"新纪元"的1月1日0点开始计算到现在的秒数，新纪元是一个与平台相关的年份，对UNIX来说是1970年），或者是包含有9个整数的元组。这些整数的意义如表10-6所示，比如，元组：

```
(2008, 1, 21, 12, 2, 56, 0, 21, 0)
```

表示2008年1月21日12时2分56秒，星期一，并且是当年的第21天（无夏令时）。

表10-6    Python日期元组的字段含义

| 索    引 | 字    段 | 值 |
| --- | --- | --- |
| 0 | 年 | 比如2000，2001，等等 |
| 1 | 月 | 范围1~12 |
| 2 | 日 | 范围1~31 |
| 3 | 时 | 范围0~23 |
| 4 | 分 | 范围0~59 |
| 5 | 秒 | 范围0~61 |
| 6 | 周 | 当周一为0时，范围0~6 |
| 7 | 儒历日 | 范围1~366 |
| 8 | 夏令时 | 0、1、或–1 |

秒的范围是0~61是为了应付闰秒和双闰秒。夏令时的数字是布尔值（真或假），但是如果使用了–1，mktime（该函数将这样的元组转换为时间戳，它包含从新纪元开始以来的秒数）就会工作正常。time模块中最重要的函数如表10-7所示。

函数time.asctime将当前时间格式化为字符串，如下例所示：

```
>>> time.asctime()
'Fri Dec 21 05:41:27 2008'
```

表10-7 time模块中重要的函数

| 函 数 | 描 述 |
| --- | --- |
| asctime([tuple]) | 将时间元组转换为字符串 |
| localtime([secs]) | 将秒数转换为日期元组，以本地时间为准 |
| mktime(tuple) | 将时间元组转换为本地时间 |
| sleep(secs) | 休眠（不做任何事情）secs秒 |
| strptime(string[, format]) | 将字符串解析为时间元组 |
| time() | 当前时间（新纪元开始后的秒数，以UTC为准） |

如果不需要使用当前时间，还可以提供一个日期元组（比如通过localtime创建的）。（为了实现更精细的格式化，你可以使用strftime函数，标准文档对此有相应的介绍。）

函数time.localtime将实数（从新纪元开始计算的秒数）转换为本地时间的日期元组。如果想获得全球统一时间[①]，则可以使用gmtime。

函数time.mktime将日期元组转换为从新纪元开始计算的秒数，它与localtime的功能相反。

函数time.sleep让解释器等待给定的秒数。

函数time.strptime将asctime格式化过的字符串转换为日期元组（可选的格式化参数所遵循的规则与strftime的一样，详情请参见标准文档）。

函数time.time使用自新纪元开始计算的秒数返回当前（全球统一）时间，尽管每个平台的新纪元可能不同，但是你仍然可以通过记录某事件（比如函数调用）发生前后time的结果来对该事件计时，然后计算差值。有关这些函数的实例，请参见下一节的random模块部分。

表10-7列出的函数只是从time模块选出的一部分。该模块的大多数函数所执行的操作与本小节介绍的内容相类似或者相关。如果需要这里没有介绍到的函数，请参见Python库参考的14.2节（http://python.org/doc/lib/module-time.html），以获得更多详细信息。

此外，Python还提供了两个和时间密切相关的模块：datetime（支持日期和时间的算法）和timeit（帮助开发人员对代码段的执行时间进行计时）。你可以从Python库参考中找到更多有关它们的信息，第16章也会对timeit进行简短的介绍。

### 10.3.6 random

random模块包括返回随机数的函数，可以用于模拟或者用于任何产生随机输出的程序。

**注意** 事实上，所产生的数字都是伪随机数，也就是说它们看起来是完全随机的，但实际上，它们以一个可预测的系统作为基础。不过，由于这个系统模块在伪装随机方面十分优秀，所以也就不必对此过多担心了（除非为了实现强加密的目标，因为在这种情况下，这些数字就显得不够"强"了，无法抵抗某些特定的攻击，但是如果你已经深入到强加密的话，也就不用我来解释这些基础的问题了）。如果需要真的随机性，应该使用os模块的urandom函数。random模块内的SystemRandom类也是基于同种功能，可以让数据接近真正的随机性。

---

[①] 有关全球统一时间的更多内容，请参见http://en.wikipedia.org/wiki/Universal_time。

这个模块中的一些重要函数如表10-8所示。

表10-8  random模块中的一些重要函数

| 函　　数 | 描　　述 |
|---|---|
| random() | 返回0<n≤1之间的随机实数n |
| getrandbits(n) | 以长整型形式返回n个随机位 |
| uniform(a, b) | 返回随机实数n，其中a≤n<b |
| randrange([start], stop, [step]) | 返回range(start,stop,step)中的随机数 |
| choice(seq) | 从序列seq中返回随意元素 |
| shuffle(seq[, random]) | 原地指定序列seq |
| sample(seq, n) | 从序列seq中选择n个随机且独立的元素 |

函数random.random是最基本的随机函数之一，它只是返回0~1的伪随机数n。除非这就是你想要的，否则你应该使用其他提供了额外功能的函数。random.getrandbits以长整型形式返回给定的位数（二进制数）。如果处理的是真正的随机事务（比如加密），这个函数尤为有用。

为函数random.uniform提供两个数值参数a和b，它会返回在a~b的随机（平均分布的）实数n。所以，比如需要随机的角度值，可以使用uniform(0,360)。

调用函数range可以获得一个范围，而使用与之相同的参数来调用标准函数random.randrange则能够产生该范围内的随机整数。比如想要获得1~10（包括10）的随机数，可以使用randrange(1,11)（或者使用randrange(10)+1），如果想要获得小于20的随机正奇数，可以使用randrange(1,20,2)。

函数random.choice从给定序列中（均一地）选择随机元素。

函数random.shuffle将给定（可变）序列的元素进行随机移位，每种排列的可能性都是近似相等的。

函数random.sample从给定序列中（均一地）选择给定数目的元素，同时确保元素互不相同。

---

**注意**  从统计学的角度来说，还有些与uniform类似的函数，它们会根据其他各种不同的分布规则进行抽取，从而返回随机数。这些分布包括贝塔分布、指数分布、高斯分布，等等。

---

下面介绍一些使用random模块的例子。这些例子将使用一些前文介绍的time模块中的函数。首先获得代表时间间隔（2008年）限制的实数，这可以通过时间元组的方式来表示日期（使用-1表示一周中的某天、一年中的某天和夏令时，以便让Python自己计算），并且对这些元组调用mktime：

```
from random import *
from time import *
date1 = (2008, 1, 1, 0, 0, 0, -1, -1, -1)
time1 = mktime(date1)
date2 = (2009, 1, 1, 0, 0, 0, -1, -1, -1)
time2 = mktime(date2)
```

然后就能在这个范围内均一地生成随机数（不包括上限）：

```
>>> random_time = uniform(time1, time2)
```

然后，可以将数字转换为易读的日期形式：

```
>>> print asctime(localtime(random_time))
Mon Jun 24 21:35:19 2008
```

在接下来的例子中，我们要求用户选择投掷的骰子数以及每个骰子具有的面数。投骰子机制可以由randrange和for循环实现：

```
from random import randrange
num   = input('How many dice? ')
sides = input('How many sides per die? ')
sum = 0
for i in range(num): sum += randrange(sides) + 1
print 'The result is', sum
```

如果将代码存为脚本文件并且执行，那么会看到下面的交互操作：

```
How many dice? 3
How many sides per die? 6
The result is 10
```

接下来假设有一个新建的文本文件，它的每一行文本都代表一种运势，那么我们就可以使用前面介绍的fileinput模块将"运势"都存入列表中，再进行随机选择：

```
# fortune.py
import fileinput, random
fortunes = list(fileinput.input())
print random.choice(fortunes)
```

在UNIX中，可以对标准字典文件/usr/dict/words进行测试，以获得一个随机单词：

```
$ python fortune.py /usr/dict/words
dodge
```

最后一个例子，假设你希望程序能够在每次敲击回车的时候都为自己发一张牌，同时还要确保不会获得相同的牌。首先要创建"一副牌"——字符串列表：

```
>>> values = range(1, 11) + 'Jack Queen King'.split()
>>> suits = 'diamonds clubs hearts spades'.split()
>>> deck = ['%s of %s' % (v, s) for v in values for s in suits]
```

现在创建的牌还不太适合进行游戏，让我们来看看现在的牌：

```
>>> from pprint import pprint
>>> pprint(deck[:12])
['1 of diamonds',
 '1 of clubs',
 '1 of hearts',
 '1 of spades',
 '2 of diamonds',
 '2 of clubs',
 '2 of hearts',
 '2 of spades',
 '3 of diamonds',
 '3 of clubs',
 '3 of hearts',
 '3 of spades']
```

太整齐了，对吧？不过，这个问题很容易解决：

**10**

```
>>> from random import shuffle
>>> shuffle(deck)
>>> pprint(deck[:12])
['3 of spades',
 '2 of diamonds',
 '5 of diamonds',
 '6 of spades',
 '8 of diamonds',
 '1 of clubs',
 '5 of hearts',
 'Queen of diamonds',
 'Queen of hearts',
 'King of hearts',
 'Jack of diamonds',
 'Queen of clubs']
```

注意，为了节省空间，这里只打印了前12张牌。你可以自己看看整幅牌。

最后，为了让Python在每次按回车的时候都给你发一张牌，直到发完为止，那么只需要创建一个小的while循环即可。假设将建立牌的代码放在程序文件中，那么只需要在程序的结尾处加入下面这行代码：

```
while deck: raw_input(deck.pop())
```

**注意** 如果在交互式解释器中尝试上面找到的while循环，那么你会注意到每次按下回车的时候都会打印出一个空字符串。因为raw_input返回了输入的内容（什么都没有），并且将其打印出来。在一般的程序中，从raw_input返回的值都会被忽略掉。为了能够在交互环节"忽略"它，只需要把raw_input的值赋给一些你不想再用到的变量即可，同时将这些变量命名为ignore这类名字。

### 10.3.7 shelve

下一章将会介绍如何在文件中存储数据，但如果只需要一个简单的存储方案，那么shelve模块可以满足你大部分的需要，你所要做的只是为它提供文件名。shelve中唯一有趣的函数是open。在调用它的时候（使用文件名作为参数），它会返回一个Shelf对象，你可以用它来存储内容。只需要把它当做普通的字典（但是键一定要作为字符串）来操作即可，在完成工作（并且将内容存储到磁盘中）之后，调用它的close方法。

#### 1. 潜在的陷阱

shelve.open函数返回的对象并不是普通的映射，这一点要尤其注意，如下面的例子所示：

```
>>> import shelve
>>> s = shelve.open('test.dat')
>>> s['x'] = ['a', 'b', 'c']
>>> s['x'].append('d')
>>> s['x']
['a', 'b', 'c']
```

'd'去哪了？

很容易解释：当你在shelf对象中查找元素的时候，这个对象都会根据已经存储的版本进行重新构建，当你将元素赋给某个键的时候，它就被存储了。上述例子中执行的操作如下：

- 列表['a', 'b', 'c']存储在键x下；
- 获得存储的表示，并且根据它来创建新的列表，而'd'被添加到这个副本中。修改的版本还没有被保存！
- 最终，再次获得原始版本——没有'd'。

为了正确地使用shelve模块修改存储的对象，必须将临时变量绑定到获得的副本上，并且在它被修改后重新存储这个副本[①]：

```
>>> temp = s['x']
>>> temp.append('d')
>>> s['x'] = temp
>>> s['x']
['a', 'b', 'c', 'd']
```

Python 2.4之后的版本还有个解决方法：将open函数的writeback参数设为true。如果这样做，所有从shelf读取或者赋值到shelf的数据结构都会保存在内存（缓存）中，并且只有在关闭shelf的时候才写回到磁盘中。如果处理的数据不大，并且不想考虑这些问题，那么将writeback设为true（确保在最后关闭了shelf）的方法还是不错的。

**2. 简单的数据库示例**

代码清单10-8给出了一个简单的使用shelve模块的数据库应用程序。

**代码清单10-8　简单的数据库应用程序**

```python
# database.py
import sys, shelve

def store_person(db):
    """
    Query user for data and store it in the shelf object
    """

    pid = raw_input('Enter unique ID number: ')
    person = {}
    person['name'] = raw_input('Enter name: ')
    person['age'] = raw_input('Enter age: ')
    person['phone'] = raw_input('Enter phone number: ')

    db[pid] = person

def lookup_person(db):
    """
    Query user for ID and desired field, and fetch the corresponding data from
    the shelf object
    """

    pid = raw_input('Enter ID number: ')
    field = raw_input('What would you like to know? (name, age, phone) ')
    field = field.strip().lower()
```

---

① 感谢Luther Blissett指出这个问题。

```
        print field.capitalize() + ':', \
            db[pid][field]

def print_help():
    print 'The available commands are:'
    print 'store  : Stores information about a person'
    print 'lookup : Looks up a person from ID number'
    print 'quit   : Save changes and exit'
    print '?      : Prints this message'

def enter_command():
    cmd = raw_input('Enter command (? for help): ')
    cmd = cmd.strip().lower()
    return cmd

def main():
    database = shelve.open('C:\\database.dat') # You may want to change this name
    try:
        while True:
            cmd = enter_command()
            if cmd == 'store':
                store_person(database)
            elif cmd == 'lookup':
                lookup_person(database)
            elif cmd == '?':
                print_help()
            elif cmd == 'quit':
                return
    finally:
        database.close()

if __name__ == '__main__': main()
```

代码清单10-8中的程序有一些很有意思的特征。

❑ 将所有内容都放到函数中会让程序更加结构化（可能的改进是将函数组织为类的方法）。

❑ 主程序放在main函数中，只有在if __name__=='__main__'条件成立的时候才被调用。这
  意味着可以在其他程序中将这个程序作为模块导入，然后调用main函数。

❑ 我在main函数中打开数据库（shelf），然后将其作为参数传给另外需要它的函数。当然，
  我也可以使用全局变量，毕竟这个程序很小。不过，在大多数情况下最好避免用全局变
  量，除非有充足的理由要使用它。

❑ 在一些值中进行读取之后，对读取的内容调用strip和lower函数以生成了一个修改后的版
  本。这么做的原因在于：如果提供的键与数据库存储的键相匹配，那么它们应该完全一
  样。如果总是对用户的输入使用strip和lowser函数，那么就可以让用户随意输入大小写
  字母和添加空格了。同时需要注意的是：在打印字段名称的时候，我使用了capitalize
  函数。

❑ 我使用try/finally确保数据库能够正确关闭。我们永远不知道什么时候会出错（同时程
  序会抛出异常）。如果程序在没有正确关闭数据库的情况下终止，那么，数据库文件就有
  可能被损坏了，这样的数据文件是毫无用处的。使用try/finally就可以避免这种情况了。

接下来，我们测试一下这个数据库。下面是一个简单的交互过程：

```
Enter command (? for help): ?
The available commands are:
store  : Stores information about a person
lookup : Looks up a person from ID number
quit   : Save changes and exit
?      : Prints this message
Enter command (? for help): store
Enter unique ID number: 001
Enter name: Mr. Gumby
Enter age: 42
Enter phone number: 555-1234
Enter command (? for help): lookup
Enter ID number: 001
What  would you like to know? (name, age, phone) phone
Phone: 555-1234
Enter command (? for help): quit
```

交互的过程并不是十分有趣，使用普通的字典也能获得和shelf对象一样的效果。但是，我们现在退出程序，然后再重新启动它，看看发生了什么？也许第二天才重新启动它：

```
Enter command (? for help): lookup
Enter ID number: 001
What would you like to know? (name, age, phone) name
Name: Mr. Gumby
Enter command (? for help): quit
```

我们可以看到，程序读出了第一次创建的文件，而Gumby先生的资料还在！

你可以随意试验这个程序，看看是否还能扩展它的功能并且提高用户友好度。你是不是想创建一个供自己使用的版本？创建一个唱片集的数据库怎样？或者创建一个数据库，帮助自己记录借书朋友的名单（我想我会用这个版本）。

### 10.3.8　re

> 有些人面临一个问题时会想：“我知道，可以使用正则表达式来解决这个问题。”于是现在他们就有两个问题了。
>
> ——Jamie Zawinski[1]

re模块包含对正则表达式（regular expression）的支持。如果你之前听说过正则表达式，那么你可能知道它有多强大了，如果没有，请做好心理准备吧，它一定会令你很惊讶。

但是应该注意，在学习正则表达式之初会有点困难（好吧，其实是很难）。学习它们的关键是一次只学习一点——（在文档中）查找满足特定任务需要的那部分内容，预先将它们全部记住是没必要的。本章将会对re模块主要特征和正则表达式的进行介绍，以便让你上手。

---

**提示**　除了标准文档外，Andrew Kuchling 的 “Regular Expression HOWTO”（正则表达式HOWTO）（http://amk.ca/python/howto/regex/）也是学习在Python中使用正则表达式的有用资源。

---

① Lisp黑客，Netscape早期开发者。关于他的更详细编程生涯，可见人民邮电出版社出版的《编程人生》一书。

——译者注

### 1. 什么是正则表达式

正则表达式是可以匹配文本片段的模式。最简单的正则表达式就是普通字符串，可以匹配其自身。换句话说，正则表达式'python'可以匹配字符串'python'。你可以用这种匹配行为搜索文本中的模式，并且用计算后的值替换特定模式，或者将文本进行分段。

● **通配符**

正则表达式可以匹配多于一个的字符串，你可以使用一些特殊字符创建这类模式。比如点号(.)可以匹配任何字符（除了换行符），所以正则表达式'.ython'可以匹配字符串'python'和'jython'。它还能匹配'qython'、'+ython'或者' ython'（第一个字母是空格），但是不会匹配'cpython'或者'ython'这样的字符串，因为点号只能匹配一个字母，而不是两个或零个。

因为它可以匹配"任何字符串"（除换行符外的任何单个字符），点号就称为通配符（wildcard）。

● **对特殊字符进行转义**

你需要知道：在正则表达式中如果将特殊字符作为普通字符使用会遇到问题，这很重要。比如，假设需要匹配字符串'python.org'，直接用'python.org'模式可以么？这么做是可以的，但是这样也会匹配'pythonzorg'，这可不是所期望的结果（点号可以匹配除换行符外的任何字符，还记得吧）。为了让特殊字符表现得像普通字符一样，需要对它进行转义（escape），就像我在第1章中对引号进行转义所做的一样——可以在它前面加上反斜线。因此，在本例中可以使用'python\\.org'，这样就只会匹配'python.org'了。

---

**注意**　为了获得re模块所需的单个反斜线，我们要在字符串中使用两个反斜线——为了通过解释器进行转义。这样就需要两个级别的转义了：(1)通过解释器转义；(2)通过re模块转义（事实上，有些情况下可以使用单个反斜线，让解释器自动进行转义，但是别依赖这种功能）。如果厌烦了使用双斜线，那么可以使用原始字符串，比如r'python\.org'。

---

● **字符集**

匹配任意字符可能很有用，但有些时候你需要更多的控制权。你可以使用中括号括住字符串来创建字符集（character set）。字符集可以匹配它所包括的任意字符，所以'[pj]ython'能够匹配'python'和'jython'，而非其他内容。你可以使用范围，比如'[a-z]'能够（按字母顺序）匹配a到z的任意一个字符，还可以通过一个接一个的方式将范围联合起来使用，比如'[a-zA-Z0-9]'能够匹配任意大小写字母和数字（注意字符集只能匹配一个这样的字符）。

为了反转字符集，可以在开头使用^字符，比如'[^abc]'可以匹配任何除了a、b和c之外的字符。

**字符集中的特殊字符**

一般来说，如果希望点号、星号和问号等特殊字符在模式中用做文本字符而不是正则表达式运算符，那么需要用反斜线进行转义。在字符集中，对这些字符进行转义通常是没必要的（尽管是完全合法的）。不过，你应该记住下面的规则：

❑ 如果脱字符（^）出现在字符集的开头，那么你需要对其进行转义了，除非希望将它用做否定运算符（换句话说，不要将它放在开头，除非你希望那样用）；

❑ 同样，右中括号（]）和横线（-）应该放在字符集的开头或者用反斜线转义（事实上，如果需要的话，横线也能放在末尾）。

● 选择符和子模式

在字符串的每个字符都各不相同的情况下，字符集是很好用的，但如果只想匹配字符串 'python' 和 'perl' 呢？你就不能使用字符集或者通配符来指定某个特定的模式了。取而代之的是用于选择项的特殊字符：管道符号（|）。因此，所需的模式可以写成 'python|perl'。

但是，有些时候不需要对整个模式使用选择运算符，只是模式的一部分。这时可以使用圆括号括起需要的部分，或称子模式（subpattern）。前例可以写成 'p(ython|erl)'。（注意，术语子模式也适用于单个字符。）

● 可选项和重复子模式

在子模式后面加上问号，它就变成了可选项。它可能出现在匹配字符串中，但并非必需的。例如，下面这个（稍微有点难懂的）模式：

```
r'(http://)?(www\.)?python\.org'
```

只能匹配下列字符串（而不会匹配其他的）：

```
'http://www.python.org'
'http://python.org'
'www.python.org'
'python.org'
```

对于上述例子，下面这些内容是值得注意的：

❑ 对点号进行了转义，防止它被作为通配符使用；

❑ 使用原始字符串减少所需反斜线的数量；

❑ 每个可选子模式都用圆括号括起；

❑ 可选子模式出现与否均可，而且互相独立。

问号表示子模式可以出现一次或者根本不出现。下面这些运算符允许子模式重复多次：

❑ (pattern)*：允许模式重复0次或多次；

❑ (pattern)+：允许模式重复1次或多次；

❑ (pattern){m,n}：允许模式重复m～n次。

例如，r'w*\.python\.org' 会匹配 'www.python.org'，也会匹配 '.python.org'、'ww.python.org' 和 'wwwwwww.python.org'。类似地，r'w+\.python\.org' 匹配 'w.python.org' 但不匹配 '.python.org'，而 r'w{3,4}\.python\.org' 只匹配 'www.python.org' 和 'wwww.python.org'。

---

**注意** 这里使用的术语匹配（match）表示模式匹配整个字符串。而接下来要说到的match函数（参见表10-9）只要求模式匹配字符串的开始。

---

● 字符串的开始和结尾

目前为止，所出现的模式匹配都是针对整个字符串的，但是也能寻找匹配模式的子字符串，比如字符串'www.python.org'中的子字符串'www'会能够匹配模式'w+'。在寻找这样的子字符串时，确定子字符串位于整个字符串的开始还是结尾是很有用的。比如，只想在字符串的开头而不是其他位置匹配'ht+p'，那么就可以使用脱字符(^)标记开始：'^ht+p'会匹配'http://python.org'（以及'httttttp://python.org'），但是不匹配'www.http.org'。类似地，字符串结尾用美元符号($)标识。

> **注意**    有关正则表达式运算符的完整列表，请参见Python类参考的4.2.1节的内容（http://python.org/doc/lib/re-syntax.html）。

### 2. re模块的内容

如果不知道如何应用，只知道如何书写正则表达式还是不够的。re模块包含一些有用的操作正则表达式的函数。其中最重要的一些函数如表10-9所示。

表10-9    re模块中一些重要的函数

| 函　　数 | 描　　述 |
| --- | --- |
| compile(pattern[, flags]) | 根据包含正则表达式的字符串创建模式对象 |
| search(pattern, string[, flags]) | 在字符串中寻找模式 |
| match(pattern, string[, flags]) | 在字符串的开始处匹配模式 |
| split(pattern, string[, maxsplit=0]) | 根据模式的匹配项来分割字符串 |
| findall(pattern, string) | 列出字符串中模式的所有匹配项 |
| sub(pat, repl, string[, count=0]) | 将字符串中所有pat的匹配项用repl替换 |
| escape(string) | 将字符串中所有特殊正则表达式字符转义 |

函数re.compile将正则表达式（以字符串书写的）转换为模式对象，可以实现更有效率的匹配。如果在调用search或者match函数的时候使用字符串表示的正则表达式，它们也会在内部将字符串转换为正则表达式对象。使用compile完成一次转换之后，在每次使用模式的时候就不用进行转换。模式对象本身也有查找/匹配的函数，就像方法一样，所以re.search(pat,string)（pat是用字符串表示的正则表达式）等价于pat.search(string)（pat是用compile创建的模式对象）。经过compile转换的正则表达式对象也能用于普通的re函数。

函数re.search会在给定字符串中寻找第一个匹配给定正则表达式的子字符串。一但找到子字符串，函数就会返回MatchObject（值为True），否则返回None（值为False）。因为返回值的性质，所以该函数可以用在条件语句中，如下例所示：

```
if re.search(pat, string):
    print 'Found it!'
```

同时，如果需要更多有关匹配的子字符串的信息，那么可以检查返回的MatchObject对象（有关MatchObject更多的内容，请参见下一节）。

函数re.match会在给定字符串的开头匹配正则表达式。因此，match('p','python')返回真（即匹配对象MatchObject），而re.match('p', 'www.python.org')则返回假（None）。

| 注意 | 如果模式与字符串的开始部分相匹配，那么match函数会给出匹配的结果，而模式并不需要匹配整个字符串。如果要求模式匹配整个字符串，那么可以在模式的结尾加上美元符号。美元符号会对字符串的末尾进行匹配，从而"顺延"了整个匹配。 |

函数re.split会根据模式的匹配项来分割字符串。它类似于字符串方法split，不过是用完整的正则表达式代替了固定的分隔符字符串。比如字符串方法split允许用字符串'.'的匹配项来分割字符串，而re.split则允许用任意长度的逗号和空格序列来分割字符串：

```
>>> some_text = 'alpha, beta,,,gamma delta'
>>> re.split('[, ]+', some_text)
['alpha', 'beta', 'gamma', 'delta']
```

| 注意 | 如果模式包含小括号，那么括起来的字符组合会散布在分割后的子字符串之间。例如，re.split('o(o)', foobar)会生成['f', 'o', 'bar']。 |

从上述例子可以看到，返回值是子字符串的列表。maxsplit参数表示字符串最多可以分割的次数：

```
>>> re.split('[, ]+', some_text, maxsplit=2)
['alpha', 'beta', 'gamma  delta']
>>> re.split('[, ]+', some_text, maxsplit=1)
['alpha', 'beta,,,gamma  delta']
```

函数re.findall以列表形式返回给定模式的所有匹配项。比如，要在字符串中查找所有的单词，可以像下面这么做：

```
>>> pat = '[a-zA-Z]+'
>>> text = '"Hm... Err -- are you sure?" he said, sounding insecure.'
>>> re.findall(pat, text)
['Hm', 'Err', 'are', 'you', 'sure', 'he', 'said', 'sounding', 'insecure']
```

或者查找标点符号：

```
>>> pat = r'[.?\-",]+'
>>> re.findall(pat, text)
['"', '...', '--', '?"', ',', '.']
```

注意，横线 (-) 被转义了，所以Python不会将其解释为字符范围的一部分（比如a~z）。

函数re.sub的作用在于：使用给定的替换内容将匹配模式的子字符串（最左端并且非重叠的子字符串）替换掉。请思考下面的例子：

```
>>> pat = '{name}'
>>> text = 'Dear {name}...'
>>> re.sub(pat, 'Mr. Gumby', text)
'Dear Mr. Gumby...'
```

请参见本章后面"作为替换的组号和函数"部分，该部分会向你介绍如何更有效地使用这个函数。

re.escape是一个很实用的函数，它可以对字符串中所有可能被解释为正则运算符的字符进行转义的应用函数。如果字符串很长且包含很多特殊字符，而你又不想输入一大堆反斜线，或者字符串来自于用户（比如通过raw_input函数获取的输入内容），且要用作正则表达式的一部分的时候，可以使用这个函数。下面的例子向你演示了该函数是如何工作的：

```
>>> re.escape('www.python.org')
'www\\.python\\.org'
>>> re.escape('But where is the ambiguity?')
'But\\ where\\ is\\ the\\ ambiguity\\?'
```

**注意**　你可能会注意到：表10-9中有些函数包含了一个名为flags的可选参数。这个参数用于改变解释正则表达式的方法。有关它的更多信息，请参见Python库参考的4.2节：http://python.org/ doc/lib/module-re.html。这个标志在4.2.3节中有介绍。

### 3. 匹配对象和组

对于re模块中那些能够对字符串进行模式匹配的函数而言，当能找到匹配项的时候，它们都会返回MatchObject对象。这些对象包括匹配模式的子字符串的信息。它们还包含了哪个模式匹配了子字符串哪部分的信息——这些"部分"叫做组（group）。

简而言之，组就是放置在圆括号内的子模式。组的序号取决于它左侧的括号数。组0就是整个模式，所以在下面的模式中：

```
'There (was a (wee) (cooper)) who (lived in Fyfe)'
```

包含下面这些组：

```
0 There was a wee cooper who lived in Fyfe
1 was a wee cooper
2 wee
3 cooper
4 lived in Fyfe
```

一般来说，如果组中包含诸如通配符或者重复运算符之类的特殊字符，那么你可能会对是什么与给定组实现了匹配感兴趣，比如在下面的模式中：

```
r'www\.(.+)\.com$'
```

组0包含整个字符串，而组1则包含位于'www.'和'.com'之间的所有内容。像这样创建模式的话，就可以取出字符串中感兴趣的部分了。

re匹配对象的一些重要方法如表10-10所示。

表10-10　re匹配对象的重要方法

| 方　　法 | 描　　述 |
| --- | --- |
| group([group1, ...]) | 获取给定子模式（组）的匹配项 |
| start([group]) | 返回给定组的匹配项的开始位置 |
| end([group]) | 返回给定组的匹配项的结束位置（和分片一样，不包括组的结束位置） |
| span([group]) | 返回一个组的开始和结束位置 |

group方法返回模式中与给定组匹配的（子）字符串。如果没有给出组号，默认为组0。如果给定一个组号（或者只用默认的0），会返回单个字符串。否则会将对应给定组数的字符串作为元组返回。

**注意** 除了整体匹配外（组0），我们只能使用99个组，范围1~99。

start方法返回给定组匹配项的开始索引（默认为0，即整个模式）。

方法end类似于start，但是返回结果是结束索引加1。

方法span以元组（start,end）的形式返回给定组的开始和结束位置的索引（默认为0，即整个模式）。

请思考以下例子：

```
>>> m = re.match(r'www\.(.*)\..{3}', 'www.python.org')
>>> m.group(1)
'python'
>>> m.start(1)
4
>>> m.end(1)
10
>>> m.span(1)
(4, 10)
```

### 4. 作为替换的组号和函数

在使用re.sub的第一个例子中，我只是把一个字符串用其他的内容替换掉了。我用replace这个字符串方法（3.4节对此进行了介绍）能轻松达到同样的效果。当然，正则表达式很有用，因为它们允许以更灵活的方式搜索，同时它们也允许进行功能更强大的替换。

见证re.sub强大功能的最简单方式就是在替换字符串中使用组号。在替换内容中以'\\n'形式出现的任何转义序列都会被模式中与组n匹配的字符串替换掉。例如，假设要把'*something*'用'something'替换掉，前者是在普通文本文档（比如Email）中进行强调的常见方法，而后者则是相应的HTML代码（用于网页）。我们首先建立正则表达式：

```
>>> emphasis_pattern = r'\*([^\*]+)\*'
```

注意，正则表达式很容易变得难以理解，所以为了让其他人（包括自己在内）在以后能够读懂代码，使用有意义的变量名（或者加上一两句注释）是很重要的。

**提示** 让正则表达式变得更加易读的方式是在re函数中使用VERBOSE标志。它允许在模式中添加空白（空白字符、tab、换行符，等等），re则会忽略它们，除非将其放在字符类或者用反斜线转义。也可以在冗长的正则式中添加注释。下面的模式对象等价于刚才写的模式，但是使用了VERBOSE标志：

```
>>> emphasis_pattern = re.compile(r'''
...        \*         # Beginning emphasis tag -- an asterisk
...        (          # Begin group for capturing phrase
...        [^\*]+     # Capture anything except asterisks
...        )          # End group
...        \*         # Ending emphasis tag
...        ''', re.VERBOSE)
...
```

现在模式已经搞定，接下来就可以使用re.sub进行替换了：

```
>>> re.sub(emphasis_pattern, r'<em>\1</em>', 'Hello, *world*!')
'Hello, <em>world</em>!'
```

从上述例子可以看到，普通文本已经成功地转换为HTML。

将函数作为替换内容可以让替换功能变得更加强大。MatchObject将作为函数的唯一参数，返回的字符串将会用做替换内容。换句话说，可以对匹配的子字符串做任何事，并且可以细化处理过程，以生成替换内容。你可能会问，这个功能能用在什么地方呢？开始使用正则表达式以后，你肯定会发现这个功能的无数应用。本章后面的"模板系统示例"部分会向你介绍它的一个应用。

### 贪婪和非贪婪模式

重复运算符默认是贪婪（greedy）的，这意味着它会进行尽可能多的匹配。比如，假设我重写了刚才用到的程序，以使用下面的模式：

```
>>> emphasis_pattern = r'\*(.+)\*'
```

它会匹配星号加上一个或多个字符，再加上一个星号的字符串。听起来很完美吧？但实际上不是：

```
>>> re.sub(emphasis_pattern, r'<em>\1</em>', '*This* is *it*!')
'<em>This* is *it</em>!'
```

模式匹配了从开始星号到结束星号之间的所有内容——包括中间的两个星号！也就意味着它是贪婪的：将尽可能多的东西都据为己有。

在本例中，你当然不希望出现这种贪婪行为。当你知道某个特定字母不合法的时候，前面的解决方案（使用字符集匹配任何不是星号的内容）才是可行的。但是假设另外一种情况：如果使用'**something**'表示强调呢？现在在所强调的部分包括单个星号已经不是问题了，但是如何避免过于贪婪？

事实上非常简单，只要使用重复运算符的非贪婪版本即可。所有的重复运算符都可以通过在其后面加上一个问号变成非贪婪版本：

```
>>> emphasis_pattern = r'\*\*(.+?)\*\*'
>>> re.sub(emphasis_pattern, r'<em>\1</em>', '**This** is **it**!')
'<em>This</em> is <em>it</em>!'
```

这里用+?运算符代替了+，意味着模式也会像之前那样对一个或者多个通配符进行匹配，但是它会进行尽可能少的匹配，因为它是非贪婪的。它仅会在到达'\*\*'的下一个匹配项之前匹配最少的内容——也就是在模式的结尾进行匹配。我们可以看到，代码工作得很好。

#### 5. 找出Email的发信人

有没有尝试过将Email存为文本文件？如果有的话，你会看到文件的头部包含了一大堆与邮件内容无关的信息，如代码清单10-9所示。

**代码清单10-9**　一组（虚构的）Email头部信息

```
From foo@bar.baz Thu Dec 20 01:22:50 2008
```

```
Return-Path: <foo@bar.baz>
Received: from xyzzy42.bar.com (xyzzy.bar.baz [123.456.789.42])
        by frozz.bozz.floop (8.9.3/8.9.3) with ESMTP id BAA25436
        for <magnus@bozz.floop>; Thu, 20 Dec 2004 01:22:50 +0100 (MET)
Received: from [43.253.124.23] by bar.baz
        (InterMail vM.4.01.03.27 201-229-121-127-20010626) with ESMTP
        id <20041220002242.ADASD123.bar.baz@[43.253.124.23]>;
        Thu, 20 Dec 2004 00:22:42 +0000
User-Agent: Microsoft-Outlook-Express-Macintosh-Edition/5.02.2022
Date: Wed, 19 Dec 2008 17:22:42 -0700
Subject: Re: Spam
From: Foo Fie <foo@bar.baz>
To: Magnus Lie Hetland <magnus@bozz.floop>
CC: <Mr.Gumby@bar.baz>
Message-ID: <B8467D62.84F%foo@baz.com>
In-Reply-To: <20041219013308.A2655@bozz.floop>
Mime-version: 1.0
Content-type: text/plain; charset="US-ASCII"
Content-transfer-encoding: 7bit
Status: RO
Content-Length: 55
Lines: 6

So long, and thanks for all the spam!

Yours,

Foo Fie
```

我们试着找出这封Email是谁发的。如果直接看文本，你肯定可以指出本例中的发信人（特别是查看邮件结尾签名的话，那就更直接了）。但是能找出通用的模式吗？怎么能把发信人的名字取出而不带着Email地址呢？或者如何将头部信息中包含的Email地址列示出来呢？我们先处理第一个任务。

包含发信人的文本行以字符串'From: '作为开始，以放置在尖括号（< 和 >）中的Email地址作为结束。我们需要的文本就夹在中间。如果使用fileinput模块，那么这个需求就很容易实现了。代码清单10-10给出了解决这个问题的程序。

**注意** 这个问题也可以不使用正则表达式解决，可以使用email模块。

**代码清单10-10** 寻找Email发信人的程序

```
# find_sender.py
import fileinput, re
pat = re.compile('From: (.*) <.*?>$')
for line in fileinput.input():
    m = pat.match(line)
    if m: print m.group(1)
```

可以像下面这样运行程序（假设邮件内容存储在文本文件message.eml中）：

```
$ python find_sender.py message.eml
Foo Fie
```

对于这个程序，应该注意以下几点：

- ❑ 我用compile函数处理了正则表达式，让处理过程更有效率；
- ❑ 我将需要取出的子模式放在圆括号中作为组；
- ❑ 我使用非贪婪模式对邮件地址进行匹配，那么只有最后一对尖括号符合要求（当名字也包含了尖括号的情况下）；
- ❑ 我使用美元符号表明我要匹配整行；
- ❑ 我使用if语句确保在我试图从特定组中取出匹配内容之前，的确进行了匹配。

为了列出头部信息中所有的Email地址，需要建立只匹配Email地址的正则表达式。然后可以使用findall方法寻找每行出现的匹配项。为了避免重复，可以将地址保存在集合中（本章前面介绍过）。最后，取出所有的键，排序，并且打印出来：

```
import fileinput, re
pat = re.compile(r'[a-z\-\.]+@[a-z\-\.]+', re.IGNORECASE)
addresses = set()
for line in fileinput.input():
    for address in pat.findall(line):
        addresses.add(address)
for address in sorted(addresses):
    print address
```

运行程序的时候会输出如下结果（以代码清单10-9的邮件信息作为输入）：

```
Mr.Gumby@bar.baz
foo@bar.baz
foo@baz.com
magnus@bozz.floop
```

注意，在排序的时候，大写字母要比小写字母靠前。

**注意**  在这里，我并没有严格照着问题规范去做。问题的要求是在头部找出Email地址，但是这个程序找出了整个文件中的地址。为了避免这种情况，如果遇到空行就可以调用fileinput.close()，因为头部不包含空行，遇到空行就证明工作完成了。此外，你还可以使用fileinput.nextfile()开始处理下一个文件——如果文件多于一个的话。

### 6. 模板系统示例

模板是一种通过放入具体值从而得到某种已完成文本的文件。比如，你可能会有只需要插入收件人姓名的邮件模板。Python有一种高级的模板机制：字符串格式化。但是使用正则表达式可以让系统更加高级。假设需要把所有'[somethings]'（字段）的匹配项替换为通过Python表达式计算出来的something结果，所以下面的字符串：

```
'The sum of 7 and 9 is [7 + 9].'
```

应该被翻译为如下形式：

```
'The sum of 7 and 9 is 16.'
```

同时，还可以在字段内进行赋值，所以下面的字符串：

```
'[name="Mr. Gumby"]Hello, [name]'
```

应该被翻译为如下形式：

`'Hello, Mr. Gumby'`

看起来像是复杂的工作，但是我们再看一下可用的工具。

- 可以使用正则表达式匹配字段，提取内容。
- 可以用eval计算字符串值，提供包含作用域的字典。可以在try/except语句内进行这项工作。如果引发了SyntaxError异常，可能是某些语句出现了问题（比如赋值），应该使用exec来代替。
- 可以用exec执行字符串（和其他语句）的赋值操作，在字典中保存模板的作用域。
- 可以使用re.sub将求值的结果替换为处理后的字符串。

这样看来，这项工作又不再让人寸步难行了，对吧？

---

**提示** 如果某项任务令人望而却步，将其分解为小一些的部分总是有用的。同时，要对解决问题所使用的工具进行评估。

---

代码清单10-11是一个简单的实现。

## 代码清单10-11　一个模板系统

```python
# templates.py

import fileinput, re

# 匹配中括号里的字段:
field_pat = re.compile(r'\[(.+?)\]')

# 我们将变量收集到这里:
scope = {}

# 用于re.sub中:
def replacement(match):
    code = match.group(1)
    try:
        # 如果字段可以求值, 返回它:
        return str(eval(code, scope))
    except SyntaxError:
        # 否则执行相同作用域内的赋值语句……
        exec code in scope
        # …… 返回空字符串:
        return ''

# 将所有文本以一个字符串的形式获取:
# (还有其他的方法, 参见第11章)
lines = []
for line in fileinput.input():
    lines.append(line)
text = ''.join(lines)

# 将field模式的所有匹配项都替换掉:
print field_pat.sub(replacement, text)
```

简单来说，程序做了下面的事情。

- ❑ 定义了用于匹配字段的模式。
- ❑ 创建充当模板作用域的字典。
- ❑ 定义具有下列功能的替换函数。
  - ■ 将组1从匹配中取出，放入code中；
  - ■ 通过将作用域字典作为命名空间来对code进行求值，将结果转换为字符串返回。如果成功的话，字段就是个表达式，一切正常。否则（也就是引发了SyntaxError异常），跳到下一步；
  - ■ 执行在相同命名空间（作用域字典）内的字段来对表达式求值，返回空字符串（因为赋值语句没有对任何内容进行求值）。
- ❑ 使用fileinput读取所有可用的行，将其放入列表，组合成一个大字符串。
- ❑ 将所有field_pat的匹配项用re.sub中的替换函数进行替换，并且打印结果。

---

**注意**　在之前版本的Python中，将所有行放入列表，最后再联合要比下面这种方法更有效率：

```
text = ''
for line in fileinput.input():
    text += line
```

尽管看起来很优雅，但是每个赋值语句都要创建新的字符串，由旧字符串和新增加字符串联结在一起组成，这样就会造成严重的资源浪费，使程序运行缓慢。在旧版本的Python中，使用join方法和上述做法之间的差异是巨大的。但是在最近的版本中，使用+=运算符事实上会更快。如果觉得性能很重要，那么你可以尝试这两种方式。同时，如果需要一种更优雅的方式来读取文件的所有文本，那么请参见第11章。

---

好了，我只用15行代码（不包含空行和注释）就创建了一个强大的模板系统。希望读者已经认识到：使用标准库的时候，Python有多么强大。下面，我们通过测试这个模板系统来结束本例。试着对代码清单10-12中的示例文件运行该系统。

**代码清单10-12　简单的模板示例**

```
[x = 2]
[y = 3]
The sum of [x] and [y] is [x + y].
```

应该会看到如下结果：

```
The sum of 2 and 3 is 5.
```

---

**注意**　虽然看起来不明显，但是上面的输出包含了3个空行——两个在文本上方，一个在下方。尽管前两个字段已经被替换为空字符串，但是随后的空行还留在那里。同时，print语句增加了新行，也就是末尾的空行。

---

但是等等，它还能更好！因为使用了fileinput，我可以轮流处理几个文件。这意味着可以

使用一个文件为变量定义值，而另一个文件作为插入这些值的模板。比如，代码清单10-13包含了定义文件，名为magnus.txt，而代码清单10-14则是模板文件，名为template.txt。

**代码清单10-13　一些模板定义**

```
[name     = 'Magnus Lie Hetland' ]
[email    = 'magnus@foo.bar'      ]
[language = 'python'              ]
```

**代码清单10-14　一个模板**

```
[import time]
Dear [name],

I would like to learn how to program. I hear you use
the [language] language a lot -- is it something I
should consider?

And, by the way, is [email] your correct email address?

Fooville, [time.asctime()]

Oscar Frozzbozz
```

import time并不是赋值语句（而是准备处理的语句类型），但是因为我不是过分挑剔的人，所以只用了try/except语句，使得程序支持任何可以配合eval或exec使用的语句和表达式。可以像下面这样运行程序（在UNIX命令行下）：

```
$ python templates.py magnus.txt template.txt
```

你将会看到类似以下内容的输出：

```
Dear Magnus Lie Hetland,

I would like to learn how to program. I hear you use
the python language a lot -- is it something I
should consider?

And, by the way, is magnus@foo.bar your correct email address?


Fooville, Wed Apr 24 20:34:29 2008

Oscar Frozzbozz
```

尽管这个模板系统可以进行功能非常强大的替换，但它还是有些瑕疵的。比如，如果能够使用更灵活的方式来编写定义文件就更好了。如果使用execfile来执行文件，就可以使用正常的Python语法了。这样也会解决输出内容中顶部出现空行的问题。

还能想到其他改进的方法吗？对于程序中使用的概念，还能想到其他用途吗？精通任何程序设计语言的最佳方法是实践——测试它的限制，探索它的威力。看看你能不能重写这个程序，让它工作得更好并且更能满足需求。

---

**注意**　事实上，在标准库的string模块中已经有一个非常完美的模板系统了。例如，你可以了解一下Template类。

---

### 10.3.9　其他有趣的标准模块

尽管本章内容已经涵盖了很多模块，但对于整个标准库来说这只是冰山一角。为了引导你进行深入探索，下面会快速介绍一些很酷的库。

❑ functools：你可以从这个库找到一些功能，让你能够通过部分参数来使用某个函数（部分求值），稍后再为剩下的参数提供数值。在Python 3.0中，filter和reduce包含在该模块中。

❑ difflib：这个库让你可以计算两个序列的相似程度。还能让你从一些序列中（可供选择的序列列表）找出和提供的原始序列"最像"的那个。diffilb可以用于创建简单的搜索程序。

❑ hashlib：通过这个模块，你可以通过字符串计算小"签名"（数字）。如果为两个不同的字符串计算出了签名，几乎可以确保这两个签名完全不同。该模块可以应用于大文本文件，同时在加密和安全性[1]方面有很多用途。

❑ csv：CSV是逗号分隔值（Comma-Separated Values）的简写，这是一种很多程序（比如很多电子表格和数据库程序）都可以用来存储表格式数据的简单格式。它主要用于在不同程序间交换数据。使用csv模块可以轻松读写CSV文件，同时以显而易见的方式来处理这种格式的某些很难处理的地方。

❑ timeit、profile和trace：timeit模块（以及它的命令行脚本）是衡量代码片段运行时间的工具。它有很多神秘的功能，你应该用它来代替time模块进行性能测试。profile模块（和伴随模块pstats）可用于代码片段效率的全面分析。trace模块（和程序）可以提供总的分析（也就是代码哪部分执行了，哪部分没执行）。这在写测试代码的时候很有用。

❑ datetime：如果time模块不能满足时间追踪方面的需求，那么datetime可能就有用武之地了。它支持特殊的日期和时间对象，让你能够以多种方式对它们进行构建和联合。它的接口在很多方面比time的接口要更加直观。

❑ itertools：它有很多工具用来创建和联合迭代器（或者其他可迭代对象），还包括实现以下功能的函数：将可迭代的对象链接起来、创建返回无限连续整数的迭代器（和range类似，但是没有上限），从而通过重复访问可迭代对象进行循环等等。

❑ logging：通过简单的print语句打印出程序的哪些方面很有用。如果希望对程序进行跟踪但又不想打印出太多调试内容，那么就需要将这些信息写入日志文件中了。这个模块提供了一组标准的工具，以便让开发人员管理一个或多个核心的日志文件，同时还对日志信息提供了多层次的优先级。

❑ getopt和optparse：在UNIX中，命令行程序经常使用不同的选项（option）或者开关（switches）运行（Python解释器就是个典型的例子）。这些信息都可以在sys.argv中找到，

---

① 另见md5和sha模块。

但是自己要正确处理它们就没有这么简单了。针对这个问题，getopt库是个切实可行的解决方案，而optparse则更新、更强大并且更易用。

- □ cmd：使用这个模块可以编写命令行解释器，就像Python的交互式解释器一样。你可以自定义命令，以便让用户能够通过提示符来执行。也许你还能将它作为程序的用户界面。

## 10.4  小结

本章讲述了模块的知识：如何创建、如何探究以及如何使用标准Python库中的模块。

- □ 模块：从基本上来说，模块就是子程序，它的主函数则用于定义，包括定义函数、类和变量。如果模块包含测试代码，那么应该将这部分代码放置在检查`__name__=='__main__'`是否为真的if语句中。能够在PYTHONPATH中找到的模块都可以导入。语句import foo可以导入存储在foo.py文件中的模块。
- □ 包：包是包含有其他模块的模块。包是作为包含`__init__.py`文件的目录来实现的。
- □ 探究模块：将模块导入交互式编辑器后，可以使用很多方法对其进行探究。比如使用dir、检查`__all__`变量以及使用help函数。文档和源代码是获取信息和内部机制的极好来源。
- □ 标准库：Python包括了一些模块，总称为标准库。本章讲到了其中的很多模块，以下对其中一部分进行回顾。
  - sys：通过该模块可以访问到多个和Python解释器联系紧密的变量和函数。
  - os：通过该模块可以访问到多个和操作系统联系紧密的变量和函数。
  - fileinput：通过该模块可以轻松遍历多个文件和流中的所有行。
  - sets、heapq和deque：这3个模块提供了3个有用的数据结构。集合也以内建的类型set存在。
  - time：通过该模块可以获取当前时间，并可进行时间日期操作和格式化。
  - random：通过该模块中的函数可以产生随机数、从序列中选取随机元素以及打乱列表元素。
  - shelve：通过该模块可以创建持续性映射，同时将映射的内容保存在给定文件名的数据库中。
  - re：支持正则表达式的模块。

如果想要了解更多模块，再次建议你浏览Python类库参考（http://python.org/doc/lib），读起来真的很有意思。

### 10.4.1  本章的新函数

本章涉及的新函数如表10-11所示。

表10-11  本章的新函数

| 函　　数 | 描　　述 |
| --- | --- |
| dir(obj) | 返回按字母顺序排序的属性名称列表 |
| help([obj]) | 提供交互式帮助或关于特定对象的交互式帮助信息 |
| reload(module) | 返回已经导入模块的重新载入版本，该函数在Python 3.0将要被废除 |

## 10.4.2    接下来学什么

如果读者能够掌握本章某些概念，那么你的Python编程水平就会有很大程度的提高。使用手头上的标准库可以让Python从强大变得无比强大。以目前学到的知识为基础，读者已经能编写出用于解决很多问题的程序了。下一章将会介绍如何用Python和外部世界——文件以及网络——进行交互，从而让读者能够解决更多问题。

# 文件和流

到目前为止，本书介绍过的内容都是和解释器自带的数据结构打交道。我们的程序与外部的交互只是通过input、raw_input和print函数，与外部的交互很少。本章将更进一步，让程序能接触更多的领域：文件和流。本章介绍的函数和对象可以让你在程序调用时存储数据，并且可以处理来自其他程序的数据。

## 11.1 打开文件

open函数用来打开文件，语法如下：

```
open(name[. mode[. buffering]])
```

open函数使用一个文件名作为唯一的强制参数，然后返回一个文件对象。模式（mode）和缓冲（buffering）参数都是可选的，我会在后面的内容中对它们进行解释。

因此，假设有一个名为somefile.txt的文本文件（可能是用文本编辑器创建的），其存储路径是c:\text（或者在UNIX下的~/text），那么可以像下面这样打开文件。

```
>>> f = open(r'C:\text\somefile.txt')
```

如果文件不存在，则会看到一个类似下面这样的异常回溯：

```
Traceback (most recent call last):
    File "<pyshell#0>", line 1, in ?
IOError: [Errno 2] No such file or directory: "C:\\text\\somefile.txt"
```

稍后会介绍文件对象的用处。在此之前，先来看看open函数的其他两个参数。

### 11.1.1 文件模式

如果open函数只带一个文件名参数，那么我们可以获得能读取文件内容的文件对象。如果要向文件内写入内容，则必须提供一个模式参数（稍后会具体地说明读和写的方式）来显式声明。open函数中的模式参数只有几个值，如表11-1所示。

明确地指定读模式和什么模式参数都不用的效果是一样的。使用写模式可以向文件写入内容。

'+'参数可以用到其他任何模式中，指明读和写都是允许的。比如'r+'能在打开一个文本文件用来读写时使用（也可以使用seek方法来实现，请参见本章后面的"随机访问"部分）。

表11-1　open函数中模式参数的常用值

| 值 | 描　述 |
| --- | --- |
| 'r' | 读模式 |
| 'w' | 写模式 |
| 'a' | 追加模式 |
| 'b' | 二进制模式（可添加到其他模式中使用） |
| '+' | 读/写模式（可添加到其他模式中使用） |

'b'模式改变处理文件的方法。一般来说，Python假定处理的是文本文件（包含字符）。通常这样做不会有任何问题。但如果处理的是一些其他类型的文件（二进制文件），比如声音剪辑或者图像，那么应该在的模式参数中增加'b'。参数'rb'可以用来读取一个二进制文件。

### 为什么使用二进制模式

如果使用二进制模式来读取（写入）文件的话，与使用文本模式不会有很大区别。仍然能读一定数量的字节（基本上和字符一样），并且能执行和文本文件有关的操作。关键是，在使用二进制模式时，Python会原样给出文件中的内容——在文本模式下则不一定。

Python对于文本文件的操作方式令人有些惊讶，但不必担心。其中唯一要用到的技巧就是标准化换行符。一般来说，在Python中，换行符（\n）表示结束一行并另起一行，这也是UNIX系统中的规范。但在Windows中一行结束的标志是\r\n。为了在程序中隐藏这些区别（这样的程序就能跨平台运行），Python在这里做了一些自动转换：当在Windows下用文本模式读取文件中的文本时，Python将\r\n转换成\n。相反地，当在Windows下用文本模式向文件写文本时，Python会把\n转换成\r\n（Macintosh系统上的处理也是如此，只是转换是在\r和\n之间进行）。

在使用二进制文件（比如声音剪辑）时可能会产生问题，因为文件中可能包含能被解释成前面提及的换行符的字节，而使用文本模式，Python能自动转换。但是这样会破坏二进制数据。因此为了避免这样的事发生，要使用二进制模式，这样就不会发生转换了。

需要注意的是，在UNIX这种以换行符为标准行结束标志的平台上，这个区别不是很重要，因为不会发生任何转换。

**注意** 通过在模式参数中使用U参数能够在打开文件时使用通用的换行符支持模式，在这种模式下，所有的换行符/字符串（\r\n、\r或者是\n）都被转换成\n，而不用考虑运行的平台。

### 11.1.2　缓冲

open函数的第3个参数（可选）控制着文件的缓冲。如果参数是0（或者是False），I/O（输入/输出）就是无缓冲的（所有的读写操作都直接针对硬盘）；如果是1（或者是True），I/O就是有缓冲的（意味着Python使用内存来代替硬盘，让程序更快，只有使用flush或者close时才会更新硬盘上的数据——参见11.2.4节）。大于1的数字代表缓冲区的大小（单位是字节），–1（或者是任何负数）代表使用默认的缓冲区大小。

## 11.2　基本的文件方法

打开文件的方法已经介绍了，那么下一步就是用它们做些有用的事。接下来会介绍文件对象（和一些类文件对象，有时称为流）的一些基本方法。

**注意**　你可能会在Python的职业生涯多次遇到类文件这个术语（我已经使用了好几次了）。类文件对象是支持一些file类方法的对象，最重要的是支持read方法或者write方法，或者两者兼有。那些由urllib.urlopen（参见第14章）返回的对象是一个很好的例子。它们支持的方法有read、readline和readlines。但（在本书写作期间）也有一些方法不支持，如isatty方法。

---

### 三种标准的流

第10章中关于sys模块的部分曾经提到过3种流。它们实际上是文件（或者是类文件对象）：大部分文件对象可用的操作它们也可以使用。

数据输入的标准源是sys.stdin。当程序从标准输入读取数据时，你可以通过输入或者使用管道把它和其他程序的标准输出链接起来提供文本（管道是标准的UNIX概念）。

要打印的文本保存在sys.stdout内。input和raw_input函数的提示文字也是写入在sys.stdout中的。写入sys.stdout的数据一般是出现在屏幕上，但也能使用管道连接到其他程序的标准输入。

错误信息（如栈追踪）被写入sys.stderr。它和sys.stdout在很多方面都很像。

---

### 11.2.1　读和写

文件（或流）最重要的能力是提供或者接收数据。如果有一个名为f的类文件对象，那么就可以用f.write方法和 f.read方法（以字符串形式）写入和读取数据。

每次调用f.write(string)时，所提供的参数string会被追加到文件中已存在部分的后面。

```
>>> f = open('somefile.txt', 'w')
>>> f.write('Hello, ')
>>> f.write('World!')
>>> f.close()
```

在完成了对一个文件的操作时，调用close。这个方法会在11.2.4节进行详细的介绍。

读取很简单，只要记得告诉流要读多少字符（字节）即可。

例子（接上例）如下：

```
>>> f = open('somefile.txt', 'r')
>>> f.read(4)
'Hell'
>>> f.read()
'o, World!'
```

**11**

首先指定了我要读取的字符数"4"，然后（通过不提供要读取的字符数的方式）读取了剩下的文件。注意，在调用open时可以省略模式说明，因为'r'是默认的。

## 11.2.2　管式输出

在UNIX的shell（就像GNU bash）中，使用管道可以在一个命令后面续写其他的多个命令，就像下面这个例子（假设是GNU bash）。

```
$ cat somefile.txt | python somescript.py | sort
```

---

**注意**　GNU bash 在Windows中也是存在的。http://www.cygwin.com上面有更多的信息。在Mac OS X中，是通过Terminal程序，可以使用shell文件。

---

这个管道（pipeline）由以下3个命令组成。

- ❑ cat somefile.txt：只是把somefile.txt的内容写到标准输出（sys.stdout）。
- ❑ python somescript.py：这个命令运行了Python脚本somescript。脚本应该是从标准输入读，把结果写入到标准输出。
- ❑ sort：这条命令从标准输入（sys.stdin）读取所有的文本，按字母排序，然后把结果写入标准输出。

但管道符号（|）的作用是什么？Somescript.py的作用又是什么呢？

管道符号将一个命令的标准输出和下一个命令的标准输入连在一起。明白了吗？这样，就知道somescript.py会从它的sys.stdin中读取数据（catsomefile.txt写入的），并把结果写入它的sys.stdout（sort在此得到数据）中。

使用sys.stdin的一个简单的脚本（somescript.py）如代码清单11-1所示。somefile.txt文件的内容如代码清单11-2所示。

**代码清单11-1**　统计sys.stdin中单词数的简单脚本

```
# somescript.py
import sys
text = sys.stdin.read()
words = text.split()
wordcount = len(words)
print 'Wordcount:', wordcount
```

**代码清单11-2**　包含示例文本的文件

```
Your mother was a hamster and your
father smelled of elderberries.
```

下面是catsomefile.txt|python somescript.py的结果。

```
Wordcount: 11
```

**随机访问**

本章内的例子把文件都当成流来操作，也就是说只能按照从头到尾的顺序读数据。实际上，在文件中随意移动读取位置也是可以的，可以使用类文件对象的方法seek和tell来直接访问感兴趣的部分（这种做法称为随机访问）。

seek(offset[, whence])：这个方法把当前位置（进行读和写的位置）移动到由offest和whence定义的位置。Offset类是一个字节（字符）数，表示偏移量。whence默认是0，表示偏移量是从文件开头开始计算的（偏移量必须是非负的）。whence可能被设置为1（相对于当前位置的移动，此时偏移量offset可以是负的）或者2（相对于文件结尾的移动）。

考虑下面这个例子：

```
>>> f = open(r'c:\text\somefile.txt', 'w')
>>> f.write('01234567890123456789')
>>> f.seek(5)
>>> f.write('Hello, World!')
>>> f.close()
>>> f = open(r'c:\text\somefile.txt')
>>> f.read()
'01234Hello, World!89'
```

tell方法返回当前文件的位置如下例所示：

```
>>> f = open(r'c:\text\somefile.txt')
>>> f.read(3)
'012'
>>> f.read(2)
'34'
>>> f.tell()
5L
```

注意f.tell方法返回的数字在这种情况下是一个长整数。但不是所有的情况都是这样。

## 11.2.3 读写行

实际上，程序到现在做的工作都是很不实用的。通常来说，逐个字符读取文件也是没问题的，进行逐行的读取也可以。还可以使用file.readline读取单独的一行（从当前的位置开始直到一个换行符出现，也读取这个换行符）。不使用任何参数（这样，一行就被读取和返回）或者使用一个非负的整数作为readline可以读取的字符（或字节）的最大值。因此，如果someFile.readline()返回'Hello, World!\n'，someFile.readline(5) 返回 'Hello'。readlines方法可以读取一个文件中的所有行并将其作为列表返回。

writelines方法和readlines相反：传给它一个字符串的列表（实际上任何序列或者可迭代的对象都行），它会把所有的字符串写入文件（或流）。注意，程序不会增加新行，需要自己添加。没有writeline方法，因为能使用write。

---

**注意** 在使用其他的符号作为换行符的平台上，用\r（Mac中）和 \r\n（Windows中）代替\n（由os.linesep决定）。

## 11.2.4  关闭文件

应该牢记使用close方法关闭文件。通常来说，一个文件对象在退出程序后（也可能在退出前）自动关闭，尽管是否关闭文件不是很重要，但关闭文件是没有什么害处的，可以避免在某些操作系统或设置中进行无用的修改，这样做也会避免用完系统中所打开文件的配额。

写入过的文件总是应该关闭，是因为Python可能会缓存（出于效率的考虑而把数据临时地存储在某处）写入的数据，如果程序因为某些原因崩溃了，那么数据根本就不会被写入文件。为了安全起见，要在使用完文件后关闭。

如果想确保文件被关闭了，那么应该使用try/finally语句，并且在finally子句中调用close方法。

```
# Open your file here
try:
    # Write data to your file
finally:
    file.close()
```

事实上，有专门为这种情况设计的语句（在Python 2.5中引入），即with语句：

```
with open("somefile.txt") as somefile:
    do_something(somefile)
```

with语句可以打开文件并且将其赋值到变量上（本例是somefile）。之后就可以将数据写入语句体中的文件（或许执行其他操作）。文件在语句结束后会被自动关闭，即使是由于异常引起的结束也是如此。

在Python 2.5中，with语句只有在导入如下的模块后才可以用：

```
from __future__ import with_statement
```

而2.5之后的版本中，with语句可以直接使用。

---

提示    在写入了一些文件内容后，通常的想法是希望这些改变会立刻体现在文件中，这样一来其他读取这个文件的程序也能知道改变。哦，难道不是这样吗？不一定。数据可能被缓存了（在内存中临时性地存储），直到关闭文件才会被写入到文件。如果需要继续使用文件（不关闭文件），又想将磁盘上的文件进行更新，以反映这些修改，那么就要调用文件对象的flush方法（注意，flush方法不允许其他程序使用该文件的同时访问文件，具体的情况依据使用的操作系统和的设置而定。不管在什么时候，能关闭文件时最好关闭文件）。

---

### 上下文管理器

with语句实际上是很通用的结构，允许使用所谓的上下文管理器（context manager）。上下文管理器是一种支持__enter__和__exit__这两个方法的对象。

__enter__方法不带参数，它在进入with语句块的时候被调用，返回值绑定到在as关键字之后的变量。

__exit__方法带有3个参数：异常类型、异常对象和异常回溯。在离开方法（带有通过参数提供的、可引发的异常）时这个函数被调用。如果__exit__返回false，那么所有的异常都不会被处理。

文件可以被用作上下文管理器。它们的__enter__方法返回文件对象本身，__exit__方法关闭文件。有关这个强大且高级的特性的更多信息，请参看Python参考手册中的上下文管理器部分。或者可以在Python库参考中查看上下文管理器和contextlib部分。

### 11.2.5 使用基本文件方法

假设somefile.txt包含如代码清单11-3所示的内容，能对它进行什么操作？

**代码清单11-3 一个简单的文本文件**

```
Welcome to this file
There is nothing here except
This stupid haiku
```

让我们试试已经知道的方法，首先是read(n)：

```
>>> f = open(r'c:\text\somefile.txt')
>>> f.read(7)
'Welcome'
>>> f.read(4)
' to '
>>> f.close()
```

然后是read()：

```
>>> f = open(r'c:\text\somefile.txt')
>>> print f.read()
Welcome to this file
There is nothing here except
This stupid haiku
>>> f.close()
```

接着是readline()：

```
>>> f = open(r'c:\text\somefile.txt')
>>> for i in range(3):
        print str(i) + ': ' + f.readline(),
0: Welcome to this file
1: There is nothing here except
2: This stupid haiku
>>> f.close()
```

以及readlines()：

```
>>> import pprint
>>> pprint.pprint(open(r'c:\text\somefile.txt').readlines())
['Welcome to this file\n',
 'There is nothing here except\n',
 'This stupid haiku']
```

注意，本例中我所使用的是文件对象自动关闭的方式。

下面是写文件，首先是write(string)：

```
>>> f = open(r'c:\text\somefile.txt', 'w')
>>> f.write('this\nis no\nhaiku')
>>> f.close()
```

在运行这个程序后，文件包含的内容如代码清单11-4所示。

**代码清单11-4   修改了的文本文件**

```
this
is no
haiku
```

最后是writelines(list):

```
>>> f = open(r'c:\text\somefile.txt')
>>> lines = f.readlines()
>>> f.close()
>>> lines[1] = "isn't a\n"
>>> f = open(r'c:\text\somefile.txt', 'w')
>>> f.writelines(lines)
>>> f.close()
```

运行这个程序后，文件包含的文本如代码清单11-5所示。

**代码清单11-5   再次修改的文本文件**

```
this
isn't a
haiku
```

## 11.3   对文件内容进行迭代

前面介绍了文件对象提供的一些方法，以及如何获取这样的文件对象。对文件内容进行迭代以及重复执行一些操作，是最常见的文件操作之一。尽管有很多方法可以实现这个功能，或者可能有人会偏爱某一种并坚持只使用那种方法，但是还有一些人使用其他的方法，为了能理解他们的程序，你就应该了解所有的基本技术。其中的一些技术是使用曾经见过的方法（如read、readline和readlines），另一些方法是我即将介绍的（比如xreadlines 和文件迭代器）。

在这部分的所有例子中都使用了一个名为process的函数，用来表示每个字符或每行的处理过程。读者也可以用你喜欢的方法自行实现这个函数。下面就是一个例子：

```
def process(string):
    print 'Processing: ', string
```

更有用的实现是在数据结构中存储数据，计算和值，用re模块来代替模式或者增加行号。

如果要尝试实现以上功能，则应该把filename变量设置为一个实际的文件名。

### 11.3.1   按字节处理

最常见的对文件内容进行迭代的方法是在while循环中使用read方法。例如，对每个字符（字节）进行循环，可以用代码清单11-6所示的方法实现。

**代码清单11-6** 用read方法对每个字符进行循环

```
f = open(filename)
char = f.read(1)
while char:
    process(char)
    char = f.read(1)
f.close()
```

这个程序可以使用是因为当到达文件的末尾时，read方法返回一个空的字符串，但在那之前返回的字符串会包含一个字符（这样布尔值是真）。如果char是真，则表示还没有到文件末尾。

可以看到，赋值语句char = f.read(1)被重复地使用，代码重复通常被认为是一件坏事。（懒惰是美德，还记得吗？）为了避免发生这种情况，可以使用在第5章介绍过的while true/break语句。最终的代码如代码清单11-7所示。

**代码清单11-7** 用不同的方式写循环

```
f = open(filename)
while True:
    char = f.read(1)
    if not char: break
    process(char)
f.close()
```

如在第5章提到的， break语句不应该频繁地使用（因为这样会让代码很难懂）；尽管如此，代码清单11-7中使用的方法比代码清单11-6中的方法要好，因为前者避免了重复的代码。

### 11.3.2 按行操作

当处理文本文件时，经常会对文件的行进行迭代而不是处理单个字符。处理行使用的方法和处理字符一样，即使用readline方法（先前在11.2.3节介绍过），如代码清单11-8所示。

**代码清单11-8** 在while循环中使用readline

```
f = open(filename)
while True:
    line = f.readline()
    if not line: break
    process(line)
f.close()
```

### 11.3.3 读取所有内容

如果文件不是很大，那么可以使用不带参数的read方法一次读取整个文件（把整个文件当作一个字符串来读取），或者使用readlines方法（把文件读入一个字符串列表，在列表中每个字符串就是一行）。代码清单11-9和代码清单11-10展示了在读取这样的文件时，在字符和行上进行迭代是多么容易。注意，将文件的内容读入一个字符串或者是读入列表在其他时候也很有用。比如在读取后，就可以对字符串使用正则表达式操作，也可以将行列表存入一些的数据结构中，以备将来使用。

**代码清单11-9**　用read迭代每个字符

```
f = open(filename)
for char in f.read():
    process(char)
f.close()
```

**代码清单11-10**　用readlines迭代行

```
f = open(filename)
for line in f.readlines():
    process(line)
f.close()
```

### 11.3.4　使用fileinput实现懒惰行迭代

在需要对一个非常大的文件进行行迭代的操作时，readlines会占用太多的内存。这个时候可以使用while循环和readline方法来替代。当然，在Python中如果能使用for循环，那么它就是首选。本例恰好可以使用for循环可以使用一个名为懒惰行迭代的方法：说它懒惰是因为它只是读取实际需要的文件部分。

第10章内已经介绍过fileinput，代码清单11-11演示了它的用法。注意，fileinput模块包含了打开文件的函数，只需要传一个文件名给它。

**代码清单11-11**　用fileinput来对行进行迭代

```
import fileinput
for line in fileinput.input(filename):
    process(line)
```

注意　在旧式代码中，可使用xreadlines实现懒惰行迭代。它的工作方式和readlines很类似，不同点在于，它不是将全部的行读到列表中而是创建了一个xreadlines对象。注意，xreadlines是旧式的，在你自己的代码中最好用fileinput或文件迭代器（下面来介绍）。

### 11.3.5　文件迭代器

现在是展示所有最酷的技术的时候了，在Python中如果一开始就存在这个特性的话，其他很多方法（至少包括xreadlines）可能就不会出现了。那么这种技术到底是什么？在Python的近几个版本中（从2.2开始），文件对象是可迭代的，这就意味着可以直接在for循环中使用它们，从而对它们的进行迭代。如代码清单11-12所示，很优雅，不是吗？

**代码清单11-12**　迭代文件

```
f = open(filename)
for line in f:
    process(line)
f.close()
```

在这些迭代的例子中，都没有显式的关闭文件的操作，尽管在使用完以后，文件的确应该关闭，但是只要没有向文件内写入内容，那么不关闭文件也是可以的。如果希望由Python来负责关闭文件（也就是刚才所做的），那么例子应该进一步简化，如代码清单11-13所示。在那个例子中并没有把一个打开的文件赋给变量（就像我在其他例子中使用的变量f），因此也就没有办法显式地关闭文件。

**代码清单11-13　对文件进行迭代而不使用变量存储文件对象**

```
for line in open(filename):
    process(line)
```

注意sys.stdin是可迭代的，就像其他的文件对象。因此如果想要迭代标准输入中的所有行，可以按如下形式使用sys.stdin。

```
import sys
for line in sys.stdin:
    process(line)
```

可以对文件迭代器执行和普通迭代器相同的操作。比如将它们转换为字符串列表（使用list(open(filename))，这样所达到的效果和使用readlines一样。

考虑下面的例子：

```
>>> f = open('somefile.txt', 'w')
>>> f.write('First line\n')
>>> f.write('Second line\n')
>>> f.write('Third line\n')
>>> f.close()
>>> lines = list(open('somefile.txt'))
>>> lines
['First line\n', 'Second line\n', 'Third line\n']
>>> first, second, third = open('somefile.txt')
>>> first
'First line\n'
>>> second
'Second line\n'
>>> third
'Third line\n'
```

在这个例子中，注意下面的几点很重要。

❑ 使用print来向文件内写入内容，这会在提供的字符串后面增加新的行。

❑ 使用序列来对一个打开的文件进行解包操作，把每行都放入一个单独的变量中（这么做是很有实用性的，因为一般不知道文件中有多少行，但它演示了文件对象的"迭代性"）。

❑ 在写文件后关闭了文件，是为了确保数据被更新到硬盘（你也看到了，在读取文件后没有关闭文件，或许是太马虎了，但并没有错）。

## 11.4　小结

本章中介绍了如何通过文件对象和类文件对象与环境互动，I/O也是Python中最重要的技术之一。下面是本章的关键知识。

❑ **类文件对象**。类文件对象是支持read和readline方法（可能是write和writelines）的非正式对象。

□ **打开和关闭文件**。通过提供一个文件名，使用open函数打开一个文件（在新版的Python中实际上是file的别名）。如果希望确保文件被正常关闭，即使发生错误时也是如此可以使用with语句。

□ **模式和文件类型**。当打开一个文件时，也可以提供一个模式，比如'r'代表读模式，'w'代表写模式。还可以将文件作为二进制文件打开（这个只在Python进行换行符转换的平台上才需要，比如Windows，或许其他地方也应该如此）。

□ **标准流**。3个标准文件对象（在sys模块中的stdin、stdout和stderr）是一个类文件对象，该对象实现了UNIX标准的I/O机制（Windows中也能用）。

□ **读和写**。使用read或是write方法可以对文件对象或类文件样对象进行读写操作。

□ **读写行**。使用readline和readlines和（用于有效迭代的）xreadlines方法可以从文件中读取行，使用writelines可以写入数据。

□ **迭代文件内容**。有很多方法可以迭代文件的内容。一般是迭代文本中的行，通过迭代文件对象本身可以轻松完成，也有其他的方法，就像readlines和xreadlines这两个兼容Python老版本的方法。

### 11.4.1 本章的新函数

本章涉及的新函数如表11-2所示。

表11-2　本章的新函数

| 函　　数 | 描　　述 |
| --- | --- |
| file(name[, mode[, buffering]]) | 打开一个文件并返回一个文件对象 |
| open(name[, mode[, buffering]]) | file的别名；在打开文件时，使用open而不是file |

### 11.4.2 接下来学什么

现在你已经知道了如何通过文件与环境交互，但怎么和用户交互呢？到现在为止，程序已经使用的只有input、raw_input和print函数，除非用户在程序能够读取的文件中写入一些内容，否则没有任何其他工具能创建用户界面。下一章会介绍图形用户界面（graphical user interface）中的窗口、按钮等。

# 第 12 章

# 图形用户界面

**本**章将会介绍如何创建Python程序的图形用户界面（GUI），也就是那些带有按钮和文本框的窗口等。很酷吧？

目前支持Python的所谓"GUI工具包"（GUI Toolkit）有很多，但是没有一个被认为是标准的GUI工具包。这样的情况也好（自由选择的空间较大）也不好（其他人没法用程序，除非他们也安装了相同的GUI工具包），幸好Python的GUI工具包之间没有冲突，想装多少个就可以装多少个。

本章简要介绍最成熟的跨平台Python GUI工具包——wxPython。有关更多wxPython程序的介绍，请参考官方文档（http://wxpython.org）。关于GUI程序设计的更多信息请参见第28章。

## 12.1 丰富的平台

在编写Python GUI程序前，需要决定使用哪个GUI平台。简单来说，平台是图形组件的一个特定集合，可以通过叫做GUI工具包的给定Python模块进行访问。Python可用的工具包有很多。其中一些最流行的如表12-1所示。要获取更加详细的列表，可以在Vaults of Parnassus（http://py.vaults.ca/）上面以关键字"GUI"进行搜索。也可以在Python Wiki（http://wiki.python.org/moin/GuiProgramming）上找到完全的工具列表。Guiherme Polo也撰写过一篇有关4个主要平台对比的论文[①]。

表12-1　一些支持Python的流行GUI工具包

| 工具包 | 描　　述 | 网　　站 |
|---|---|---|
| Tkinter | 使用Tk平台。很容易得到。半标准 | http://wiki.python.org/moin/TkInter |
| wxpython | 基于wxWindows。跨平台越来越流行 | http://wxpython.org |
| PythonWin | 只能在Windows上使用。使用了本机的Windows GUI功能 | http://starship.python.net/crew/mhammond |
| Java Swing | 只能用于Jython。使用本机的Java GUI | http://java.sun.com/docs/books/tutorial/uiswing |
| PyGTK | 使用GTK平台，在Linux上很流行 | http://pygtk.org |
| PyQt | 使用Qt平台，跨平台 | http://wiki.python.org/moin/PyQt |

---

① "PyGTK, PyQt, Tkinter and wxPython comparison"（PyGTK、PyQt、Tkinter和wxPython的比较），*The Python Papers*，卷3，第1期26～37页。这篇文章可以从http://pythonpapers.org上获得。

可选的包太多了。那么应该用哪个呢？尽管每个工具包都有利有弊，但很大程度上取决于个人喜好。Tkinter实际上类似于标准，因为它被用于大多数"正式的"Python GUI程序，而且它是Windows二进制发布版的一部分。但是在UNIX上要自己编译安装。Tkinter和Swing Jython将在12.4节进行介绍。

另外一个越来越受欢迎的工具是wxPython。这是个成熟而且特性丰富的包，也是Python之父Guido van Rossum的最爱。在本章的例子中，我们将使用wxPython。

关于Pythonwin、PyGTK和PyQt的更多信息，请查看这些项目的主页（见表12-1）。

## 12.2　下载和安装 wxPython

要下载wxPython，只要访问它的下载页面http://wxpython.org/download.php即可。这个网页提供了关于下载哪个版本的详细指导，还有使用不同版本的先决条件。

如果使用Windows系统，应该下载预建的二进制版本。可以选择支持Unicode或不支持Unicode的版本，除非要用到Unicode，否则选择哪个版本区别并不大。确保所选择的二进制版本要对应Python的版本。例如，针对Python 2.3进行编译的wxPython并不能用于Python 2.4。

对于Mac OS X来说，也应该选择对应Python版本的wxPython。可能还需要考虑操作系统版本。同样，你也可以选择支持Unicode和不支持unicode的版本。下载链接和相关的解释能非常明确地告诉你应该下载哪个版本。

如果读者正在使用Linux，那么可以查看包管理器中是否包括wxPython，它存在于很多主流发布版本中。对于不同版本的Linux来说也有不同的RPM包。如果运行包含RPM的Linux发布版，那么至少应该下载wxPython[①]和运行时包（runtime package），而不需要devel包。再说一次，要选择与Python以及Linux发布版对应的版本。

如果没有任何版本适合硬件或者操作系统（或者Python版本），可以下载源代码发布版。为了编译可能还需要根据各种先决条件下载其他的源代码包，这已经超出了本章的范围。这些内容在wxPython的下载页面上都有详细的解释。

在下载了wxPython后，强烈建议下载演示发布版（demo，它必须进行独立安装），其中包含文档、示例程序和非常详细的（而且有用的）演示程序。这些演示程序演示了大多数wxPython的特性，并且还能以对用户非常友好的方式查看各部分源代码——如果想要自学wxPython的话非常值得一看。

安装过程应该很简单，而且是自动完成的。安装Windows二进制版本只要运行下载完的可执行文件（.exe文件）；在OS X系统中，下载后的文件应该看起来像是可以打开的CD-ROM一样，并带有一个可以双击的.pkg文件。要使用RPM安装，请参见RPM文档。Windows和Mac OS X版本都会运行一个安装向导，用起来很简单。只要选择默认设置即可，然后一直点击Continue，最后点击Finish即可。

---

① 如果正在使用带有自动下载的包系统，比如Debian Linux和Gentoo Linux，可以直接从系统中下载wxPython。

## 12.3 创建示例 GUI 应用程序

为使用 wxPython 进行演示，首先来看一下如何创建一个简单的示例 GUI 应用程序。你的任务是编写一个能编辑文本文件的基础程序。编写全功能的文本编辑器已经超出了本章的范围，本章关注的只是基础。毕竟目标是演示在 Python 中进行 GUI 编程的基本原理。

对这个小型文本编辑器的功能要求如下：

- 它应允许打开给定文件名的文本文件；
- 它应允许编辑文本文件；
- 它应允许保存文本文件；
- 它应允许退出程序。

当编写 GUI 程序时，画个界面草图总是有点用的。图 12-1 展示了一个满足我们的文本编辑要求的布局。

图 12-1 文本编辑器草图

界面元素可以像下面这样使用。

- 在按钮左侧的文本框内输入文件名，点击 Open 打开文件。文件中包含的文本会显示在下方的文本框内。
- 可以在这个大的文本框中随心所欲地编辑文本。
- 如果希望保存修改，那么点击 Save 按钮，会再次用到包含文件名的文本框，然后将文本框的内容写入文件。
- 没有 Quit（退出）按钮，如果用户关闭窗口，程序就会退出。

使用某些语言写这样的程序是相当难的。但是利用 Python 和恰当的 GUI 工具包，简直是小菜一碟（虽然现在读者可能不同意这种说法，但在学习完本章之后应该就会同意了）。

### 12.3.1 开始

为了查看 wxPython 是否能工作，可以尝试运行 wxPython 的演示版本（要单独安装）。在

Windows中应该可以在开始菜单找到，而OS X可以直接把wxPython Demo文件拖到应用程序中，然后运行。看够了演示就可以开始写自己的程序了，当然，这会更有趣的。

首先需要导入wx模块：

```
import wx
```

编写wxPython程序的方法很多，但不可避免的事情是创建应用程序对象。基本的应用程序类叫做ex.App，它负责幕后所有的初始化。最简单的wxPython程序应该像下面这样：

```
import wx
app = wx.App()
app.MainLoop()
```

**注意** 如果wx.App无法工作，可能需要将它替换为wx.PySimpleApp。

因为没有任何用户可以交互的窗口，程序会立刻退出。

例中可以看到，wx包中的方法都是以大写字母开头的，而这和Python的习惯是相反的。这样做的原因是这些方法名和基础的C++包wxWidgets中的方法名都是对应的。尽管没有正式的规则反对方法或者函数名以大写字母开头，但是规范的做法是为类保留这样的名字。

## 12.3.2 窗口和组件

窗口（Window）也称为框架（Frame），它是wx.Frame类的实例。wx框架中的部件都是由它们的父部件使用构造函数的第一个参数创建的。如果正在创建一个单独的窗口，就不需要考虑父部件，使用None即可，如代码清单12-1所示。而且在调用app.MainLoop前需要调用窗口的Show方法，否则它会一直隐藏（可以在事例处理程序中调用win.Show，后面会介绍）。

**代码清单12-1 创建并且显示一个框架**

```
import wx
app = wx.App()
win = wx.Frame(None)
win.Show()
app.MainLoop()
```

如果运行这个程序，应该能看到一个窗口出现，类似于图12-2。

图12-2 只有一个窗口的GUI程序

在框架上增加按钮也很简单——只要使用win作为父参数实例化wx.Button即可,如代码清单12-2所示。

**代码清单12-2    在框架上增加按钮**

```
import wx
app = wx.App()
win = wx.Frame(None)
btn = wx.Button(win)
win.Show()
app.MainLoop()
```

这样会得到一个带有一个按钮的窗口,如图12-3所示。

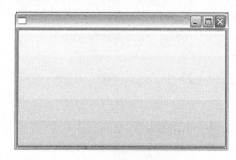

图12-3    增加按钮后的程序

当然,这里做的还不够,窗口没有标题,按钮没有标签,而且也不希望让按钮覆盖整个窗口。

### 12.3.3    标签、标题和位置

可以在创建部件的时候使用构造函数的label参数设定它们的标签。同样,也可以用title参数设定框架的标题。我发现最实用的做法是为wx构造函数使用关键字参数,所以我不用记住参数的顺序。代码清单12-3演示了一个例子。

**代码清单12-3    使用关键字参数增加标签和标题**

```
import wx

app = wx.App()
win = wx.Frame(None, title="Simple Editor")

loadButton = wx.Button(win, label='Open')

saveButton = wx.Button(win, label='Save')

win.Show()

app.MainLoop()
```

程序的运行结果如图12-4所示。

这个版本的程序还是有些不对,好像丢了一个按钮!实际上它没丢,只是隐藏了。注意一下按钮的布局就能将隐藏的按钮显示出来。一个很基础(但是不实用)的方法是使用pos和size参

数在构造函数内设置位置和尺寸，如代码清单12-4所示。

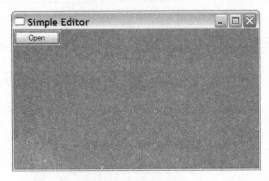

图12-4　有布局问题的窗口

**代码清单12-4　设置按钮位置**

```
import wx

app = wx.App()
win = wx.Frame(None, title="Simple Editor", size=(410, 335))
win.Show()

loadButton = wx.Button(win, label='Open',
                       pos=(225, 5), size=(80, 25))

saveButton = wx.Button(win, label='Save',
                       pos=(315, 5), size=(80, 25))

filename = wx.TextCtrl(win, pos=(5, 5), size=(210, 25))

contents = wx.TextCtrl(win, pos=(5, 35), size=(390, 260),
                       style=wx.TE_MULTILINE | wx.HSCROLL)

app.MainLoop()
```

你看到了，位置和尺寸都包括一对数值：位置包括*x*和*y*坐标，而尺寸包括宽和高。

这段代码中还有一些新东西：我创建了两个文本控件（text control，wx.TextCtrl对象），每个都使用了自定义风格。默认的文本控件是文本框（text field），就是一行可编辑的文本，没有滚动条，为了创建文本区（text area）只要使用style参数调整风格即可。style参数的值实际上是个整数，但不用直接指定，可以使用按位或运算符OR（或管道运算符）联合wx模块中具有特殊名字的风格来指定。本例中，我联合了wx.TE_MULTILINE来获取多行文本区（默认有垂直滚动条）以及wx.HSCROLL来获取水平滚动条。程序运行的结果如图12-5所示。

图12-5　位置合适的组件

### 12.3.4　更智能的布局

　　尽管明确每个组件的几何位置很容易理解，但是过程很乏味。在绘图纸上画出来可能有助于确定坐标，但是用数字来调整位置的方法有很多严重的缺点。如果运行程序并且试图调整窗口大小，那么会注意到组件的几何位置不变。虽然不是什么大事，但是看起来还是有些怪。在调整窗口大小时，应该能保证窗口中的组件也会随之调整大小和位置。

　　考虑一下我是如何布局的，那么出现这种情况就不会令人惊讶了。每个组件的位置和大小都显式设定的，但是没有明确在窗口大小变化的时候它们的行为是什么。指定行为的方法有很多，在 wx 内进行布局的最简单方法是使用尺寸器（sizer），最容易使用的工具就是 wx.BoxSizer。

　　尺寸器会管理组件的尺寸。只要将部件添加到尺寸器上，再加上一些布局参数，然后让尺寸器自己去管理父组件的尺寸。在刚才的例子中，需要增加背景组件（wx.Panel），创建一些嵌套的 wx.BoxSizer，然后使用面板的 SetSizer 方法设定它的尺寸器，如代码清单 12-5 所示。

**代码清单 12-5　使用尺寸器**

```
import wx

app = wx.App()
win = wx.Frame(None, title="Simple Editor", size=(410, 335))
bkg = wx.Panel(win)

loadButton = wx.Button(bkg, label='Open')
saveButton = wx.Button(bkg, label='Save')
filename = wx.TextCtrl(bkg)
contents = wx.TextCtrl(bkg, style=wx.TE_MULTILINE | wx.HSCROLL)

hbox = wx.BoxSizer()
hbox.Add(filename, proportion=1, flag=wx.EXPAND)
hbox.Add(loadButton, proportion=0, flag=wx.LEFT, border=5)
hbox.Add(saveButton, proportion=0, flag=wx.LEFT, border=5)

vbox = wx.BoxSizer(wx.VERTICAL)
vbox.Add(hbox, proportion=0, flag=wx.EXPAND | wx.ALL, border=5)
vbox.Add(contents, proportion=1,
        flag=wx.EXPAND | wx.LEFT | wx.BOTTOM | wx.RIGHT, border=5)

bkg.SetSizer(vbox)
win.Show()

app.MainLoop()
```

　　这段代码的运行结果和前例相同，但是使用了相对坐标而不是绝对坐标。

　　wx.BoxSizer 的构造函数带有一个决定它是水平还是垂直的参数（wx.HORIZONTAL 或者 wx.VERTICAL），默认为水平。Add 方法有几个参数，proportion 参数根据在窗口改变大小时所分配的空间设置比例。例如，水平的 BoxSizer（第一个）中，filename 组件在改变大小时获取了全部的额外空间。如果这 3 个部件都把 proprotion 设为 1，那么都会获得相等的空间。可以将 proportion 设定为任何数。

　　flag 参数类似于构造函数中的 style 参数，可以使用按位或运算符连接构造符号常量

(symbolic constant，即有特殊名字的整数）对其进行构造。wx.EXPAND标记确保组件会扩展到所分配的空间中。而wx.LEFT、wx.RIGHT、wx.TOP、wx.BOTTOM和wx.ALL标记决定边框参数应用于哪个边，边框参数用于设置边缘宽度（间隔）。

就是这样。我得到了我要的布局。但是遗漏了一件至关重要的事情——按下按钮，却什么都没发生。

---

提示    更多有关尺寸器的信息或者与wxPython相关的信息请参见wxPython的演示版本。它里面会有你想要了解的内容的示例代码。如果看起来比较难，可以访问wxPython的网站http://wxpython.org。

---

## 12.3.5    事件处理

在GUI术语中，用户执行的动作（比如点击按钮）叫做事件（event）。你需要让程序注意这些事件并且作出反应。可以将函数绑定到所涉及的事件可能发生的组件上达到这个效果。当事件发生时，函数会被调用。利用部件的Bind方法可以将事件处理函数链接到给定的事件上。

假设写了一个负责打开文件的函数，并将其命名为load。然后就可以像下面这样将该函数作为loadButton的事件处理函数：

```
loadButton.Bind(wx.EVT_BUTTON, load)
```

很直观，不是吗？我把函数链接到了按钮——点击按钮的时候，函数被调用。名为wx.EVT_BUTTON的符号常量表示一个按钮事件。wx框架对于各种事件都有这样的事件常量——从鼠标动作到键盘按键，等等。

为什么用LOAD？

---

注意    我之所以用loadButton和load作为按钮以及处理函数的名字不是偶然的——尽管按钮的文本为"Open"。这是因为如果我把按钮叫做openButton的话，open也就自然成了事件处理函数的名字，这样就和内建的文件打开函数open冲突，导致后者失效。虽然有很多种方法可以解决这个问题，但我觉得使用不同的名字是最简单的。

---

## 12.3.6    完成了的程序

让我们来完成剩下的工作。现在需要的就是两个事件处理函数：load和save。当事件处理函数被调用时，它会收到一个事件对象作为它唯一的参数，其中包括发生了什么事情的信息，但是在这里可以忽略这方面的事情，因为程序只关心点击时发生的事情。

```
def load(event):
    file = open(filename.GetValue())
    contents.SetValue(file.read())
    file.close()
```

读过第11章后，读者应该对文件打开/读取的部分应该比较熟悉了。文件名使用filename对象的GetValue方法获取（filename是小的文本框）。同样，为了将文本引入文本区，只要使用contents.SetValue即可。

save函数也很简单：几乎和load一样——除了它有个'w'标志，以及用于文件处理部分的write方法。GetValue用于从文本区获得信息。

```python
def save(event):
    file = open(filename.GetValue(), 'w')
    file.write(contents.GetValue())
    file.close()
```

就是这样了。现在我将这些函数绑定到相应的按钮上，程序已经可以运行了。最终的程序如代码清单12-6所示。

**代码清单12-6　最终的GUI程序**

```python
import wx
def load(event):
    file = open(filename.GetValue())
    contents.SetValue(file.read())
    file.close()

def save(event):
    file = open(filename.GetValue(), 'w')
    file.write(contents.GetValue())
    file.close()

app = wx.App()
win = wx.Frame(None, title="Simple Editor", size=(410, 335))

bkg = wx.Panel(win)

loadButton = wx.Button(bkg, label='Open')
loadButton.Bind(wx.EVT_BUTTON, load)

saveButton = wx.Button(bkg, label='Save')
saveButton.Bind(wx.EVT_BUTTON, save)

filename = wx.TextCtrl(bkg)
contents = wx.TextCtrl(bkg, style=wx.TE_MULTILINE | wx.HSCROLL)

hbox = wx.BoxSizer()
hbox.Add(filename, proportion=1, flag=wx.EXPAND)
hbox.Add(loadButton, proportion=0, flag=wx.LEFT, border=5)
hbox.Add(saveButton, proportion=0, flag=wx.LEFT, border=5)

vbox = wx.BoxSizer(wx.VERTICAL)
vbox.Add(hbox, proportion=0, flag=wx.EXPAND | wx.ALL, border=5)
vbox.Add(contents, proportion=1,
        flag=wx.EXPAND | wx.LEFT | wx.BOTTOM | wx.RIGHT, border=5)

bkg.SetSizer(vbox)
win.Show()

app.MainLoop()
```

可以按照下面的步骤使用这个编辑器。

(1) 运行程序。应该看到一个和刚才差不多的窗口。

(2) 在文本区里面打些字（比如"Hello, world!"）。

(3) 在文本框内键入文件名（比如hello.txt）。确保文件不存在，否则它会被覆盖。

(4) 点击Save按钮。

(5) 关闭编辑器窗口（只为了好玩）。

(6) 重启程序。

(7) 在文本框内键入同样的文件名。

(8) 点击Open按钮。文件的文本内容应该会在大文本区内重现。

(9) 随便编辑一下文件，再次保存。

现在可以打开、编辑和保存文件，直到感到烦为止——然后应该考虑一下改进。例如使用urlib模块让程序下载文件怎么样？

读者可能会考虑在程序中使用更加面向对象的设计。例如，可能希望将主应用程序作为自定义应用程序类（可能是wx.App的子类）的一个实例进行管理，而不是将整个结构置于程序的最顶层。也可以创建一个单独的窗口类（wx.Frame的子类）。请参见第28章获取更多示例。

---

**嘿！PYW怎么样**

在Windows中，你可以使用.pyw作为文件名的结尾来保存GUI程序。在第1章中，我告诉给你的文件名使用这个结尾然后双击它（Windows中）。什么都没发生。之后我保证我会在后面解释。在第10章中，我再次提到了这个事，并且说本章内会解释，所以现在就说说吧。

其实没什么大不了的，真的。在Windows中双击普通的Python脚本时，会出现一个带有Python提示符的DOS窗口，如果使用print和raw_input作为基础界面，那么就没问题，但是现在已经知道如何创建GUI程序了，DOS窗口就显得有些多余。.pyw窗口背后的真相就是它可以在没有DOS窗口的情况下运行Python——对于GUI程序就完美了。

---

## 12.4    但是我宁愿用……

Python的GUI工具包实在太多，所以我没法将所有工具包都展示给你看。不过我可以给出一些流行的GUI包中的例子（比如Tkinter和Jython/Swing）。

为了演示不同的包，我创建了一个简单的程序——很简单，比刚才的编辑器例子还简单。只有一个窗口，该窗口包含一个带有"Hello"标签的按钮。当点击按钮时，它会打印出文本"Hello, world!"，为了简单，我没有使用任何特殊的布局特性。下面是一个wxPython版本的示例。

```python
import wx

def hello(event):
    print "Hello, world!"


app = wx.App()

win = wx.Frame(None, title="Hello, wxPython!",
               size=(200, 100))
button = wx.Button(win, label="Hello")
button.Bind(wx.EVT_BUTTON, hello)
```

```
win.Show()
app.MainLoop()
```

最终的窗口如图12-6所示。

图12-6　简单的GUI示例

## 12.4.1　使用Tkinter

Tkinter是个老牌的Python GUI程序。它由Tk GUI工具包（用于Tcl编程语言）包装而来。默认在Windows版和Mac OS发布版中已经包括。下面的网址可能有用：

- ❑ http://www.ibm.com/developerworks/linux/library/l-tkprg
- ❑ http://www.nmt.edu/tcc/help/lang/python/tkinter.pdf

下面是使用Tkinter实现的GUI程序。

```
from Tkinter import *
def hello(): print 'Hello, world'
win = Tk() # Tkinter的主窗口
win.title('Hello, Tkinter! ')
win.geometry('200x100') # Size 200, 100

btn = Button(win, text='Hello ', command=hello)
btn.pack(expand=YES, fill=BOTH)

mainloop()
```

## 12.4.2　使用Jython和Swing

如果正在使用Jython（Python的Java实现），类似wxPython和Tkinter这样的包就不能用了。唯一可用的GUI工具包是Java标准库包AWT和Swing（Swing是最新的，而且被认为是标准的Java GUI工具包）。好消息是两者都直接可用，不用单独安装。更多的信息，请访问Jython的网站，以及为Java而写的Swing文档：

- ❑ http://www.jython.org
- ❑ http://java.sun.com/docs/books/tutorial/uiswing

下面是使用Jython和Swing实现的GUI示例。

```
from javax.swing import *
import sys

def hello(event): print 'Hello, world! '
btn = JButton('Hello')
btn.actionPerformed = hello

win = JFrame('Hello, Swing!')
win.contentPane.add(btn)
```

```
def closeHandler(event): sys.exit()
win.windowClosing = closeHandler

btn.size = win.size = 200, 100
win.show()
```

注意，这里增加了一个额外的事件处理函数（closeHandler），因为关闭按钮在Java Swing中没有任何有用的默认行为。另外，无须显式地进入主事件循环，因为它是和程序并行运行的（在不同的线程中）。

### 12.4.3　使用其他开发包

大多数GUI工具包的基础都一样，不过遗憾的是当学习如何使用一个新的包时，通过使你能做成想做的事情的所有细节而找到学习新包的方法还是很花时间的。所以在决定使用哪个包（12.1节应该对从何处着手有些帮助）之前应该花上些时间考虑，然后就是泡在文档中，写代码。希望本章能提供了那些理解文档时需要的基础概念。

## 12.5　小结

再来回顾一下本章讲了什么。

- **图形用户界面**（GUI）。GUI可以让程序更友好。虽然并不是所有的程序都需要它们，但是当程序要和用户交互时，GUI可能会有所帮助。
- **Python的GUI平台**。Python程序员有很多GUI平台可用。尽管有这么多选择是好事，但是选择时有时会很困难。
- **wxPython**。wxPython是成熟的并且特色丰富的跨平台的Python GUI工具包。
- **布局**。通过指定几何坐标，可以直接将组件放置在想要的位置。但是，为了在包含它们的窗口改变大小时能做出适当的改变，需要使用布局管理器。wxPython中的布局机制是尺寸器。
- **事件处理**。用户的动作触发GUI工具包的事件。任何应用中，程序都会有对于这些事件的反应，否则用户就没法和程序交互了。wxPython中事件处理函数使用Bind方法添加到组件上。

### 接下来学什么

本章内容就是这样了。已经学习完了如何编写通过文件和GUI与外部世界交互的程序。下一章将会介绍另外一个很多程序系统都具有的重要组件：数据库。

# 第 13 章

# 数据库支持

*13*

使用简单的纯文本文件只能实现有限的功能。没错，使用它们可以做很多事情，但有时需要额外的功能。你可能想要自动序列化，这时可以选择shelve模块（见第10章）和pickle（与shelve模块关系密切）。但有时，可能需要比这更强大的特性。例如，可能想自动地支持数据并发访问，即想让几个用户同时对基于磁盘的数据进行读写而不造成任何文件损坏之类的问题。或者希望同时使用多个数据字段或属性进行复杂的搜索，而不是只通过shelve做简单的单键查找。解决的方案有很多，但是如果要处理的数据量巨大而同时还希望其他程序员容易理解的话，选择相对来说更标准化的数据库（database）可能是个好主意。

本章会对Python的数据库编程接口进行讨论，这是一种连接SQL数据库的标准化方法；同时也会展示如何用API执行一些基本的SQL命令。最后一节会对其他可选的数据库技术进行讨论。

我不打算把这章写成关系型数据库或SQL语言的教程。多数数据库的文档（比如PostgreSQL、MySQL，以及本章用到的SQLite数据库）都应该能提供相关的基础知识。如果以前没用过关系型数据库，也可以访问http://www.sqlcourse.com，或者干脆上网搜一下相关主题，或查看由Clare Churcher著的*Beginning SQL Queries*。

当然，本章使用的简单数据库（SQLite）并不是唯一的选择。还有一些流行的商业数据库（比如Oracle或Microsoft SQL Server）以及很多稳定且被广泛使用的开源数据库可供选择（比如MySQL、PostgreSQL和Firebird）。第26章中使用了PostgreSQL，并且介绍了一些MySQL和SQLite的使用指导。关于其他Python包支持的数据库，请访问http://www.python.org/topics/database/，或者访问Vaults of Parnassus的数据库分类（http://www.vex.net/parnassus）。

关系型（SQL）数据库不是唯一的数据库类型。还有不少类似于ZODB（http://wiki.zope.org/ZODB）的对象数据库、类似Metakit（http://www.equi4.com/metakit/python.html）的基于紧凑表的数据库，和类似于BSD DB（http://docs.python.org/lib/module-bsddb.html）的更简单的键—值数据库。

本章着重介绍低级数据库的交互，你会发现几个高级库可以帮助完成一些复杂的工作(例如，参见http://www.sqlalchemy.org或者http://www.sqlobject.org，或者在网络上搜索Python的对象—关系映射。

13

## 13.1　Python 数据库编程接口（API）

支持SQL标准的数据库有很多，其中多数在Python中都有对应的客户端模块（有些数据库甚至有多个模块）。所有数据库的绝大多数功能基本上都是相同的，所以写一个程序来使用其中的某个数据库是很容易的事情，而且"理论上"该程序也应该能在别的数据库上运行。在提供相同功能（基本相同）的不同模块之间进行切换时的问题通常是它们的接口（API）不同。为了解决Python中各种数据库模块间的兼容问题，现在已经通过了一个标准的数据库编程接口（DB API）。目前的API版本（2.0）定义在PEP249中的Python Database API Specification v2.0中（http://python.org/peps/pep-0249.html）。

本节将对基本概念做一综述。并且不会提到API的可选部分，因为它们不见得对所有数据库都适用。可以在PEP中找到更多的信息，或者可以访问官方的Python维基百科中的数据库编程指南（http://wiki.python.org/moin/DatabaseProgramming）。如果对API的细节不感兴趣，可以跳过本节。

### 13.1.1　全局变量

任何支持2.0版本DB API的数据库模块都必须定义3个描述模块特性的全局变量。这样做的原因是API设计得很灵活，以支持许多不同的底层机制、避免过多包装。如果想让程序同时应用于几个数据库，那可是件麻烦事了，因为需要考虑到各种可能出现的状况。多数情况下，比较现实的做法是检查这些变量，看看给定的数据库模块是否能被程序接受。如果不能，就显示合适的错误信息然后退出，例如抛出一些异常。这3个全局变量如表13-1所示。

表13-1　Python DB API的模块特性

| 变　量　名 | 用　　途 |
| --- | --- |
| apilevel | 所使用的Python DB API版本 |
| threadsafety | 模块的线程安全等级 |
| paramstyle | 在SQL查询中使用的参数风格 |

API级别（apilevel）是个字符串常量，提供正在使用的API版本号。对于DBAPI 2.0版本来说，其值可能是'1.0'或'2.0'。如果这个变量不存在，那么该模块就不兼容2.0版本的API，只能假定当前使用的是1.0版本的API。在程序中提供对其他可能值的支持没有坏处，谁知道呢，说不定什么时候DBAPI的3.0版本就出来了。

线程安全性等级（threadsafety）是个取值范围为0～3的整数。0表示线程完全不共享模块，而3表示模块是完全线程安全的。1表示线程本身可以共享模块，但不对连接共享（参见13.1.3节）。如果不使用多个线程（多数情况下可能不会这样做），那么完全不用担心这个变量。

参数风格（paramstyle）表示在执行多次类似查询的时候，参数是如何被拼接到SQL查询中的。值'format'表示标准的字符串格式化（使用基本的格式代码），可以在参数中进行拼接的地方插入%s。而值'pyformat'表示扩展的格式代码，用于字典拼接中，比如%(foo)。除了Python风格之外，还有三种结合方式：'qmark'的意思是使用问号，而'numeric'表示使用:1或者:2格式的字段（数字表示参数的序号），而`'named'`表示:foobar这样的字段，其中foobar为参数名。如果参数风格看起来有些让人迷惑，别担心。对于基础的程序来说，不会用到这些参数，如果需要了解特定的数据库接口如何处理参数，在相关的文档中会进行解释。

## 13.1.2 异常

API中定义了一些异常类，以便尽可能进行错误处理。然而，这些异常被定义成了一种层次结构，所以可以在一个except块捕捉多种类型的异常。（当然要是你觉得一切都能运行良好，或者根本不在乎程序因为某些事情出错这类不太可能发生的事件而突然停止运行，那么完全可以忽略这些异常。）

异常的层次如表13-2所示。在给定的数据库模块中异常应该是全局可用的。关于这些异常的详细描述，请参见API规范（也就是前面提到的PEP）。

表13-2 在DB API中使用的异常

| 异 常 | 超 类 | 描 述 |
|---|---|---|
| StandardError | | 所有异常的泛型基类 |
| Warning | StandardError | 在非致命错误发生时引发 |
| Error | StandardError | 所有错误条件的泛型超类 |
| InterfaceError | Error | 关于接口而非数据库的错误 |
| DatabaseError | Error | 与数据库相关的错误的基类 |
| DataError | DatabaseError | 与数据相关的问题，比如值超出范围 |
| OperationalError | DatabaseError | 数据库内部操作错误 |
| IntegrityError | DatabaseError | 关系完整性受到影响，比如键检查失败 |
| InternalError | DatabaseError | 数据库内部错误，比如非法游标 |
| ProgrammingError | DatabaseError | 用户编程错误，比如未找到表 |
| NotSupportedError | DatabaseError | 请求不支持的特性（比如回滚） |

## 13.1.3 连接和游标

为了使用底层的数据库系统，首先必须要连接到它。这个时候就需要在适当的环境下使用具名函数connect，该函数有多个参数，而具体使用哪个参数取决于底层数据库的类型。API定义了表13-3中的参数作为指导，推荐将这些参数作为关键字参数使用，并按表中给定的顺序传递它们。参数类型都应为字符串。

表13-3 connect函数的常用参数

| 参 数 名 | 描 述 | 是否可选 |
|---|---|---|
| dsn | 数据源名称，给出该参数表示数据库依赖 | 否 |
| user | 用户名 | 是 |
| password | 用户密码 | 是 |
| host | 主机名 | 是 |
| database | 数据库名 | 是 |

**13**

13.2.1节以及第26章会介绍使用connect函数的具体的例子。

connect函数返回连接对象。这个对象表示目前和数据库的会话。连接对象支持的方法如表13-4所示。

表13-4　连接对象方法

| 方　法　名 | 描　　　述 |
| --- | --- |
| close() | 关闭连接之后，连接对象和它的游标均不可用 |
| commit() | 如果支持的话就提交挂起的事务，否则不做任何事 |
| rollback() | 回滚挂起的事务（可能不可用） |
| cursor() | 返回连接的游标对象 |

rollback方法可能不可用，因为不是所有的数据库都支持事务（事务是一系列动作）。如果可用，那么它就可以"撤销"所有未提交的事务。

commit方法总是可用的，但是如果数据库不支持事务，它就没有任何作用。如果关闭了连接但还有未提交的事务，它们会隐式地回滚——但是只有在数据库支持回滚的时候才可以。所以如果不想完全依靠隐式回滚，就应该每次在关闭连接前进行提交。如果提交了，那么就用不着担心关闭连接的问题，它会在进行垃圾收集时自动关闭。当然如果希望更安全一些，就调用close方法，也不会敲很多次键盘。

cursor方法将我们引入另外一个主题：游标对象。通过游标执行SQL查询并检查结果。游标比连接支持更多的方法，而且可能在程序中更好用。表13-5给出了游标方法的概述，表13-6则是特性的概述。

表13-5　游标对象方法

| 名　　称 | 描　　　述 |
| --- | --- |
| callproc(name[, params]) | 使用给定的名称和参数（可选）调用已命名的数据库过程 |
| close() | 关闭游标之后，游标不可用 |
| execute(oper[, params]) | 执行一个SQL操作，可能带有参数 |
| executemany(oper, pseq) | 对序列中的每个参数集执行SQL操作 |
| fetchone() | 把查询的结果集中的下一行保存为序列，或者None |
| fetchmany([size]) | 获取查询结果集中的多行，默认尺寸为arraysize |
| fetchall() | 将所有（剩余）的行作为序列的序列 |
| nextset() | 跳至下一个可用的结果集（可选） |
| setinputsizes(sizes) | 为参数预先定义内存区域 |
| setoutputsize(size[, col]) | 为获取的大数据值设定缓冲区尺寸 |

表13-6　游标对象特性

| 名　　称 | 描　　　述 |
| --- | --- |
| description | 结果列描述的序列，只读 |
| rowcount | 结果中的行数，只读 |
| arraysize | fetchmany中返回的行数，默认为1 |

其中一些方法会在下面详细介绍，而有些（比如setinputsizes和setoutputsizes）则不会提到。更多细节请查阅PEP。

### 13.1.4　类型

为了能与底层的SQL数据库更好地进行交互，需要对插入到列中的值的类型做出各种要求和限制，DB API定义了用于特殊类型和值的构造函数及常量（单例模式）。例如，如果想要在数据库中增加日期，它应该用相应的数据库连接模块的Date构造函数来生成。这样数据库连接模块就可以在幕后执行一些必要的转换操作。所有模块都要求实现表13-7中列出的构造函数和特殊值。一些模块可能不是完全按照要求去做，例如sqlite3模块（接下来会讨论）并不会输出表13-7中的特殊值（通过ROWIP输出STRING）。

表13-7　DB API构造函数和特殊值

| 名　　称 | 描　　述 |
| --- | --- |
| Date(year, month, day) | 创建保存日期值的对象 |
| Time(hour, minute, second) | 创建保存时间值的对象 |
| Timestamp(y, mon, d, h, min, s) | 创建保存时间戳值的对象 |
| DateFromTicks(ticks) | 创建保存自新纪元以来秒数的对象 |
| TimeFromTicks(ticks) | 创建保存来自秒数的时间值的对象 |
| TimestampFromTicks(ticks) | 创建保存来自秒数的时间戳值的对象 |
| Binary(string) | 创建保存二进制字符串值的对象 |
| STRING | 描述基于字符串的列类型（比如CHAR） |
| BINARY | 描述二进制列（比如LONG或RAW） |
| NUMBER | 描述数字列 |
| DATETIME | 描述日期/时间列 |
| ROWID | 描述行ID列 |

## 13.2　SQLite 和 PySQLite

之前提到过，可用的SQL数据库引擎有很多，且都有相应的Python模块。多数数据库引擎都作为服务器程序运行，并且安装都需要管理员权限。为了降低练习Python数据库编程接口的门槛，我们选用小型的数据库引擎SQLite作为示例，它并不需要作为独立的服务器运行，并且不基于集中式数据库存储机制，而是直接在本地文件上运行。

在最近的Python版本中（从2.5开始），SQLite的优势在于它的一个包装（PySQLite）已经被包括在标准库内。除非是从源码开始编译Python，否则数据库模块本身也已经包括在内。读者也可以尝试13.2.1节介绍的代码片段。如果它们可以工作，那么就不用单独安装PySQLite和SQLite了。

**13**

---

**注意**　如果读者没有使用PySQLite的标准库版本，那么可能还需要修改import语句，请参考相关文档获取更多信息。

---

### 获取PySQLite

　　如果读者正在使用旧版Python，那么需要在使用SQLite数据库前安装PySQLite，可以从官方网站下载。对于带有包管理系统的Linux系统，可能直接从包管理器中获得PYSQLite和SQLite。

　　针对PYSQLite的Windows二进制版本实际上包含了数据库引擎（也就是SQLite），所以只要下载对应Python版本的PYSQLite安装程序，运行就可以了。

　　如果使用的不是Windows，而操作系统也没有可以找到PYSQLite和SQLite的包管理器的话，那么就需要PYSQLite和SQLite的源代码包，然后自己进行编译。

　　如果使用的Python版本较新，那么应该已经包含PySQLite。接下来需要的可能就是数据库本身SQLite了（同样，它可能也包含在内了）。可以从SQLite的网站http://sqlite.org下载源代码（确保得到的是已经完成自动代码生成的包），按照README文件中的指导进行编译即可。在之后编译PYSQLite时，需要确保编译过程可以访问SQLite的库文件和include文件。如果已经在某些标准位置安装了SQLite，那么可能SQLite发布版的安装脚本可以自己找到它，在这种情况下只需执行下面的命令：

```
python setup.py build
python setup.py install
```

　　可以只用后一个命令，让编译自动进行。如果出现大量错误信息，可能是安装脚本找不到所需文件。确保你知道库文件和include文件安装到了哪里，将它们显式地提供给安装脚本。假设我在/home/mlh/sqlite/current目录中原地编译SQLite，那么头文件和库文件应该可以在/home/mlh/sqlite/current/src和/home/mlh/sqlite/current/build/lib中找到。为了让安装程序能使用这些路径，需要编辑安装脚本setup.py。在这个文件中可以设定变量include_dirs和library_dirs：

```
include_dirs = ['/home/mlh/sqlite/current/src']
library_dirs = ['/home/mlh/sqlite/current/build/lib']
```

　　在重新绑定变量之后，刚才说过的安装过程应该可以正常进行了。

## 13.2.1 入门

　　可以将SQLite作为一个模块导入，模块名称为sqlite3（如果使用的是标准库中的模块）。之后就可以创建一个到数据库文件的连接——如果文件不存在就会自动生成——通过提供一个文件名（可以是文件的绝对或者相对路径）：

```
>>> import sqlite3
>>> conn = sqlite3.connect('somedatabase.db')
```

　　之后就能获得连接的游标：

```
>>> curs = conn.cursor()
```

　　这个游标可以用来执行SQL查询。完成查询并且做出某些更改后确保已经进行了提交，这样才可以将这些修改真正地保存到文件中：

```
>>> conn.commit()
```

可以（而且是应该）在每次修改数据库后都进行提交，而不是仅仅在准备关闭时才提交，准备关闭数据库时，使用close方法：

```
>>> conn.close()
```

## 13.2.2　数据库应用程序示例

我会建立一个小型营养成分数据库作为示例程序，这个程序基于USDA的营养数据实验室提供的数据（http://www.ars.usda.gov/nutrientdata）。在他们的主页上点击USDA National Nutrient Database for Standard Reference链接，就能看到很多以普通文本形式（ASCII）保存的数据文件，这就是需要的内容。点击Download链接，下载标题"Abbreviated"下方的ASCII链接所指向的ASCII格式的zip文件。此时应该得到一个zip文件，其中包含ABBREV.txt文本文件和描述该文件内容的PDF文件。

ABBREV.txt文件中的数据每行都有一个数据记录，字段以脱字符（^）进行分割。数字字段直接包含数字，而文本字段包括由波浪号（~）括起来的字符串值，下面是一个示例行，为了简短起见删除了一部分：

```
~07276~^~HORMEL SPAM ... PORK W/ HAM MINCED CND~^ ... ^~1 serving~^^~^0
```

用line.split('^')可以很容易地将这样一行文字解析为多个字段。如果字段以波浪号开始，就能知道它是个字符串，可以用field.strip('~')获取它的内容。对于其他的（数字）字段来讲可以使用float(field)，除非字段是空的。下面一节中的程序将演示如何把ASCII文件中的数据移入到SQL数据库中，然后对其进行一些有意思的查询。

---

**注意**　这个示例程序有意提供一个简单的例子。有关相对高级的用于Python的数据库的例子，参见第26章。

---

### 1. 创建和填充表

为了真正地创建数据库表并且向其中插入数据，写个完全独立的一次性程序可能是最简单的方案。运行一次后就可以忘了它和原始数据源（ABBREV.txt文件），尽管保留它们也是不错的主意。

代码清单13-1中的程序创建了叫做food的表和适当的字段，并且从ABBREV.txt中读取数据。之后进行分析（使用一个实用函数convert，将每一行分解为多个字段），然后通过调用curs.execute执行SQL的INSERT语句将文本字段中的值插入到数据库中。

---

**注意**　也可以使用curs.executemany，然后提供一个从数据文件中提取的所有行的列表。这样做在本例中只会带来轻微的速度提升，但是如果使用通过网络连接的客户机/服务器SQL系统，则会大大地提高速度。

---

**13**

**代码清单13-1**　将数据导入数据库（importdata.py）

```
import sqlite3
```

```
def convert(value):
    if value.startswith('~'):
        return value.strip('~')
    if not value:
        value = '0'
    return float(value)

conn = sqlite3.connect('food.db')
curs = conn.cursor()

curs.execute('''
CREATE TABLE food (
    id        TEXT        PRIMARY KEY,
    desc      TEXT,
    water     FLOAT,
    kcal      FLOAT,
    protein   FLOAT,
    fat       FLOAT,
    ash       FLOAT,
    carbs     FLOAT,
    fiber     FLOAT,
    sugar     FLOAT
)
''')

query = 'INSERT INTO food VALUES (?,?,?,?,?,?,?,?,?,?)'

for line in open('ABBREV.txt'):
    fields = line.split('^')
    vals = [convert(f) for f in fields[:field_count]]
    curs.execute(query, vals)

conn.commit()
conn.close()
```

**注意** 在代码清单13-1中使用了paramstyle的"问号"版本，也就是会使用问号作为字段标记。如果使用旧版本的PySQLite，那么需要使用%字符。

当运行这个程序（将ABBREV.txt放在同一目录下）时，它会创建一个叫做food.db的新文件，它包含数据库中的所有数据。

鼓励读者们多尝试修改这个例子，例如使用其他的输入、加入print语句，等等。

**2. 搜索和处理结果**

使用数据库很简单。再说一次，需要创建连接并且获得该连接的游标。使用execute方法执行SQL查询，用fetchall等方法提取结果。代码清单13-2展示了一个将SQL SELECT条件查询作为命令行参数，之后按记录格式打印出返回行的小程序。可以用下面的命令尝试这个程序：

```
$ python food_query.py "kcal <= 100 AND fiber >= 10 ORDER BY sugar"
```

运行的时候可能注意到有个问题。在第一行中，生橘子皮（raw orange peel）看起来不含任何糖分（糖分值为0）。这是因为在数据文件中这个字段丢失了。可以改进刚才的导入脚本检测条件，然后插入None来代替真实的值来表示丢失的数据。可以使用如下条件：

```
"kcal <= 100 AND fiber >= 10 AND sugar ORDER BY sugar"
```

请求在任何返回行中包含实际数据的"糖分"字段。这方法恰好也适用于当前的数据库，它会忽略糖分为0的行。

警告　使用ID搜索特殊的食品项，比如用08323搜索Cocoa Pebble的时候可能会出现问题。原因在于SQLite以一种相当不标准的方式处理它的值。在其内部所有的值实际上都是字符串，一些转换和检查在数据库和Python API间进行。通常它工作得很顺利，但有时候也会出错，例如下面这种情况：如果提供值08323，它会被解释为数字8323，再转换为字符串"8323"——一个不存在的ID。可能期待这里抛出异常或者其他什么错误信息，而不是这种毫无用处的非预期行为。但如果小心一些，一开始就用字符串"08323"来表示ID，就可以工作正常了。

**代码清单13-2　食品数据库查询程序**（food_query.py）

```
import sqlite3, sys

conn = sqlite3.connect('food.db')
curs = conn.cursor()

query = 'SELECT * FROM food WHERE %s' % sys.argv[1]
print query
curs.execute(query)
names = [f[0] for f in curs.description]
for row in curs.fetchall():
    for pair in zip(names, row):
        print '%s: %s' % pair
    print
```

## 13.3　小结

本章简要介绍了Python程序和关系型数据库交互的方式。这段介绍相当简短，因为掌握了Python和SQL以后，那么两者的结合——Python DB API也就容易掌握了。下面是本章一些概念。

- **Python 数据库编程接口（DB API）**。提供了简单、标准化的数据库接口，所有数据库的包装模块都应当遵循这个接口，以易于编写跨数据库的程序。
- **连接**。连接对象代表的是和SQL数据库的通信连接。使用cursor方法可以从它那获得独立的游标。通过连接对象还可以提交或者回滚事务。在处理完数据库之后，连接可以被关闭。
- **游标**。用于执行查询和检查结果。结果行可以一个一个地获得，也可以很多个（或全部）一起获得。
- **类型和特殊值**。DB API标准指定了一组构造函数和特殊值的名字。构造函数处理日期和时间对象，以及二进制数据对象。特殊值用来表示关系型数据库的类型，比如STRING、NUMBER和DATETIME。
- **SQLite**。小型的嵌入式SQL数据库，它的Python包装叫做PYSQLite。它速度快，易于使用，并且不需要建立单独的服务器。

**13**

### 13.3.1　本章的新函数

本章涉及的新函数如表13-8所示。

表13-8　本章的新函数

| 函　　数 | 描　　述 |
|---|---|
| connect(...) | 连接数据库，返回连接对象[①] |

### 13.3.2　接下来学什么

保存和数据库处理是绝大多数程序（如果不是大多数，那就是大型程序系统）的重要部分。下一章会介绍另外一个大型程序系统都会用到的组件，即网络。

---

① connect函数的参数与数据库无关。

# 第 14 章

# 网 络 编 程 *14*

本章将会给读者展示一些例子，这些例子会使用多种Python的方法编写一个将网络（比如因特网）作为重要组成部分使用的程序。Python是一个很强大的网络编程工具，这么说有很多原因，首先，Python内有很多针对常见网络协议的库，对网络协议的各个层次进行了抽象封装，这样程序员就可以集中精力处理程序逻辑，而不必关心网络实现的细节。其次，因为Python非常擅长于处理字节流的各种模式（在学习处理文本文件的各种方式时应有所体会了），使用Python可以很容易地写出处理各种协议格式的代码，有可能这些协议格式现在还不存在处理代码。

因为Python提供了如此丰富的网络工具，所以对于Python的网络编程我只进行简要介绍。可以在这本书的其他地方找到一些例子。第15章包括面向Web的网络编程的相关讨论，后面的章节中有很多项目使用了网络模块来完成工作。如果想要了解更多Python中的网络编程，我衷心推荐John Goerzen的*Foundations of Python Network Programming*，这本书对这个主题讨论得很详细。

在下面的部分中，我会先大体介绍Python标准库中可用的一些网络模块。然后讨论SocketServer类和它的"朋友们"，接着是能同时处理多个连接的各种方法。最后看看Twisted框架——Python中一个丰富、成熟的、用于编写网络应用程序的框架。

---

**注意** 如果计算机上安装了防火墙，那么它可能会在每次开始运行网络程序时发出警告。它还可能会阻止程序连接到网络。这时应该配置防火墙来允许Python完成工作，如果防火墙有一个交互接口（比如Windows Xp的防火墙），那么只要在请求的时候允许连接就行了。注意，任何连接到网络的软件都有潜在的风险，即使（尤其）是你自己写的软件也不例外。

---

## 14.1 少数几个网络设计模块

在标准库中有很多与网络有关的模块，在其他地方还有更多。除了那些明确处理网络事务的模块外，还有很多模块（比如用于在网络传输中处理各种形式的数据编码的模块）被认为是网络相关的。模块部分的讨论限定于如下的几个模块。

## 14.1.1　socket 模块

在网络编程中的一个基本组件就是套接字（socket）。套接字基本上是两个端点的程序之间的"信息通道"。程序可能分布在不同的计算机上（通过网络连接），通过套接字相互发送信息。在Python中的大多数的网络编程都隐藏了socket模块的基本细节，不直接和套接字交互。

套接字包括两个：服务器套接字和客户机套接字。在创建一个服务器套接字后，让它等待连接。这样它就在某个网络地址处（IP地址和一个端口号的组合）监听，直到有客户端套接字连接。连接完成后，两者就可以进行交互了。

处理客户端套接字通常比处理服务器端套接字容易，因为服务器必须准备随时处理客户端的连接，同时还要处理多个连接，而客户机只是简单地连接，完成事务，断开连接。在这章后面，我会使用socketserver类族和Twisted框架来处理服务器端的编程。

一个套接字就是socket模块中的socket类的一个实例。它的实例化需要3个参数：第1个参数是地址族（默认是socket.AF_INET）；第2个参数是流（socket.SOCK_STREAM，默认值）或数据报（socket.SOCK_DGRAM）套接字[1]；第3个参数是使用的协议（默认是0，使用默认值即可）。对于一个普通的套接字，不需要提供任何参数。

服务器端套接字使用bind方法后，再调用listen方法去监听某个特定的地址。客户端套接字使用connect方法连接到服务器，在connect方法中使用的地址与服务器在bind方法中的地址相同（在服务器端，能实现很多功能，比如使用函数socket.gethostname得到当前主机名）。在这种情况下，一个地址就是一个格式为(host, port)的元组，其中host是主机名（比如www.example.com），port是端口号（一个整数）。listen方法只有一个参数，即服务器未处理的连接的长度（即允许排队等待的连接数目，这些连接在禁用之前等待）。

服务器端套接字开始监听后，它就可以接受客户端的连接。这个步骤使用accept方法来完成。这个方法会阻塞（等待）直到客户端连接，然后该方法就返回一个格式为(client, address)的元组，client是一个客户端套接字，address是一个前面解释过的地址。服务器在处理完与该客户端的连接后，再次调用accept方法开始等待下一个连接，。这个过程通常都是在一个无限循环中实现的。

---

**注意**　这种形式的服务器端编程称为阻塞或者是同步网络编程。14.3节会介绍一些非阻塞或者叫做异步网络编程的例子，例子中还使用了线程来同时处理多个客户机。

---

套接字有两个方法：send和recv（用于接收），用于传输数据。可以使用字符串参数调用send以发送数据，用一个所需的(最大)字节数做参数调用recv来接收数据。如果不能确定使用哪个数字比较好，那么1024是个很好的选择。

代码清单14-1和代码清单14-2展示了一个最简单的客户机/服务器程序。如果在同一台机器上运行它们（先启动服务器），服务器会打印出发现一个连接的信息。然后客户机打印出从服务器

---

① 还有其他套接字，例如原始套接字SOCK_RAW等。——译者注

端收到的信息。可以在服务器运行时同时运行多个客户机。通过用服务器端所在机器的实际主机名来代替客户端调用gethostname所得到的主机名，就可以让两个运行在不同机器上的程序通过网络连接起来。

---

**注意** 使用的端口号一般是被限制的。在Linux或者UNIX系统中，需要有系统管理员的权限才能使用1024以下的端口。这些低于1024的端口号被用于标准服务，比如端口80用于Web服务（如果有的话）。如果用Ctrl+C停止了一个服务，可能要等上一段时间才能使用同一个端口号（否则可能会得到"地址正在使用"的错误信息）。

---

**代码清单14-1　一个小型服务器**

```
import socket

s = socket.socket()

host = socket.gethostname()
port = 1234
s.bind((host, port))

s.listen(5)
while True:
    c, addr = s.accept()
    print 'Got connection from', addr
    c.send('Thank you for connecting')
    c.close()
```

**代码清单14-2　一个小型客户机**

```
import socket

s = socket.socket()

host = socket.gethostname()
port = 1234

s.connect((host, port))
print s.recv(1024)
```

可以在Python库参考文档（http:python.org/doc/lib/module_socket.html）和Gordon McMillan的Socket Programming HOWTO（http://doc.python.org/dev/howto/sockets.html）的中找到更多的关于socket模块的内容。

## 14.1.2　urllib 和 urllib2 模块

在能使用的各种网络函数库中，功能最强大的可能是urllib和urllib2了。通过它们在网络上访问文件，就好像访问本地电脑上的文件一样。通过一个简单的函数调用，几乎可以把任何URL所指向的东西用做程序的输入。想象一下，如果将这两个模块与re模块结合使用的效果：可以下载Web页面，提取信息，以及自动生成报告等。

14

这两个模块的功能都差不多，但urllib2更好一些。如果只使用简单的下载，urllib就足够了。如果需要使用HTTP验证（HTTP authentication）或cookie，或者要为自己的协议编写扩展程序的话，那么urllib2是更好的选择。

### 1. 打开远程文件

可以像打开本地文件一样打开远程文件，不同之处是只能使用只读模式。使用来自urllib模块的urlopen，而不是open（或file）：

```
>>> from urllib import urlopen
>>> webpage = urlopen('http://www.python.org')
```

如果电脑连接到了网络，变量webpage现在应该包含一个链接到http://www.python.org网页的类文件对象。

---

**注意**   如果想要试验urllib但现在没有连接网络，可以用以file开头的URL访问本地文件，比如
file：c:\text\somefile.txt（记得要对"\"进行转义）。

---

urlopen返回的类文件对象支持close、read、readline和readlines方法，当然也支持迭代。

假设想要提取在前面打开的Python页中"About"链接的（相对）URL，那么就可以用正则表达式来实现（有关正则表达式的更多内容请参见第10章的re模块部分）。

```
>>> import re
>>> text = webpage.read()
>>> m = re.search('<a href="([^"]+)" .*?>about</a>', text, re.IGNORECASE)
>>> m.group(1)
'/about/'
```

---

**注意**   如果网页内容发生了变化，读者需要自行修改正则表达式。

---

### 2. 获取远程文件

函数urlopen返回一个能从中读取数据的类文件对象。如果希望urllib为你下载文件并在本地文件中存储一个文件的副本，那么可以使用urlretrieve。urlretrieve返回一个元组（filename, headers）而不是类文件对象，filename是本地文件的名字（由urllib自动创建），headers包含一些远程文件的信息（我在这里忽略headers，如果要了解更多的相关信息，请在urllib的标准库文档中查找urlretrieve）如果想要为下载的副本指定文件名，可以在urlretrieve函数的第2个参数中给出。

```
urlretrieve('http://www.python.org', 'C:\\python_webpage.html')
```

这个语句获取Python的主页并把它储存在文件C:\python_webpage.html中。如果没有指定文件名，文件就会放在临时的位置，用open函数可以打开它，但如果完成了对它的操作，就可以删除它以节省硬盘空间。要清理临时文件，可以调用urlcleanup函数，但不要提供参数，该函数会负责清理工作。

**一些功能**

除了通过URL读取和下载文件，urllib还提供了一些函数操作URL本身（下面假设你知道URL和CGI的基础知识），这些函数如下。

□ quote(string[, safe])。它返回一个字符串，其中所有的特殊字符（这些字符在URL中有特殊含义）都已被对URL友好的字符所代替（就像用%7E代替了~）。如果想在URL中使用一个包含特殊字符的字符串，这个函数就很有用。safe字符串包含了不应该采用这种方式编码的字符。默认的是'/'。

□ quote_plus(string[, safe])。功能和quote差不多，但用+代替空格。

□ unquote(string)。和quote相反。

□ unquote_plus(string)和quote_plus相反。

□ urlencode(query[, doseq])。把映射（比如字典）或者包含两个元素的元组的序列——(key, value)这种形式——转换成URL格式编码的字符串，这样的字符串可以在CGI查询中使用（Python文档中有更多的信息）。

### 14.1.3 其他模块

就像在前面提过的，除了在本章提及的模块外，Python库和其他地方还有很多和网络有关的模块。表14-1中列出了Python标准库中一些和网络相关的模块。如表格中说明的，本书的其他章节会讨论其中一些模块。

表14-1 标准库中一些与网络相关的模块

| 模　　块 | 描　　述 |
| --- | --- |
| asynchat | asyncore的增强版本（参看第24章） |
| asyncore | 异步套接字处理程序（参看第24章） |
| cgi | 基本的CGI支持（参看第15章） |
| Cookie | Cookie对象操作，主要用于服务器 |
| cookielib | 客户端cookie支持 |
| email | E-mail消息支持（包括MIME） |
| ftplib | FTP客户端模块 |
| gopherlib | gopher①客户端模块 |
| httplib | HTTP客户端模块 |
| imaplib | IMAP4客户端模块 |
| mailbox | 读取几种邮箱的格式 |
| mailcap | 通过mailcap文件访问MIME配置 |
| mhlib | 访问MH邮箱 |
| nntplib | NNTP客户端模块（参看第23章） |
| poplib | POP客户端模块 |
| robotparser | 支持解析Web服务器的robot文件 |

14

① gopher是Internet提供的一种采用菜单式驱动的信息查询工具，采用客户机/服务器模式。——译者注

（续）

| 模　块 | 描　述 |
| --- | --- |
| SimpleXMLRPCServer | 一个简单的XML-RPC服务器（参看第27章） |
| smtpd | SMTP服务器端模块 |
| smtplib | SMTP客户端模块 |
| telnetlib | Telnet客户端模块 |
| urlparse | 支持解释URL |
| xmlrpclib | XML-RPC的客户端支持（参看第27章） |

## 14.2　SocketServer 和它的朋友们

正如在前面的socket模块部分看到的一样，写一个简单的套接字服务器真的不是很难。如果想实现超出基础的应用，那么，最好还是寻求些帮助。SocketServer模块是标准库中很多服务器框架的基础，这些服务器框架包括BaseHTTPServer、SimpleHTTPServer、CGIHTTPServer、SimpleXMLRPCServer和DocXMLRPCServer，所有的这些服务器框架都为基础服务器增加了特定的功能。

SocketServer包含了4个基本的类：针对 TCP流式套接字的TCPServer；针对UDP数据报套接字的UDPServer；以及针对性不强的UnixStreamServer 和UnixDatagramServer。通常可能很少用到后3个。

如果要编写一个使用SocketServer框架的服务器，可能会将大部分代码放在一个请求处理程序（request handler）中。每当服务器收到一个请求（来自客户端的连接）时，就会实例化一个请求处理程序，并且它的各种处理方法（handler method）会在处理请求时被调用。具体调用哪个方法取决于特定的服务器和使用的处理程序类（handler class）。还可以把它们子类化，使得服务器调用自定义的处理程序集。BaseRequestHandler类把所有的操作都放到了处理器的一个叫做handle的方法中，这个方法会被服务器调用。然后这个方法就会访问属性self.request中的客户端套接字。如果使用的是流（如果使用的是TCPServer，这就是可能的），那么可以使用StreamRequestHandler类，创建了其他两个新属性，self.rfile（用于读取）和self.wfile（用于写入）。然后就能使用这些类文件对象和客户机进行通信。

SocketServer框架中的其他类实现了对HTTP服务器的基本支持。其中包括运行CGI脚本，也包括对XML RPC（在第27章讨论）的支持。

代码清单14-3展示了代码清单14-1中的小型服务器的SocketServer版本。它能和代码清单14-2中的客户机协同工作。注意，StreamRequestHandler在连接被处理完后会负责关闭连接。还要注意使用''表示的是服务器正在其上运行的机器的主机名。

**代码清单14-3**　一个基于SocketServer的小型服务器

```python
from SocketServer import TCPServer, StreamRequestHandler

class Handler(StreamRequestHandler):

    def handle(self):
```

```
        addr = self.request.getpeername()
        print 'Got connection from', addr
        self.wfile.write('Thank you for connecting')

server = TCPServer(('', 1234), Handler)
server.serve_forever()
```

在Python库参考文档（http://python.org/doc/lib/module-SocketServer.html）和John Goerzen的 *The Foundations of Python Network Programming* 中可以找到关于SocketServer框架的更多信息。

## 14.3  多个连接

到目前为止讨论的服务器解决方案都是同步的：即一次只能连接一个客户机并处理它的请求。如果每个请求只是花费很少的时间，比如，一个完整的聊天会话，那么同时能处理多个连接就很重要。

有3种主要的方法能实现这个目的：分叉（forking）、线程（threading）以及异步I/O(asynchronous I/O)。通过对SocketServer服务器（如代码清单14-4和代码清单14-5所示）使用混入类（mix-in class），派生进程和线程很容易处理。即使要自己实现它们，这些方法也很容易使用。它们确实有缺点：分叉占据资源，并且如果有太多的客户端时分叉不能很好分叉（尽管如此，对于合理数量的客户端，分叉在现代的UNIX或者Linux系统中是很高效的，如果有一个多CPU系统，那效率会更高）；线程处理能导致同步问题。我在这里不会深入讨论这些问题的任何细节（我也不会深入讨论多线程），但我在接下来的几节中会向你展示这些技术。

---

### 什么是分叉和线程处理

或许你不知道什么是分叉和线程处理，这里做一些说明。分叉是一个UNIX术语；当分叉一个进程（一个运行的程序）时，基本上是复制了它，并且分叉后的两个进程都从当前的执行点继续运行，并且每个进程都有自己的内存副本（比如变量）。一个进程（原来的那个）成为父进程，另一个（复制的）成为子进程。如果你是一个科幻小说迷，可以把它们想象成并行宇宙（parallel universe）。分叉操作在时间线（timeline）上创建了一个分支，最后得到了两个独立存在的进程。幸好进程可以判断哪个是原进程哪个是子进程（通过查看fork函数的返回值）。因此它们所执行的操作不同（如果相同，那么还有什么意义？两个进程会做同样的工作，会使你自己的电脑停顿）。

在一个使用分叉的服务器中，每一个客户端机连接都利用分叉创造一个子进程。父进程继续监听新的连接，同时子进程处理客户端。当客户端的请求结束时，子进程就退出了。因为分叉的进程是并行运行的，客户端之间不必互相等待。

因为分叉有点耗费资源（每个分叉出来的进程都需要自己的内存），这就出现了另一种方法：线程。线程是轻量级的进程或者子进程，所有的线程都存在于相同的（真正的）进程中，共享内存。资源消耗的下降伴随着一个缺陷：因为线程共享内存，所以必须确保它们的变量不会冲突，或者是在同一时间修改同一内容，这就会造成混乱。这些问题都可以归结为同步问题。在现代操作系统中（除了Windows，它不支持分叉），分叉实际是很快的，现代的硬件能比以

---

14

往更好地处理资源消耗。如果不想被同步问题所困扰，分叉是一个很好的选择。

能避免这类并行问题最好不过了。本章后面会看到基于 select 函数的其他解决方法。避免线程和分叉的另外一种方法是转换到 Stackless Python（http://stackless.com），一个为了能够在不同的上下文之间快速、方便切换而设计的 Python 版本。它支持一个叫做微线程（microthreads）的类线程的并行形式，微线程比真线程的伸缩性要好。比如，Stackless Python 微线程已经被用在星战前夜在线（EVE Online, http://www.eve-online.com）来为成千上万的使用者服务。

异步 I/O 在底层的实现有点难度。基本的机制是 select 模块的 select 函数（14.3.2 节会介绍），这是非常难处理的。幸好存在更高的层次处理异步 I/O 的框架，这就为处理一个强大可伸缩的机制提供了一个简单的、抽象的接口。包含在标准库中的这种类型的基本框架由 asyncore 和 asynchat 模块组成，这会在第 24 章讨论。Twisted（在本章的最后讨论）是一个非常强大的异步网络编程框架。

## 14.3.1 使用 SocketServer 进行分叉和线程处理

使用 SocketServer 框架创建分叉或者线程服务器太简单了，几乎不需要解释。代码清单 14-4 和代码清单 14-5 展示了如何让代码清单 14-3 中的服务器使用分叉和线程。如是 handle 方法要花很长时间完成，那么分叉和线程行为就很有用。注意，Windows 不支持分叉。

**代码清单 14-4　使用了分叉技术的服务器**

```
from SocketServer import TCPServer, ForkingMixIn, StreamRequestHandler

class Server(ForkingMixIn, TCPServer): pass

class Handler(StreamRequestHandler):

    def handle(self):
        addr = self.request.getpeername()
        print 'Got connection from', addr
        self.wfile.write('Thank you for connecting')

server = Server(('', 1234), Handler)
server.serve_forever()
```

**代码清单 14-5　一个使用了线程处理的服务器**

```
from SocketServer import TCPServer, ThreadingMixIn, StreamRequestHandler

class Server(ThreadingMixIn, TCPServer): pass

class Handler(StreamRequestHandler):

    def handle(self):
    addr = self.request.getpeername()
    print 'Got connection from', addr
    self.wfile.write('Thank you for connecting')

server = Server(('', 1234), Handler)
server.serve_forever()
```

### 14.3.2 带有 select 和 poll 的异步 I/O

当一个服务器与一个客户端通信时，来自客户端的数据可能是不连续的。如果使用分叉或线程处理，那就不是问题。当一个程序在等待数据，另一个并行的程序可以继续处理它们自己的客户端。另外的处理方法是只处理在给定时间内真正要进行通信的客户端。不需要一直监听，只要监听（或读取）一会儿，然后把它放到其他客户端的后面。

这是asyncore/asynchat（参见第24章）框架和Twisted框架（参见下一节）采用的方法，这种功能的基础是select函数，如果poll函数可用，那也可以是它，这两个函数都来自select模块。这两个函数中，poll的伸缩性更好，但它只能在UNIX系统中使用（这就是说，在Windows中不可用）。

select函数需要3个序列作为它的必选参数，此外还有一个可选的以秒为单位的超时时间作为第4个参数。这些序列是文件描述符整数（或者是带有返回这样整数的fileno方法的对象）。这些就是我们等待的连接。3个序列用于输入、输出以及异常情况（错误以及类似的东西）。如果没有给定超时时间，select会阻塞（也就是处于等待状态），直到其中的一个文件描述符已经为行动做好了准备；如果给定了超时时间，select最多阻塞给定的超时时间，如果给定的超时时间是0，那么就给出一个连续的poll（即不阻塞）。select的返回值是3个序列（也就是一个长度为3的元组），每个代表相应参数的一个活动子集。比如，返回的第1个序列是一个输入文件描述符的序列，其中有一些可以读取的东西。

序列能包含文件对象（在Windows中行不通）或者套接字。代码清单14-6展示了一个使用select的为很多连接服务的服务器（注意，服务器套接字本身被提供给select，这样select就能在准备接受一个新的连接时发出通知）。服务器是个简单的记录器（logger），它输出（在本地）来自客户机的所有数据。可以使用Telnet（或者写一个简单的基于套接字的客户机来为它提供数据）连接它来进行测试。尝试用多个Telnet去连接来验证服务器能同时为多个客户端服务（服务器的日志会记录其中两个客户端的输入信息）。

**代码清单14-6　使用了select的简单服务器**

```
import socket, select

s = socket.socket()

host = socket.gethostname()
port = 1234
s.bind((host, port))

s.listen(5)
inputs = [s]
while True:
    rs, ws, es = select.select(inputs, [], [])
    for r in rs:
        if r is s:
            c, addr = s.accept()
            print 'Got connection from', addr
            inputs.append(c)
        else:
```

14

```
try:
    data = r.recv(1024)
    disconnected = not data
except socket.error:
    disconnected = True

if disconnected:
    print r.getpeername(), 'disconnected'
    inputs.remove(r)
else:
    print data
```

poll方法使用起来比select简单。在调用poll时，会得到一个poll对象。然后就可以使用poll
对象的register方法注册一个文件描述符（或者是带有fileno方法的对象）。注册后可以使用
unregister方法移除注册的对象。注册了一些对象（比如套接字）以后，就可以调用poll方法（带
有一个可选的超时时间参数）并得到一个（fd，event）格式列表（可能是空的），其中fd是文件
描述符，event则告诉你发生了什么。这是一个位掩码（bitmask），意思是它是一个整数，这个整
数的每个位对应不同的事件。那些不同的事件是select模块的常量，在表14-2中会进行解释，为了
验证是否设置了一个给定位（也就是说，一个给定的事件是否发生了），可以使用按位与操作符（&）：

```
if event & select.POLLIN: ...
```

表14-2    select模块中的polling事件常量

| 事 件 名 | 描    述 |
|---|---|
| POLLIN | 读取来自文件描述符的数据 |
| POLLPRI | 读取来自文件描述符的紧急数据 |
| POLLOUT | 文件描述符已经准备好数据，写入时不会发生阻塞 |
| POLLERR | 与文件描述符有关的错误情况 |
| POLLHUP | 挂起，连接丢失 |
| POLLNVAL | 无效请求，连接没有打开 |

代码清单14-7中的程序是代码清单14-6中的服务器的重写，现在使用poll来代替select。注
意我添加了一个从文件描述符（ints）到套接字对象的映射（fdmap）。

**代码清单14-7    使用poll的简单服务器**

```
import socket, select

s = socket.socket()
host = socket.gethostname()
port = 1234
s.bind((host, port))

fdmap = {s.fileno(): s}

s.listen(5)
p = select.poll()
p.register(s)
while True:
    events = p.poll()
    for fd, event in events:
```

```
        if fd = s.fileno():
            c, addr = s.accept()
            print 'Got connection from', addr
            p.register(c)
            fdmap[c.fileno()] = c
    elif event & select.POLLIN:
        data = fdmap[fd].recv(1024)
        if not data: # 没有数据—关闭连接
            print fdmap[fd].getpeername(), 'disconnected'
            p.unregister(fd)
            del fdmap[fd]
        else:
            print data
```

**更多信息**

在Python库参考文档（http://python.org/doc/lib/module-select.html）中可以找到更多的关于select和poll的信息。也可以阅读标准库中的asyncore和asynchat模块的源代码（位于Python安装程序的asyncore.py 和asynchat.py文件中）。

# 14.4　Twisted

来自于Twisted Matrix实验室（http://twistedmatrix.com）的Twisted是一个事件驱动的Python网络框架，原来是为网络游戏开发的，现在被所有类型的网络软件使用。在Twisted中，需要实现事件处理程序，这很像在GUI工具包（参见第12章）中做的那样。实际上，Twisted能很好地和几个常见的GUI工具包（Tk、GTK、Qt以及wxWidgets）协同工作。本节会介绍一些基本的概念并且展示如何使用Twisted来做一些相对简单的网络编程。掌握了基本概念以后，就能根据Twisted的文档去做一些更高级的网络编程。Twisted是一个非常丰富的框架，并且支持Web服务器、客户机、SSH2、SMTP、POP3、IMAP4、AIM、ICQ、IRC、MSN、Jabber、NNTP和DNS，等等。

## 14.4.1　下载并安装 Twisted

安装Twisted很容易。首先访问Twisted Matrix的网页（http:// twistedmatrix.com），然后点击下载链接。如果使用的是Windows的话，那么下载与Python版本对应的Windows安装程序，如果使用的是其他的系统那就下载源代码档案文件（如果使用了包管理器，比如Portage、RPM、APT、Fink或者MacPorts，那就可以直接下载并安装Twisted）。Windows安装程序是无须说明的按步进行的安装向导，它可能会花些时间解压缩和编译，你要做的就是等待。为了安装源代码档案文件，首先要解压缩（使用tar，然后根据下载的是哪种类型的档案文件来决定使用gunzip还是bunzip2）然后运行Distutils 脚本：

```
python setup.py install
```

应该可以使用Twisted了。

## 14.4.2　编写 Twisted 服务器

这章之前编写的基本套接字服务器是显式的。其中的一些有很清楚的事件循环，用来查找新的连接和新数据，而基于SocketServer的服务器有一个隐式的循环，在循环中服务器查找连接并为每个连接创建一个处理程序，但处理程序在要读数据时必须是显式的。Twited（以及在第24章讨论的asyncore/asynchat框架）使用一个事件甚至多个基于事件的方法。要编写基本的服务器，就要实现处理比如新客户端连接、新数据到达以及一个客户端断开连接等事件的事件处理程序。具体的类能通过基本类建立更精炼的事件，比如包装"数据到达"事件、收集数据直到新的一行，然后触发"一行数据到达"的事件。

---

**注意**　有一个类似Twisted特征的内容我在本节没有处理，那就是延迟和延迟执行，请参考Twisted文档以了解更多信息（比如可以看Twisted文档中的HOWTO页中名为"Deferreds are beautiful"的教程）。

---

事件处理程序在一个协议（protocol）中定义；在一个新的连接到达时，同样需要一个创建这种协议对像的工厂（factory），但如果只是想要创建一个通用的协议类的实例，那么就可以使用Twited自带的工厂。factory类在twisted.internet.protocol模块中。当编写自己的协议时，要使用和超类一样的模块中的protocol。得到了一个连接后，事件处理程序connectionMade就会被调用；丢失了一个连接后，connectionLost就会被调用。来自客户端的数据是通过处理程序dataReceived接收的。当然不能使用事件处理策略来把数据发回到客户端，如果要实现此功能，可以使用对象self.transport，这个对象有一个write方法，也有一个包含客户机地址（主机名和端口号）的client属性。

代码清单14-8包含代码清单14-6和代码清单14-7中服务器的Twisted版本。希望读者也会觉得Twisted版本更简单、更易读。这里只涉及一点设置，必须实例化factory，还要设置它的protocol属性，这样它在和客户机通信时就知道使用什么协议（自定义协议）。然后就开始在给定的端口处使用工厂进行监听，这个工厂要通过实例化协议对象来准备处理连接。程序使用的是reactor中的listenTCP函数来监听，最后通过调用同一个模块中的run函数启动服务器。

**代码清单14-8　使用Twisted的简单服务器**

```
from twisted.internet import reactor
from twisted.internet.protocol import Protocol, Factory

class SimpleLogger(Protocol):

    def connectionMade(self):
        print 'Got connection from', self.transport.client

    def connectionLost(self, reason):
        print self.transport.client, 'disconnected'

    def dataReceived(self, data):
        print data

factory = Factory()
factory.protocol = SimpleLogger

reactor.listenTCP(1234, factory)
reactor.run()
```

如果用Telnet连接到此服务器并进行测试的话，那么每行可能只输出一个字符取决于缓冲或类似的东西。当然可以使用sys.stdout.write来代替print。但在很多情况下可能更喜欢每次得到一行，而不是任意的数据。编写一个处理这种情况的自定义协议很容易，实际上已经有一个现成的类了。twisted.protocols.basic模块中包含一个有用的预定义协议，是LineReceiver。它实现了dataReceived并且只要收到了一整行就调用事件处理程序lineReceived。

---

**提示** 如果要在接受数据时做些事情，可以使用由LineReceiver定义的叫做rawDataReceived的事件处理程序，也可以使用lineReceived，但它依赖于dataReceived的实现LineReceiver。

---

转换协议只需要很少的工作。代码清单14-9展示了转换的结果。如果在运行服务器时查看输出结果，会看到换行符被去掉了，换句话说，使用print不再提供两倍的换行符。

**代码清单14-9** 一个使用了LineReceiver协议改进的记录服务器

```python
from twisted.internet import reactor
from twisted.internet.protocol import Factory
from twisted.protocols.basic import LineReceiver


class SimpleLogger(LineReceiver):

    def connectionMade(self):
        print 'Got connection from', self.transport.client

    def connectionLost(self, reason):
        print self.transport.client, 'disconnected'

    def lineReceived(self, line):
        print line

factory = Factory()
factory.protocol = SimpleLogger

reactor.listenTCP(1234, factory)
reactor.run()
```

关于Twisted框架的内容有很多我没有讲到。如果想要学习更多知识，应该查看在线的文档，文档可以在Twisted的网站（http://twistedmatrix.com）上找到。

## 14.5　小结

本章介绍了Python中网络编程中的一些方法。究竟选择什么方法取决于程序特定的需要和开发者的偏好。选择了某种方法后，就需要了解具体方法的更多内容。本章介绍的内容如下。

- **套接字和socket模块**。套接字程序（进程）之间进行通信的信息通道，可能会通过网络来通信。socket模块给提供了对客户端和服务器端套接字的低级访问功能。服务器端套接字会在指定的地址监听客户端的连接，而客户机是直接连接的。
- **urllib 和urllib2**。这些模块可以在给出数据源的URL时让从不同的服务器读取和下载数据。urllib模块是一个简单一些的实现，而urllib2是可扩展的，而且很强大。两者都通

**14**

过urlopen等简单的函数来工作。

- □ **SocketServer框架**。这是一个同步的网络服务器基类。位于标准库中，使用它可以很容易地编写服务器。它甚至用CGI支持简单的Web服务（HTTP）。如果想同时处理多个连接，可以使用分叉和线程来处理混入类。
- □ **select和poll**。这两个函数让你可以考虑一组连接并且能找出已经准备好读取或者写入的连接。这就意味着能为通过时间片轮转来为几个连接提供服务。看起来就像是同时处理几个连接。尽管代码可能更复杂一点，但在伸缩性和效率上要比线程或分叉好得多。
- □ **Twisted**。这是来自Twisted Matrix实验室的框架，支持绝大多数的网络协议，它内容丰富并且很复杂，尽管很庞大，有的习惯用语却不太容易记，但它的基本用法简单、直观。Twisted框架是异步的，因此它在伸缩性和效率方面表现得很好。如果能使用Twisted，它可能很多自定义网络应用程序的最佳选择。

### 14.5.1　本章的新函数

本章涉及的新函数如表14-3所示。

表14-3　本章的新函数

| 函　　　数 | 描　　　述 |
| --- | --- |
| urllib.urlopen(url[, data[, proxies]]) | 通过URL打开一个类文件对象 |
| urllib.urlretrieve(url[, fname[, hook[, data]]]) | 通过URL下载一个文件 |
| urllib.quote(string[, safe]) | 引用特定的URL字符 |
| urllib.quote_plus(string[, safe]) | 和quote相同，但是将空格引用为+ |
| urllib.unquote(string) | 和quote 相反 |
| urllib.unquote_plus(string) | 和quote_plus相反 |
| urllib.urlencode(query[, doseq]) | 在CGI请求中使用的编码映射 |
| select.select(iseq, oseq, eseq[, timeout]) | 找出准备好读取/写入的套接字 |
| select.poll() | 为polling套接字创建一个poll对象 |
| reactor.listenTCP(port, factory) | Twisted函数，监听连接 |
| reactor.run() | Twisted函数，主服务器循环 |

### 14.5.2　接下来学什么

所有关于网络程序设计的内容都介绍完了吗？不可能，下一章会处理网络世界中的一个非常具体并且更为人们熟悉的实体：Web。

# 第 15 章

# Python和Web *15*

本章将讨论如何使用Python进行Web程序设计。虽然Web程序设计涉及的领域相当广，但是这里只选择3个主题进行介绍：屏幕抓取、CGI和mod_python。另外，我会给出如何寻找用于更高级的Web应用和Web服务开发的适当工具的方法。关于使用CGI进行扩展的例子，请参见第25章和第26章。使用具体Web 服务协议XML-PRC的例子，请参见第27章。

## 15.1  屏幕抓取

屏幕抓取是程序下载网页并且从中提取信息的过程。这个技术很有用，如果你想在你的程序中使用在线的网页所包含的信息，就可以使用这个技术。如果所涉及的网页是动态的那就更有用了，也就是说网页是不停变化的。不然就要每次都下载网页，然后手动提取信息才行（最理想的情况当然是通过后面会讨论到的Web 服务获取信息）。

这个技术从概念上讲很简单，只要下载数据然后分析就行了。例如，可以使用urllib获取网页的HTML源代码，然后使用正则表达式（见第10章）或者其他技术提取信息。假设想要从Python Job Board（http://python.org/community/jobs）上提取所有雇主的名字和网站，那么可以查看网页源代码，会看到名字和URL都可以在h3元素中的链接中找到，像下面这样（除了未断行的）：

```
<h3><a name="google-mountain-view-ca-usa"><a class="reference"
href="http://www.google.com">Google</a> ...
```

代码清单15-1是一个使用urllib和re提取信息的例子。

**代码清单15-1  简单的屏幕抓取程序**

```python
from urllib import urlopen
import re
p = re.compile('<h3><a .*?><a .*? href="(.*?)">(.*?)</a>')
text = urlopen('http://python.org/community/jobs').read()
for url, name in p.findall(text):
    print '%s (%s)' % (name, url)
```

这段代码当然还能改进（比如过滤掉相同的内容），不过已经可以用了。但这种方法至少有3个缺点。

❑ 正则表达式并不是完全可读的。对于更复杂的HTML代码和查询来说，表达式会变得乱七八糟并且不可维护。

**15**

❑ 程序对于CDATA部分和字符实体（比如&amp;）之类的HTML特性是无法处理的。如果碰到了这类特性，程序很有可能会失败。

❑ 正则表达式被HTML源代码约束，而不是取决于更抽象的结构。这就意味着网页结构中很小的改变就会导致程序中断（读者看到这里的时候可能程序已经中断了）。

下面几节将会对这个以正则表达式为基础的程序所产生的问题提出两个解决方案。第一个方案是使用程序调用Tidy（Python库），进行XHTML解析；第二个方案则使用Beautiful Soup库，它专门为屏幕抓取设计。

---

**注意**　还有其他的屏幕抓取工具可供Python使用，比如检看Ka-Ping Yee的scrape.py（可以在http://zesty.ca/python上找到）。

---

## 15.1.1　Tidy和XHTML解析

Python标准库中有很多支持结构化格式解析的库，例如HTML和XML（见Python库参考第8章，地址为http://python.org/doc/lib/markup.html）。第22章会深入讨论XML及其解析方法。本节会介绍一种用来处理XHTML的工具，XHTML是HTML最新的方言，是XML的一种形式。

如果每个网页包含的都是正确和有效的XHTML代码，解析的工作就很简单。问题在于旧版的HTML的方言较为随意，有些人甚至不关心这种随意的方言的限制。原因可能在于大多数网络浏览器都是很“宽容的”，并且会尽它们最大的努力来渲染最混乱且无意义的HTML。如果对于网页作者来说这是可以接受的，那么浏览器可能会很满意。而这却使屏幕抓取工作变得有点困难。

标准库中解析HTML的一般方法是基于事件的，所以需要编写像解析器一样顺序处理数据的事件处理程序。标准库模块sgmllib和htmllib可以用这种方式解析非常混乱的HTML，但是如果希望提取基于文档结构（比如在第二个二级标题下的第一个项目）的数据，那么在缺失标签的情况下可能要碰碰运气了。如果愿意的话，这么做当然也没问题，不过还有另一种方法：Tidy。

### 1. Tidy是什么

Tidy（http://tidy.sf.net）是用来修复不规范且有些随意的HTML文档的工具。它能以相当智能的方法修复一般的错误，做那些你不愿意做的事情。它也是可设置的，也可以打开或关闭各种修改选项。

下面是个有错误的HTML文件，有些是过时的（Old Skool）HTML，有些则是普通的错误（读者可以指出所有的问题吗）：

```
<h1>Pet Shop
<h2>Complaints</h3>

<p>There is <b>no <i>way</b> at all</i> we can accept returned
parrots.

<h1><i>Dead Pets</h1>

<p>Our pets may tend to rest at times, but rarely die within the
warranty period.
```

```
<i><h2>News</h2></i>
<p>We have just received <b>a really nice parrot.

<p>It's really nice.</b>

<h3><hr>The Norwegian Blue</h3>

<h4>Plumage and <hr>pining behavior</h4>
<a href="#norwegian-blue">More information<a>

<p>Features:
<body>
<li>Beautiful plumage
```

下面是Tidy修复过的版本：

```
<!DOCTYPE html PUBLIC "-//W3C//DTD HTML 4.01 Transitional//EN">
<html>
<head>
<title></title>
</head>
<body>
<h1>Pet Shop</h1>
<h2>Complaints</h2>
<p>There is <b>no <i>way</i> at all</b> we can accept returned
parrots.</p>
<h1><i>Dead Pets</i></h1>
<p>Our pets may tend to rest at times, but rarely die within the
warranty period.</p>
<h2><i>News</i></h2>
<p>We have just received <b>a really nice parrot.</b></p>
<p><b>It's really nice.</b></p>
<hr>
<h3>The Norwegian Blue</h3>
<h4>Plumage and</h4>
<hr>
<h4>pining behavior</h4>
<a href="#norwegian-blue">More information</a>
<p>Features:</p>
<ul class="noindent">
<li>Beautiful plumage</li>
</ul>
</body>
</html>
```

当然，Tidy不能修复HTML文件的所有问题，但是它会确保文件的格式是正确的（也就是所有元素都正确嵌套），这样一来解析的时候就轻松多了。

2. 获取Tidy库

Tidy以及Tidy的库版本Tidylib可以从http://tidy.sf.net上获取。除此之外，还应该下载一个Python 包 装 程 序。μTidyLib 可 以 从 http://utidylib.berlios.de 上 获 取 ，而 mxTidy 可 以 在 http://egenix.com/ products/python/mxExperimental/mxTidy上下载。

在本书写作时，μTidyLib是两者中最新的，但mxTidy更容易安装。在Windows中，只需下载mxTidy的安装程序，运行它，就可以使用mx.Tidy模块了。也可以使用RPM包，如果你想安装源代码包（假设在UNIX或Linux环境中），只需使用python setup.py install运行Distutils脚本。

15

### 3. 在Python中使用命令行Tidy

如果正在使用UNIX或者Linux系统的话，就不需要安装任何库，因为系统中很有可能已经包括Tidy的命令行版本。不管正在使用什么操作系统，都可以从TidyLib的网站上下载一个可执行的二进制版本。

获得二进制版本后，可以使用subprocess模块（或者其他带有popen函数的模块）运行Tidy程序。假设有个叫做messy.html的混乱的HTML文件，那么下面的程序会对该文件运行Tidy，然后打印结果：

```
from subprocess import Popen, PIPE

text = open('messy.html').read()
tidy = Popen('tidy', stdin=PIPE, stdout=PIPE, stderr=PIPE)

tidy.stdin.write(text)
tidy.stdin.close()

print tidy.stdout.read()
```

实际上，除了打印结果意外，还可以从中提取一些有用的信息，下面几节会对此进行演示。

### 4. 但为什么用XHTML

XHTML和旧版本的HTML之间的最主要区别（至少对于当前的用途来讲）是XHTML对于显式关闭所有元素要求更加严格。所以在HTML中可能只用一个开始标签（<p>标签）结束一段然后开始下一段，而在XHTML中首先需要显式地关闭当前段落（用</p>标签）。这种行为让XHTML更容易解析，因为可以直接告诉程序什么时候进入或者离开各种元素。XHTML的另外一个好处（本章不会用到）是它是XML的一种，所以可以对它使用XML的工具，例如XPath。从代码清单15-1的程序中提取出公司链接也可以使用XPath表达式//h3/a/@href提取（有关更多XML的内容，参见第22章。有关更多XPath使用的信息，参见http://www.w3schools.com/xpath）。

解析这类从Tidy中获得的表现良好的XHTML的方法是使用标准库模块（和类）HTMLParser[①]。

### 5. 使用HTMLParser

使用HTMLParser意味着要生成它的一个子类，并且对handle_starttage或handle_data之类的事件处理方法进行覆盖。表15-1总结了一些相关的方法，以及解析器在何时对它们进行（自动）调用。

表15-1　HTMLParser的回调方法

| 回调方法 | 何时调用 |
| --- | --- |
| handle_starttag(tag, attrs) | 找到开始标签时调用。attrs是（名称，值）对的序列 |
| handle_startendtag(tag, attrs) | 使用空标签时调用。默认分开处理开始和结束标签 |
| handle_endtag(tag) | 找到结束标签时调用 |
| handle_data(data) | 使用文本数据时调用 |
| handle_charref(ref) | 当使用&#ref;形式的实体引用时调用 |

---

① 不要和htmllib模块中的类HTMLParser混淆，如果愿意，你也可以使用它，它在接受不规范的输入方面更加自由。

（续）

| 回调方法 | 何时调用 |
|---|---|
| handle_entityref(name) | 当使用&name;形式的实体引用时调用 |
| handle_comment(data) | 注释时调用。只对注释内容调用 |
| handle_decl(decl) | 声明<!...>形式时调用 |
| handle_pi(data) | 处理指令时调用 |

　　如果要进行屏幕抓取，一般不需要实现所有的解析器回调（事件处理程序），也可能不用生成整个文档的抽象表示（比如文档树）来查找自己需要的内容。只要能够记录下所需的信息就足够了（请参见第22章内关于这个主题的更多讨论，关于使用SAX对XML进行解析）。代码清单15-2中的程序解决的问题同代码清单15-1相同，不过这次使用了HTMLParser。

**代码清单15-2　使用HTMLParser模块的屏幕抓取程序**

```
from urllib import urlopen
from HTMLParser import HTMLParser

class Scraper(HTMLParser):

    in_h3 = False
    in_link = False

    def handle_starttag(self, tag, attrs):
        attrs = dict(attrs)
        if tag == 'h3':
            self.in_h3 = True

        if tag == 'a' and 'href' in attrs:
            self.in_link = True
            self.chunks = []
            self.url = attrs['href']

    def handle_data(self, data):
        if self.in_link:
            self.chunks.append(data)

    def handle_endtag(self, tag):
        if tag == 'h3':
            self.in_h3 = False
        if tag == 'a':
            if self.in_h3 and self.in_link:
                print '%s (%s)' % (''.join(self.chunks), self.url)
            self.in_link = False

text = urlopen('http://python.org/community/jobs').read()
parser = Scraper()
parser.feed(text)
parser.close()
```

　　有些事情值得注意。首先，这次没有使用Tidy，因为网页中的HTML已经足够规范了。如果够走运的话，会发现用不到Tidy。而且使用了一些布尔状态变量（特性）以追踪是否已经位于h3元素和链接内。在事件处理程序中检查并且更新这些变量。handle_starttag的attrs参数是由（键，值）元组组成的列表，所以使用dict函数将它们转化为字典，这样更易于管理。

**15**

handle_data方法（以及chunks特性）可能还得解释一下。它使用了在处理HTML和XML这类结构化标记的基于事件的解析工作时非常常见的技术。我没有假定只调用handle_data就能获得所有需要的文本，而是假定会通过多次调用函数获得多个文本块。这样做的原因有几个：忽略了缓冲、字符实体和标记等——只需确保获得所有文本。然后在准备输出结果时（使用handle_endtag方法），只是将所有的文本块联结在了一起。可以让文本调用feed方法以运行这个解析器，然后再调用close方法。

这个解决方案可能比使用正则表达式的版本（代码清单15-1）更能应付输入数据中的改变。当然，这个方法的代码可能有些太长了（它当然要比使用XPath表达式的版本长），而且差不多和正则表达式一样难懂。对于更加复杂的提取工作，支持这类解析的参数可能更易理解，但是应该还会有人觉得有更好的方法。如果不介意安装另外一个模块的话，那么还有个方法可用。

## 15.1.2　Beautiful Soup

Beautiful Soup是个小模块，用来解析和检查经常在网上看到的那类乱七八糟而且不规范的HTML。下面的内容引用自Beautiful Soup网站（http://crummy.com/software/BeautifulSoup）：

　　那些糟糕的网页不是你写的。你只是试图从中获得一些数据。现在，你不用关心HTML是什么样子的了。

　　解析器亦是如此。

下载和安装Beautiful Soup（2.1版）太简单了：下载BeautifulSoup.py文件，然后将它放置在Python路径中（比如Python安装文件夹里面的site-packages目录）。如果需要的话，还可以下载带有安装脚本和测试的tar档案文件。安装好后，运行从Python Job Board获取Python Job的例子就非常非常简单了——而且还易读，如代码清单15-3所示。

**代码清单15-3　使用Beautiful Soup的屏幕抓取程序**

```
from urllib import urlopen
from BeautifulSoup import BeautifulSoup

text = urlopen('http://python.org/community/jobs').read()
soup = BeautifulSoup(text)

jobs = set()
for header in soup('h3'):
    links = header('a', 'reference')
    if not links: continue
    link = links[0]
    jobs.add('%s (%s)' % (link.string, link['href']))

print '\n'.join(sorted(jobs, key=lambda s: s.lower()))
```

我只是用想要处理的HTML文本实例化了BeautifulSoup类，然后使用各种方法提取处理后的解析树的各个部分。例如调用soup('h3')获得了所有h3元素。然后进行迭代，依次将header变量绑定到每个元素上面，并且调用header('a', 'reference')获取reference类（这里是CSS中的类）的a的子元素列表。或者选择前例中的策略，获取具有href特性的a元素在Beautiful Soup中，像这样使用class特性很简单。

相信读者已经注意到了，代码清单15-3中使用了set和sorted（使用key函数设置忽略大小写）。这和Beautiful Soup无关，只是通过去掉重复项并按排序后的顺序打印出名字，让程序更有用而已。

如果针对RSS feed进行分析（本章后面会讨论），那么可以使用另外一个和Beautiful Soup相关的工具，叫做Scrape 'N' Feed（http://crummy.com/ software/ScrapeNFeed）。

## 15.2　使用 CGI 创建动态网页

本章第一部分讨论的是客户端技术，现在来看看服务器端。本节将会介绍基本的万维网程序设计技术：CGI（Common Gateway Interface，通用网关接口）。CGI是网络服务器可以将查询（一般来说是通过Web表单）传递到专门的程序（比如Python程序）中并且在网页上显示结果的标准机制。它是创建web应用程序的一种简便方法，无需编写特殊用途的应用服务器。有关更多在Python内进行CGI程序设计的信息，请参见Python网站上的Web Programming Topic Guide（http://wiki.python.org/moin/WebProgramming）。

Python CGI程序设计的关键工具是cgi模块。在Python库参考的CGI部分（http://python.org/ doc/lib/module-cgi.html）可以找到它的详细描述。cgitb是另外一个在CGI脚本开发过程中的有用模块。有关它的更多信息，参见15.2.6节。

使CGI脚本可通过网络访问（运行）之前，需要将它们放到网络服务器可以访问的地方，并且加入pound bang行，设置合适的文件权限。下面几节中会对这3步进行解释。

### 15.2.1　第一步：准备网络服务器

假设可以访问网络服务器——换句话说就是可以在Web上放置文件。一般来说，可以把网页、图片等放在特殊的目录中（UNIX内一般称为public_html）。如果不知道怎么做，那么应该询问自己的ISP或者系统管理员。

---

**提示**　如果读者正在使用Mac OS X，那么系统已经将Apache网络服务器作为系统的一部分安装了。它可以通过在系统首选项中的共享首选项面板中选择网络共享（Web Sharing）选项来启动。

---

CGI程序也必须放在通过网络可以访问的目录中。并且必须将它们标识为CGI脚本，这样网络服务器就不会将普通源代码作为网页处理。有如下两种方法可以实现这个功能。

- 将脚本放在叫做cgi-bin的子目录中。
- 把脚本文件扩展名改为.cgi。

具体的工作方式因服务器而异——如果读者对此存疑，那么请再次询问ISP或者系统管理员（例如，如果在用Apache，可能需要打开所涉及目录的ExecCGI选项）。

### 15.2.2　第二步：加入Pound Bang行

当把脚本放在正确位置（可能将其改为了特定的文件扩展名）后，需要在脚本的开始处增加

**15**

pound bang行。我曾在第一章中提到过它，不过只是用它作为不用显式地执行Python解释器而运行脚本的方法。一般来说，这么做只是为了方便，但是对于CGI脚本来说就至关重要了——没有这行的话，网络服务器就不知道如何执行脚本（脚本可以用其他的程序语言来写，比如Perl或者Ruby）。一般来说，只要把下面这行加到脚本开始处就可以了：

```
#!/usr/bin/env python
```

注意，它一定要是第一行（之前没有空行）。如果不能正常工作，需要查看Python可执行文件的确切位置，并像下面这样在这行内使用全路径：

```
#!/usr/bin/python
```

如果还是不行，可能是有些看不到的东西出错了，即这行是以\r\n而不是\n结尾的，服务器就会读不懂。确保把文件存为了一个普通的UNIX风格的文本文件。

在Windows系统中，可以使用Python二进制版本的全路径，比如：

```
#!C:\Python22\python.exe
```

## 15.2.3　第三步：设置文件权限

要做的最后一件事情（至少是服务器运行在UNIX或者Linux系统上时的最后一件事）是设置合适的文件权限。要确保每个人都可以读取和执行脚本文件（否则服务器就没法运行它了），但是还要确保只有你可以写入（这样就没有人可以修改脚本了）。

---

**提示**　有些时候，如果在Windows中编辑脚本文件，而将它存储在UNIX磁盘服务器上时（例如，通过Samba或者FTP访问文件），文件权限有可能能在对文件进行更改后被搞乱了。所以在脚本无法执行时，请确保文件权限仍是正确的。

---

修改文件权限（或者文件模式）的UNIX命令是chmod。只要运行下列命令即可（如果脚本叫做somescript.cgi），使用普通的用户账户，或者为这类Web任务特别建立的账户：

```
chmod 755 somescript.cgi
```

在做好所有这些准备后，应该能将脚本作为网页打开，并且执行。

---

**注意**　不应该在浏览器内将脚本文件作为本地文件打开——必须用完整的URL打开，这样才能真正地通过网络（网络服务器）访问它。

---

一般来说不允许CGI脚本修改计算机上的任何文件。如果想要它修改文件，必须显式地给它设置相应的权限。这时有两个选择，如果有root（系统管理员）特权的话，那么可以为你的脚本创建一个用户账户，改变需要修改的文件的所有权。如果没有root权限，则可以为文件设置文件权限，这样系统上的所有用户（包括网络服务器用来运行CGI脚本的用户）都被允许写文件。使用下面的命令可以设置文件许可：

```
chmod 666 editable_file.txt
```

**警告**　使用666文件模式可能会导致潜在的安全风险，除非读者知道自己的行为，否则最好不要使用这个模式。

## 15.2.4　CGI安全风险

使用CGI程序时也有安全问题存在。如果允许CGI脚本写服务器上的文件，那么除非非常小心地编写代码，否则可能会造成数据的损毁。同样，如果将用户提供的数据看做Python代码（比如用exec或者eval），或者shell命令（比如使用os.system或者使用subprocess模块）运行，也就承担了运行任意代码的风险，这是个很大（极其巨大）的安全问题。

有关网络安全方面信息的更多源代码，请参见World Wide Web Consortium的 security FAQ（http://www.w3.org/Security/Faq）。也可参见Python库参考中有关此主题的安全说明（http://python.org/doc/lib/cgi-security.html）。

## 15.2.5　简单的CGI脚本

最简单的CGI脚本类似于代码清单15-4。

**代码清单15-4　简单的CGI脚本**

```
#!/usr/bin/env python

print 'Content-type: text/plain'
print #打印空行，以结束首部

print 'Hello, world!'
```

如果将这个文件保存为simple1.cgi，并且通过网络服务器打开，应该看到一个只包括内容为"Hello, world!"的文本的网页。为了能够通过网络服务器打开这个文件，必须将它放在服务器可以访问的地方，对于一般的UNIX环境来说，可以放在主目录下的public_html目录中，然后可以通过URL http://localhost/~username/simple1.cgi打开（用username代替用户名）。请询问ISP或者系统管理员获得更多细节。

可以看到，程序写到标准的输出（比如使用print）的内容最终都显式在网页上。事实上，首先打印的HTTP的首部——关于页面信息的一行。这里只关心Content-type。Content-type后面跟着一个冒号、一个空格和一个类型名text/plain。这就表明页面是普通文本，如果页面为HTML，这一行就应该是下面这样：

```
print 'Content-type: text/html'
```

在所有的首部被打印后，打印一个空行表示文档即将开始。本例中的文档就是字符串'Hello, world!'。

## 15.2.6　使用cgitb调试

有时候编程的错误会让程序因为没有捕捉的异常而以栈跟踪终止。当通过CGI运行程序时，这种情况很有可能会得到由服务器返回的无帮助错误信息。Python 2.2的标准库中增加了叫做

**15**

cgitb（用于CGI回溯）的模块。导入它并且调用它的enable函数，就能得到包含出错信息的十分有用的网页。代码清单15-5是一个如何使用cgitb模块的例子。

**代码清单15-5**　调用回溯的CGI脚本（faulty.cgi）

```
#!/usr/bin/env python

import cgitb; cgitb.enable()

print 'Content-type: text/html'

print

print 1/0

print 'Hello, world!'
```

在浏览器内（通过网络服务器）访问这个脚本的结果如图15-1所示。

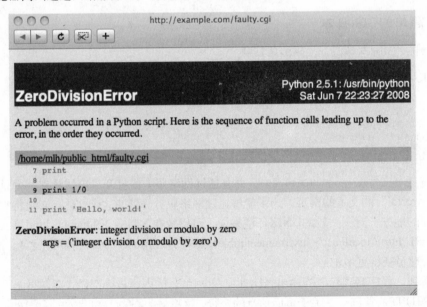

图15-1　利用cgitb模块获得的回溯

注意，应在开发完成后关掉cgitb功能，因为回溯页不是为程序的一般用户准备的[①]。

## 15.2.7　使用cgi模块

目前为止，程序只能产生输出，而不能接受任何形式的输入。输入是通过HTML表单提供给CGI脚本的键–值对，或称字段。可以使用cgi模块的FieldStorage类从CGI脚本中获取这些字段。当创建FieldStorage实例时（应该只创建一个），它会从请求中获取输入变量（或者字段），然后

———————————

① 另外一种选择是关闭显示错误信息，并将错误记录到日志中。请参见Python库参考获得更多信息。

通过类字典接口将它们提供给程序。FieldStorage的值可以通过普通的键查找方式访问，但是因为一些技术原因（有关文件上传的，这里不进行讨论），FieldStorage的元素并不是真正所要的值。比如，如果知道请求中包括名为name的值，就不应该像下面这么做：

```
form = cgi.FieldStorage()
name = form['name']
```

**而应该这样做：**
```
form = cgi.FieldStorage()
name = form['name'].value
```

获取值的简单方式就是用getvalue方法，它类似于字典的get方法，但它会返回项目的value特性的值。如下例所示：

```
form = cgi.FieldStorage()
name = form.getvalue('name', 'Unknown')
```

在上面的代码中，我提供了一个默认值（'Unknown'）。如果不提供的话，就会将None作为默认值使用。默认值用于字段中没有值的情况。

代码清单15-6是一个使用cgi.FieldStorage的简单例子。

**代码清单15-6  利用FieldStorage获取一个值的CGI脚本 (simple2.cgi)**

```
#!/usr/bin/env python

import cgi
form = cgi.FieldStorage()

name = form.getvalue('name', 'world')

print 'Content-type: text/plain'
print

print 'Hello, %s!' % name
```

### 不用表单调用CGI脚本

CGI脚本的输入一般都是从已经提交的Web表单中获得，但是也可以直接使用参数调用CGI程序。可以在脚本的URL后面加上问号，然后添加用&符号分隔的键值对来达到这个效果。比如，代码清单15-6中URL的脚本为http://www.someserver.com/simple2.cgi，可以使用name=Gumby和age=42来调用脚本：http://www.someserver.com/simple2.cgi?name=Gumby&age=42。如果这样尝试了，那么会得到信息"Hello, Gumby!"而不是"Hello, world!"（注意，age参数并没有使用）。使用urllib模块的urlencode方法可以创建此类URL查询：

```
>>> urllib.urlencode({'name': 'Gumby', 'age': '42'})
'age=42&name=Gumby'
```

当然也可以在自己的程序中用这个方法以及urllib一起创建真正能和CGI脚本交互的屏幕抓取程序。不过如果程序的两端（客户端和服务器端）都用这种方法写的话，那最好使用某种形式的Web服务（15.5节会讨论到）。

15

### 15.2.8 简单的表单

现在已经有了处理用户请求的工具，那么也到了创建用户可以提交的表单的时候了。表单可以放在单独页面中，但是现在把它和脚本放在一起。

更多有关编写HTML表单（或者HTML）的信息，应该买本关于HTML的好书来看一下（本地的书店应该有不少）。在网上还可以找到关于它的很多信息。下面是一些资源：

- ❑ http://www.webreference.com/htmlform
- ❑ http://www.htmlhelp.com/faq/html/forms.html
- ❑ http://www.cs.tut.fi/~jkorpela/forms
- ❑ http://www.w3schools.com/html/html_forms.asp
- ❑ http://www.htmlgoodies.com/tutors/fm.html

如果找到了一些页面其效果正是你想要的，可以直接在浏览器中选择"查看源文件"命令，来查看源代码（具体的命令因浏览器而异）。

---

**注意** 从CGI脚本获取信息的方法有两种：GET方法和POST方法。对于本章来说，两者的区别并不重要（基本上来讲GET就是获取信息，然后在URL中对它的查询进行编码，而POST可以用于任何形式的查询求，但是编码方式有点不同）。有关更多GET和POST的信息，请参见前面给出的网站中关于表单的教程。

---

回到脚本的问题上。代码清单15-7是刚才程序的扩展版本。

**代码清单15-7** 带有HTML表单的问候脚本（simple3.cgi）

```python
#!/usr/bin/env python

import cgi
form = cgi.FieldStorage()

name = form.getvalue('name', 'world')

print """Content-type: text/html

<html>
  <head>
    <title>Greeting Page</title>
  </head>
  <body>
    <h1>Hello, %s!</h1>


    <form action='simple3.cgi'>
    Change name <input type='text' name='name' />
    <input type='submit' />
    </form>
  </body>
</html>
""" % name
```

在脚本的开始处先获取CGI参数name，这个和刚才一样，使用默认的'world'。如果打开浏览器而不提交任何东西，程序就用默认值。

然后打印出一个简单的HTML页面，其中包括作为标题一部分的name，以及一个action属性设定为脚本自身名字（simple3.cgi）的HTML表单。这就意味着如果提交表单的话将会得到同样的脚本。表单中唯一的输入元素是叫做name的文本框。如果使用新名字提交了字段，标题应该会改变，因为name参数现在有值了。

图15-2演示了通过Web服务器访问代码清单15-7中脚本的效果。

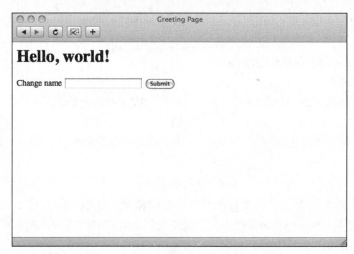

图15-2　执行代码清单15-7中脚本的效果

## 15.3　更进一步：mod_python

如果喜欢CGI，那么你可能会爱上mod_python。它是Apache网络服务器的扩展（模块），可以从mod_python的网站http://modpython.org上获取。它可以让Python解释器直接成为Apache的一部分，这样一来就可以在程序中应用很多很酷的东西了。最重要的是它提供了在Python中编写Apache处理程序的功能，和使用C语言不同，它是标准的。使用mod_python处理程序框架可以访问丰富的API，深入Apache内核，等等。

除了基本的功能外，它还带有用于Web开发的处理程序。这些处理程序会让开发过程轻松而愉悦。

❑ CGI处理程序，允许使用mod_python解释器运行CGI脚本，执行速度会有相当大的提高。
❑ PSP处理程序，允许用HTML以及Python代码混合编程创建可执行网页（executable web page），或者Python服务器页面（Python Server Page）。
❑ 发布处理程序（Publisher Handler），允许使用URL调用Python函数。

本节重点介绍这3个标准的处理程序,如果想要编写自己的处理程序,应该查看mod_python的文档。

15

### 15.3.1 安装mod_python

安装并使mod_python正常工作可能要比刚才说过的几个包难些。起码要让它可以和Apache协同工作。所以如果打算自己安装mod_python，应该使用某种形式的包管理器系统版本（可以自动安装）或者确保对运行以及维护Apache网络服务器有所了解（可以在http://httpd.apache.org上找到有关Apache的更多信息）。如果足够走运的话，电脑上可能已经安装了mod_python。如果不能的话也不要紧，使用这里介绍的方法，试试看代码是否能正确运行（当然也可以向ISP或管理员寻求帮助）。

如果真的想自己安装，那么可以从mod_python文档中获取需要的信息，可在mod_python网站（http:// modpython.org）上在线阅读或下载。也可以从mod_python的邮件列表中获得帮助。安装过程在UNIX和Windows上有些许的不同。

#### 1. 在UNIX上安装

假设已经编译好Apache Web服务器，并且有可用的Apache源代码，下面是编译和安装mod_python的重点。

首先，下载mod_python的源代码，然后解压缩，进入目录。接着运行mod_python的configure脚本：

```
$ ./configure --with-apxs=/usr/local/apache/bin/apxs
```

如果apxs不在这个位置，那么请修改apxs程序的路径。在Gentoo系统上，可以用/usr/sbin/apxs2。（其实也可以让mod_python自动安装，但是这就和现在的内容背道而驰了。）

记录所有有用的信息，比如LoadModule的相关信息。

配置完成后编译所有的文件：

```
$ make
```

编译好了之后就可以安装了：

```
$ make install
```

以上命令均需要root权限运行（或者将configure设置为--prefix选项）。

**注意** 在Mac OS X系统上可以使用MacPorts安装mod_python。

#### 2. 在Windows上安装

读者可以在http://www.apache.org/dist/httpd/modpython/win/上下载最新版的mod_python安装文件，然后双击运行。安装过程很简单，它会找到Python和Apache的安装位置。

如果在安装Python时候没有选择安装Tcl/TK的话，最后可能会出现错误，安装程序会提示如何手动安装：可以从Python的lib\site-packages文件夹复制mod_python_so.pyd到Apache根目录下面的modules目录。

#### 3. 配置Apache

万事俱备之后（如果没有的话，请参见刚才给出的信息），必须配置Apache才能使用mod_python。

找到为特定模块使用的Apache配置文件,文件通常叫做httpd.conf或者apache.conf(在发布版中,可能使用不同的名字, 如果需要, 可查看相关文档), 为不同操作系统增加下面相对应的行:

```
# UNIX
LoadModule python_module libexec/mod_python.so

# Windows
LoadModule python_module modules/mod_python.so
```

尽管UNIX的正确版本应该在前面作为configure的运行结果给出,具体的内容可能会稍有不同（比如mod_python.so的准确位置）。

现在Apache知道到哪里找mod_python了,但是还是不能使用:得告诉它什么时候去找。必须在Apache的配置文件中增加几行代码,可以在主配置文件中（可能为commonapache2.conf, 取决于安装的具体情况）, 或者放在名为.htaccess的文件中, 该文件所在的目录中有用于web访问的脚本（后者仅在使用AllowOverride指令允许它存在于服务器的主配置中时才会存在）。下面假设使用.htaccess文件,如果用的话,可以像下面这样将指令打包（如果你是Windows用户,记住要将路径加上引号）:

```
<Directory /path/to/your/directory>
    (Add the directives here)
</Directory>
```

具体使用的指令将会在本章后面几节介绍。

---

**注意**　如果按照上面的说明没有配置成功,请参见Apache和mod_python的网站获取更多关于安装的信息。

---

## 15.3.2　CGI处理程序

CGI处理程序在使用CGI的时候会模拟程序运行的环境。所以可以用mod_python运行程序,但是（大多数情况下也是）还可以使用gi和gitb模块把它当作CGI脚本来写（其中的一些限制请参见文档以获得更多细节）。

使用CGI处理程序而不使用普通CGI的主要原因是性能。根据mod_python文档中的简单测试来看, 至少能将程序的性能提升一个数量级（约10倍）。使用发布处理程序（后面会讲到）比这个还要快, 用自己编写的处理程序甚至会更快, 可能会达到CGI处理程序速度的3倍。如果只追求速度, 那么CGI处理程序可能是个不错的选择。如果自己编写, 来增加功能和灵活性的话, 那么使用其他的方案（下面几节会介绍）可能是个不错的主意, CGI处理程序并没有真正挖掘出mod_python的潜力, 如果跟已有代码一起使用最佳。

如果要使用CGI处理程序, 要将下面的代码放在放置CGI脚本所在目录中的.htaccess文件内:

```
SetHandler mod_python
PythonHandler mod_python.cgihandler
```

---

**注意**　确保Apache的全局配置中没有冲突的定义,因为.htaccess文件并不会进行覆盖。

需要调试信息的话（通常在出错的时候有用），加上下面的代码：

```
PythonDebug On
```

当开发完成之后应该去除这些指令，把程序的内部结构暴露给（可能怀有恶意的）外界毫无意义。

进行了正确的设置之后，就应该能像以前一样运行CGI脚本了。

---

**注意** 为了运行CGI脚本，可能需要脚本以.py结尾——尽管访问的时候还是用以.cgi结尾的URL。mod_python在查找满足请求的文件时会将.cgi转换为.py。

---

## 15.3.3 PSP

如果用过PHP（Hyptertext Preprocessor，超文本预处理程序，原来称为Personal Home Page Tools，即个人主页工具或PHP工具）、Microsoft ASP（Active Server Page，活动服务器页面）、JSP（Java Server Page，Java服务器页面）或其他类似的技术的话，PSP（Python Server Page，Python服务器页面）的概念也应该不会陌生。PSP文档是HTML（或者其他形式的文档）以及Python代码的混合，Python代码会包括在具有特殊用途的标签中。任何HTML（或其他普通数据）会被转换为输出函数的调用。

只要把下面的代码放在.htaccess文件中即可设置Apache支持PSP页面：

```
AddHandler mod_python .psp
PythonHandler mod_python.psp
```

这样服务器会把扩展名为.psp的文件看做PSP文件。

---

**警告** 在开发PSP页面时，使用PythonDebug On指令可能会很有用。但不应该在真正应用页面的时也使用这个指令，因为PSP页面中的任何错误都会导致异常回溯，其中也包括用户使用的源代码。轻易不要让可能怀有恶意的用户看到程序的源代码。如果是主动公布源代码，其他人可能会帮你找到安全隐患，这当然是开源软件开发的好处之一。但是让用户通过错误信息看到代码，可能并没有帮助，而且可能会有安全风险。

---

PSP标签有两类：一类用于语句，另外一类用于表达式。在表达式标签内的表达式的值会直接放在输出文档中。代码清单15-8是个简单的PSP示例，首先执行一些设置代码（语句），然后使用表达式标签输出一些随机数据作为页面的一部分。

**代码清单15-8** 带有少量随机数据的PSP例子

```
<%
from random import choice
adjectives = ['beautiful', 'cruel']
%>
<html>
  <head>
    <title>Hello</title>
```

```
</head>
<body>
<p>Hello, <%=choice(adjectives)%> world. My name is Mr. Gumby.</p>
</body>
</html>
```

普通输出、语句和表达式可以随意混合。可以<%- 像这样 -%>书写注释（输出中不会显示）。

只有少数PSP程序设计会超出这个基础。应该注意一个问题：如果在语句标签内的代码导致代码块缩进，那么代码块会和接下来的放置在块中的HTML一起保持不动。关闭这种块的一种方法是插入注释，像下面这样：

```
A <%
for i in range(3):
%> merry, <%
# End the for loop
%> merry christmas time.
```

一般来说，如果用过PHP或者JSP之类语言的话，可能会注意到PSP对于换行和缩进的要求更加严格。这是因为这些特征是PSP从Python本身继承来的。

---

**注意**　还有很多系统类似于mod_python的PSP，有些几乎是一样的，比如Webware PSP系统（http://webwareforpython.org）。有些系统的名字与PHP类似，但却使用不同语法，比如Spyce PSP（http://spyce.sf.net）。网络开发系统Zope（http://zope.org）拥有自己的模板语言（比如ZPT）。创新性模板系统ClearSilver（http://clearsilver.net）捆绑了Python，如果有兴趣，不妨尝试使用。访问Parnassus Web category（http://py.vaults.ca/apyllo.py?i=127386987）或者搜索"python template system"（或类似的关键字）可以了解其他几个有趣的系统。

---

## 15.3.4　发布

mod_python真正得到认可的原因是：它可以让程序员在比CGI脚本更有趣的环境中进行Python开发。要使用发布处理程序，需要将下面代码放在.htaccess文件中（也可以在开发的时候添加PythonDebug On）。

```
AddHandler mod_python .py
PythonHandler mod_python.publisher
```

这样可以使用发布处理程序把所有以.py结尾的文件当作Python脚本运行。

关于发布需要了解的第一件事情是它会把函数当作文档暴露给网络。比如有个叫做script.py的脚本，可从http://example.com/script.py上获得，其中包括叫做func的函数。访问http://example.com/script.py/func的话会让发布首先运行函数（使用特殊的请求对象作为唯一的参数），将返回值作为显示给用户的文档。通常对于普通的网络文档来说，默认的"文档"（函数）叫做index，所以http://example.com/script.py会调用index函数。换句话说，下面的函数已经可以使用发布处理程序了。

```
def index(req):
    return "Hello, world!"
```

请求对象（req）允许访问收到请求中的信息，以及设置自定义HTTP首部等。请参见mod_python的文档以获得请求对象的用法指导。如果不关心这个的话，可以像这样省略它：

```
def index():
    return "Hello, world!"
```

发布处理程序事实上会检查给定函数带有和调用多少个参数，并且只提供函数需要的参数。

**提示**　如果需要的话可以像发布处理程序一样进行检查。使用与Python实现相关的技术（比如Jython）未必很方便，但是如果还在用CPython，就可使用inspect模块来挖掘这些函数（以及其他对象）的细节，查看它们包括以及调用多少个参数。

除了请求对象外，还可以给函数提供多个（或者其他）参数：

```
def greet(name='world'):
    return 'Hello, %s!' % name
```

注意，调度程序使用了参数的名字，所以如果没有req参数的话，就不会收到请求对象。现在可以访问这个函数并且为它提供使用http://example.com/script.py/greet?name=Gumby这类URL的参数，最终的网页会显示问候语"Hello, Gumby!"。

注意，默认参数十分有用。如果用户（或者调用程序）并没有提供所有参数时，让用户看到某些默认页面总比看到比较含糊的"内部服务器错误"这样的信息好。所以如果提供额外的参数（函数不使用的）的话会不会出现错误呢？幸运的是不会，因为调度程序只使用需要的参数。

调度程序一个很好的地方在于很容易访问控制和授权。在URL中给定的路径（脚本名字后面的部分）实际是一系列特性查找。对于这一系列查找中的每一步来说，mod_python也会在与特性本身相同的对象（或者模块）内查找特性__auth__和__access__。如果已经定义了__auth__特性，并且它是可调用的（例如，函数或方法），如果要查询用户以获取用户名以及密码，那么它可以和请求对象、用户名以及密码一起调用。如果返回值为真，那么用户就通过了验证。如果__auth__是个字典，程序就会查找用户名并匹配相应键下面的密码。__auth__属性也可以是常量。如果它为假，用户就没有被授权（可以使用__auth_realm__属性给出域名，一般用在登录查询对话框中）。

用户验证通过后，就要检查他/她是否有访问给定对象（比如模块或者脚本本身）的权限，这个时候要使用__access__特性。如果已经定义了__access__并且它是可调用的，它就会和请求对象、用户名以及决定用户是否有权访问的真值来调用（真值表示有权访问）。如果__access__为列表，那么存在于列表中的用户就是有权访问的用户。和__auth__一样，__access__可以是布尔常量。

代码清单15-9给出了一个带有验证和访问控制功能的脚本例子。

**代码清单15-9**　使用mod_python发布处理程序进行验证

```
from sha import sha

__auth_realm__ = "A simple test"

def __auth__(req, user, pswd):
```

```
    return user == "gumby" and sha(pswd).hexdigest() == \
        '17a15a277d43d3d9514ff731a7b5fa92dfd37aff'

def __access__(req, user):
    return True

def index(req, name="world"):
    return "<html>Hello, %s!</html>" % name
```

注意，代码清单15-9中的脚本使用了sha模块以避免在普通文本中存储密码（密码是goop）。正确密码的摘要信息会和用户给出的密码的摘要信息对比。虽然这个方法在安全上没什么进步，但是总比没有好。

　　__access__函数在这里并没有多大用。在真正的应用程序中，可能会需要通用的验证函数，以检查用户是不是真的存在（也就是验证密码是否匹配用户名），然后对不同的对象使用专门的__access__函数（或者列表）以重限制它们访问用户的子集。有关更多对象是如何发布的信息，请参看mod_python文档中"The Publishing Algorithm"一节。

---

**注意**　__auth__机制使用了HTTP验证，而不是一些系统上使用的基于cookie的验证（在这些系统上，你的会话和身份信息都存储在cookie中）。

---

## 15.4　网络应用程序框架

　　CGI机制和mod_python工具包是进行网络应用程序开发的非常基础的工具。如果希望开发更复杂的系统，则要使用网络应用程序框架。其中4个主流的框架包括Zope（一般与内容管理系统Plone一起使用）、Django、Pylons和TurboGears①，这些系统都支持从URL到方法调用的映射（如mod_python）、用于持久存储的对象关系映射（例如SQL数据库）、生成动态网页的模板以及更多复杂的功能。Twisted（第14章讨论的内容）也与这些系统有关。

　　可以利用更多文档（包括书籍）来了解这些框架。一开始的话可以参考它们的主页，要获取更多信息，可查看Python Wiki（http://wiki.python.org/moin/WebProgramming）上与网络程序设计这一主题的相关指导。表15-2列出了上面提到过的框架以及其他一些你可能感兴趣的框架的URL。

表15-2　Python网络应用程序框架

| 名　　称 | 网　　站 |
| --- | --- |
| Albatross | http://object-craft.com.au/projects/albatross |
| CherryPy | http://cherrypy.org |
| Django | http://djangoproject.com |
| Plone | http://plone.org |
| Pylons | http://pylonshq.com |
| Quixote | http://quixote.ca |
| Spyce | http://spyce.sf.net |

---

① 或许读者听说过Ruby on Rails。Django、Pylon和TurboGears这些框架在某些方面与之类似。

（续）

| 名　称 | 网　站 |
| --- | --- |
| TurboGears | http://turbogears.org |
| web.py | http://webpy.org |
| Webware | http://webwareforpython.org |
| Zope | http://zope.org |

## 15.5　Web服务：正确分析

　　Web服务有点像对计算机友好的网页，建立在一些标准和协议之上，使程序可以跨网络交换信息，通常会使用一个程序，也就是客户机或称服务请求者（service requester）请求信息或服务；使用另外一个程序，也就是服务器或称服务提供者（service provider）提供信息或者服务。没错，这个过程很容易理解，很像第14章中讨论的网络程序设计，不过还是有区别的。

　　Web服务一般应用于很高层次的抽象。它们使用HTTP（Web协议）作为底层协议，上面则是更多面向内容的协议，比如使用XML格式对请求和响应编码。这就是说Web服务器可以用作Web服务的平台。就像本节标题所表示的，它是在另外一个层次上的Web分析，或者可以将Web服务看作为计算机客户——而不是人类用户——所设计的动态网页。

　　针对复杂的Web服务的标准很多，可以不用把所有都学会，可以只看简单的。本节只对该主题进行简单的介绍，并提供一些可能会用到的工具和信息。

> **注意**　因为实现Web服务的方式有很多，包括很多协议，每一种Web服务系统都可能提供多种服务，所以有些时候需要用客户机可以自动解释的方式来描述服务——例如，元服务。这类描述使用的标准是WSDL（Web Service Description Language，Web服务描述语言）。WSDL是一种描述通过服务可获得何种方法以及方法的参数和返回值等内容的XML格式的语言。很多Web服务工具包除了支持正真的服务协议之外（例如SOAP），都还包括对于WSDL的支持。

### 15.5.1　RSS和相关内容

　　RSS代表富站点摘要（Rich Site Summary）、RDF站点摘要或简易信息聚合①（Really Simple Syndication）（具体的含义根据版本号而定），是在XML中列出新闻项目的最简单格式。RSS文档（或称feed）更像服务而不只是静态文档的原因是它们是定期（或者不定期）更新的，甚至可以对它们执行动态计算，以显示博客等的最近更新。RSS使用的最新的格式是Atom。更多有关RSS和RDF的内容请参见http://www.W3.org/RDF。如果要查看Atom规范，可访问http://tools.ietf.org/

---

① RSS让人有点犯晕的部分是版本0.9x和2.0x，现在基本都叫极简单聚合（0.9x原先叫做富站点摘要，这两个版本是兼容的，但是和RSS 1.0不兼容。还有很多类似的新闻feed和站点聚合的格式，比如最近的Atom（请参见http://ietf.org/html.charters/atompub-charter.html）。——译者注

html/rfc428T。

　　RSS的阅读器很多，通常它们也可以处理其他格式，比如Atom。因为RSS格式很容易处理，所以开发人员也可以在新的应用程序中使用RSS。例如，一些浏览器（比如火狐）允许标记RSS feed，如果使用个人新闻项目作为菜单项的话就能获得动态的书签子菜单。RSS也是播客（broadcasting）的基础（声音或视频文件基于Web的播客）。

　　问题是如果想编写处理几个站点feed的客户端程序的话，就得做好解析不同格式的准备，甚至可能需要将feed的独立条目中的HTML碎片进行解析。尽管使用BeautifulSoup（或者更明确些，是面向XML的BeautifulStoneSoup类）可以处理这个问题，但最好还是使用Mark Pilgrim的Universal Feed Parser（http://feedparser.org）来处理，它可以处理多种feed格式（包括RSS和Atom，以及相关扩展），并且对于内容清理有不同等级的支持。Pilgrim还撰写了一篇有用的文章"Parsing RSS At All Costs"（http://xml.com/pub/a/2003/01/22/dive-into-xml.html）可供读者在进行清理工作时参考。

## 15.5.2　使用XML-RPC进行远程过程调用

　　除了简单地下载和解析之外，RSS还可以进行远程过程调用。一次远程过程调用是对于基本网络交互的抽象。客户端程序会请求服务器端程序进行一些计算然后返回结果，这个过程被"伪装"成一次简单的过程（或函数、方法）调用。在客户端代码中，看起来就像调用普通方法一样，但是所使用的对象位于另外一台完全不同计算机上。这类过程调用中最简单的机制称为XML-RPC，它使用HTTP和XML实现了网络通信。因为所使用的协议是语言无关的，所以就算服务器端程序和客户端程序使用不同的语言编写，进行函数调用还是一样简单。

---

**提示**　专门为Python设计的开发工具，除了XML-RPC以外，还有Pyro（http://pyro.sf.net）和Twisted（http://twistedmatrix.com）的远程过程调用机制。

---

　　Python标准库包含了对于XML-RPC程序设计的服务器端和客户端的支持，请参考第27和第28章中使用XML-RPC的例子。

### RPC和REST

　　远程过程调用通常会用来和网络程序设计中一种称为REST（表述性状态转移）设计风格进行对比，尽管两种机制完全不同。基于REST（RESTful）的程序通常允许客户机通过程序访问服务器，但服务器程序通常不包括隐藏状态。返回的数据只由给定的URL决定（对于HTTP POST来说，其他的数据都由客户端提供）。

　　有关REST的更多信息可以在网络上找到，例如可以参考维基百科上的相关文章（http://en.wikipedia.org/wiki/Representational_State_Transfer）。在REST式的程序设计中使用得最多、最简单、最优雅的格式就是JSON（Jawa Script Object Notation, http://www.json.org）。它允许使用普通文本格式来表示复杂的对象。相比较的Python的JSON的模块可以在http://deron.meranda.us/python/comparing_json_modules下载。

**15**

### 15.5.3　SOAP

SOAP①是一种使用XML和HTTP作为底层技术的信息交换协议。就像XML-RPC一样，SOAP支持远程过程调用，但SOAP规范比XML-RPC规范复杂得多。SOAP是异步的，支持与路由有关的元请求，并且拥有复杂的类型系统（同XML-RPC简单的固定类型集相反）。

目前没有专门为Python开发的标准SOAP工具包，可以考虑使用Twisted（http://twistedmatrix.com）、ZSI（http://pywebsvcs.sf.net）或者SOAPy（http://soapy.sf.net）。

## 15.6　小结

下面是本章涉及的内容的总结。

- 屏幕抓取。这是自动下载网页并且从中提取信息的练习。Tidy程序和它的库版本可以在使用HTML解析程序之前修复不规范格式的HTML。还可以使用Beautiful Soup，它能很好地处理混乱的输入。
- CGI。通用网关接口是通过运行服务器并且同程序进行通信的方式创建动态网页的方法。cgi和cgitb模块对于编写CGI脚本很有用。CGI脚本通常从HTML表单调用。
- mod_python。mod_python处理程序框架让在Python中编写Apache处理程序变为可能。它包括3个有用的标准处理程序：CGI处理程序、PSP处理程序和发布处理程序。
- Web应用程序框架和服务器：在Python中开发大型、复杂的网络应用程序时，Web应用程序框架必不可少。Zope、Django、Pylon和TurboGears都是Python框架的好选择。
- Web服务。Web服务对于程序就像（动态）网页对于用户一样。可以将它们看作高层次抽象的网络编程的方法。常用的Web服务标准包括RSS（以及RDF和Atom）、XML-RPC和SOAP。

### 15.6.1　本章的新函数

本章涉及的新函数如表15-3所示。

表15-3　本章的新函数

| 函　　数 | 描　　述 |
| --- | --- |
| cgitb.enable() | 在CGI脚本中启用回溯 |

### 15.6.2　接下来学什么

相信各位读者现在都可以通过运行来测试自己编写的程序了。下一章会介绍如何真正地测试程序——全面地、有条理地、着迷一般地（如果你足够幸运）测试。

---

① SOAP原来的全称为简单对象访问协议（Simple Object Access Protocol），但现在已经不是了，现在它就叫SOAP。

第16章

测　　试 *16*

如何获知程序是正确工作的？能保证自己编写的代码总是没有瑕疵吗？在这里这么问，对于各位毫无冒犯之意，但是想必大家的答案应该是否定的。当然，多数时候在Python中编写正确的代码是非常简单的，但总有碰到错误（bug）[①]的时候。调试（debug）是程序员生活的一个方面，也是编程艺术的固有部分。不过启动调试的唯一方法是运行程序。只运行程序可能还不够，比如编写完一个以某种方式处理文件的程序后，就需要一些文件让程序得以运行。或者假设使用数学函数编写了一个实用程序库，那么就得给这些函数提供参数以便让代码可以运行。

程序员总是在做这类事情。在编译型语言中，这个循环类似于一次次的"编辑、编译、运行"。在某些情况下，在编译阶段程序就会出现问题，那么程序员就只能在编辑和编译之间来回切换。Python是没有编译步骤的，所以只需要编辑和运行即可。运行程序就是测试的过程。

本章会介绍测试的基本知识，并就如何让测试程序成为编程习惯的一部分给出一些提示，还会介绍一些编写测试代码的有用工具。除了标准库中的测试和分析（profiling）工具外，本章还会介绍如何使用代码分析器PyChecker和PyLint。

更多有关编程实践和编程思想的内容，请参见第19章。那时我会提到和测试相关的日志（logging）内容。

## 16.1　先测试，后编码

如果希望代码在开发过程中的最后阶段也能"幸存"下来，那么如何应对变化，以及程序的灵活性就至关重要，而对程序的各个部分建立测试也是非常重要的（这称为单元测试）。这也是应用程序设计中实际并且务实的部分，极限编程（Extreme Programming）的那伙人（这也是软件设计和开发的新方向）已经向大家介绍过了极为有用、但是有些反直觉的"测试一点儿，写一点儿代码"的方法，而不是凭直觉"写一点儿代码，测试一点儿"。换句话说就是先测试再编码（也被称为测试驱动编程）。虽然一开始可能不熟悉这个方法，但是它有很多好处，而且你也会慢慢

---

[①] 你知道最初的计算机错误（Bug）事实上是一只虫子吗？1945年，在哈佛大学内，一只虫子被发现卡在 Mark II 计算机里面。把这个计算机故障术语 bug 和相关的词语调试（Debugging）用于计算机的创举应归功于 Grace Hopper，她最先把这个词记到了日志中。这本日志——就是记录 bug 的那本，现在在位于弗吉尼亚州达根（Dahlgren）的美国海军水面武器中心展出（请参见 http://en.wikipedia.org/wiki/Software_bug 获得更多信息）。

地适应它。最终，使用了一段时间测试驱动编程以后，不进行测试就编写代码的方式会让你觉得是一种退步。

## 16.1.1    精确的需求说明

在开发软件的某部分时，必须首先知道软件要解决什么问题，它要达到什么目的。可以通过编写一份需求说明来明确程序的目标，需求说明是描述程序必须满足的需求的文档（或者就是一些简短的笔记）。之后检查需求是否满足就很简单了。但是很多程序员不喜欢写报告，他们通常更喜欢用自己的计算机完成尽可能多的工作。现在可以在Python内明确需求，让解释器检查程序是否满足需求，这无疑是一个好消息。

> **注意**    需求的种类有很多，包括客户满意度那类模糊的概念。本节侧重于讨论功能（functional）需求，也就是对程序功能的要求。

测试驱动编程的理念是从编写测试程序开始，然后编写可以通过测试的程序。测试程序就是程序的需求说明，它帮助程序员在开发程序时候不偏离需求。

举个简单的例子吧：如果想要编写一个模块，其中包括一个使用给定的宽和高计算长方形面积的函数。在开始编码前，首先要编写一个单元测试，其中包括带有几个答案已经一清二楚的例子。测试程序可能类似于代码清单16-1。

**代码清单16-1    一个简单的测试程序**

```
from area import rect_area
height = 3
width = 4
correct_answer = 12
answer = rect_area(height, width)
if answer == correct_answer:
    print 'Test passed '
else:
    print 'Test failed '
```

本例中，使用高和宽的值3和4作为参数调用rect_area函数（我还没编写），并且用结果和正确的答案12[①]相对比。

不管怎么样，如果在实现rect_area（位于area.py文件中）时像下面这么不小心，并且试图运行测试程序的话，那么就会得到错误信息：

```
def rect_area(height, width):
    return height * height #这是错的……
```

之后就可以检查代码什么地方错了，并且用height * width替换返回的表达式。

在编写代码前编写测试并不是仅仅是为了准备找出错误，它的意义比这要深远得多，它是为查看代码是否能够工作准备的。这有些类似于古老的禅宗公案（Zen Koan）：如果没人听到的话，树林中倒下的树是否会发出声音呢？当然，是有声音的（对不起了，禅僧们），但是这个声音不

---

[①] 当然，测试这种只包含一种情况的程序时，在代码的正确性方面不会给你增加太多信心。真正的测试程序会更全面。

会影响到你或者其他人。这有些类似于代码。除非进行测试，否则程序真的做了什么事情吗？从哲学的角度来看，除非有相应的测试部分，否则采取"某某特性不存在（或者说不是特性）"这么一种态度是很有用的。之后可以明确地证实它的确存在以及它实现了应该实现的功能。这种思想不仅在初始开发程序的时候有用，在以后扩展和维护代码的时也很有用。

## 16.1.2 为改变而计划

自动化测试除了在编写程序上给予巨大帮助外，还可以避免在实施修改时引入错误。就像第19章中讨论的一样，应该做好准备随时修改代码，而不是固守已有的程序。但是改变也有风险。代码的一部分改变的时候，很有可能会引入几个不可预料的错误。如果程序设计的足够好（使用了大量的抽象和分装），改变产生的影响就应该是局部的，并且只影响代码的一小部分。这也就是说如果可以定位错误的话，调试就会轻松一些。

---

### 代码覆盖度

覆盖度（coverage）是测试中一个非常重要的概念。在运行测试的时候，有可能并没有运行代码的全部，即使在理想情况下也是如此（事实上，理想的情况应该是运行程序的所有可能状态，使用所有可能的输入，但是这不太可能）。一个好的测试程序套件的目标之一就是拥有良好的覆盖度，实现这个目标的方法则是使用覆盖度工具，它可以衡量在测试过程中实际运行的代码的百分比。在本书撰写时，还没有Python可用的真正的标准化覆盖度工具，但是搜索"Python测试覆盖度"一类的关键字应该会找到一些可用的工具。其中一个（目前没有相关的文档记录）是trace.py程序，它是和Python发布版一起发布的。它还可以像程序一样在命令行下运行（使用-m开关在查找文件时会省事一些），或者将它作为模块导入。有关如何使用它的帮助，可以在编译器内使用--help开关运行程序或者导入这个模块后在解释器内执行help(trace)。

有些时候，你可能会因为要广泛地测试一切代码而感到不知所措。不用担心，程序用不着测试上百种输入和状态变量的组合，至少开始的时候不用。测试驱动编程最重要的部分是通过在编码时实际地重复运行方法（或者函数、脚本），获取所做事情的连续反馈。如果想要在代码正确程度（以及覆盖度）方面增加信心，那么可以在随后增加更多的测试。

---

在程序测试中，有一点比较重要，即如果手头没有一个周详的测试集（test set），可能就意识不到错误已经带入了程序——直到已经不清楚错误是怎么带进来的时候才发现它。没有一套好的测试程序的话，也就更难指出到底是什么出了错。除非错误非常明显，否则就没法应付它们。事实上遵守测试驱动编程的原则就是确保拥有好的测试覆盖度的方法之一（也就是说测试尽可能多的代码）。如果能保证在写函数之前就编写了测试代码，那么就可以肯定每个函数都被测试过了。

## 16.1.3 测试的4个步骤

在深入编写测试的种种细节前，先来看看测试驱动开发过程（或者它的一个变种）。

(1) 指出需要的新特性。可以记录下来，然后为其编写一个测试。

(2) 编写特性的骨架代码，这样程序就可以运行，不存在任何语法等方面的错误，但是测试会失败。看到测试失败是很重要的，这样就能确定测试可以失败。如果测试代码中出现了错误，那么就有可能不管出现任何情况（我经历过很多次了），测试都会成功，这样等于没测试任何东西。再强调一遍：在试图让测试成功前，先要看到它失败。

(3) 为特性的骨架编写哑代码（dummy code），能满足测试要求就行。不用准确地实现功能，只要保证测试可以通过即可。这样一来就可以保证在开发的时候总是能通过测试了，（除了第一次运行测试的时候，记得吗？）甚至在最初实现功能时亦是如此。

(4) 现在重写（或者重构，Refactor）代码，使它完成自己应该做的事，从而保证测试一直成功。

在完成编码时，应该保证你的代码处于健康状态，不要遗留任何失败的测试（其他人这么说的。我发现有时候我会留下一段测试失败的代码，就在正在处理的地方，是那些"准备做"或者"从这里继续"的事情。如果正在和其他人一起开发的话，这可不是个好习惯。永远不应该把测试失败的代码添加到一般代码的"存储库"中）。

## 16.2　测试工具

你可能会觉得编写大量的测试代码保证程序的每个细节都正常工作听起来很繁琐。不过我要告诉你一个好消息：标准库中的模块可以助我们一臂之力。（不总是这样吗？）其中有两个很棒的模块可以协助你自动完成测试过程。

❑ unitest：通用测试框架。

❑ doctest：简单一些的模块，是检查文档用的，但是对于编写单元测试也很在行。

先从优秀的doctest开始，它是伟大的起点。

### 16.2.1　doctest

纵观这本书，使用的代码都是直接从交互式解释器中拿来的。我发觉这种方法在展示代码如何工作方面很有效，而且当你拿到这样一个例子之后，也很容易进行测试。事实上，交互式解释器的会话可以是将文档字符串（docstring）写入文档的一种有用的形式。例如，假设我编写了一个求数字的平方的函数，并且在它的文档字符串中添加了一个例子：

```
def square(x):
    '''
    Squares a number and returns the result.

    >>> square(2)
    4
    >>> square(3)
    9
    '''
    return x*x
```

文档字符串中也包括了一些文本。这和测试又有什么关系？假设square函数定义在my_math模块（也就是叫做my_path.py的文件）中。之后就可以在底部增加下面的代码：

```
If __name__=='__main__':
    import doctest, my_math
    doctest.testmod(my_math)
```

不多吧？只需导入doctest和my_math模块本身，然后从doctest中运行testmod函数（用于测试模块）。有什么用呢？让我们试试看：

```
$ python my_math.py
$
```

看起来什么事都没有发生，但这就是好事。doctest.testmod函数从一个模块读取所有文档字符串，找出所有看起来像是在交互式解释器中输入的例子的文本，之后检查例子是否符合实际要求。

---

**注意**　如果在这里是编写真实的函数，我会（根据刚才罗列的原则，或者说是应该）首先书写文档字符串，使用doctest运行脚本查看测试失败，然后增加哑代码（比如使用if语句处理文档字符串中具体的输入），这样测试就会成功。之后是着手正确的实现。另外一方面，如果想实践"先测试，后编码"的编程方式，unittest框架（后面会讨论）可能更能满足你的要求。

---

为了获得更多输入，可以为脚本设定-v（意为verbose，即详述）选项开关：

```
$ python my_math.py -v
```

这行命令应该会得到如下输出：

---

```
Running my_math.__doc__
0 of 0 examples failed in my_math.__doc__
Running my_math.square.__doc__
Trying: square(2)
Expecting: 4
ok

Trying: square(3)
Expecting: 9
ok
0 of 2 examples failed in my_math.square.__doc__
1 items had no tests:
    test
1 items passed all tests:
    2 tests in my_math.square
2 tests in 2 items.
2 passed and 0 failed.
Test passed.
```

---

幕后发生了不少事情。testmod函数检查模块的文档字符串（你也看到了，不包括任何测试）以及函数的文档字符串（包括两个测试，都成功了）。

有了这些，就可以安全地修改代码。现在用Python的幂运算符而不是简单的乘法，即使用x**2替换x*x。如果你编辑了代码，但是不小心忘了输入数字2，结果成了x**x。试试看，然后运行脚本以测试代码。发生了什么？下面是获得的输出：

```
****************************************************************
Failure in example: square(3)
from line #5 of my_math.square
Expected: 9
Got: 27
****************************************************************
1 items had failures:
    1 of   2 in my_math.square
***Test Failed*** 1 failures.
```

错误被捕捉到了，而且得到了有关哪里出错的非常详细的解释。现在修正错误应该不是什么难事。

**警告**  不要盲目地相信测试，并且应该保证测试足够多的例子。测试使用的square(2)并不能捕捉到这个错误，因为x==2时，x**2和x**x的结果是一样的。

有关更多doctest模块的信息，请查看库参考（http://python.org/doc/lib/module-doctest. html）。

## 16.2.2  unittest

尽管doctest简单易用，但是unittest（基于Java的流行测试框架JUnit）则更灵活和强大。与doctest相比，unittest学起来稍难一些，但是建议你看看这个模块，因为利用它，你能以更加结构化的方式编写大型且周详的测试集。在这里只进行简单的介绍——unittest中的有些特性在大多数测试中都用不到。在库参考内有这个模块的完整描述（http://python.org/doc/lib/module-unittest.html）。

**提示**  标准库中其他可选的单元测试工具包括py.test（http://codespeak.net/py/dist/test.html）和nose（http://code.google.com/p/python-nose）。

我们还是先看简单的例子。假设要写一个模块my_math，其中包括计算乘积的函数product。那么我们从哪开始呢？对于测试来说，当然（位于文件test_my_math.py中）是使用unittest模块中的TestCase类（参见代码清单16-2）。

**代码清单16-2    使用unittest框架的简单测试**

```
import unittest, my_math

class ProductTestCase(unittest.TestCase):

    def testIntegers(self):
        for x in xrange(-10, 10):
            for y in xrange(-10, 10):
                p = my_math.product(x, y)
                self.failUnless(p == x*y, 'Integer multiplication failed')

    def testFloats(self):
        for x in xrange(-10, 10):
```

```
            for y in xrange(-10, 10):
                x = x/10.0
                y = y/10.0
                p = my_math.product(x, y)
                self.failUnless(p == x*y, 'Float multiplication failed')

    if __name__ == '__main__': unittest.main()
```

unittest.main函数负责实际运行测试。它会实例化所有TestCase的子类，运行所有名字以test开头的方法。

---

**提示** 如果定义了叫做setUp和tearDown的方法，它们就会在运行每个测试方法之前和之后执行，这样就可以用这些方法为所有测试提供一般的初始化和清理代码，这被称为测试装置（test fixture）。

---

当然，运行这段测试脚本只会给出有关my_math并不存在的异常。类似于failUnless这样的方法会检查某个条件，以确定给定的测试成功或失败。还有其他方法，例如failIf、failUnlessEqual、failIfEqual，等等，请参见表16-1的简要概述（或者查看Python库参考http:// python.org/doc/lib/testcase-objects.html获取更多信息）。

表16-1 一些有用的TestCase方法

| 方 法 | 描 述 |
| --- | --- |
| assert_(expr[, msg]) | 如果表达式为假则失败，可选择给出信息（注意下划线） |
| failUnless(expr[, msg]) | 同assert |
| assertEqual(x, y[, msg]) | 如果两个值不同则失败，在回溯中打印两个值 |
| failUnlessEqual(x, y[, msg]) | 同assertEqual |
| assertNotEqual(x, y[, msg]) | 和assertEqual相反 |
| failIfEqual(x, y[, msg]) | 同assertNotEqual |
| assertAlmostEqual(x, y[, places[, msg]]) | 类似于assertEqual，但对于float值来说，与assertEqual不完全相同 |
| failUnlessAlmostEqual(x, y[, places[, msg]]) | 同assertAlmostEqual |
| assertNotAlmostEqual(x, y[, places[, msg]]) | 和assertAlmostEqual相反 |
| failIfAlmostEqual(x, y[, msg]) | 同assertNotAlmostEqual |
| assertRaises(exc, callable, ...) | 除非在（使用可选参数）调用时callable引发exc异常否则失败 |
| failUnlessRaises(exc, callable, ...) | 同assertRaises |
| failIf(expr[, msg]) | 与assert_相反 |
| fail([msg]) | 无条件失败——与其他方法一样，可选择提供信息 |

unittest模块会区分由异常引发的错误（error）和调用failUnless等函数而导致的失败（failure）。下一步就是编写哑代码，这样就没错误了——只有失败。这就意味着要创建一个包含下列内容的模块my_math（也就是叫做my_math.py的文件）：

```
def product(x, y):
    pass
```

都是填充符，没意思。如果现在运行测试，应该会得到两个FAIL信息，像下面这样：

```
FF
======================================================================
FAIL: testFloats (__main__.ProductTestCase)
----------------------------------------------------------------------
Traceback (most recent call last):
  File "test_my_math.py", line 17, in testFloats
    self.failUnless(p == x*y, 'Float multiplication failed')
AssertionError: Float multiplication failed

======================================================================
FAIL: testIntegers (__main__.ProductTestCase)
----------------------------------------------------------------------
Traceback (most recent call last):
  File "test_my_math.py", line 9, in testIntegers
    self.failUnless(p == x*y, 'Integer multiplication failed')
AssertionError: Integer multiplication failed

----------------------------------------------------------------------
Ran 2 tests in 0.001s

FAILED (failures=2)
```

完全是预料之中的，不用担心。现在，至少知道测试真的和代码联系起来了：代码是错误的，所以测试失败了。

好极了！下一步就让测试代码能够工作。本例中，不用做太多工作：

```
def product(x, y):
    return x * y
```

输出如下，很简单：

```
..
----------------------------------------------------------------------
Ran 2 tests in 0.015s

OK
```

顶部的两个点号就代表运行的测试。如果仔细地看失败的那个版本混乱的输出，就会发现顶部有两个字符：两个F，意思是两次测试失败。

接下来修改product函数，让它针对特定的数值7和9失败。

```
def product(x, y):
    if x == 7 and y == 9:
        return 'An insidious bug has surfaced!'
    else:
        return x * y
```

如果再次运行测试脚本，应该只会得到一个失败信息：

```
.F
======================================================================
FAIL: testIntegers (__main__.ProductTestCase)
----------------------------------------------------------------------
Traceback (most recent call last):
  File "test_my_math.py", line 9, in testIntegers
```

```
    self.failUnless(p == x*y, 'Integer multiplication failed')
AssertionError: Integer multiplication failed

----------------------------------------------------------------

Ran 2 tests in 0.005s

FAILED (failures=1)
```

---

**提示** 也有针对unittest的GUI。请参见PyUnit（unittest的另一个名字）的网页http://pyunit.sf.net
获取更多信息。

---

## 16.3 单元测试以外的内容

测试显然是重要的，对于复杂的项目而言，那更是至关重要的。就算不想和什么结构化的单元测试集打交道，也得有某种运行程序查看它是否能够工作的方法。在编写大量的代码前就具备这种能力，可以在以后避免大量的工作量（和痛苦）。

除了测试以外，还有其他的方法来探索（Probulating）程序。（不懂？不看*Futurama*[①]吗？）这里介绍几个相应的工具：源代码检查和性能分析（profiling）。源代码检查一种寻找代码中普通错误或者问题的方法（有点像编译器处理静态语言，但远不止如此）。性能分析则是查明程序到底跑多快的方法。之所以按照这个顺序讨论这章的主题，是因为遵循"使其工作、使其更好、使其更快"的黄金法则的缘故。单元测试让程序可以工作，源代码检查可以让程序更好，最后，性能分析会让程序运行得更快。

### 16.3.1 使用PyChecker和PyLint检查源代码

很长一段时间内，PyCheck（http://pychecker.sf.net）都是检查Python源代码、寻找提供的参数不满足函数要求等错误的唯一工具(好吧，算上标准库里面的tabnanny，但是它没那么强大……只能检查缩进格式)。之后出现了PyLint（http://www.logilab.org/projects/pylint），它支持大多数PyChecker拥有的特性，以及相当多的其他功能（比如变量名称是否符合命名规范、你是否遵循自己的编码标准等）。

安装这些工具很简单。它们都可以从一些包管理系统（比如Debian APT和Gentoo Portage）中下载，或者直接从各自的网站上下载。可以使用Distutils安装，使用如下所示的标准命令：

```
python setup.py install
```

PyLint还需要Logilab Common库。请从PyLint的网站下载这个叫做logilab-common的包，它的安装方法同PyLint。

完成后，安装的工具就可以作为命令行脚本（pychecker和pylint分别对应PyChecker和PyLint）运行，或者作为Python模块导入（也是一样的名字）。

---

[①] *Futurama* 中文译为《飞出个未来》，美国著名科幻动画片，1999 年开始播放，IMDB 评分高达 9.1。——译者注

**注意**　在Windows系统中,这两个工具把pychecker.bat和pylint.bat批处理文件作为命令行工具使用。需要将它们添加到的PATH环境变量中,以便从命令行中可以找到pychecker和pylint这两个命令。

使用PyChecker检查文件的话,只需使用文件名作为参数运行脚本即可,像下面这样:

```
pychecker file1.py file2.py ...
```

使用PyLint的话,可以使用模块(或者包)的名字:

```
pylint module
```

可以运行-h命令行选项开关来获得这两个工具的更多信息。当运行这两个命令中的任何一个时,可能会得到一大堆输出(可能pylint的输出比pychecker的多)。这两个工具都可以设置,以获取(或者屏蔽)某种警告信息,请参见它们各自的文档获得更多信息。

在离开checkers之前,让我们看看它们怎么和单元测试联合使用。毕竟,能让它们(或者其中之一)作为测试程序集中的测试程序来自动运行,并且在没有错误的时候保持安静还是挺爽的。这样的测试程序集不仅能测试功能,还能检测代码质量。

PyChecker和PyLint都可以作为模块导入(分别是pychecker.checker和pylint.lint),但是两者并不是真正为程序而设计的。当导入pychecker.checker时,它会检查之后的代码(包括导入的模块),并且在标准输出中打印警告。pylint.lint模块有个叫做Run的非文档记录型函数[①],可以在pylint脚本本身中使用。它也会打印警告而不是以某种方式返回警告。我建议以它们应有的方式来使用PyChecker和PyLint,而不是解决这些问题:作为命令行工具使用。在Python中使用命令行工具的方式是使用subprocess模块(或者它的旧版本,请查看库参考获取更多信息)。代码清单16-3是前面测试脚本的一个例子,加上了两个代码检查测试。

**代码清单16-3**　使用subprocess模块调用外部检查模块

```
import unittest, my_math
from subprocess import Popen, PIPE

class ProductTestCase(unittest.TestCase):

    # Insert previous tests here

    def testWithPyChecker(self):
        cmd = 'pychecker', '-Q', my_math.__file__.rstrip('c')
        pychecker = Popen(cmd, stdout=PIPE, stderr=PIPE)
        self.assertEqual(pychecker.stdout.read(), '')

    def testWithPyLint(self):
        cmd = 'pylint', '-rn', 'my_math'
        pylint = Popen(cmd, stdout=PIPE, stderr=PIPE)
        self.assertEqual(pylint.stdout.read(), '')

if __name__ == '__main__': unittest.main()
```

---

① 带有命令行选项开关和参数。——译者注

上面已经给出了检查程序的几个命令行开关，以避免无关的输出干扰测试：对于pychecker来说，提供了-Q（quiet，意为静默）选项，而对于pylint，我提供了-rn（n意为no，也就是不）关闭报告，也就是说只显示警告和错误。这里使用了assertEqual（而不是failif）函数以便使从stdout特性读取的真正输出显示在unittest的失败信息中（事实上，这也是一般都用assertEqual替代failUnless和==组合的主要原因）。

pylint命令会直接同给定名称的模块一起运行，所以就简单多了。为了能让pychecker工作正常，我们还得获取一个文件名。使用my_math模块的__file__属性获取这个值，用rstrip剔除任何文件名末尾中可能出现的字符c（因为模块事实上来自.pyc文件）。

为了能让PyLint不出现错误（而不是进行配置让它"闭嘴"，不显示短变量名、丢失的修订版以及文档字符串等警告），我略微重写了my_math模块。

```
"""
A simple math module.
"""

__revision__ = '0.1'

def product(factor1, factor2):
    'The product of two numbers'
    return factor1 * factor2
```

如果现在运行测试，会发现没错误了。试着修改代码，看看能不能在功能性测试工作正常的情况下让检查程序报错（可以随意放弃PyChecker或者PyLint——一个就够了）。比如试着将参数重新命回x和y，PyLint应该会提示使用了短变量名。或者在return语句后增加print'Hello, world!'，两个检查程序都会提示（可能给出的原因不同）有问题。

---

### 自动化检查的限制：有完没完

显然，类似于PyChecker和PyLint这样的自动化检查工具的功能是有限制的。它们查找表面错误问题的能力毋庸置疑，但它们不知道程序到底是做什么用的。所以就需要量身定做的单元测试。但是除了这个明显的缺陷之外，自动化检查工具还有其他的限制。如果你喜欢用理论分析问题，你可能会对称为停机问题的计算原理所得出的结果感兴趣。考虑下面这个假定的检查器程序会像下面这样运行：

```
halts.py myprog.py data.txt
```

没错，检查器会检查myprog.py在输入的data.txt上运行时的情况。现在只需要检查一件事情：无限循环（或者无限递归，所以实际上是两件事）。换句话说，就是要看看程序在使用data.txt运行时会不会中止[①]myprog.py。假设检查器程序可以分析代码，并且指出各种变量所需要的类型，那么检查会不会出现无限循环这种事情还不是小菜一碟啊？抱歉，错了，一般来说是检查不出来的。根据停机定理，这项工作显然无法完成。

请大家不要相信我——原因非常简单。首先假设真的有一个可用的中止（停机）检查器，并且（简单起见）假设它是使用Python模块实现的。那么现在要写一小段有问题的代码，叫做

---

① 即不出现无限循环。——译者注

trouble.py:

```
import halts, sys
name = sys.argv[1]
if halts.check(name, name):
    while True: pass
```

它使用halts模块的功能来检查作为第一个命令行参数所提供的程序，如果同时将它本身作为输入提供，那么它是否会中止，运行起来就像下面这样：

trouble.py myprog.py

这样一来，程序就会检测myprog.py如果将其自身作为输入参数提供的话，是否可以中止运行。如果是的话，那么trouble.py会进入一个无限循环，否则则会完成工作（也就是中止运行）。

能跟上我的思路吗？很好（如果还没懂，那么多读几遍）。现在考虑下面这个更绕弯的情景：

halts.py trouble.py trouble.py

对读者来说不太难懂，对吧？它只是检查一下trouble.py是否会因为其自身作为输入参数而中止。没错，不难，但结果是什么？考虑两种情况：如果halts.py的回答是"是"，那么trouble.py trouble.py会中止，根据检查器程序的定义，trouble.py trouble.py就被认为不会中止。如果回答是"否"的话，我们又遇到了同样（相反）的问题。不管怎么样，halts.py的结果都是错的，也没有解决办法。这里的情况都是建立在检查器程序可以工作这个基础上的，现在得到了矛盾的情况，也就是说，假设是错误的。

但这不意味着任何类型的无限循环都是无法检测的。没有break、raise或者return语句的while True，**一般情况下是无法检测的**。很遗憾，很多其他类似的属性一般都是不能自动分析的[1]。所以就算是有强大的PyChecker和PyLint帮忙，也需要手动调试，而手动调试是建立在从程序的特殊情况中总结出的知识的基础上的。除此之外，或许大家应该避免写出类似于trouble.py这样复杂的程序。

## 16.3.2　性能分析

现在代码已经可以工作了，而且可能已经修改得比最初的版本更好了，现在该是让它跑得更快的时候了。它可以更快。当然也可能不可以。在试图让代码提速前，有个非常重要的规则需要注意（以及KISS原则，KISS=Keep It Small and Simple，即让它小且简单，或者YAGNI原则，YAGNI=You Ain't Gonna Need It，即并不需要它）：

　　　不成熟的优化是万恶之源。

——Donald Knuth，C.A.R.Hoare 转述

拿Unix的发明人之一Ken Thompson的话说就是"拿不准的时候，就穷举"[2]。换句话说，如

---

[1] 请参见 David Harel 的 *Computers Ltd: What They Really Can't Do*（牛津大学出版社，2000 年）获得这方面更多有趣的信息。

[2] 原文为"When in doubt, use brute force"，Brute-Force 算法，又称朴素模式匹配算法。——译者注

16

果不是特别需要的话，就不要在精巧的算法或者漂亮的优化技巧上有过多担心。如果程序已经足够快了，那么干净、简单并且易懂的代码的价值比稍微快一点的程序要高得多。毕竟，几个月之后，更快的硬件也就出炉了。

但是仅仅因为程序没有你要求的那么快，而必须进行优化的话，那么绝对应该在做其他事情之前对其进行性能分析（profile）。这是因为很难估计到瓶颈在哪里，除非你的程序非常简单。并且如果不知道是什么让程序变慢的话，很有可能你优化的是不正确的内容。

标准库中已经包含了一个叫做profile的分析模块（还有一个更快的嵌入式C语言版本，叫做hotshot）。使用分析程序非常简单，只要使用字符串参数调用它的run方法就行了。

```
>>> import profile
>>> from my_math import product
>>> profile.run('product(1, 2)')
```

**注意**　一些Linux发布版本中，可能需要安装单独的包让profile模块可以工作。如果它可以工作，那就没问题。如果不行，可以查看相关的文档寻找问题所在。

这样做会打印出信息，其中包括各个函数和方法调用的次数，以及每个函数所花费的时间。如果提供了文件名，比如'my_math.profile'作为第二个参数来运行，那么结果就会保存到文件中。可以在之后使用pstats模块检查分析结果：

```
>>> import pstats
>>> p = pstats.Stats('my_math.profile')
```

可以使用Stats对象以编程方式检查结果（有关API更多的信息，请参见标准库文档）。

**提示**　标准库中还包含一个名为timeit的模块，它是测定Python小代码段运行时间的简单方法。timeit模块对于详细的分析来说用处不大，但是在想要查看一段代码的具体执行时间时它可是个很好的工具。你自己估算的话常常会导致不准确的测算（除非你知道自己正在做什么）——使用timeit通常是更好的选择（当然，除非是对于全局分析进行优化）。Python库参考的timeit部分有更多关于timeit的信息（http://python.org/doc/lib/module-timeit.html）。

现在如果真的担心程序的速度的话，那么可以增加一个分析程序并且强制进行约束（如果程序用了多于一秒来完成工作就失败）的单元测试。用起来可能很有趣，但是我并不推荐这么做。着迷于分析，会让你的注意力不知不觉就从一些真正重要的事情上移开了——比如干净、易懂的的代码。如果程序真的很慢，那就该注意了，因为测试可能永远都不会完。

## 16.4　小结

下面是本章所讨论的主题。

- **测试驱动编程**。测试驱动编程基本上来讲就是先测试，后编码。测试可以让程序员有信心重写代码，使代码的开发和维护更灵活。
- **doctest和unittest模块**。如果需要在Python内进行单元测试，那么它们就是必不可少的工具。doctest模块用于检查文档字符串中的例子，可以轻松应用于设计测试程序组。为了让程序组更灵活且有结构，unittest框架就有用了。

- **PyChecker和PyLint**。这两个工具会读取源代码并且打印潜在的（和实际存在的）问题。他们会检查从短变量名到无法到达的代码部分种种问题。只要写很少的代码，它们（或者其中之一）就可以成为测试程序组的一部分，以保证所有重写和重构的代码都遵循你的编码标准。
- **性能分析**。如果程序的速度和优化非常重要（如果绝对必要才这么做）的话，那么首先应该进行性能分析。使用profile（或者hotshot）模块可以找到代码的瓶颈。

### 16.4.1    本章的新函数

本章涉及的新函数如表16-2所示。

表16-2    本章的新函数

| 函　　数 | 描　　述 |
| --- | --- |
| doctest.testmod(module) | 检查文档字符串中的例子（可以带有多个参数） |
| unittest.main() | 在当前模块中运行单元测试 |
| profile.run(stmt[, filename]) | 执行并分析语句。可选择将结果存入filename文件中 |

### 16.4.2    接下来学什么

本章过后，用Python语言和标准库能做的所有事情都已经讲解完毕了，同时也介绍了如何探索和调整代码直到它"尖叫"（如果很认真地分析的话，那么就忽略我的警告）。如果仍然没有所需要的热情的话，那么是到了拿起重武器的时候了。用《黑客帝国》里面Neo的话来说就是"我们需要枪，大量的枪"。用没有比喻的话说就是：是用低级工具打开盖子并调整引擎的时候了（等等，好像还是比喻吧）。

# 第 17 章

# 扩展Python

P ython可以实现一切，确实是这样。它是一门强大的语言，但有些时候又显得太慢。比如，希望编写某种形式的核反应的科学模拟程序，或者要为下一部《星球大战》（期待中——现在不会再有了，对不对）渲染图形，那么使用Python编写高性能的代码可能不是一个很好的选择。Python的优势是易于使用且能帮助提高开发速度。达到这种程序的灵活性需要以效率作为沉重的代价。对于一般的程序来说，它足够快了，但如果真的很在意速度，C语言、C++和Java等语言比Python快几个数量级。

## 17.1 考虑哪个更重要

在这里我不鼓励对运行速度狂热的程序员完全只用C语言开发。请记住，尽管C语言能提高程序本身的运行速度，但它会让开发速度变得很慢。因此需要考虑什么是更重要的：让程序快速完成，还是最后（在遥远的将来）得到一个运行得非常非常快的程序。如果Python在速度上能满足要求，那么使用低级语言，比如C语言，就是无意义的选择，因为会带来额外的痛苦（除非有其他的要求，比如需要在一个嵌入式设备上工作，这就不是Python的领域了）。

这一章处理的是确实需要额外速度的例子。最好的解决方案可能不是整个开发过程都用C语言（或者其他的一些低级或者中级语言），而是推荐下面的方法，使用这些方法能满足很多工业强度的速度要求（以一种或者另一种形式）。

(1) 在Python中开发一个原型（prototype）程序（要了解关于原型设计的内容，请参见第19章）。

(2) 分析程序并找出瓶颈（要了解更多测试的内容，请参见第16章）。

(3) 用C语言（或者C++、C#、Java、Fortran[①]等）作为扩展来重写出现瓶颈的代码。

最后的架构——带有一个或者多个C组件的Python框架——是非常强大的，因为它结合了两门语言的优点。为每一项工作挑选合适的工具非常重要。这种架构的好处是，你既可以使用高级

---

[①] Fortran 是第一门 "真正" 的编程语言（最初是在 1954 开发的）。在一些领域 Fortran 仍然是可以进行高效率计算的一种语言。如果想要（更可能是必须）使用 Fortran 作为扩展，那么应该查看 Pyfort (http://pyfortran.sf.net) 和 F2PY (http://cens.ioc.ee/projects/f2py2e)。

语言（Python）开发复杂系统，同时也可以用低级语言（C语言）来开发对速度要求很高的小型（或较简单的）组件。

---

**注意**    使用C语言还有其他的原因。例如，如果需要编写一些底层代码，用于与硬件进行交互，那么除了C语言以外别无选择。

---

如果在开始编码之前就知道哪个部分会成为系统的瓶颈，那么可以（并且应该）设计程序的原型，以便能很容易地替换对于性能要求较高的部分。下面用提示的形式来表明这个观点。

---

**提示**    封装可能的瓶颈。

---

有时您可能会发现不需要用C语言的扩展来取代瓶颈（比如用来开发程序的计算机的速度提高了），但至少扩展是个可选择的备用方案。

另外一种常见的需要使用扩展的情况是遗留代码（legacy code）。程序可能需要使用一些已有代码，但只有这些代码的C语言等版本。可以包装这些代码（写一个提供合适接口的小型C语言库）并且通过所包装的代码创建一个Python扩展库。

在下面的几节中，我会介绍一些扩展Python的C语言实现的方法（可以完全自己写代码，或者是使用一个叫做SWIG的工具），以及扩展其他两个Python实现——Jython和IronPython的方法。除此之外，还有一些关于访问外部代码的其他方法的提示。请继续阅读……

---

**其他方法**

本章会着重介绍以编译型语言为Python编写扩展的方法。但是要记住，使用编译型语言编写程序，并且嵌入一个Python解释器用于执行少量脚本和扩展，还是非常有用的。在这种情况下嵌入Python追求的就不是速度，而是灵活性了。从很多方面来看，这都是适用于编写编译型扩展的"两全其美"的论点。只是关注点变了。

现实世界的很多系统中都使用了嵌入方法。例如很多计算机游戏（几乎都是用编译型语言编写的，并带有一个为追求最大化的速度而开发的代码库）使用Python等动态语言来描述高级的行为（例如游戏中角色的"智能"），主代码引擎负责图形和其他部分。

正文中引用的文档（针对CPython、Jython和IronPython的）也讨论了嵌入方法。如果你选择这种方法，可以参考这些文档。

---

## 17.2    非常简单的途径：Jython 和 IronPython

如果曾经运行过Jython或者IronPython（都在第1章提到过），就会发现用本机模块来扩展Python是很容易的。原因是使用Jython和IronPython可以直接访问底层语言中的类和模块（Jython对应Java，IronPython对应C#和其他的.NET语言），这样就不需要遵照一些特定的API（扩展CPython时必须这样做），只需实现所需的功能，然后程序就像被施了魔法一样，可以在Python中使用这些功能。比如，可以在Jython中直接访问Java标准库，在IronPython中直接访问C#标准库。

代码清单17-1展示了一个简单的Java类。

**代码清单17-1　一个简单的Java类（JythonTest.java）**

```
public class JythonTest {

    public void greeting() {
        System.out.println("Hello, world!");
    }
}
```

可以用某种Java编译器编译，例如javac（可以在http://java.sun.com上免费下载）：

```
$ javac JythonTest.java
```

**提示**　如果使用Java工作，那么可以使用jythonc命令把Python类编译成Java类，这样的Java类能直接导入到Java程序中。

已经编译了这个类以后，就可以启动Jython（并且把.class文件放到当前目录中或者放到配置的Java CLASSPATH中的某处）：

```
$ CLASSPATH=JythonTest.class jython
```

之后直接导入这个类：

```
>>> import JythonTest
>>> test = JythonTest()
>>> test.greeting()
Hello, world!
```

看到了吗？没什么难的吧。

---

**Jython属性魔法**

　　Jython在和Java类交互方面有很多技巧。其中一个最有帮助的就是可以通过普通特性访问直接访问JavaBean属性。

　　在Java中，这些属性需要使用访问器方法进行读取和修改。也就是说如果Java实例foo拥有一个setBar方法，那么可以直接使用foo.bar = baz而不用foo.setBar(baz)。类似地，如果实例拥有getBar或者isBar方法（针对布尔属性），那么可以直接使用foo.bar访问值。举一个Jython文档中的例子，可以不用像下面这样写：

```
b = awt.Button()
b.setEnabled(False)
```

　　而使用如下形式：

```
b = awt.Button()
b.enabled = False
```

　　事实上，所有属性可以通过构造函数中的关键字参数进行设置。所以可以像下面这样写：

```
b = awt.Button(enabled=False)
```

这种形式对于多参数元组甚至针对Java惯用语的函数参数也适用，例如事件监听器：

```
def exit(event):
    java.lang.System.exit(0)
b = awt.Button("Close Me!", actionPerformed=exit)
```

在Java语言中，你需要用合适的actionPerformed方法实现一个单独的类，然后用b.addAction-Listener进行添加。

代码清单17-2展示了一个C#中的类似的类。

**代码清单17-2　一个简单的C#类 (IronPythonTest.cs)**

```
using System;
namespace FePyTest {
    public class IronPythonTest {

        public void greeting() {
            Console.WriteLine("Hello, world!");
        }

    }
}
```

用选择的编译器（能从http://www.mono-project.com上免费下载）编译。对于微软的.NET，命令如下：

```
csc.exe /t:library IronPythonTest.cs
```

在IronPython中使用这个类的一种方法是把它编译成DLL（动态链接，相关的细节请参见C#的安装文档），如果需要的话，还得更新相关的环境变量（比如PATH）。然后应该能够像下面的例子一样使用：

```
>>> import clr
>>> clr.AddReferenceToFile("IronPythonTest.dll")
>>> import FePyTest
>>> f = FePyTest.IronPythonTest()
>>> f.greeting()
```

如果要了解更多关于Python实现的细节，请参见Jython的网站（http://www.jython.org）和IronPython的网站（http://www.codeplex.com/Wiki/View.aspx?ProjectName=IronPython）。

## 17.3　编写 C 语言扩展

扩展Python通常就是指扩展CPython，它是用C语言实现的标准Python版本。

**提示**　要了解基本的介绍和背景材料，请参见维基百科上关于C语言的文章，http://en.wikipedia.org/wiki/C_programming_language。要了解更多的信息，请查看Ivor Horton的著作*Beginning C: From Novice to Professional*。真正权威的著作是永恒的经典*C Programming Language*，作者是C语言之父Brian Kernighan和Dennis Ritchie。

　　C语言的动态性不及Java或者C#，并且如果只是提供编译后的C语言代码，Python就很难与之交互。因此，在编写Python的C语言扩展时必须严格遵照API。有关此API的内容，稍后会在17.3.2节介绍。有几个项目的目的是简化编写C语言扩展的过程，其中最有名的是SWIG，会在下一节介绍（参见下面的"另辟蹊径"以了解其他的方法）。

**另辟蹊径**

　　如果使用CPython，那么会有很多工具可以提高程序的运行速度——通过生成并使用C语言库，或是通过实际地提高Python代码的速度。下面给出一些选择。

□ Psyco（http://psyco.sf.net）：Python的一个特定的实时编译器，它可以把某些类型的代码（特别是处理数字列表的低级代码）的速度提高一个数量级甚至更多。但它不是对所有的情况都适用，并且需要很多内存来完成工作。它很容易使用，举一个最简单的例子，只要把它导入然后调用psyco.full()就可以了。有趣的是Psyco实际上是分析程序运行的时候发生的事情，因此它对一些代码所能达到的加速效果，会超过通过C语言扩展所能达到的效果（在深入研究C语言的教科书之前，它可能值得试试）！

□ Pyrex（http://www.cosc.canterbury.ac.nz/~greg/python/Pyrex）：是一种Python的"方言"。它是专门为编写Python的扩展模块而设计的语言。Pyrex语言结合了Python（或者是它的一个子集）和类似于C语言中的可选的静态类型。用Pyrex编写了一个模块以后，便可以通过pyrexc程序把它转化成C语言代码。转化后的C代码被创建为遵照Python C API的代码，这样在编译后（就如在正文中描述的）应该可以在Python程序中使用它而不会出现什么问题，Pyrex能在编写C语言扩展时避免很多烦人的地方，但同时仍然可以控制你所关心的细节，比如为一些变量指定确切的C语言数据类型。

□ PyPy（http://codespeak.net/pypy）：这是一个前途无量的Python实现。尽管听起来有些遥遥无期，但通过相当高阶的代码分析和编译，它会胜过CPython。根据网站所说的："有流言称秘密目标是比C语言还快，没戏的，不是吗？"PyPy的核心是RPython，这是一种受限制的Python语言。RPython适合于自动类型推断以及其他工作，例如将代码转换为静态语言、本地机器码，或者其他的动态语言（例如JavaScript）。

□ Weave（http://www.scipy.org/weave）：是SciPy发布版的一部分，但可以单独使用，它是一个直接在Python代码（以字符串形式）中包含C语言或者C++代码的工具，并且可以使这些代码被直接编译和执行。如果有一些想要快速计算的数学表达式，就可以使用Weave。Weave同样能加速使用了数字数组的表达式（请看下一项）。

□ NumPy（http://numeric.scipy.org）：NumPy提供了访问数字数组的功能，在分析很多形式的数字数据时很有用（从股票价格到天文图像），它的一个优势是接口简单，这就减少了明确指定低级操作的必要性，不过，它主要的优势却是速度。对一个数字数组的每个元素执行很多通用的操作，比使用列表和for循环做同样的事要快很多，因为隐式的循环是直接用C语言实现的，数字数组能与Pyrex和Weave协同工作。

□ ctypes（http://python.net/crew/theller/ctypes）：Ctypes库采用的是很直接的方法，它只导

入已经存在的（共享的）C语言库。当然有些限制，这可能是访问C代码最简单的方法。它不需要包装或者特定的API，只要导入库然后使用它即可。在Python 2.5中，它已经成为标准库的一部分。

❑ **Subprocess**（http://docs.python.org/lib/module—subprocess.html）：好吧，这个有点难度。它是标准库中的一个模块，连同有着相似功能的旧的模块和函数，它允许Python运行外部程序，并且能通过命令行参数、标准输入/输出和错误流与外部程序通信。如果对速度要求严格的代码，所实现的大部分工作是一些长时间运行的批任务所完成的，那么在程序启动和通信时只会损失很少的时间。在那种情况下，只需要把C语言代码放置到一个完全独立的程序中，然后将它作为子进程运行，这是所有的方法中最清楚明了的。

❑ **PyCXX**（http://cxx.sourceforge.net）：之前叫做CXX或者CXX/Objects，这是一个编写Python扩展的C++工具集。例如它包括对于引用计数的良好支持，以减少出错的几率。

❑ **SIP**（http://www.riverbankcomputing.co.uk/software/sip）：SIP（是SWIG的双关语吗）原先是一个用于开发GUI包PyQt的工具，包括一个代码生成器和一个Python模块。它以和SWIG类似的方式使用说明文件。

❑ **Boost.Python**（http://www.boost.org/libs/python/doc）：Boost.Python用于在Python和C++之间进行良好的互操作，并且提供例如引用计数、在C++中操作Python对象等功能。其中一个主要用法就是以非常Python化的风格编写C++代码（使用Boost.Python的宏命令实现），然后用最喜欢的C++编译器直接编译为Python扩展。虽然和SWIG风格迥异，但仍然是很好的选择，值得一试。

❑ **Modulator**：Modulator可以在Python发布版的工具目录中找到。这个脚本可用于生成一些C语言扩展需要的样板代码。

## 17.3.1  SWIG

SWIG（http://www.swig.org）是简单包装和接口生成器的缩写，是一个能用于几种语言的工具。一方面，可以通过它使用C语言或者C++编写扩展代码；另一方面，它会自动包装那些代码，以便能在一些高级语言中使用，例如Tcl、Python、Perl、Ruby、Java等。这就意味着如果决定将系统的一部分使用C语言扩展编写，而不是直接在Python中实现，那么C语言扩展库也能（通过SWIG）在其他的语言中使用。当需要一些不同语言编写的子系统协同工作时，这一点就非常有用。C语言（或者C++）扩展在协同工作时会变得很重要。

安装SWIG与安装其他Python工具遵循的模式相同。

❑ 可以在网站http://www.swig.org上下载SWIG

❑ 很多UNIX/Linux发布版中都包含SWIG。很多包管理器会直接安装程序。

❑ 获得适用于Windows的二进制安装包。

❑ 自己编译源代码也只是简单地调用configure和make install。

如果在安装SWIG时遇到了问题，应该可以在网络上找到帮助信息。

**1. 它是做什么的**

使用SWIG的过程是很简单的，首先要确保有一些C语言代码。

(1) 为代码写接口文件。这很像C语言的头文件（而且，为了更简单，可以直接使用头文件）。

(2) 在接口文件上运行SWIG，自动生成部分C语言代码（包装代码）。

(3) 把原来的C语言代码和产生的包装代码一起编译来产生共享库。

随后，会对每一步进行讨论，先从一些C语言代码开始。

**2. 更喜欢Pi**

回文（例如ipreferpi）是忽略掉空格和标点后，正着读反着读都一样的句子。假设要识别很长的回文，但是在时间和人手上很紧张（可能需要分析一个蛋白质序列）。当然，那样的字符串已经长到对于纯Python程序来说有问题的地步，假设字符串很长并且必须对它进行很多检查。于是决定写一些C语言代码来处理（可能找到了一些已经完成的代码，正如曾经提过的，在Python中使用现存的C语言代码是SWIG的主要用途）。代码清单17-3展示了一个可能的实现。

**代码清单17-3　一个简单的用来检测回文的C语言函数（`palindrome.c`）**

```c
#include <string.h>

int is_palindrome(char *text) {
  int i, n=strlen(text);
  for (i=0; i<=n/2; ++i) {
    if (text[i] != text[n-i-1]) return 0;
  }
  return 1;
}
```

代码清单17-4展示了一个实现同样功能的纯Python函数做为参考。

**代码清单17-4　Python版本的检测回文的函数**

```python
def is_palindrome(text):
    n = len(text)
    for i in range(len(text)//2):
        if text[i] != text[n-i-1]:
            return False
return True
```

稍后，你会看到如何编译和使用这一小段C语言代码。

**3. 接口文件**

假设把代码清单17-3中的代码放到一个叫做palindrome.c的文件中，那么现在就要把接口描述放到文件palindrome.i中。在很多情况下，如果定义了头文件（也就是palindrome.h），SWIG就可以从头文件中得到需要的信息。因此如果拥有一个头文件，可以随意使用它。手动编写一个接口文件的理由之一是可以了解SWIG是怎么包装代码的。最重要的是排除一些东西。比如，如果要包装一个巨大的C语言库，可能需要导出一些函数到Python中。在这种情况下，只要把需要导出的函数放到接口文件中就可以了。

在接口文件中，就像在一个头文件中做的那样，只需声明要导出的所有的函数（和变量）即可。除此之外，头部的一个单元（通过%{和%}来分界）内，可以指定包含的头文件（比如本例中的string.h）以及在这之前的一个%module声明，即为模块定义一个名字。（这里面有的选项是可选的，同时还能在接口文件中实现很多其他的功能，请参看SWIG文档了解更多的信息。） 代码清单17-5显示了接口文件。

**代码清单17-5　回文库的的接口（palindrome.i）**

```
%module palindrome

%{
#include <string.h>
%}

extern int is_palindrome(char *text);
```

#### 4. 运行SWIG

运行SWIG可能是扩展过程中最简单的一个步骤。尽管可以使用很多命令行选项开关（尝试运行 swig -help命令以获得选项的列表），唯一需要的是 -python选项，这个选项会确保SWIG生成的C语言包装代码能够在Python中使用。你会发现另外一个比较常用的选项是-c++，如果要包装一个C++库就要使用它。你需要使用接口文件（或者，也可使用头文件）来运行SWIG，就像下面这样：

```
$ swig -python palindrome.i
```

这些步骤过后，应该得到两个新文件———个是palindrome_wrap.c，另一个是palindrome.py。

#### 5. 编译、连接以及使用

编译可能是过程中最有技巧的部分（至少我这么想）。为了能够正确地编译代码，需要知道Python的源代码放在哪儿（或者，至少要知道pyconfig.h和Python.h这两个头文件在哪儿，可以分别在Python安装目录的根目录和根目录下的Include子目录中找到这两个文件）。还要根据选择的C语言编译器，将代码编译到一个共享库，指明正确的选项开关。如果你找不出参数和选项开关的正确组合，可以参见下一小节"一条通过编译器的魔法森林的捷径"。

这里有一个使用cc编译器的Solaris的例子，假设$PYTHON_HOME指的是Python安装目录的根目录：

```
$ cc -c palindrome.c
$ cc -I$PYTHON_HOME -I$PYTHON_HOME/Include -c palindrome_wrap.c
$ cc -G palindrome.o palindrome_wrap.o -o _palindrome.so
```

下面是在Linux中使用gcc编译器的顺序：

```
$ gcc -c palindrome.c
$ gcc -I$PYTHON_HOME -I$PYTHON_HOME/Include -c palindrome_wrap.c
$ gcc -shared palindrome.o palindrome_wrap.o -o _palindrome.so
```

可能需要的所有文件都会在一个地方被找到，比如/usr/include/python2.4（版本号要根据需要修正），本例中，技巧如下：

```
$ gcc -c palindrome.c
$ gcc -I/usr/include/python2.5 -c palindrome_wrap.c
$ gcc -shared palindrome.o palindrome_wrap.o -o _palindrome.so
```

在Windows中（还是假设在命令行中使用gcc），最后一步可以使用下面的命令，创建共享库：

```
$ gcc -shared palindrome.o palindrome_wrap.o C:/Python25/libs/libpython25.a -o
 _palindrome.dll
```

在Mac OS X内，可以使用下面的命令（如果使用的是官方Python安装包的话，PYTHON_HOME 应该为/Library/Frameworks/Python.framework/Versions/Current）：

```
$ gcc -dynamic -I$PYTHON_HOME/include/python2.5 -c palindrome.c
$ gcc -dynamic -I$PYTHON_HOME/include/python2.5 -c palindrome_wrap.c
$ gcc -dynamiclib palindrome_wrap.o palindrome.o -o _palindrome.so -Wl, -undefined,
 dynamic_lookup
```

> **注意** 如果在Solaris上使用gcc，那么要在头两个命令行添加-fPIC标记（就在命令gcc后面）。否 则，当要在最后一个命令中链接文件时，编译器会非常困惑。同时，如果使用包管理器 的话（这在很多Linux平台上很普遍），那么可能还要安装一个单独的包（名字类似于 python-dev）来获取编译扩展所需的头文件。

在运行了这些不可思议的咒语后，应该会得到一个很有用的文件，叫做_palindrome.so。这 就是共享库，它能直接导入Python（如果它被放置在的PYTHONPATH中的某处，比如在当前目录）：

```
>>> import _palindrome
>>> dir(_palindrome)
['__doc__', '__file__', '__name__', 'is_palindrome']
>>> _palindrome.is_palindrome('ipreferpi')
1
>>> _palindrome.is_palindrome('notlob')
0
```

在旧版本的SWIG中，刚刚所提及的就是全部的内容了。在近期版本的SWIG中，编译后还会 产生一些Python的包装代码。（文件palindrome.py，还记得吗？）这个包装了的代码导入了 _palindrome模块并且进行了一些代码检查。如果希望跳过这个步骤，可以移除palindrome.py文 件，再直接把库链接到一个叫palindrome.so的文件上。

使用包装代码的方式和使用共享库一样。

```
>>> import palindrome
>>> from palindrome import is_palindrome
>>> if is_palindrome('abba'):
...     print 'Wow -- that never occurred to me...'
...
Wow -- that never occurred to me...
```

#### 6. 一条通过编译器的魔法森林的捷径

如果你认为编译过程有点儿神秘，这很正常，因为不止你一个人这么想。如果让编译过程自 动运行（比如，使用生成文件），那么用户就要通过指定一些选项来配置安装，这些选项包括指 定Python的安装位置、编译器使用的特定选项以及使用哪个编译器。使用Distutils可以优雅地避 免那些配置。实际上，Distutils直接支持SWIG，这样一来甚至不需要手动运行，而只是写些代码 以及接口文件，然后运行Distutils脚本。关于这个魔法的更多信息，请参见18.3节。

### 17.3.2 自己研究

SWIG在幕后替做了非常多的事情，但不是每一件都那么必要。如果需要的话，还可以自己编写包装代码，或者只编写C语言代码以便直接使用Python C API。

　　Python C API在Guido van Rossum编写的文档 "Extending and Embedding the Python Interpreter"（一个教程）和 "Python/C API Reference Manual"（一个参考）中进行了描述（两者都能在http://python.org/doc上找到）。在这些文档中有很多要学习的信息，但如果懂些C语言编程知识的话，就会知道教程中包含了一个概略介绍。我会在这里做更概略（也更简短）的介绍。如果对省略的部分（省略了很多内容）很好奇，那么应该去Python网站上看看那些文档。

　　1. 引用计数

　　如果没有使用过引用计数，那么它可能会是这节中碰到的最陌生的概念，尽管它不是很复杂。在Python中，内存管理是自动的，只要创建对象，如果不再使用，它们会消失。C语言中就不是这种情况了：必须显式地释放（deallocate）不再使用的对象（或者说是内存块）。如果不那么做，你的程序可能开始占据越来越多的内存，这种情况叫做内存泄露（memory leak）。

　　当编写Python扩展时，需要访问Python用来"偷偷地"管理内存的工具，其中之一是引用计数。它的思想是，一个对象只要被代码中的某部分所引用（用C语言中的术语来说就是还有指针指向那个对象），那个对象就不应该被释放掉。然而，一个对象的引用数目变成0以后，数目就不会再增加了，没有代码能创建那个对象的新引用，那个对象在内存中就是"自由浮动的"。这个时候释放它就很安全。引用计数会自动完成这个过程：要遵守一系列的规则，这些规则是在各种情况下（通过Python API的一部分）有关增加或者减少一个对象引用计数的位置的规定，并且当引用计数变成0的时候，对象会被自动释放。这就意味着没有单独的一段代码对管理一个对象负全部的责任。可以创建一个对象，用一个函数返回它，然后忘了它就行了，只需记住当不再需要它的时候，这个对象就会自动消失。

　　使用两个宏（macro）Py_INCREF和Py_DECREF分别来增加和减少一个对象的引用计数。可以在Python的文档（http://python.org/doc/ext/refcounts.html）中找到关于如何使用它们的详细信息。下面是一个关于文档的概要介绍。

- 不能拥有一个对象，但可以拥有一个指向它的引用。一个对象的引用计数是指向它的引用的数目。
- 如果拥有一个引用，应该在不再需要这个引用的时候调用Py_DECREF。
- 如果临时借用（borrow）了一个引用，就不应该在使用完对象后调用Py_DECREF；调用Py_DECREF是引用的所有者要做的事。

---

**警告**　应该确保在引用的所有者销毁掉引用后不再使用借用的引用，请参见文档中的1.10.3节了解更多关于保持安全的建议。

---

- 可以通过调用Py_INCREE将借用的引用变成自己拥有的引用。这将会创建一个新拥有的引用，而原来的所有者仍然拥有原来的引用。
- 当接收到一个作为参数的对象，要不要变换所有者关系（比如，打算把它存起来）或者只是借用，都取决于自己。这个应该清楚地说明。如果函数在Python中被调用，借用就很安全，对象的生存期持续到函数调用结束。如果函数是在C语言中被调用，只是借用就不

能保证安全了，你可能想创建一个归自己所有的引用，当使用完以后释放它。

稍后会处理具体的例子，那时你会对这些内容有更清楚的认识。

**垃圾收集**

引用计数是垃圾收集（garbage collection）的一种，其中垃圾指的是程序不再使用的对象。Python使用一种更复杂的算法来检测循环的垃圾（cyclic garbage）。也就是说对象之间互相引用（因此没有非0的引用计数），但没被其他的对象引用它们。

通过gc模块，可以在程序中访问Python的垃圾收集器。能在Python库引用（http://python.org/doc/lib/module-gc.html）中找到更多的信息。

### 2. 一个扩展用的框架

在编写Python的C语言扩展时需要写很多重复的代码，这就是使用工具（比如，SWIG、Pyrex和modulator）会比较便利的原因：它们会自动复制代码。尽管手工编写代码是一个很好的学习经历。还有很多其他的方法来构建的代码，我将会向你展示一种工作方法。

要记住的第一件事就是Python.h头文件必须首先被包含，也就是要在其他的标准头文件之前。这是因为在一些平台上Python.h会执行一些被其他的头文件使用的重定义。因此为了简便需要将如下内容放在代码的第一行：

```
#include <Python.h>
```

你的函数能被你想要的任何东西调用。它应该是静态的，返回一个指向PyObject类型的对象的指针（一个包括所有权的引用），并且有两个参数，两个参数都是指向PyObject的指针。那些对象照惯例被称为self和args（self是自我对象，或者NULL，而args是一个参数的元组），换句话说，函数看起来应该像下面这样：

```
static PyObject *somename(PyObject *self, PyObject *args) {
    PyObject *result;
    /* 进行处理，包括分配结果。 */

    Py_INCREF(result); /* 如果需要的话才这样做！ */
    return result;
}
```

参数self实际上只是被用在封装好的方法中。在其他的函数中，它只是一个NULL指针。

要注意，可能不需要调用Py_INCREF。如果对象在函数中被创建，函数中就有该对象的引用，并且能把引用返回。如果希望从函数中返回None，应该使用已经存在的Py_None对象。在这种情况下，函数不再拥有一个指向Py_None的引用，这样就需要在返回之前调用Py_INCREF(Py_None)。

参数args包含了函数的所有参数（如果self存在，那么args不包含self）。为了提取对象，则可以使用PyArg_ParseTuple（为了得到参数的位置）和PyArg_ParseTupleAndKeywords（为了取得参数的位置和关键字）。

函数PyArg_ParseTuple的签名如下：

```
int PyArg_ParseTuple(PyObject *args, char *format, ...);
```

格式字符串用来描述需要得到的参数，然后提供所要在最后填充的变量的地址。返回值是一个布尔值：真表示一切进行顺利，假表示有错误。如果存在错误，那么就要进行适当的准备来引发异常（文档中有更多介绍），而所要做的就是返回NULL来触发它。如果不需要任何参数（一个空的格式字符串），下面就是一个很有用的处理参数的方法：

```
if (!PyArg_ParseTuple(args, "")) {
    return NULL;
}
```

如果执行的是在上面说的语句之外的代码，那么就表示有参数（如果执行的是上面说的语句，就表示没有参数），格式字符串看起来是这样的："s"表示字符串，"i" 表示一个整数，"o" 表示一个Python对象，并且能组合，比如"iis"表示2个整数和一个字符串。还有很多格式字符串代码Python/C API参考手册（http://python.org/doc/api/arg-parsing.html）中提供了关于如何编写格式字符串的完全参考。

> **注意**　在扩展的模块中可以创建自己的内建类型和类。这不难，但仍然是个复杂的主题，因此在这里跳过。如果需要把一些瓶颈代码转换成C语言代码，那么使用函数应该就能满足需要。如果要知道怎么创建类型和类，Python文档是一个很好的信息来源。

虽然函数已经就位，但还需要进行一些额外的包装，让C语言代码充当模块。等我们遇到一个真实的例子以后，再回头讨论这个问题，你觉得呢？

### 3. 回文，用Detartrated[①]做消遣

言归正传，代码清单17-6是手动编码的palindrome模块的Python C API版本（增加了一些有意思的东西）。

**代码清单17-6　再次进行回文检查 (palindrome2.c)**

```c
#include <Python.h>

static PyObject *is_palindrome(PyObject *self, PyObject *args) {
    int i, n;
    const char *text;
    int result;
    /* "s"表示一个字符串： */
    if (!PyArg_ParseTuple(args, "s", &text)) {
        return NULL;
    }
    /* 旧版代码： */
    n=strlen(text);
    result = 1;
    for (i=0; i<=n/2; ++i) {
        if (text[i] != text[n-i-1]) {
            result = 0;
            break;
        }
    }
    /* "i"表示一个整数： */
```

---

① 这是去掉酒石盐酸（tartrate）的意思，其实这个词和程序完全没关系（和果汁更有关系），但至少它是一个回文。

　　　　　　　　　　　　　　　　　　　　　　　　　　　　　　——译者注

```
        return Py_BuildValue("i", result);
}

/* 方法/函数的列表: */
static PyMethodDef PalindromeMethods[] = {
    /* 名称、函数、参数类型和文档字符串 */
    {"is_palindrome", is_palindrome, METH_VARARGS, "Detect palindromes"},
    /* 一个列表结束的标记: */
    {NULL, NULL, 0, NULL}
};

/* 初始化模块的函数 (名称很重要) */
PyMODINIT_FUNC initpalindrome() {
    Py_InitModule("palindrome", PalindromeMethods);
}
```

代码清单17-6中增加的绝大多数是总的样板。看到palindrome的地方就能插入自己模块的名字，当is_palindrome出现时，插入函数的名字。如果有更多的函数，那就在PyMethodDef的数组中把它们列出来。有个东西值得注意：初始化函数的名字必须是initmodule，这里的module是你的模块的名字，否则Python就会找不到。

那么开始编译吧！步骤和SWIG那一节中介绍过的一样，但现在只有一个文件要处理。这里有一个使用gcc的例子（记得在Solaris中要加-fPIC）：

```
$ gcc -I$PYTHON_HOME -I$PYTHON_HOME/Include -shared palindrome2.c -o palindrome.so
```

同样，应该有一个叫做palindrome.so的文件来供使用。把它放到你的PYTHONPATH（比如当前目录）然后就可以使用了：

```
>>> from palindrome import is_palindrome
>>> is_palindrome('foobar')
0
>>> is_palindrome('deified')
1
```

就是这样了。现在可以自己试试了（但要小心，记住本节简介中的Waldi Ravens）。

## 17.4　小结

扩展Python是一个庞大的主题。本章只是很浅显地介绍了以下的内容。

□ 扩展的哲学。Python扩展主要有两个用途：使用遗留代码（老代码），或者提高瓶颈的运行速度。如果要从一开始就自己编写代码，尝试把它在Python中原型化（prototype），找出瓶颈，如果需要就把它们分解出来作为扩展。提前封装潜在的瓶颈是很有用的。

□ Jython和IronPython。扩展这些Python实现很容易：只要把扩展内容作为在基础实现中的一个库（Java对应Jython，C#和其他的.NET语言对应IronPython）并且能立即在Python中使用扩展代码。

□ **扩展方法**。有很多扩展代码或者加速代码的工具。有些工具可以使在Python程序中加入C语言代码更容易，有些工具可以加速一些常用操作（比如数值数组的操作）或者Python本身。这样的工具包括SWIG、Psyco、Pyrex、Weave、NumPy、ctypes、subprocess以及modulator。

- SWIG。SWIG是一个自动为C语言库生成包装代码的工具。封装的代码会处理Python C API，这样你就不用自己处理了。这是最简单最流行的扩展Python的方法。
- **使用Python/C API**。能编写可以作为共享库直接导入Python的C语言代码。要做到这一点，必须遵照Python/C API。要为每个函数处理的事情包括引用计数、提取参数以及创建返回值。为了让C语言库能作为一个模块使用，还需要很多代码，包括列出模块中的函数以及创建一个模块的初始化函数。

## 17.4.1    本章的新函数

本章涉及的新函数如表17-1所示。

表17-1    本章的新函数

| 函　　数 | 描　　述 |
| --- | --- |
| Py_INCREF(obj) | 增加obj的引用计数 |
| Py_DECREF(obj) | 减少obj的引用计数 |
| PyArg_ParseTuple(args, fmt, ...) | 提取位置参数 |
| PyArg_ParseTupleAndKeywords(args, kws, fmt, kwlist) | 提取位置和关键词参数 |
| PyBuildValue(fmt, value) | 通过C语言值创建PyObject |

## 17.4.2    接下来学什么

到目前为止，好程序应该写了不少了，或者至少有一些好点子。如果想要和别人分享诸如代码之类的东西，该怎么办呢？下一章将会答疑解惑。

# 第18章

# 程序打包 *18*

**准**备发布程序时，开发者在程序发布前可能会想到将其打包。如果只有一个.py文件，那将不是什么大问题，但是如果面对的是非程序员用户，甚至在正确位置放置一个简单的Python库文件，或者处理PYTHONPATH变量这类工作都超出了他们的能力范围，就不好办了。用户通常只想双击一个安装程序，跟着安装向导一步步走，接着程序就可以运行了。

最近，Python程序员也开始习惯于使用类似的便利方法，尽管会用到一些稍微底层的接口。用于发布Python包的工具包Distutils能让程序员轻松地用Python编写安装脚本。这些脚本可以用来建立用于发布的存档文件，这样一来，程序员（用户）就可以编译和安装开发者所编写的程序库了。

本章将会着重介绍Distutils，因为它是每个Python程序员工具包内的基础工具。实际上使用Distutil不仅仅能够制作基于脚本的Python库安装程序，还可以用它来生成简单的Windows安装程序，如果再与扩展程序py2exe结合使用，还能生成独立的Windows可执行程序。如果你想为你的二进制文件建立一个自安装存档文件，在这里也会给出一些提示。

## 18.1 Distutils 基础

Distutils的相关内容在Python库参考（http://python.org/doc/lib/module-distutils.html）中的"Distributing Python Modules"和"Installing Python Modules"两个文档内有详尽的介绍。像代码清单18-1这样的简单编写脚本可以实现Distutils的各种功能。

**代码清单18-1** 简单的Distutils安装脚本（setup.py）

```
from distutils.core import setup

setup(name='Hello',
      version='1.0',
      description='A simple example',
      author='Magnus Lie Hetland',
      py_modules=['hello'])
```

在setup函数内并不一定要提供所有这些信息（事实上可以不提供任何参数），也可以提供更多（比如author_email或者url）的参数。参数的含义应该是一目了然的。

**提示**　setuptools项目（http://peak.telecommunity.com/DevCenter/setuptools）是建立在Distutils
基础上的，但包含一些增强的功能。例如，使用它可以生成所谓的"Python蛋"（Python
Egg），即用于发布Python包的可携带、单文件捆绑版本。它还提供很多和Python Package
Index（http://pypi.python.org）自动交互的功能。

将代码清单18-1的脚本存储为setup.py（Distutils安装脚本的惯例），确保在同一个目录下存
在名为hello.py的模块文件。

**警告**　运行这个setup脚本时会在当前目录创建新的文件和子目录，所以最好在全新的目录中进
行试验，避免旧文件被覆盖。

现在就可以使用这个脚本了，执行如下命令：

```
python setup.py
```

应该会获得类似下面的输出：

```
usage: setup.py [global_opts] cmd1 [cmd1_opts] [cmd2 [cmd2_opts] ...]
   or: setup.py --help [cmd1 cmd2 ...]
   or: setup.py --help-commands
   or: setup.py cmd --help

error: no commands supplied
```

可以使用--help或者--help- commands选项开关获得更多信息。试着使用build命令，看看
Distutils有什么反应：

```
python setup.py build
```

应该会得到类似下面的输出：

```
running build
running build_py
creating build
creating build/lib
copying hello.py -> build/lib
```

Distutils会创建一个名称为build的子目录，其中包含名为lib的子目录，并且把hello.py的一
个副本放置在build/lib内。build子目录是Distutils组装包（以及编译扩展库等）的工作区。在安
装的时候不需要运行build命令——如果需要的话，在运行install命令的时候它就自动运行了。

**注意**　本例中，install命令会将hello.py模块复制到PYTHONPATH变量内一些系统特定的目录中。
这样做可能没有风险，如果不想弄乱系统的话，也可以在随后将文件删除。注意文件所
放置的具体位置，它将会在setup.py中输出。可以使用-n选项开关只进行演示而并不实际
安装。虽然可以找到一些定制的卸载方法，但在本书撰写时，还没有标准的uninstall命
令，所以需要手动卸载模块。

说了这么多……来试着安装模块：

```
python setup.py install
```

现在应该看到类似下面的输出：

```
running install
running build
running build_py
running install_lib
copying build/lib/hello.py -> /path/to/python/lib/python2.5/site-packages
byte-compiling /path/to/python/lib/python2.5/site-packages/hello.py to hello.pyc
```

> **注意** 如果正在运行不是由你自己安装的Python版本，并且没有适当的权限，可能不允许像上面那样安装模块，因为没有写入相应目录的权限。

这就是安装Python模块、包和扩展的标准机制。你要做的就是提供安装脚本。

在上面的示例中，我只使用了Distutils的py_modules指令，如果想要安装整个包的话，可以使用类似的方式（只要列出包的名字）执行packages指令。还可以设置其他的选项（有些会在18.3节中介绍）。还能为Distutils创建配置文件，以设置各种属性（请参见"Installing Python Modules"中的第5章，地址为http://python.org/doc/inst/config-syntax.html）。

提供选项（命令行选项开关、setup函数中的关键字参数以及Distutils的配置文件）的各种方法可以指定安装什么程序，以及在哪里安装这类事情。更棒的是这些选项有多种用途。下面的一节会介绍如何将指定用于安装的模块包装为准备发布的存档。

## 18.2 打包

写完供用户安装模块使用的setup.py脚本以后，就可以用它来建立存档文件，Windows安装程序或者RPM包。

### 18.2.1 建立存档文件

你可以使用sdist命令（用于"源代码发布"）：

```
python setup.py sdist
```

如果运行脚本，可能会得到一大堆输出，其中还有一些警告。得到的警告包括缺少author_email选项、MANIFEST.in文件和README文件。我们可以放心地忽略所有这些警告（当然，在setup.py中加上author_email选项也没问题，它与在当前目录添加README或者README.txt文本文件，以及空的MANIFEST.in文件类似）。

在警告之后，应该会看到类似下面的输出：

```
writing manifest file 'MANIFEST'
creating Hello-1.0
making hard links in Hello-1.0...
hard linking hello.py -> Hello-1.0
```

```
hard linking setup.py -> Hello-1.0
tar -cf dist/Hello-1.0.tar Hello-1.0
gzip -f9 dist/Hello-1.0.tar
removing 'Hello-1.0' (and everything under it)
```

在生成源代码发布程序时，程序同时会生成一个叫做MANIFEST的文件，其中包括所有文件的列表。MANIFEST.in文件是清单（manifest）的模板，在指明安装内容时要用到，可以使用如下命令来指定想要包含的文件。如果Distutils自己没有指明要安装的文件，可以使用setup.py脚本（以及默认包含的文件，比如README）。

```
include somedirectory/somefile.txt

include somedirectory/*
```

注意 如果之前运行过sdist命令，并且已经存在MANIFEST文件，那么可能会在开头看到reading 这个单词而不是writing。如果重构了包并且想重新打包，那么请删除MANIFEST文件，以 便于重新开始打包。

现在除了build子目录外，应该还有一个dist子目录。可以在它里面找到一个叫做Hello-1.0.tar.gz的gzip格式的tar存档文件。现在可以将其发布给其他人，利用内置的setup.py脚本解包和安装。如果不想使用.tar.gz文件类型的话，还可选择很多发布格式，可以通过命令行的选项开关--formats进行设定（名字的复数形式表明，可以提供多种格式，每种格式之间使用逗号隔开，以便一次创建多个存档文件）。Python2.5（通过将--help_formats转换为sdist命令来访问）内可用的格式名称有bztar（针对bzip2格式的tar文件）、gztar（默认的，针对gzip格式的tar文件）、tar（未压缩的tar文件）、zip（针对ZIP文件）和ztar（针对使用UNIX命令compress压缩而成的tar文件）。

## 18.2.2　创建Windows安装程序或RPM包

使用bdist命令可以创建单一的Windows安装程序和Linux RPM文件（一般来说可以用它来创建二进制发布程序，其中的扩展已经由于特定结构而被编译，请参见下一节获取关于编译扩展的信息）。bdist可用的格式（除了sdist可用的格式之外）有rpm（针对RPM包）和wininst（针对Windows可执行安装程序）。

有意思的是在非Windows操作系统内也可以为程序包建立Windows安装程序，前提是没有任何需要编译的扩展。假如可以访问一台Linux计算机以及一台Windows计算机的话，试着在Linux系统上运行如下命令：

```
python setup.py bdist --formats=wininst
```

然后（忽略编译器设置的警告之后）将dist/Hello-1.0.win32.exe复制到的Windows系统上运行。应该会看到一个比较基本的安装向导（也可以在真正安装模块前取消整个过程）。

**使用真正的安装程序**

从Distutils中获得的wininst格式的安装程序非常基础。与一般的Distutils安装程序一样，它也没有卸载包的功能。虽然在某些情况下这是可以接受的，但有时你想要更加专业的安装界面，尤其是在使用py2exe（本章后面会讨论）生成可执行程序时，此类情况下，可以考虑使用一些标准的安装程序，例如Inno Setup（http://jrsoftware.org/isinfo.php），它和py2exe所创建的可执行文件配合得相当好，并且会像一般的Windows程序一样安装程序，还会提供类似于卸载程序之类的功能。

更"Python化"的选择是使用McMillan installer（搜所引擎会提供最新的下载地址），它可以在建立可执行程序时代替py2exe使用。其他的选择有InstallShield（ttp://installshield.com）、Wise installer（http://wise.com）、Installer VISE（http://www.mindvision.com）、Nullsoft Scriptable Install System（http://nsis.sf.net）、Youseful Windows Installer和Ghost Installer（http://ethalone.com），搜索引擎会提供更多选择。

有关更多Windows安装技术信息，请参见Phil Wilson所著的*The Definitive Guide to Windows Installer*。

## 18.3 编译扩展

第17章中已经介绍过如何为Python编写扩展。或许读者会觉得编译这些扩展可能比较麻烦，还好，还有Distutils可以用。现在可以回头看一下第17章中关于palindrome程序的源代码（代码清单17-6）。假设已经在当前（空）目录中放置了源文件palindrome2.c，下面的setup.py脚本可以用于编译（和安装）：

```
from distutils.core import setup, Extension

setup(name='palindrome',
      version='1.0',
      ext_modules = [
          Extension('palindrome', ['palindrome2.c'])
      ])
```

如果使用install命令运行这个setup.py脚本，palindrome扩展模块应该会在安装前自动编译。如你所见，不是指定模块名字的列表，而是将Extension实例的列表提供给ext_modules参数。构造函数会获取一个名称和相关文件的列表——例如，这将是指定头文件（.h）的地方。

如果只想在当前目录编译扩展（对于大多UNIX系统来说，在当前目录中生成名为palindrome.so的文件），那么可以使用下面的命令：

```
python setup.py build_ext --inplace
```

现在我们渐入佳境了。如果已经安装了SWIG（请参见第17章）的话，可以让Distutils直接使用它！

请看代码清单17-3中原palindrome.c的源代码（没有包装的代码）。它显然比包装过的版本要简单多了。让Distutils使用SWIG将程序直接编译为Python扩展是非常方便的。当然也很简单，只要在Extension实例中将接口（.i）文件（请参见代码清单17-5）的名称添加到文件列表即可：

```
from distutils.core import setup, Extension

setup(name='palindrome',
      version='1.0',
      ext_modules = [
          Extension('palindrome', ['palindrome.c',
                                   'palindrome.i'])
      ])
```

如果使用和刚才一样的命令运行脚本 (build_ext，可能带有--inplace选项开关)，可能会再次得到palindrome.so文件，但是这次就不用自己写所有的包装代码了。

## 18.4    使用 py2exe 创建可执行程序

py2exe作为Distutils的扩展 (可在http://www.py2exe.org上获得) 可用来生成可执行的Windows程序 (.exe文件)，如果不想让用户单独安装Python解释器的话，它就能大显神威了。

> 提示    在生成可执行程序之后，还可能需要使用一个安装程序——例如Inno Setup (http://jrsoftware.org/isinfo.php)——来发布可执行程序和由py2exe创建的附加文件，请参见本章前面"使用真正的安装程序"部分。

Py2exe包可以生成拥有GUI (例如wx，请参见第12章) 的可执行文件。我们这里举个非常简单的例子 (使用了我们在第1章"双击怎么样"一节中见到的raw_input技巧)：

```
print 'Hello, world!'
raw_input('Press <enter>')
```

让我们再找个只包含这个名为hello.py的文件的空目录，像下面这样创建setup.py：

```
from distutils.core import setup
import py2exe

setup(console=['hello.py'])
```

可以像下面这样运行脚本：

```
python setup.py py2exe
```

这样会生成控制台应用程序 (hello.exe) 以及位于dist子目录中的其他一些文件。可以从命令行运行，或者直接双击运行。

有关py2exe如何工作以及如何以更高级的方法使用它的信息，都可以在py2exe的网站 (http://www.py2exe.org) 上找到。

> 提示    如果使用的是Mac OS，那么可以参考Bob Ippolito的py2app (http://undefined.org/python/py2app.html)。

### 酒香也怕巷子深

新的软件可以在很多网站上声明，例如Freshmeat (http://freshmeat.net)。但还有一个叫做Python Package Index (简称PyPI) 的Python包集中主页可供选择。请访问PyPI的主页

(http://pypi.python.org) 寻找新包或旧包的新版本，或者发布你自己的安装包。

除了安装包外，你还可以注册大量有用的元数据（可能使用Distutils或者相关的setuptools来完成），例如作者、许可证、平台、类别和描述性关键字等。Distutils中的register命令可以帮上大忙。

## 18.5 小结

本章介绍的是如何生成拥有高级GUI安装程序的好看而且专业的软件，或者说是如何使生成.tar.gz文件的过程自动进行。下面是本章内所提及概念的总结。

- □ **Distutils**。利用Distutils工具包可以编写安装脚本，脚本文件一般称为setup.py。使用这些脚本可以安装模块、包和扩展，也可以建立可分布的存档文件以及简单的Windows安装程序。
- □ **Distutils命令**。可以使用多种命令运行setup.py脚本，比如build、build_ext、install、sdist和bdist。
- □ **安装程序**。可用的安装程序生成器很多，使用安装程序来安装Python程序，让用户的安装过程更加简单。
- □ **编译扩展**。使用Distutils可以自动编译C扩展，利用Distutils自动定位Python安装并指定选用的编译器。它甚至还能自动运行SWIG。
- □ **可执行二进制文件**。Py2exe作为Distutils的扩展可以用于创建Python程序中的可执行二进制文件和其他文件（可以用installer方便地安装），这些.exe文件无须单独安装Python解释器即可运行。

### 18.5.1 本章的新函数

本章涉及的新函数如表18-1所示。

表18-1 本章的新函数

| 函　　数 | 描　　述 |
| --- | --- |
| distutils.core.setup(...) | 用setup.py脚本中的关键字参数配置Distutils |

### 18.5.2 接下来学什么

和技术相关的内容就介绍到这里了。下面一章会介绍具有方法论和哲学意味的编程方式，随后会开始项目实战的章节。加油吧！

# 第 19 章

# 好玩的编程

**19**

**到** 目前为止，对于Python的工作方式，读者们应该比开始的时候有了更清晰的概念。打个比方来说，就是小跑车现在已经准备上路了，接下来的10章，会将新学到的知识用于实践。每章内都包含一个拥有大量实践空间的DIY项目，同时也会介绍实现解决方案所需要的工具。本章会介绍一些一般性的Python编程指导原则。

## 19.1　为什么要好玩

个人认为Python最强大功能之一，就是它让编程变得好玩，至少对我来说是这样。只有感到编程是有趣的时候，编程才会高效。Python最有意思的地方之一就是它能让你的工作变得非常高效。这是个良性循环，在生活中，这种循环可不多。

好玩的编程（Playful Programming）是我发明的词，是极限编程[1]（eXtreme Programming，亦称XP）的非极限版本。极限编程的大多数观点我都喜欢，但是我太懒了，不能完全遵守它的原则。所以现在挑了一些要点出来，将它们与Python程序开发的自然方式结合起来。

## 19.2　程序设计的柔术

各位听说过柔术[2]吗？这是一种日本武术，它和它衍生出来的柔道以及合气道一样，都注重反应的灵活性，或者说"弯而不断"。比赛时，不应该试图使用预先设计好的移动蒙骗对手，而要顺其自然，以对手的动作还治其身。这种方式（在理论上讲）可以击败比你高大、强壮和诡谲的对手。

那么怎样将柔术应用到程序设计中呢？关键在于"柔"字，也就是灵活性。在编程遇到麻烦的时候（总会遇到的），就不应该固守于原来的设计和想法，而要灵活变通，以柔克刚。要准备好去应对和适应变化。不要将没有预料到的事件看做让人沮丧的意外，而要将它们作为探索新的选择和可能性的起点。

要说的是，当大家坐下并计划应该如何组织程序的时候，对于这个具体的程序，你还没有任何的经验。怎么可能会有经验？毕竟它还不存在呢。在实现功能的时候，会逐渐地学到对原始设

---

[1] 极限编程是由Kent Beck创造的一种软件开发方式。有关它的更多信息，请参见http://www.extremeprogramming.org。

[2] 以及和它相关的中国武术太极拳和八卦掌。

计有用的新知识。不应该无视一路走来所吸取的教训，而应该将它们用于软件的重新设计（或者重构）中。这不是说应该像无头苍蝇一样，马上就开始着手工作——而是说应该为改变而做好准备，并且接受"最初的设计会需要改进"这样一个概念。就像以前一位作家说的"撰写即重写"。

灵活性的实现包括许多方面，下面是其中的两个。

- ❑ **原型设计**。Python最棒的功能之一就是可以快速地编写程序。编写原型程序是更充分地了解问题的一种很好的方法。
- ❑ **配置**。灵活性有很多种存在形式。配置的目的就是让程序某部分的改变更简单，对于你和用户来说都是这样。

第三点是自动化测试。如果希望轻松改变程序的话，那么自动化测试绝对是必不可少的。通过测试，就能保证你的程序在进行修改后还能正常运行。原型设计和配置都会在下面的几节中讨论。有关更多测试的信息，请参见第16章。

## 19.3　原型设计

一般来说，如果对于Python的某个地方不明白的话，那么尝试一下就好了。因为利用Python语言编程不需要进行各种预处理——比如编译或者链接，而这是其他很多语言所必需的。您可以直接运行代码。不止如此，还能在交互式解释器里面逐个地运行，扫清每个角落，直到自己完全明白了它的行为。

这类探索工作并不只限于语言特性和内建函数。当然，这对于了解类似iter这样的函数的工作方式很有用，但更重要的是轻松地为你准备编写的程序创建原型的能力，看看它是怎么工作的。

---

**注意**　在所谈及问题的背景中，原型（protoytpe）这个词意味着实验性的实现，即实现最终程序主要功能的大概模型（mock-up），但是在以后的阶段可以完全重写或不重写原有程序。一般来说开始的原型最后都会被改写成实用的程序。

---

在将一些思想融入到程序的结构中后（比如需要哪些类和函数），建议实现一个简单的版本，这个版本的功能可能非常有限。实现了一个可运行的程序后，就能发现这个过程是多么简单。然后可以增加特性、改变不喜欢的地方，等等。也可以看看它是如何工作的，而不是纸上谈兵画画图表而已。

使用任意一种程序设计语言都可以进行原型设计，但是Python的强大之处就在于编写一个模型只需要很少的投入，而不用大动干戈。如果发现的设计并不像预期的一样好用，就可以扔掉原型从头再来。这个过程可能要花上几个小时、一天或者两天。如果使用C++编程的话，要把某部分组织好运行起来的话可能需要更多的精力，而抛弃某个原型也会成为一个艰难的抉择。固守一个版本，也就失去了灵活性——注定被早先的决定禁锢住，而在真正实现程序的时候所获得的实际经验，可能会证实重写程序的决定是错误的。

在本章后面的项目中会一直使用原型设计，而不是先进行详细的分析和设计。每个项目都会分为两个阶段的实现。第一个实现只是个摸索性质的试验，在这个阶段会拼凑出一个能解决问题（或者是问题的一部分）的程序，以便了解所需要的组件和优秀解决方案的需求。能随时看到程序的所有纰漏，是学习编程的最好一课。利用新学到的知识，会对第一次实现的程序以更加正式的方式进行重建。当然，大家应该按自己的想法再改进代码，甚至开始第三次的实现。一般来说，从头开始设计所花费的时间并没有大家想得那么多。如果已经彻底想通了程序的实用性的话，那么敲代码的时间应该不会太长。

### 对代码重写说不

尽管这里推荐大家使用原型，但在任何时候都从头开始重写项目还是要尽量避免的，尤其是在原型上已投入了大量的时间和精力时。通常来说，系统地对原型进行重构和修改，将其完善为功能性更好的系统可能是更好的选择。

一个常见问题就是"第二系统综合症"。你希望第二个版本变得更好，结果却永远无法完成。

而"持续重写综合征"也是文学界的术语，主要表现为对程序进行一些无用的修改，程序员可能会一次又一次地从头开始重新设计。从某些方面来看，适可而止可能是最佳策略——能工作足矣。

然后"代码疲劳"现象就出现了。程序员会厌烦代码。使用了很长时间之后，就会觉得代码丑陋得不堪入目。很遗憾，由于需要迁就很多特殊情况，代码会变得笨重，其中还有大量不同格式的错误处理代码。但这些都是新版本中必须要重新引入的，而且要耗费你的大量精力（不是以调试的形式）来首先实现。

换句话说，如果认为原型程序能完善为可以工作的系统，那不管怎么说都要坚持下去，而不是推倒重来。下面的几章里面，程序的开发被明确分为两个版本：原型和最终版本。这么做既是为了清晰，也是为了强调编写第一版软件的时候所获得的经验和洞察力。在现实世界中，以原型和"重构自身"作为最终系统的指导思想还是很靠谱的。

对于重头开始的可怕之处，请参见Joel Spolsky[①]的文章"Things You Should Never Do，Part 1"（你永不该做的事，第一部分）（可以在他的网站http://joelonsoftware.com上找到）。根据Spolsky的说法，从头写代码是任何软件公司都会犯下的最糟糕的决策性错误。

## 19.4　配置

本节内会重温抽象的重要原则。第6章和第7章中我曾给出过抽象的示例，具体的方法是将代码放置在函数和方法内，以及在类中隐藏大型结构。接下来介绍另外一种更加简单的在程序中引入抽象的方法：从代码中提取符号化常量（symbolic constant）。

### 19.4.1　提取常量

前面所说的常量（constant）指的是内建的字面量，例如数字、字符串和列表。在程序中不应将这些常量直接编写到代码中，而应将它们放置在全局变量中。虽然之前的章节讨论过使用全

---

[①] 热门技术网站Stack Overflow创始人，世界上最具影响力的程序员网志Joel on Software的主人。著有《软件随想录》2卷，第2卷已由人民邮电出版社出版，第1卷也即将推出中文版。——编者注

局变量的坏处，但是这种坏处一般只有在全局变量被改变的时候才会体现出来，因为程序员可能难以追踪哪段代码引起了哪个改变。我不会改变这些全局变量，在使用时把它们当做常量（也就是术语符号化常量）就可以了。为了标识变量是作为符号化常量对待的，可以使用特殊的命名规则，名字只用大写字母，并且用下划线分隔每个单词。

先来看个例子。在计算圆面积和周长的程序中，每次需要π值的时候都得写一遍3.14。那么如果后来需要更精确的值，比如3.14159时，又怎么办呢？估计就得搜索整个代码，然后用新的值替换旧的。这么做不难，而且很多优秀的文本编辑器还能自动替换。但是如果开始用的值是3怎么办？总不能把所有与3匹配的数字都替换成3.14159吧？当然不能。处理这个问题更好的方法是用下面这行代码开始程序：PI = 3.14，然后使用名字PI替代数字本身。这样一来如果在以后要更精确的值时，改动这一行就可以了。记住这一点：所写的常量（比如数字42或者字符串"Hello, world!"）出现次数多于一次的时候，就应该考虑将它放入全局变量中。

注意　事实上，π的值可以在math模块中找到，使用math.pi即可：

```
>> from math import pi
>> pi
3.1415926535897931
```

这一点看起来很容易理解，没问题。真正的目的在下一节：配置文件。

### 19.4.2　配置文件

为自己使用方便提取常量是一码事，还要考虑有些常量是要公开给用户的。比如用户不喜欢GUI程序的背景色，你就应该允许他们换另外一种颜色。或者可以让用户在启动那好玩的游戏时，看到他们自己设定的问候语，抑或是可以在刚刚实现的浏览器中更改默认启动页。

这里不是将这些配置变量放在模块的开头，而是将它们放在单独的文件中。实现这个功能的最简单方法就是为配置创建单独的模块。例如，如果PI在模块文件config.py中设定，你可以（在主程序内）这样做：

```
from config import PI
```

如果用户想改变PI的值，那么他就只要修改config.py就行，而不用阅读所有代码。

警告　使用配置文件具有两面性。一方面，配置功能很有用，但对整个项目使用集中、共享的变量库会让项目的模块性下降、整体性上升。一定要确保没有破坏抽象（比如封装）规则。

另外一种方法是使用标准库模块ConfigParser，它使用了一种相对合理的标准配置文件格式。它还可以接受标准的Python赋值语法，比如如下形式：

```
greeting = 'Hello, world!'
```

（这样语句会在的字符串中加上两个多余的引号）另外一种在很多程序中使用的配置格式如下：

```
greeting: Hello, world!
```

需要使用[files]或者[colors]这样的数据头将配置文件划分为几个区段（section）。名称可以随意设定，但是需要将它们用方括号括起来。代码清单19-1是一个简单的配置文件示例，使用它的程序如代码清单19-2所示。有关ConfigParser模块特性的更多信息，可以查阅库文档（http://python.org/doc/lib/module-ConfigParser.html）。

**代码清单19-1　简单的配置文件**

```
[numbers]

pi: 3.1415926535897931

[messages]

greeting: Welcome to the area calculation program!
question: Please enter the radius:
result_message: The area is
```

**代码清单19-2　使用ConfigParser的程序**

```
from ConfigParser import ConfigParser

CONFIGFILE = "python.txt"

config = ConfigParser()
# 读取配置文件:
config.read(CONFIGFILE)

# 打印初始的问候语:
# 要查看的区段是'messages'
print config.get('messages', 'greeting')

# 使用配置文件的一个问题读取半径:
radius = input(config.get('messages', 'question') + ' ')

# 打印配置文件中的结果信息。
# 以逗号结束, 以在同一行显示:
print config.get('messages', 'result_message'),

# getfloat()将config值转换为float类型:
print config.getfloat('numbers', 'pi') * radius**2
```

对于接下来几个项目的配置不再赘述，但是建议读者让自己的程序具有高配置性。这样一来，用户就可以按照自己的习惯使用程序，使用时也会心情愉悦。毕竟使用软件过程中最大的挫折之一就是不能让软件按自己想要的方式工作。

---

**配置的级别**

可配置性是UNIX编程传统中的一部分。在Eric S. Raymond的经典著作《UNIX编程艺术》的第10章中，讲述了配置或者控制信息的如下3个来源，（如果需要导入的话）应该按照下面的顺序[1]，后面的会覆盖前面的。

---

[1] 实际上，全局配置文件和系统设置的环境变量要比这个优先级高，请参见刚刚提到的那本书，获取更多详细信息。

> □ **配置文件**：请参见19.4.2节。
> □ **环境变量**：这些可以用os.environ目录获得。
> □ **在命令行传递到程序的选项开关和参数**：处理命令行参数，可以直接使用sys.argv；如果需要处理开关（选项），则应该使用本书第10章提到的optparse（或者getopt）模块。

## 19.5 日志记录

日志记录（logging）和第16章讨论过的测试相关，并且在大幅度更改程序内核时候很有用，它可以帮助找到问题和错误所在。日志记录基本上就是收集与程序运行有关的数据，这样可以在随后进行检查（或者累计数据）。print语句算是一种简单的日志记录形式。只要在的程序开头放上下面这条语句：

```
log = open('logfile.txt', 'w')
```

随后就可以将任何你感兴趣的程序状态信息像下面这样放在文件中：

```
print >> log, ('Downloading file from URL %s' % url)
text = urllib.urlopen(url).read()
print >> log, 'File successfully downloaded'
```

如果程序在下载过程中崩溃了的话那么这种方法就不管用了。假如为每个log语句都进行文件打开和关闭操作的话会更安全（或者至少在写入文件后进行刷新操作）。然后如果程序崩溃了，那么会发现日志文件中最后一行是"Downloading file from..."（从……处下载文件），那么就知道是下载没成功。

不过要用的方法是使用标准库中的logging模块。它的基本用法很简单，如代码清单19-3所示。

**代码清单19-3  使用logging模块的程序**

```
import logging

logging.basicConfig(level=logging.INFO, filename='mylog.log')

logging.info('Starting program')

logging.info('Trying to divide 1 by 0')

print 1 / 0

logging.info('The division succeeded')

logging.info('Ending program')
```

运行这个程序，会出现下面的日志文件（mylog.log）：

```
INFO:root:Starting program
INFO:root:Trying to divide 1 by 0
```

在试图用1除以0之后什么都没有记录下来，因为这个错误实际上中止了程序。这还是个简单错误，并且可以在程序崩溃时候打印异常回溯，以判断什么地方出错了。不过最难以追踪的错误类型并不会终止程序、只是让程序的行为不正常。查看详细的日志文件可以帮助程序员找出什么地方出错了。

本例中的日志文件并不很详细，但通过合理配置logging模块，而可以达到预期效果。下面是一些例子。

- 适当地配置logging模块可以获取不同类型（信息、错误信息、警告、自定义类型，等等）的日志项，logging模块默认只放过警告（这也是在代码清单19-3中显式地将级别设为logging.INFO的原因）。
- 记录那些程序某一部分相关的项目。
- 记录有关时间、日期等的信息。
- 记录不同的位置，例如套接字。
- 配置记录器还能过滤掉一些或者大部分日志记录，这样一来就能一次获得所需部分而不用重写程序。

logging模块非常高级，并且还有很多相关知识可以从文档（http://python.org/doc/lib/module-logging.html）中学到。

## 19.6　如果还没烦

大家可能会想：这些内容都不错，但是要是写个小程序的话好像用不上这些东西啊。配置、测试、日志记录——听着就够烦了。

没错，写小程序的时候，可能不需要这些东西，甚至在开发大一些的项目时，刚开始可能并不需要所有这些东西。但至少需要一些测试程序的方法（第16章讨论过的），就算程序不基于自动化单元测试也是一样。比如正在写一个可以自动为你冲咖啡的程序，就应该找个咖啡壶看看它是否能用。

在后面的项目章节内不会编写完整的测试程序、实现复杂的日志记录机制，等等。但我会给出一些简单的测试的例子，来演示程序的工作效果。如果发现某个项目的核心思想很有趣，就应该继续开发下去——试着增强并扩展它。在这个过程中，应该考虑到本章所说过的问题。例如，加个配置机制会不会好些呢？或者写个更大的测试程序？一切由读者决定。

## 19.7　如果还想学

如果需要对程序设计艺术、技能以及思想有更多了解的话，下面是一些深入讨论这些方面内容的书籍。

- Andrew Hunt和David Thomas 所著的《程序员修炼之道》。
- Martin Fowler所著的《重构》。
- Erich Gamma、Richard Helm、Ralph Johnson和John Vlissides "四人组" 所著的《设计模式》。
- Kent Beck所著的《测试驱动开发》。

- Eric S. Raymond所著的《UNIX编程艺术》[①]。
- Thomas H. Cormen等所著的《算法导论，第2版》（MIT出版社，2001）。
- Donald Knuth所著的《计算机程序设计艺术》卷1～卷3。
- 由Peter Van Roy和Seif Haridi所著的 *Concepts，Techniques and Models of Computer Programming*。

就算不读完每本书的每一页（我就没有读完），也要随手翻翻看，这样能培养读者在开发过程中的洞察力。

## 19.8 小结

本章介绍了一些Python程序设计的一般原则和技术，结合在一起称为"好玩的编程"，下面是一些要点。

- **灵活性**。当设计和编程时，应该以灵活性为目标。不要固守最初的想法，而应该在深入当前遇到的问题时愿意甚至准备修正并改变程序的每个方面。
- **原型设计**。编写程序的简单版本以查看它是如何工作的是研究问题以及可能的实现的重要技术。在Python里面进行这个步骤非常简单，在其他语言内完成一个简单版本的时间足可以在Python中编写多个原型程序。但除非必需的话，重写代码还是要小心谨慎，重构总是更好的方法。
- **配置**。从程序中提取常量会让它在随后更容易改变。将常量放置在配置文件中可以让用户按照自己的意愿配置程序。提供环境变量和命令行参数也是提高可配置性的好方法。
- **日志记录**。日志记录在解决程序问题的时候很有用，或者只是监视程序的一般行为。简单的日志记录可以用print语句实现，但是最安全的做法是使用标准库中的logging模块。

### 接下来学什么

那么，现在学什么呢？现在大胆尝试开始编程的时候了。也是进入项目的时候了。

这10个与项目有关的章的结构都类似，包括以下部分。

- **问题**。这一节列出项目的主要目标，包括一些背景信息。
- **有用的工具**。这部分讲述了项目可能用到的模块、类和函数，等等。
- **准备工作**。这部分讲述了在开始编程前进行必要的准备工作。包括为测试实现准备的必需的框架。
- **初次实现**。第一个重大举措——希望能进一步研究问题的试验性实现。
- **再次实现**。在初次实现后，可能对各方面有了更深入的理解，这样就可以创建改进后的新程序。
- **进一步探索**。最终，我会对程序以后的实现和探索给出一些观点。

下面从第一个项目开始，准备创建一个可以自动标记HTML文件的程序。

---

① 可在Raymond的网站（http://catb.org/～esr/writings/taoup）上在线阅读。

# 第 20 章

# 项目1：即时标记

本章将会介绍如何应用Python出色的文本处理能力，包括使用正则表达式将纯文本文件改写成标记语言格式的文件（例如HTML或者是XML语言），如果不熟悉这些语言的人写了一些你需要用在某个系统中的文本，并且该系统要求标记这些内容的话，这些技术就派上用场了。

不能很熟练地使用XML吗？不要为此担心，如果只是对HTML有点熟悉，那么也能在本章做得很好。如果需要HTML的介绍，则建议查看W3C（World Wide Web Consortium）站点（http://www.w3.org/ MarkUp/Guide）上由Dave Raggett所撰写的优秀文章"Get Start with HTML"。关于XML的使用示例，请参见第22章。

让我们从实现一个简单的、只能进行基本操作的原型开始，然后扩展这个程序，以使标记系统更加灵活。

## 20.1  问题是什么

如何为纯文本文件添加一些格式？假设你从一个不想写HTML代码的人那里得到了一个文件，希望将它作为一个网页来使用，那么你恐怕不想自己手动为文档添加所需的全部标签，而是想使用程序自动完成。

---

**注意**  近些年，这类"纯文本标记"已经越来越普遍，可能主要是使用纯文本界面的维基（wiki）和博客软件激增的缘故。更多信息参见20.6节。

---

要做的工作基本上就是首先将各种文本元素进行分类，比如标题和被强调的文本，然后清晰地标记出它们。为此，要将HTML标记添加到文本中，使文档能在浏览器中作为网页显示并使用。当然，在创建了基本的引擎以后，添加其他种类的标记（比如各种形式的XML或者LᴬTEX编码）也就变得轻而易举了。在分析了一个文本文件后，甚至能做其他的一些事，比如从文本文件中提取所有的标题自动生成文件的目录。

**注意**　LᴬTEX是用于创建各种类型技术文档的另一个标记系统（基于TEX排版程序）。我在这里提及LᴬTEX是为了作为一个例子来说明程序的其他用途。如果希望了解更多的信息，可以访问TEX用户组的主页http://www.tug.org。

所要处理的文本中可能包含一些提示词语（比如将被强调的文本标记为*like this*），但可能需要一些技巧来让程序知道文档的结构。

在开始编写原型之前，先定义一些目标。

☐ 输入不应该包含人工代码或者标签。

☐ 你应该能处理不同的块（block），比如标题、段落、列表项、内嵌文本（比如被强调的文本和URL）。

☐ 尽管这个实现处理的是HTML，但把它扩展到其他标记语言应该也很容易。

在程序的第一个版本中这些目标并不能全部实现，但这就是原型的意义所在，编写原型以找出最开始想法中的纰漏，并且学习如何编写解决问题的程序。

**提示**　如果可以的话，读者还可以渐进地修改原始程序，而不是一次性推倒重来。但本章出于清晰性考虑，给出了两个完全独立的程序版本。

## 20.2　有用的工具

考虑一下编写这个程序需要用到什么工具。

☐ 要对文件进行读写（参见第11章），或者至少从能够标准输入读取（sys.stdin），利用print输出。

☐ 需要对所输入的行进行迭代（参见第11章）。

☐ 需要使用一些字符串方法（参见第3章）。

☐ 需要一个或者两个生成器（参见第9章）。

☐ 可能还需要用到re模块（参见第10章）。

如果对这些概念中的任何一个不熟悉，那么就要花点时间复习一下了。

## 20.3　准备工作

在开始编码前，还需要一些评估进度的方法，需要有一套测试套件。在这个项目中，一个测试就足够了：一个测试文档（纯文本形式的）。代码清单20-1包含一个要自动添加标记的示例文本文件。

**代码清单20-1**　一个纯文本文档（test_input.txt）

```
Welcome to World Wide Spam, Inc.


These are the corporate web pages of *World Wide Spam*, Inc. We hope
```

you find your stay enjoyable, and that you will sample many of our
products.

A short history of the company

World Wide Spam was started in the summer of 2000. The business
concept was to ride the dot-com wave and to make money both through
bulk email and by selling canned meat online.

After receiving several complaints from customers who weren't
satisfied by their bulk email, World Wide Spam altered their profile,
and focused 100% on canned goods. Today, they rank as the world's
13,892nd online supplier of SPAM.

Destinations

From this page you may visit several of our interesting web pages:

  - What is SPAM? (http://wwspam.fu/whatisspam)

  - How do they make it? (http://wwspam.fu/howtomakeit)

  - Why should I eat it? (http://wwspam.fu/whyeatit)

How to get in touch with us

You can get in touch with us in *many* ways: By phone (555-1234), by
email (wwspam@wwspam.fu) or by visiting our customer feedback page
(http://wwspam.fu/feedback).

要测试你的实现是否满足需求，需要使用这个文档作为输入，并且在浏览器中查看结果，或
者直接检查增加的标签。

---

**注意**  最好使用自动化测试工具，而不是手动检查测试结果。（能想出一个自动测试的方法
吗？）

---

## 20.4  初次实现

首先要做的就是把文本切分成段落。显然，代码清单20-1中的段落被一个或多个空行隔开。
比段落更准确的词是块，因为块能用于标题和列表项。

### 20.4.1  找出文本块

找出块的一个简单方法就是收集遇到的所有行，直到遇到一个空行，然后返回已经收集的行。
那些返回的行就是一个块。之后，再次开始收集。不需要收集空行，也不要返回空块（在遇到多
个空行时）。同时，要确保文件的最后一行是空行，否则程序就不知道最后一个块什么时候结束。
（当然有其他的方法来判断是否结束。）

代码清单20-2展示了这种方法的一个实现。

**代码清单20-2** 文本块生成器（util.py）

```
def lines(file):
    for line in file: yield line
    yield '\n'

def blocks(file):
    block = []
    for line in lines(file):
        if line.strip():
            block.append(line)
        elif block:
            yield ''.join(block).strip()
            block = []
```

lines生成器只是在文件的最后追加一个空行。blocks生成器实现了前面说明的方法。当生成一个块后，它里面的行会被连结起来形成一个字符串，并且将开始和结尾（比如列表缩进或者换行）中的多余的空格删除，得到一个代码块的字符串（如果不喜欢这种找出段落的方法，那么相信读者还能找到更多的方法，请尽量尝试，看看最终能找到多少种方法）。

---

**注意** 在旧版本Python（2.3以前），模块代码首行中需要添加from __future__ import generators。请参见9.7.5节。

---

我把代码放到了文件util.py中，这就意味着以后你可以把有用的生成器导入程序。

### 20.4.2 添加一些标记

使用代码清单20-2中的基本功能，就可以创建一个简单的标记脚本。这个程序的基本步骤如下：
- 打印一些开始标记；
- 打印每个用段落标签括起来的块；
- 打印一些结束标记。

这个实现不难，也不是很难。如果不使用段落标签把第一个块括起来，可以用大标题标签(h1)括起来。同样可以将任何被星号括起来的文本用强调文本（使用em标签）代替。至少这么做更有用一些。给定blocks函数，使用re.sub的话代码就会很简单，如代码清单20-3所示。

**代码清单20-3** 一个简单的标记程序（simple_markup.py）

```
import sys, re
from util import *

print '<html><head><title>...</title><body>'

title = True
for block in blocks(sys.stdin):
    block = re.sub(r'\*(.+?)\*', r'<em>\1</em>', block)
    if title:
        print '<h1>'
        print block
        print '</h1>'
        title = False
```

```
    else:
        print '<p>'
        print block
        print '</p>'

print '</body></html>'
```

这个程序在有如下的输入时被执行：

```
$ python simple_markup.py < test_input.txt > test_output.html
```

文件test_output.html包含产生的HTML代码。图20-1展示了HTML代码在浏览器中的样子。

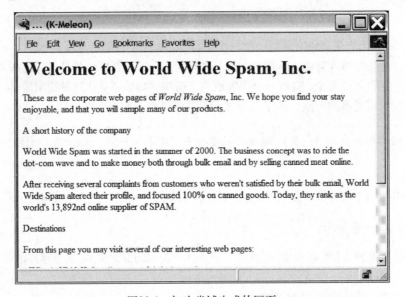

图20-1   初次尝试生成的网页

尽管不是让人印象非常深刻，这个原型还是完成了一些重要的工作：把文本分解成能单独处理的块，并且为每个块应用一个过滤器（由对re.sub的调用组成）。这看起来是一个能用在最终程序中的好方法。

如果现在扩展原型会发生什么？还可以在for循环中加入检查的功能，来查看块是标题、列表项，或者是其他的什么东西。那么可能要增加更多的正则表达式。这很快就会会变得一团糟——并且，更重要的是，很难让程序输出除了HTML以外的东西，而项目的目标之一就是要容易地增加其他的输出格式。读者可以自己尝试重构程序，用其他结构实现。

## 20.5   再次实现

你从初次实现中学到了什么？如果想让程序有更好的可扩展性，就要使它更加模块化（把功能都分解到单独的模块中）。实现模块化的方法之一是使用面向对象的设计（参见第7章）。在程序变得越来越复杂的时候，需要进行一些抽象来让程序变得更加可控。首先列出一些可能的模块。

&#9633; **分析器**。增加一个对象用于读取文本，并管理其他的类。

- **规则**。可以为每种类型的块制定一条规则，规则能检测块的类型并且进行相应的格式化。
- **过滤器**。使用过滤器来包装一些处理内嵌元素的正则表达式。
- **处理程序**。分析器使用处理程序来产生输出。每个处理程序能产生一种不同类型的标记。

尽管这不是很详细的设计，但至少可以让读者了解如何把代码分解成小的部分，并且每个部分都是可控的。

### 20.5.1 处理程序

先从处理程序开始。一个处理程序要负责产生最终的标记文本，但它接受来自文本分析器的具体指令。假设每个类型的块都有一对方法，一个用于开始块，一个用于结束块。比如，start_paragraph 和 end_paragraph 来处理段落块。对于HTML来说，能像下面展示的方式那样实现：

```
class HTMLRenderer:
    def start_paragraph(self):
        print '<p>'
    def end_paragraph(self):
        print '</p>'
```

当然，如果要为每个块类型都提供类似的方法（要查看HTMLRenderer类的全部代码请见代码清单20-4）。这看起来足够灵活了。如果希望实现其他类型的标记，只要创建带有开始和结束方法的其他的处理程序（或渲染程序）即可。

---

**注意** 术语处理程序（与渲染程序相反）表明它会处理分析器产生的方法调用（在20.5.2节还有介绍）。处理程序不必像HTMLRenderer那样用某种标记语言来生成文本。XML语法分析模式中有一个类似的叫做SAX的处理程序机制，我会在第22章进行解释。

---

怎么处理正则表达式呢？你可能还记得ru.sub函数可以将一个函数作为第二个参数（替换式）。函数会被匹配的对象调用，并且它的返回值会被插入到文本中。这在原理上和前面讨论过的处理程序的思想很相配——只要让处理程序实现替换方法，比如，强调的内容能像下面这样处理：

```
def sub_emphasis(self, match):
    return '<em>%s</em>' % match.group(1)
```

如果不理解group方法的功能的话，可能应该去看看第10章讨论过的re模块。

除了start、end和sub方法，还有一个叫做feed的方法，它可以将实际的文本交给处理程序去处理。在简单的HTML渲染程序中，可以像下面这样实现这个方法：

```
def feed(self, data):
    print data
```

### 20.5.2 处理程序的超类

为了增加灵活性，下面加入一个Handler类，它会成为处理程序的超类，并且会负责一些管理的细节。这里不需要用它们的全名（比如start_paragraph）来调用方法，而是把块类型当作字符串（比如'paragraph'）处理并且把字符串提供给处理程序，这种做法有时很有用。可以通过

增加名为start(type)、end(type)和sub(type)的泛型方法来做到这一点。除此以外，还可以让
start，end和sub方法来检验对应的方法（比如start_paragraph对应start('paragraph')）是否真
的被实现了，如果没有找到相应的方法，就什么都不做。下面来实现一个这样的Handler类（代
码来自代码清单20-4的handlers模块）：

```
class Handler:
    def callback(self, prefix, name, *args):
        method = getattr(self, prefix+name, None)
        if callable(method): return method(*args)
    def start(self, name):
        self.callback('start_', name)
    def end(self, name):
        self.callback('end_', name)
    def sub(self, name):
        def substitution(match):
            result = self.callback('sub_', name, match)
            if result is None: result = match.group(0)
            return result
        return substitution
```

**注意**   这里的代码需要嵌套作用域，而嵌套作用域在Python 2.1之前的版本中是不能用的。如果
出于某种原因，有些读者还在使用Python 2.1，那么需要在handlers模块的开始处添加一
行from __future__ import nested_scopes（从某种程度上说，嵌套作用域能用默认参数
来模拟，请参见第6章的"嵌套作用域"部分）。同样地，callable方法在Python 3.0中也
不可用。可以使用try/except语句来看一下是否可以调用该方法。

代码中的一些地方需要解释一下。

- Callback方法负责在给定一个前缀（比如'start_'）和一个名字（比如'paragraph'）后查
  找正确的方法（比如start_paragraph），而且它使用以None作为默认值的getattr方法来完
  成工作。如果从getattr返回的对象能被调用，那么对象就可以用提供的任何额外的参数
  调用。比如如果对应的对象是存在的，那么调用handler.callback('start_', 'paragraph')
  就会调用不带参数的handler.start_paragraph。
- start和end方法只是使用各自的前缀start_和end_调用callback方法的助手方法。
- Sub方法有点不同。它不直接调用callback，而是返回一个新的函数，这个函数会被当成
  re.sub中的替换函数来使用（这就是采用一个匹配的对象作为唯一参数的原因）。

来看一个例子，假设HTMLRenderer是Handler的一个子类，并且按上一节描述的方式实现了
sub_emphasis方法（参见代码清单20-4，以得到handlers.py的实际代码）。假设在handler变量中
有一个HTMLRenderer的实例：

```
>>> from handlers import HTMLRenderer
>>> handler = HTMLRenderer()
```

然后handler.sub('emphasis')做什么？

```
>>> handler.sub('emphasis')
<function substitution at 0x168cf8>
```

它会返回substitution函数，而调用这个函数时，它基本上会回去调用handler.sub_emphasis

方法。这就意味着能在re.sub语句中使用这个函数。

```
>>> import re
>>> re.sub(r'\*(.+?)\*', handler.sub('emphasis'), 'This *is* a test')
'This <em>is</em> a test'
```

神了！（正则表达式匹配由星号括起来的文本项，我稍后会进行说明）但是为什么要那么长？为什么不直接用前面简单版本中的r'\1'呢？因为那样就只能用em标签了——但你希望处理程序能够决定使用什么标签。如果（假设）处理程序是LaTeX Renderer，那么可能需要把其他的结果放在一起：

```
>> re.sub(r'\*(.+?)\*', handler.sub('emphasis'), 'This *is* a test')
'This \emph{is} a test'
```

标记改变了，但是代码没有变。

这里有个备用的方法，以防没有实现替代的函数。Callback方法会试着查找适合的sun_something方法，但如果找不到，它就返回None。因为你的函数是一个re.sub替代函数，所以你不希望它返回None，而是希望如果没有找到用于替换的方法，则只是返回原来的方法，而不做任何修改。如果回调函数返回None，那么substitution（在sub内）会返回最初匹配的文本（match.group(0)）。

### 20.5.3 规则

我已经让处理程序拥有了很好的扩展性和灵活性，现在轮到语法分析了（对原始文本的解释）。这里不会再用各种条件和操作创建一个很大的if语句，像我在简单的标记程序中做的那样，而是把规则变为单独的一类对象。

规则在主程序（分析器）中使用，主程序要决定对给定的块使用什么样的规则，让每个规则对块做需要的转换。换句话说，规则必须具备如下功能：

□ 能识别自己适用于哪种块（条件）；
□ 能对块进行转换（操作）。

因此每个规则对象都有两个方法，condition和action。

Condition方法需要一个参数——所涉及的块。它返回一个布尔值来表示规则是否适用于给定的块。

---

**提示** 对于复杂规则的语法分析来说，需要通过规则对象访问一些状态变量，这样一来规则对象就知道程序正在进行的处理，以及已经应用或还没有应用的其他规则的更多信息。

---

Action方法也要块做为参数，但为了影响输出，它必须访问处理程序对象。

在很多情况下，只有一个规则是合适的。也就是说，如果发现标题规则合适（说明块就是标题），那么就不应该尝试段落规则。一个简单的实现方法就是让分析器一个个去尝试这些规则，一旦规则被触发就停止处理块。一般来说，这样做很好，但有可能一个规则不能阻止其他规则的执行。因此，需要为操作方法添加一些功能：它返回一个布尔值来表示是否应该停止处理当前块的规则（也可以使用异常，类似于迭代器的stopIteration机制）。

标题规则的伪代码如下：

```
class HeadlineRule:
    def condition(self, block):
        如果文本块符合标题的定义，返回真；
        否则返回假。
    def action(self, block, handler):
        调用handler.start('headline')、hanlder.feed(block)和handler.end('headline')等方法。
        因为不需要尝试其他的规则，
        返回真，这样会结束块的规则处理。
```

### 20.5.4　规则的超类

尽管不是特别需要一个规则的通用超类，但规则可能会有一些共同的操作——用合适类型的字符串参数调用处理程序的start、feed和end方法，然后返回True（为了让规则处理过程停止）。假设所有的子类都有一个叫做type的特性，并包含字符串形式的类型名，可以像下面的代码所展示的那样去实现你的超类（Rule类在rules模块中——全部的代码如代码清单20-5所示）。

```
class Rule:
    def action(self, block, handler):
        handler.start(self.type)
        handler.feed(block)
        handler.end(self.type)
        return True
```

Condition方法是每个子类的责任。Rule类以及它的子类被放在rules模块中。

### 20.5.5　过滤器

不需要为了过滤器而实现一个单独的类。给定Handler类的sub方法，每个过滤器能使用一个正则表达式和一个名字（比如emphasis或者url）来表示。在下一节，我会演示如何处理语法分析器，那时你就知道如何表示了。

### 20.5.6　分析器

下面开始讨论应用的核心——Parser类。它使用一个处理程序、一系列规则和过滤器将纯文本文件转换成标记文件，在这里是HTML文件。那么Parser类需要什么方法？它需要一个负责创建的构造器、一个添加规则的方法、一个添加过滤器的方法，以及一个对给定文件进行语法分析的方法。

下面是Parser类的代码（来自本章后面的代码清单20-6，用于对markup.py进行详细说明）。

```
class Parser:
    """
    A Parser reads a text file, applying rules and controlling a
    handler.
    """
    def __init__(self, handler):
        self.handler = handler
        self.rules = []
        self.filters = []
    def addRule(self, rule):
```

```
                self.rules.append(rule)
        def addFilter(self, pattern, name):
            def filter(block, handler):
                return re.sub(pattern, handler.sub(name), block)
            self.filters.append(filter)
    def parse(self, file):
        self.handler.start('document')
        for block in blocks(file):
            for filter in self.filters:
                block = filter(block, self.handler)
            for rule in self.rules:
                if rule.condition(block):
                    last = rule.action(block, self.handler)
                    if last: break
        self.handler.end('document')
```

尽管这个类中的细节很多，但其中的绝大部分都不是很复杂。构造函数只是将提供的处理程序分配给一个变量（特性），然后初始化两个列表——一个是规则列表，一个是过滤器列表。addRule方法把规则添加到规则列表中。addFilter方法多做了一些工作，和addRule一样，它向过滤器列表中添加一个过滤器——但在这之前，它要创建那个过滤器。过滤器只是一个函数，这个函数对合适的正则表达式（模式）应用re.sub一个来自处理程序的替换，该处理程序使用handler.sub(name)进行访问。

Parse方法——尽管看起来有点复杂——可能是最容易的实现方法，因为它只做已经计划好的事情。它从调用处理程序的start('document')开始，以调用end('document')结束。在这两次调用中间它迭代文本文件中的所有块。对每个块它都要使用过滤器和规则。使用过滤器只是用块和处理程序做参数来调用filter函数，并且会重新把块绑定到结果，如下例所示：

```
block = filter(block, self.handler)
```

这就确保了每个过滤器都能完成自己的工作，即用标记过的文本来代替原文本。（比如把*this*换成this）。

在规则循环中有更多的逻辑。每个规则都有一个if语句，调用rule.condition(block)来检测是否要应用了规则。如果要应用规则，那么就要用块和处理程序做参数来调用rule.action。记住，action方法返回一个布尔值，来说明是不是已经为块完成了规则应用。通过把last变量的值设置为操作的返回值来完成规则的应用，然后利用条件跳出for循环：

```
if last: break
```

---

**注意**　可以通过取消last变量而把这两行语句变成一行：

```
if rule.action(block, self.handler): break
```

是否这么做很大程度上是取决于自己的喜好。移除临时变量能让代码变得简单，而保留临时变量则会让返回值很清楚。

---

### 20.5.7　构造规则和过滤器

现在已经有了所有需要的工具，但还没有创建任何特定的规则或过滤器。到目前为止所写代码的目的是为了让规则和过滤器能和处理程序一样灵活。所以可以编写一些单独的规则和过滤器，然后通过addRule和addFilter方法分别把它们加入到语法分析器中。确保在处理程序中实现了合适的方法。

复杂的规则能处理复杂的文档。但现在还是要保持简单：为题目、其他的标题以及列表项分别创建一个规则。因为列表项应看做一个列表，所以为列表项创建的规则要处理整个列表。最后，要为段落创建一个默认的规则，这样就能处理前面的规则没有处理的块。

可以使用如下非正式术语指定规则。

- 一个标题是只包含一行的块，最多有70个字符。如果块是以冒号结尾的，那么它就不是标题。
- 题目是文档的第一个块，当然前提是它必须是标题。
- 一个列表项是以连字符（-）开始的块。
- 列表从不是列表项的块和随后的列表项之间开始，在列表项和后面的不是列表项的块之间结束。

这些规则是根据我对一个文本文档结构的直觉而构造的。你的见解（或者是你的文本文档）可能不同。同时，那些规则有些漏洞。（比如，如果文档以一个列表项结束时会发生什么？）你可以随意地改进它们。

这些规则的完整源代码会如代码清单20-5所示(rules.py，这个文件同时包含了基本的Rule类)。

从标题的规则开始：

```python
class HeadingRule(Rule):
    """
    标题是一个最多70个字符的行，不以冒号结束
    """
    type = 'heading'
    def condition(self, block):
        return not '\n' in block and len(block) <= 70 and not block[-1] == ':'
```

那么从标题规则开始。特性类型已经被设置为字符串'heading'，这个属性会被继承自Rule类的acion方法使用。条件只是检查块是不是没有包含换行符（\n），块的长度是不是没有超过70个字符，以及最后一个字符是不是冒号。

题目规则是类似的，但是这个规则只工作一次——处理第一个块。在那之后，它会忽略所有块，因为它的特性first被设置为假值。

```python
class TitleRule(HeadingRule):
    """
    题目是文档的第一个块，作为标题存在
    """
    type = 'title'
    first = True

    def condition(self, block):
        if not self.first: return False
        self.first = False
        return HeadingRule.condition(self, block)
```

列表项的规则条件是对前面说明的直接实现。

```
class ListItemRule(Rule):
    """
    列表项是以连字符作为开始的段落，作为格式化的一部分，连字符会被删除
    """
    type = 'listitem'
    def condition(self, block):
        return block[0] == '-'
    def action(self, block, handler):
        handler.start(self.type)
        handler.feed(block[1:].strip())
        handler.end(self.type)
        return True
```

它的操作是Rule中的一个重新实现。唯一的不同是，它会移除块（连字符）的第一个字符并且会删除掉剩余文本中多于的空格。标记会提供自己的"列表项目符号"，这样就不需要连字符了。

到现在为止，所有规则的操作都返回True。列表规则不是这样的，因为它会在遇到一个非列表项之后又遇到一个列表项或者在遇到一个列表项之后又遇到了一个非列表项的时候被触发。因为它不会实际地去标记这些块而仅仅指出列表的开始和结束（一组列表项），所以你不会阻止规则的处理——这样它会返回False。

```
class ListRule(ListItemRule):
    """
    列表开始于并非列表项的块和随后的列表项之间，由最后一个连续列表项作为结束
    """
    type = 'list'
    inside = False
    def condition(self, block):
        return True
    def action(self, block, handler):
        if not self.inside and ListItemRule.condition(self, block):
            handler.start(self.type)
            self.inside = True
        elif self.inside and not ListItemRule.condition(self, block):
            handler.end(self.type)
            self.inside = False
        return False
```

列表规则需要进一步的解释。它的条件总是真，因为你要检查所有的区块。在操作方法中，有两个选择，对应不同的操作。

- 如果inside特性（指出分析器当前是否在列表中）是假（这是它的初始值）以及来自列表项规则的条件是真，那么你已经进入了一个列表。就要调用处理程序中合适的start方法并且把inside特性设为True。
- 相反，如果inside为真，而且列表项规则的条件为假，那么你已经离开了列表。就要调用处理程序中的合适的end方法，把inside设置为False。

在这样处理后，函数返回False来让规则处理继续（这就意味着，规则的顺序很重要）。

最后的规则是ParagraphRule。它的条件总是真，因为它是默认的规则。它作为最后一个元素被添加到规则列表中，并且会处理其他规则没有处理的块。

```
class ParagraphRule(Rule):
    """
```

```
段落是不符合其他规则的块
"""
    type = 'paragraph'
    def condition(self, block):
        return True
```

过滤器只是正则表达式。那么增加 3 个过滤器——一个是关于强调的内容，一个是关于 URL，一个是关于电子邮件地址。使用如下的 3 个正则表达式：

```
r'\*(.+?)\*'
r'(http://[\.a-zA-Z/]+)'
r'([\.a-zA-Z]+@[\.a-zA-Z]+[a-zA-Z]+)'
```

第一个模式（强调）匹配星号（由于有了问号，所以匹配会尽可能少），星号后面有一个或者多个任意字符，然后再是一个星号。第二个模式（URL）匹配后面有一个或者多个字符的字符串'http://'（你可以增加更多的协议），这些字符是点号、字母或斜线（这个模式不会匹配全部的合法 URL——你可以自由发挥去改进）。最后，电子邮件模式匹配一个序列，该序列以字母和点号开始，然后 是 @ 符号，其后是更多的字母和点号，最后是一个字母序列，但要保证不是以点号结尾（也可以随意改进）。

## 20.5.8　整合

现在需要创建一个 Parser 对象并且添加相关的规则和过滤器。通过创建一个在构造函数中负责初始化的 Parser 的子类。然后使用它去分析 sys.stdin。最终的程序如代码清单 20-4～代码清单 20-6 中所示。（这些代码清单依赖于代码清单 20-2 中的一些有用的代码）最后的程序能像原型那样被运行：

```
$ python markup.py < test_input.txt > test_output.html
```

**代码清单20-4　处理程序（handlers.py）**

```
class Handler:
    """
    处理从 Parser 调用的方法的对象。

    这个解析器会在每个块的开始部分调用 start() 和 end() 方法，使用合适的
    块名作为参数。sub() 方法会用于正则表达式替换中。当使用了 'emphasis'
    这样的名字调用时，它会返回合适的替换函数。
    """
    def callback(self, prefix, name, *args):
        method = getattr(self, prefix+name, None)
        if callable(method): return method(*args)
    def start(self, name):
        self.callback('start_', name)
    def end(self, name):
        self.callback('end_', name)
    def sub(self, name):
        def substitution(match):
            result = self.callback('sub_', name, match)
            if result is None: result = match.group(0)
            return result
        return substitution
class HTMLRenderer(Handler):
    """
```

用于生成HTML的具体处理程序

```
HTMLRenderer内的方法都可以通过超类处理程序的start()、
end()和sub()方法来访问。它们实现了用于HTML文档的基本标签。
"""
    def start_document(self):
        print '<html><head><title>...</title></head><body>'
    def end_document(self):
        print '</body></html>'
    def start_paragraph(self):
        print '<p>'
    def end_paragraph(self):
        print '</p>'
    def start_heading(self):
        print '<h2>'
    def end_heading(self):
        print '</h2>'
    def start_list(self):
        print '<ul>'
    def end_list(self):
        print '</ul'
    def start_listitem(self):
        print '<li'
    def end_listitem(self):
        print '</li'
    def start_title(self):
        print '<h1>'
    def end_title(self):
        print '</h1>'
    def sub_emphasis(self, match):
        return '<em>%s</em>' % match.group(1)
    def sub_url(self, match):
        return '<a href="%s">%s</a>' % (match.group(1), match.group(1))
    def sub_mail(self, match):
        return '<a href="mailto:%s">%s</a>' % (match.group(1), match.group(1))
    def feed(self, data):
        print data
```

**代码清单20-5 规则 (rules.py)**

```
class Rule:
    """
    所有规则的基类。
    """
    def action(self, block, handler):
        handler.start(self.type)
        handler.feed(block)
        handler.end(self.type)
        return True

class HeadingRule(Rule):
    """
    标题占一行，最多70个字符，并且不以冒号结尾。
    """
    type = 'heading'
    def condition(self, block):
        return not '\n' in block and len(block) <= 70 and not block[-1] == ':'

class TitleRule(HeadingRule):
    """
    题目是文档的第一个块，但前提是它是大标题。
```

```
    """
    type = 'title'
    first = True

    def condition(self, block):
        if not self.first: return False
        self.first = False
        return HeadingRule.condition(self, block)

class ListItemRule(Rule):
    """
    列表项是以连字符开始的段落。作为格式化的一部分，要移除连字符。
    """
    type = 'listitem'
    def condition(self, block):
        return block[0] == '-'
    def action(self, block, handler):
        handler.start(self.type)
        handler.feed(block[1:].strip())
        handler.end(self.type)
        return True

class ListRule(ListItemRule):
    """
    列表从不是列表项的块和随后的列表项之间。在最后一个连续列表项之后结束。
    """
    type = 'list'
    inside = False
    def condition(self, block):
        return True
    def action(self, block, handler):
        if not self.inside and ListItemRule.condition(self, block):
            handler.start(self.type)
            self.inside = True
        elif self.inside and not ListItemRule.condition(self, block):
            handler.end(self.type)
            self.inside = False
        return False

class ParagraphRule(Rule):
    """
    段落只是其他规则并没有覆盖到的块
    """
    type = 'paragraph'
    def condition(self, block):
        return True
```

## 代码清单20-6 主程序（markup.py）

```
import sys, re
from handlers import *
from util import *
from rules import *

class Parser:
    """
    语法分析器读取文本文件、应用规则并且控制处理程序
    """
    def __init__(self, handler):
        self.handler = handler
        self.rules = []
        self.filters = []
    def addRule(self, rule):
```

```
        self.rules.append(rule)
    def addFilter(self, pattern, name):
        def filter(block, handler):
            return re.sub(pattern, handler.sub(name), block)
        self.filters.append(filter)
    def parse(self, file):
        self.handler.start('document')
        for block in blocks(file):
            for filter in self.filters:
                block = filter(block, self.handler)
            for rule in self.rules:
                if rule.condition(block):
                    last = rule.action(block, self.handler)
                    if last: break
        self.handler.end('document')

class BasicTextParser(Parser):
    """
    在构造函数中增加规则和过滤器的具体语法分析器
    """
    def __init__(self, handler):
        Parser.__init__(self, handler)
        self.addRule(ListRule())
        self.addRule(ListItemRule())
        self.addRule(TitleRule())
        self.addRule(HeadingRule())
        self.addRule(ParagraphRule())

        self.addFilter(r'\*(.+?)\*', 'emphasis')
        self.addFilter(r'(http://[\.a-zA-Z/]+)', 'url')
        self.addFilter(r'([\.a-zA-Z]+@[\.a-zA-Z]+[a-zA-Z]+)', 'mail')

handler = HTMLRenderer()
parser = BasicTextParser(handler)

parser.parse(sys.stdin)
```

图20-2显示了使用示例文本运行程序的结果。

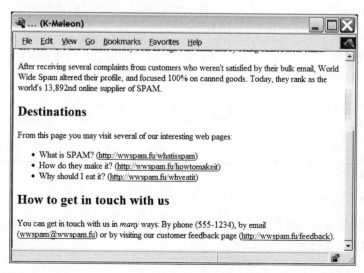

图20-2　再次实现后生成的网页

第二次实现明显比第一次更复杂、更具扩展性。增加的复杂性是值得的，因为这让最后的程序有很好的灵活性以及可扩展性。要把程序用于新的输入格式和输出格式只要子类化并初始化现存的类即可，而不是像第一个原型中那样要从头开始重写程序。

## 20.6　进一步探索

这个程序可以进行扩展。下面是一些建议。

- 增加对表格的支持。找出所有左对齐的词的边界并且把块拆分成列（column）。
- 增加把大写字母作为强调进行解释的支持。（要做到这一点，需要考虑首字母缩写词、标点、名字以及其他首字母大写的词。）
- 增加对LATEX格式输出的支持。
- 编写除了标记外能做任何事情的处理程序，比如编写一个对文档进行分析的处理程序。
- 创建一个能把某个目录中所有的文本文件自动转换成HTML文件的脚本。
- 查看一些现有的纯文本格式（比如各种形式的Wiki标记）。参见表20-1，获取更多细节。在网上搜索（或者参考一些Wiki和相关博客文章）可能会对读者有更多的启发。

表20-1　一些纯文本和Wiki风格的标记系统

| 标记系统 | 网　　址 |
|---|---|
| Atox | http://atox.sf.net |
| atx | http://www.aaronsw.com/2002/atx |
| BBCode | http://www.bbcode.org |
| Epytext | http://epydoc.sourceforge.net/epytext.html |
| EtText | http://ettext.taint.org |
| Grutatxt | http://www.triptico.com/software/grutatxt.html |
| Markdown | http://daringfireball.net/projects/markdown |
| reStructuredText | http://docutils.sourceforge.net/rst.html |
| Setext | http://www.valdemar.net/~erik/setext |
| SmartASCII | http://www.gnosis.cx/TPiP |
| Textile | http://www.textism.com/tools/textile |
| txt2html | http://txt2html.sourceforge.net |
| WikiCreole | http://www.wikicreole.org |
| WikiMarkupStandard | http://www.usemod.com/cgi-bin/mb.pl?WikiMarkupStandard |
| Wikitext | http://en.wikipedia.org/wiki/Wikitext |
| YAML | http://www.yaml.org |

### 接下来学什么

在这个费劲（但有用）的项目后，会是轻松一些的项目。下一章会基于从Internet自动下载的数据创建一些图表，实现起来易如反掌。

# 第 21 章

# 项目2：画幅好画

21

本项目将会介绍如何在Python中创建图形。具体来说是利用图形创建一个PDF文件，将从文本文件中读取的数据可视化。其实任何一个常规的电子表格软件都有这种功能，但Python提供的功能更强大。最终还会实现程序自动从Internet下载数据，那时读者将会切身感受到Python提供的强大功能。

上一章介绍了HTML和XML，这里又出现了一个你可能很熟悉的首字母缩写词：PDF，它代表可移植文档格式（Portable Document Format）。PDF是Adobe定义的一种可以使用图形和文本来显示各种文档的格式。PDF文件是不可编辑的（相对于可以编辑的Microsoft Word文档来说），但绝大多数平台上都有免费的阅读器软件，并且PDF文件的显示方式与阅读器和所在平台是没有关系的（HTML则不同，HTML中的一些字体可能在某些情况些不能正确显示，而且图片文件要作为单独的文件来传输，等等）。可以在Adobe的网站（http://adobe.com/products/acrobat/readstep.html）上免费下载PDF阅读器Acrobat Reader。

## 21.1 问题

Python很善于做数据分析。使用Python提供的文件处理和字符串处理功能，可以创建一个数据文件的某种格式的报告，而且这比使用一般的电子表格软件要容易，特别是在需要一些复杂的程序设计逻辑时。

第3章介绍过如何用字符串格式化来生成漂亮的输出——比如需要按列打印数字。但有的时候纯文本还不够用。（就像人们常说的，一图道千言）在这个项目中会介绍ReportLab包的基本功能，使用这个包几乎能和先前创建纯文本一样很容易地创建PDF格式的图形和文档（还有其他的一些格式）。

在学习这个项目中的内容的同时，建议读者去找些感兴趣的应用。本章选择的是使用关于太阳黑子的数据（来自美国国家海洋和大气管理局下属的空间天气预报中心），并且会根据数据生成一个线形图。

程序应该能满足如下要求：

❑ 从Internet上下载数据文件；

❑ 分析数据文件并提取感兴趣的部分；

❑ 根据数据生成PDF文件。

和上一个项目一样，在第一个原型中这些要求不会都被满足。

## 21.2    有用的工具

在这个项目中最重要的工具是图形生成工具包。有一些这样的包供读者选择。如果访问Vaults of Parnassus的站点（http://www.vex.net/parnassus），就会找到关于图形的单独的分类。我选用的是ReportLab，因为它很容易使用并且为PDF中的图形和文档生成提供了丰富的功能。如果想更进一步，那么可以使用$P_YX$图形包（http://pyx.sf.ne），这个包的功能真的很强大，而且它还支持基于TeX的排版。

要使用ReportLab包，首先要访问官方网站http://reportlab.org。在那里可以下载到软件、文档和示例。软件可以从http://www.reportlab.org/downloads.html上下载。只需下载ReportLab工具包，解压缩档案文件ReportLab_x.zip，其中x代表版本号，把reportlab目录放在Python所在路径中的解压缩目录中。

完成上面的工作后应该能够像下面这样导入reportlab模块：

```
>>> import reportlab
>>>
```

---

**注意**    尽管我在这个项目中会展示一些ReportLab的特性，但还有更多的功能可以使用。如果要学习更多的知识，建议读者在ReportLab的网站上（的documentation页）找到用户指南和（单独的）图形指南。它们是很具可读性的，并且可能比这一章更通俗易懂。

---

## 21.3    准备工作

在开始编程前，需要一些数据来测试程序。本项目（很随意地）选择了关于太阳黑子的数据，可以从空间天气预报中心的网页（http://www.swpc.noaa.gov）上找到它们。可以在http://www.swpc.noaa.gov/ftpdir/weekly/Predict.txt上找到我使用的数据。

这个数据文件每周更新，并且包含太阳黑子和射电辐射流量（radio flux）的相关信息（别问我那是什么）。得到了文件以后，我们就开始解决问题。

下面是文件的一部分，先来看看数据是什么样子：

```
#       Predicted Sunspot Number And Radio Flux Values
#                   With Expected Ranges
#
#       -----Sunspot Number------  ----10.7 cm Radio Flux----
# YR MO PREDICTED    HIGH    LOW  PREDICTED    HIGH    LOW
#-------------------------------------------------------
2007 12      4.8     5.0     4.7      67.6     70.4    64.7
2008 01      4.3     4.4     4.2      66.7     69.5    63.8
2008 02      4.0     4.1     3.9      66.1     68.9    63.2
2008 03      4.2     4.3     4.0      65.7     68.6    62.8
2008 04      4.6     4.8     4.4      65.7     68.6    62.7
2008 05      5.2     5.6     4.9      65.6     68.7    62.5
```

| 2008 06 | 5.8 | 6.3 | 5.2 | 65.2 | 68.5 | 62.0 |
| 2008 07 | 6.3 | 7.1 | 5.5 | 64.9 | 68.4 | 61.4 |
| 2008 08 | 7.4 | 8.6 | 6.3 | 65.1 | 68.9 | 61.2 |
| 2008 09 | 8.6 | 10.2 | 7.0 | 65.4 | 69.6 | 61.2 |

## 21.4　初次实现

在初次实现中，程序只是把数据以一系列元组的形式放入源代码。这样的方法很容易实现。下面给出一个如何实现的例子：

```
data = [
#    Year Month Predicted High  Low
(2007, 12,   4.8,    5.0, 4.7),
(2008, 1,    4.3,    4.4, 4.2),
    # Add more data here
    ]
```

解决了这个问题以后，让我们看看怎么把数据转换成图形。

### 21.4.1　用ReportLab画图

ReportLab由很多部分组成并且允许用户使用多种方法创建输出。生成PDF的最基本模块是pdfgen。它包含一个Canvas类，这个类有很多画图的底层方法。比如，如果要在一个叫c的Canvas对象上画直线，可以调用方法c.line。

项目中使用的是更高级的图形框架（在reportlab.graphics包以及它的子模块中），利用它可以直接画出各种形状的对象，并且把这些对象添加到Drawing对象中，以便稍后将该对象输出到PDF格式的文件中。

代码清单21-1展示了一个示例程序，它将字符串"Hello world!"画在了一个100×100像素大小的PDF格式的图形中间。（能在图21-1中看到结果）基本的结构如下：首先生成一个给定大小的图纸（drawing），然后创建带有某些属性的图形元素，本例是一个String对象，接着将元素添加到图纸中去。最后将图纸生成为PDF格式并且保存到文件中。

图21-1　一个简单的ReportLab图形

**代码清单21-1　一个简单的ReportLab程序** (hello_report.py)

```
from reportlab.graphics.shapes import Drawing, String
from reportlab.graphics import renderPDF

d = Drawing(100, 100)
s = String(50, 50, 'Hello, world!', textAnchor='middle')

d.add(s)

renderPDF.drawToFile(d, 'hello.pdf', 'A simple PDF file')
```

对renderPDF.drawToFile的调用会把你的PDF文件存到当前目录下的一个名为hello.pdf的文件中。

Stirng构造函数的主要参数是x、y的坐标以及要显示的文本。此外可以提供各种特性（比如字号、颜色，等等）。在这种情况下，我提供了一个textAnchor，这是说明字符串应该被放在给定坐标处。

---

**注意**　运行这个程序的时候，会得到两个警告：一个是说Python的图像库（Imaging Library）不可用，另一个则说zlib不可用。（如果安装了这两个库或其中一个，那么也就不会出现相应的警告信息）这个项目中的代码不需要这些库，所以可以忽略警告。如果没得到警告，当然也不会有什么问题。

---

### 21.4.2　生成折线

为了生成太阳黑子数据的图表（一个曲线图），首先需要画一些线。实际上需要创建一些彼此连在一起的折线。ReportLab针对这个需求有特定的类：PolyLine。

PolyLine把一个坐标列表作为第一个参数。列表的形式是[(x0, y0), (x1, y1), ...]，每对(x, y)的坐标对应折线上的一个点。图21-2是一个简单的使用PolyLine的例子。

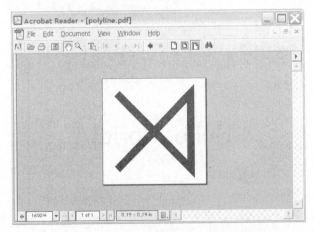

图21-2　PolyLine([(0, 0), (10, 0), (10, 10), (0, 10)])

为了创建曲线图，数据集合中的每列都要对应一条折线。折线上的每个点都由时间（年和月）以及值组成（来自相应列的太阳黑子数）。可以理解，如果想得到某一列的值，列表是很好的选择：

```
pred = [row[2] for row in data]
```

这里的pred（表达"预言"的意思）是由第3列数据的所有值组成的列表。接下来对其他的列使用类似的方法。（每行的时间必须通过年和月来计算，例如年+月/12）

值和时间戳已经计算出来以后，那么可以像下面这样把折线添加到图纸：

```
drawing.add(PolyLine(zip(times, pred), strokeColor=colors.blue))
```

当然，笔画颜色不是必须设置的，但是它们可以较容易地将线区分开（注意zip是怎么把时间和值并入元组列表的）。

### 21.4.3 编写原型

现在已经能够写出程序的第一版本了。源代码如代码清单21-2所示。

**代码清单21-2 太阳黑子图形程序的第一个原型（sunspots_roto.py）**

```
from reportlab.lib import colors
from reportlab.graphics.shapes import *
from reportlab.graphics import renderPDF

data = [
#    Year Month Predicted High Low
    (2007, 8, 113.2, 114.2, 112.2),
    (2007, 9, 112.8, 115.8, 109.8),
    (2007, 10, 111.0, 116.0, 106.0),
    (2007, 11, 109.8, 116.8, 102.8),
    (2007, 12, 107.3, 115.3, 99.3),
    (2008, 1, 105.2, 114.2, 96.2),
    (2008, 2, 104.1, 114.1, 94.1),
    (2008, 3, 99.9, 110.9, 88.9),
    (2008, 4, 94.8, 106.8, 82.8),
    (2008, 5, 91.2, 104.2, 78.2),
    ]

drawing = Drawing(200, 150)

pred = [row[2]-40 for row in data]
high = [row[3]-40 for row in data]
low = [row[4]-40 for row in data]
times = [200*((row[0] + row[1]/12.0) - 2007)-110 for row in data]

drawing.add(PolyLine(zip(times, pred), strokeColor=colors.blue))
drawing.add(PolyLine(zip(times, high), strokeColor=colors.red))
drawing.add(PolyLine(zip(times, low), strokeColor=colors.green))
drawing.add(String(65, 115, 'Sunspots', fontSize=18, fillColor=colors.red))

renderPDF.drawToFile(drawing, 'report1.pdf', 'Sunspots')
```

上面的代码已经调整了值和时间戳以便能让点处于正确的位置。最后的结果显示在图21-3中。

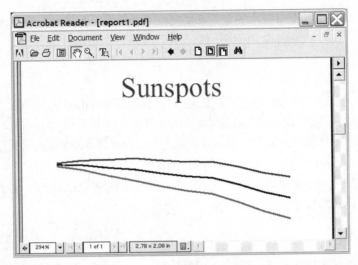

图21-3　一个简单的太阳黑子图形

尽管让程序做到目前这个样子让人很振奋，但很明显，我们还能对其进行改进。

## 21.5　再次实现

原型程序已经明确包括了用ReportLab画图的基本内容。前面的内容也介绍了如何提取数据以利于画图。然而，程序还存在着一些缺陷。为了让内容处于正确的位置，则必须要对值和时间戳做专门的修改。而且程序实际上没有实现从任何地方都能读取数据的功能（具体来说，程序是从自身的一个由元组组成的列表中而不是从外部数据源读取数据）。

这个项目和项目1（第20章）不同，它的再次实现不会比首次实现复杂很多，也不会大很多。再次实现只是用ReportLab中的一些适当的特性来改进程序并且让程序能从Internet上获取数据。

### 21.5.1　获取数据

第14章曾经介绍过，使用标准模块urllib可以从Internet上获取文件。该模块中的urlopen函数与open函数很类似，但它是用一个URL而不是文件名作为参数。在打开并阅读文件时，你需要过滤掉不需要的内容。文件包含空行（整行都由空格组成）以及每行都以一些特殊的字符开始（#和:）。程序应该忽略掉这些。（参见21.3节的示例文件片段。）

假设URL保存在变量URL内，而变量COMMENT_CHARS被设定为字符串'#:'。那么可以像下面这样（就像我们最初的程序那样）获取行的列表：

```
data = []
for line in urlopen(URL).readlines():
    if not line.isspace() and not line[0] in COMMENT_CHARS:
        data.append([float(n) for n in line.split()])
```

尽管我们实际上对射电辐射流量的相关值不感兴趣，但上述代码会将数据列表中的列都包括进来。然而在我们提取到真正需要的列时，其他的列都会被过滤掉（就像在初次实现中的那样）。

> **注意**  如果使用的是你自己的数据源（或者，当读到这里的时候，太阳黑子文件的数据格式已经改变了），那么需要相应地修改上面说的代码。

### 21.5.2  使用LinePlot类

如果你认为获取数据很简单，画漂亮的折线图也不难，在这种情况下，最好翻阅文档（在这里要翻阅的是ReportLab的文档），看看是不是已经有了相应的特性能完成我们要做的工作，这样我们就不需要全部自己实现了。幸好，Reportlab内已经有了这样的特性：`reportlab.graphics.charts.lineplots`模块中的LinePlot类。当然，我们可以在开始的时候就搜索这个类，但快速进行原型设计的精神就是，只用手头上的工具来看看能做什么就可以。现在到了更进一步的时候了。

LinePlot类的实例化不需要任何参数，然后在将它添加到Drawing前设置它的几个特性。要设置的主要特性是：`x`、`y`、`height`、`width`以及`data`。前4个是不需要说明的，后面一个是点的坐标列表，它是元组的列表就像在PolyLines中用的那样。

为了加以区分，可以为每条线设置笔画颜色，最终的代码请参见代码清单21-3，最终的图请参见图21-4。

**代码清单21-3  最终的太阳黑子程序**

```python
from urllib import urlopen
from reportlab.graphics.shapes import *
from reportlab.graphics.charts.lineplots import LinePlot
from reportlab.graphics.charts.textlabels import Label
from reportlab.graphics import renderPDF

URL = 'http://www.swpc.noaa.gov/ftpdir/weekly/Predict.txt'
COMMENT_CHARS = '#:'


drawing = Drawing(400, 200)
data = []
for line in urlopen(URL).readlines():
    if not line.isspace() and not line[0] in COMMENT_CHARS:
        data.append([float(n) for n in line.split()])

pred = [row[2] for row in data]
high = [row[3] for row in data]
low = [row[4] for row in data]
times = [row[0] + row[1]/12.0 for row in data]

lp = LinePlot()
lp.x = 50
lp.y = 50
lp.height = 125
lp.width = 300
lp.data = [zip(times, pred), zip(times, high), zip(times, low)]
lp.lines[0].strokeColor = colors.blue
lp.lines[1].strokeColor = colors.red
lp.lines[2].strokeColor = colors.green

drawing.add(lp)
```

```
drawing.add(String(250, 150, 'Sunspots',
            fontSize=14, fillColor=colors.red))


renderPDF.drawToFile(drawing, 'report2.pdf', 'Sunspots')
```

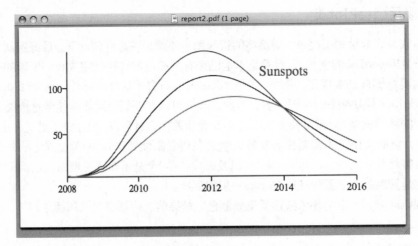

图21-4    最终的太阳黑子图

## 21.6    进一步探索

　　Python中有很多关于图形的包。本章前面提到的$P_YX$是替代ReprotLab的很好的选择。使用wxPython（在第12章讨论过）也可以创建各种矢量图文件。

　　使用ReportLab或者$P_YX$（或者其他的包），可以将产生的图形自动整合到一个文档内（可能是文档自动产生的部分），使用20章的一些技术则可以标记文本。如果需要创建PDF文档，那么作为ReportLab一部分的Platypus就很有用。（也可以用一些排字系统，比如L^AT_EX，来整合PDF图形。）需要创建网页的话，Python也有办法创建像素图形（比如GIF或者PNG），可以在网上去搜索这个主题。

　　如果程序的主要目的是规划数据（就像我们在这个项目中做的），那么除了ReportLab和$P_YX$还有很多其他的选择。Matplotlib/pylab（http://matplotlib.sf.net）就是很好的选择，还有很多其他的（类似的）包。

### 接下来学什么

　　第一个项目介绍了通过创建可扩展的语法分析器来为纯文本文件添加标记。在下个项目中，读者会学习使用Python标准库中已经存在的语法分析机制来分析标记文本（XML格式的）。项目的目标是使用一个XML文件来指定整个网站，该网站由程序自动产生（它用到了文件，目录，附加的标题以及页脚）。从下一个项目中学到的技术可以用于一般的XML分析，并且在XML被使用得越来越广泛的情况下，这样的学习是没有坏处的。

# 第 22 章

# 项目3：万能的XML

在项目1中简要地介绍过XML，本章将详细阐述。这个项目将会介绍如何用XML来表示多种数据，以及如何使用XML的简单API-SAX来处理XML文件。本项目的目标是通过一个XML文件来生成一个完整的网站，该XML文件中保存了所有网页和目录的描述。

本章假设读者已经知道什么是XML以及如何编写。如果了解一些HTML知识的话，那么就已经了解了XML的基础知识。XML并不是一种具体的语言（例如HTML），它更类似于定义语言类的一种规则集合。基本上来讲，仍然可以使用与HTML相同的方式来写标签，但在XML中，还可以自己定义标签名。这类标签名的具体集合和它们的结构化关系在文档类型定义Document Type Definitions或XML架构（Schema）中描述，这里不讨论。

有关XML的简明描述，请参见W3C的"XML的十要点"（http://www.w3.org/XML/1999/XML-in-10-points）。更加详细的教程可以在W3School网站（http://www.w3schools.com/xml）上找到。有关SAX的更多信息，请参见SAX的官方网站（http://www.saxproject.org）。

## 22.1　问题

本项目要解决的常见问题是解析（读取和处理）XML文件。因为使用XML几乎能表示任何数据，并且在解析的时候可以随意处理数据，所以应用程序的能力是无穷的（就像本章标题暗示的一样）。

本章要解决的具体问题是通过单个XML文件生成一个完整的网站，这个文件包含了站点结构和每个页面的基本内容。

在开始本项目之前，建议你花点时间阅读有关XML的资料，查看它的具体应用。这样会更好地把握什么时候使用这种文件格式才有用，以及什么时候使用算是"大材小用"（毕竟有些时候用纯文本文件就够了）。

---

**真的那么神吗**

可能有的读者对于XML能实现的功能还持怀疑态度。那么来看一些例子。

❑ XML可以在普通文档处理中用于文本标记——比如以XHTML（http://www.w3.org/TR/xhtml1）或者DocBook XML（http://www.docbook.org）的形式。

> □ 表示音乐（http://musicxml.org）。
>
> □ 表示人的心情、情感和个性特征。（http://humanmarkup.org）
>
> □ 描述实体对象（http://xml.coverpages.org/pml-ons.html）。
>
> □ 第27章会讨论如何通过网络调用Python的方法（使用XML-RPC）。
>
> XML应用程序的示例可以在XML Cover Pages（http://xml.coverpages.org/xml.html# applications）或者CBEL（http://www.cbel.com/xml_markup_languages）上面找到。

下面制定一下项目的目标。

□ 整个网站应该用一个XML文件描述，其中包括所有网页和目录的信息。

□ 程序应该能创建所需的目录和网页。

□ 应该可以轻松地改变整个网站的设计，并且以新的设计为基础重新生成所有网页。

最后一点就足以证明XML值得学习了。但是好处不止于此，把所有内容放在一个XML文件里面，这样就可以轻松编写其他使用相同XML处理技术提取各种信息的程序，比如内容的表格、自定义搜索引擎的索引，等等。就算不用于自己的个人网站，也可以用它创建基于HTML的幻灯片演示（使用上一章讲过的ReportLab等工具甚至能创建PDF幻灯片演示）。

## 22.2　有用的工具

Python有一些内建的XML支持，但是如果你使用的是旧版本的Python，可能还要安装一些额外的模块。本项目需要一个可以工作的SAX语法分析器。要查看是否已有一个可用的SAX语法分析器，试着执行下面的语句：

```
>>> from xml.sax import make_parser
>>> parser = make_parser()
```

执行这条命令后应该不会引发任何异常。一切准备就绪之后就可以学习22.3节了。

---

提示　Python可用的XML工具很多。除了"标准"PyXML框架之外，也可以选择Fredrik Lundh的ElementTree（以及它的C语言实现，cElementTree）。最近版本的Python标准库中的xml.etree包中包含ElementTree。如果你使用的是旧版本的Python，可以从http://effbot.org/zone上下载ElementTree。它强大且易用，如果对于在Python中使用XML非常感兴趣的话，它就值得一看。

---

如果出现异常（Python旧版本会出现），则需要安装PyXML。首先，从http://sf.net/projects/pyxml上下载PyXML包。在该网页上还可以找到用于Linux的RPM包、用于Windows的二进制安装程序和用于其他平台的的源代码发布版本。RPM包可以使用rpm--install进行安装，二进制Windows发布版可以直接执行来进行安装。源代码发布版则可以通过标准Python安装机制——Distutils进行安装。只要将tar.gz文件解压缩，进入解压后的目录，然后执行下面的语句：

```
$ python setup.py install
```

现在可以用XML工具了。

## 22.3 准备工作

在编写处理XML文件的程序前，需要设计XML文件的格式。需要什么标签、它们应该有什么特性以及每个标签应该放在什么位置？试着列出来，首先考虑的是XML文件需要描述什么。

主要的概念包括网站、目录、页面、名称、标题和内容。

□ 网站。不用存储有关网站本身的任何信息，所以网站就是包括所有文件和目录的顶级元素。

□ 目录。目录是文件和其他目录的容器。

□ 页面。一个网页。

□ 名称。目录和网页都需要名称——当目录和文件出现在文件系统和相应的URL中时，它们可以用作目录名和文件名。

□ 标题。每个网页都应该有标题（和文件名不同）。

□ 内容。每个网页都有一些内容。这里只用XHTML来表示内容——这样就能将它传递到最终的网页上，让浏览器对它进行解释。

简单来说，XML文档应该由一个包含数个directory和page元素的website元素组成，每个目录元素可以包括更多的页面和目录。directory和page元素有叫做name的特性，属性值是它们的名字。除此之外，page标签还有title特性。page元素包括XHTML代码（XHTML的body标签中的类型）。代码清单22-1是一个示例文件。

**代码清单22-1 用XML文件表示的简单网站（website.xml）**

```
<website>
  <page name="index" title="Home Page">
    <h1>Welcome to My Home Page</h1>

    <p>Hi, there. My name is Mr. Gumby, and this is my home page. Here
    are some of my interests:</p>

    <ul>
      <li><a href="interests/shouting.html">Shouting</a></li>
      <li><a href="interests/sleeping.html">Sleeping</a></li>
      <li><a href="interests/eating.html">Eating</a></li>
    </ul>
  </page>
  <directory name="interests">
    <page name="shouting" title="Shouting">
      <h1>Mr. Gumby's Shouting Page</h1>

      <p>...</p>
    </page>
    <page name="sleeping" title="Sleeping">
      <h1>Mr. Gumby's Sleeping Page</h1>

      <p>...</p>
    </page>
    <page name="eating" title="Eating">
      <h1>Mr. Gumby's Eating Page</h1>

      <p>...</p>
    </page>
  </directory>
</website>
```

22

## 22.4 初次实现

现在读者可能还不知道 XML 解析是如何工作的。这里所使用的方法（叫做 SAX）包括编写一组事件处理程序（就如同 GUI 程序设计），当解析器读 XML 文档的时候，就可以让它调用这些处理程序完成解析工作。

### 那么 DOM 呢

在 Python（以及其他编程语言）内有两种常见的方法处理 XML：SAX 和 DOM（Document Object Model，文档对象模型）。SAX 语法分析器读取 XML 文件并且告知它发现的内容（文本、标签和特性）。由于它一次只存储文档的一小部分，所以 SAX 简单、快速并能有效利用内存，这也是我在本章内选择它的原因。DOM 走的则是另外一条路：它构造一个表示整个文档的数据结构（文档树）。这样会慢些并且需要更多内存，但是如果希望操作整个文档结构的话则很有用。

更多有关在 Python 内使用 DOM 的信息，请参见 Python 库参考（http://www.python.org/doc/current/lib/module-xml.dom.html）。除了标准的 DOM 处理外，标准库还包括另外两个模块：xml.dom.minidom（简化的 DOM）和 xml.dom.pulldom（SAX 和 DOM 的结合体，减少了内存需求）。

pyRXP（http://www.reportlab.org/pyrxp.html）是个快速且简单的 XML 语法分析器（它并不使用 DOM，但是会从 XML 文档中建立完整的文档树）。ElementTree 则更加灵活易用。

### 22.4.1 创建简单的内容处理器

在使用 SAX 进行解析时，有很多种事件类型可用，但是这里只用到 3 个：元素的起始（开始标签的匹配项）、元素的结束（关闭标签的匹配项）以及纯文本（字符）。要解析 XML 文件，可使用 xml.sax 模块的 parse 函数。这个函数负责读取文件并且生成事件——由于它要生成这 3 类事件，所以需要调用一些事件处理程序。这些事件处理程序会作为内容处理器（content handler）对象的方法来实现。需要继承 xml.asx.handler 中的 ContentHandler 类，因为它实现了所有需要的事件处理程序（只不过是没有任何效果的伪操作），可以在需要的时候覆盖这些函数。

首先从一个最小型的 XML 语法分析器开始（假设你的 XML 文件叫做 website.xml）：

```
from xml.sax.handler import ContentHandler
from xml.sax import parse

class TestHandler(ContentHandler): pass
parse('website.xml', TestHandler())
```

如果执行这个程序，似乎什么都没发生，但是也不会得到任何错误信息。在看不到的后台，XML 文件已经被解析了，默认的事件处理程序也被调用了，但是由于它们没做任何事，所以看不到任何输出。

试着进行简单地扩展。将下面的方法添加到 TestHandler 类中：

```
def startElement(self, name, attrs):
    print name, attrs.keys()
```

这样会覆盖默认的startElement事件处理程序。参数分别是相应的标签名及其的特性（保存在类字典对象中）。如果再次运行程序（使用代码清单22-1中的website.xml），会看到如下输出：

```
website []
page [u'name', u'title']
h1 []
p []
ul []
li []
a [u'href']
li []
a [u'href']
li []
a [u'href']
directory [u'name']
page [u'name', u'title']
h1 []
p []
page [u'name', u'title']
h1 []
p []
page [u'name', u'title']
h1 []
p []
```

具体的工作方式应该很清楚了。除了startElement外，还会用到endElement（它只用标签名作为参数）以及characters（使用字符串作为参数）。

下面是使用这3个方法建立网站大标题（h1元素）列表的例子：

```
from xml.sax.handler import ContentHandler
from xml.sax import parse

class HeadlineHandler(ContentHandler):

    in_headline = False
    def __init__(self, headlines):
        ContentHandler.__init__(self)
        self.headlines = headlines
        self.data = []


    def startElement(self, name, attrs):
        if name == 'h1':
            self.in_headline = True

    def endElement(self, name):
        if name == 'h1':
            text = ''.join(self.data)
            self.data = []
            self.headlines.append(text)
            self.in_headline = False

    def characters(self, string):
        if self.in_headline:
            self.data.append(string)

headlines = []
```

```
parse('website.xml', HeadlineHandler(headlines))

print 'The following <h1> elements were found:'
for h in headlines:
    print h
```

注意，HeadlineHandler会一直关注当前解析的文本是否包含在一对h1标签中。实现这个功能要在startElement找到一个h1标签时，将self.in_headline设为True，在endElement找到一个h1标签时则将self.in_headline设为False。characters方法会在语法分析器找到一些文本时自动被调用。只要语法分析器位于两个h1标签之间（self.in_headline为True），characters就会将字符串（可能是标签中文本的一部分）追加到self.data这个字符串列表中。将这些文本碎片连接在一起并且追加到self.headlines中（成一个字符串），将self.data重置为空列表的工作也由endElement完成。这类方法（使用布尔变量来判断你当前是否位于给定标签类型内）在SAX程序设计中非常普遍。

运行这个程序（还使用代码清单22-1中的website.xml），那么会获得如下输出：

```
The following <h1> elements were found:
Welcome to My Home Page
Mr. Gumby's Shouting Page
Mr. Gumby's Sleeping Page
Mr. Gumby's Eating Page
```

## 22.4.2 生成HTML页面

现在已经准备好创建原型了。首先忽略目录，专注于生成HTML页面。你需要对事件处理程序稍加润色，使之能完成下列工作。

- 在每个page元素的开始处，使用给定的文件名打开一个新文件，写入合适的HTML首部，包括给定的标题。
- 在每个page元素的结尾处，写入HTML的页脚，然后关闭文件。
- 在page元素内部时，跳过所有标签和字符，不进行修改（将它们直接写入文件）。
- 不在page元素内部时，忽略所有标签（比如website或者directory）。

其中大多数功能实现起来都很简单（如果读者懂一些HTML文档的组织方式的话）。但是有两个问题就不是很清楚。

- 不能简单地"穿过"标签（在建立HTML文件时直接写入文件），因为只有名字（可能还有一些特性）。需要自己重建这些标签（使用尖括号等）。
- SAX本身无法告诉你当前是否正位于一个page元素内部。所以需要自己注意这类事情（就像在HeadlineHandler示例中做的那样）。在这个项目中，程序只对是否穿过标签和文本感兴趣，所以使用一个叫做passthrough的布尔变量在进入和离开页面时进行更新。

这个简单程序的代码如代码清单22-2所示。

**代码清单22-2** 简单的页面创建程序脚本 (pagemaker.py)

```
from xml.sax.handler import ContentHandler
```

```
from xml.sax import parse

class PageMaker(ContentHandler):
    passthrough = False
    def startElement(self, name, attrs):
        if name == 'page':
            self.passthrough = True
            self.out = open(attrs['name'] + '.html', 'w')
            self.out.write('<html><head>\n')
            self.out.write('<title>%s</title>\n' % attrs['title'])
            self.out.write('</head><body>\n')
        elif self.passthrough:
            self.out.write('<' + name)
            for key, val in attrs.items():
                self.out.write(' %s="%s"' % (key, val))
            self.out.write('>')


    def endElement(self, name):
        if name == 'page':
            self.passthrough = False
            self.out.write('\n</body></html>\n')
            self.out.close()
        elif self.passthrough:
            self.out.write('</%s>' % name)
    def characters(self, chars):
        if self.passthrough: self.out.write(chars)

parse('website.xml', PageMaker ())
```

你应该在想要页面文件出现的目录中执行这个程序。注意，就算两个页面位于两个不同的目录元素中，它们也会出现在同一个目录中（会在再次实现时修正这个错误）。

同样，使用代码清单22-1的website.xml文件，你会得到4个HTML文件。index.html包括下面的内容：

```
<html><head>
<title>Home Page</title>
</head><body>

    <h1>Welcome to My Home Page</h1>

    <p>Hi, there. My name is Mr. Gumby, and this is my home page. Here
are some of my interests:</p>

    <ul>
      <li><a href="interests/shouting.html">Shouting</a></li>
      <li><a href="interests/sleeping.html">Sleeping</a></li>
      <li><a href="interests/eating.html">Eating</a></li>
    </ul>

</body></html>
```

图22-1演示了使用浏览器对这个页面进行浏览的效果。

注意看代码，有如下两个很明显的缺点。

❑ 它使用if语句处理不同的事件类型。如果你需要处理很多事件类型的话，if语句会变得很长而且不易读。

❑ HTML代码是硬连线的。它应该可以轻松进行替换。

这两个缺点会在再次实现时解决。

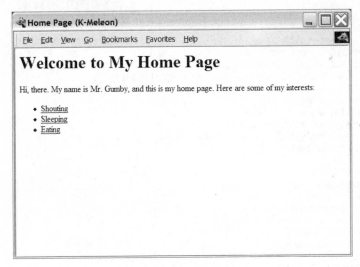

图22-1　生成的网页

## 22.5　再次实现

因为SAX的机制较底层且基本，通常你会发现编写一个混入（Mix-in）①类处理收集字符数据、管理布尔状态变量（比如passthrough）或是指派事件到你的自定义事件处理程序这类管理细节是很有用的。项目中的状态和数据的处理非常简单，所以主要介绍处理程序的调度。

### 22.5.1　调度程序的混入类

与其在标准的泛型事件处理程序（比如startElement）中编写大段的if语句，还不如编写自己的具体程序（比如startPage），并且自动调用它们。混入类可以实现这个功能，然后将这个类和ContentHandler一同继承。

---

**注意**　就像我在第7章中提到过的一样，一个提供有限功能的混入类通常是用来与其他更加具体的类一起被继承。

---

除此之外，还期望程序具备下面的功能。

❑ 当使用'foo'这样的名字调用startElement时，它会试图寻找叫做startFoo的事件处理程序，然后利用给定的特性进行调用。

---

① Mix-in是一种Python程序设计中的技术，作用是在运行期间动态改变类的基类或类的方法，从而使得类的表现可以发生变化。可以用在一个通用类接口中，这里译为"混入"。——译者注

❑ 同样地,如果使用'foo'调用endElement,那么它会试着调用endFoo。

❑ 如果在这些方法中找不到给定的事件处理程序,那么会分别调用defaultStart或者 defaultEnd方法。如果连默认的事件处理程序也没有的话,那就什么都不做。

除此之外,还应该注意参数。自定义处理程序(比如startFoo)并不需要标签名作为参数, 而默认的自定义处理程序(比如defaultStart)则需要。并且只有起始处理程序才需要特性。

搞不懂?那么先编写这个类的最简单部分:

```python
class Dispatcher:

    # ...

    def startElement(self, name, attrs):
        self.dispatch('start', name, attrs)
    def endElement(self, name):
        self.dispatch('end', name)
```

现在已经实现了基本事件处理程序,它们只会调用dispatch方法,这个方法会查找合适的处 理程序,构造参数元组,然后使用这些参数调用处理程序。下面是dispatch方法的代码:

```python
def dispatch(self, prefix, name, attrs=None):
    mname = prefix + name.capitalize()
    dname = 'default' + prefix.capitalize()
    method = getattr(self, mname, None)
    if callable(method): args = ()
    else:
        method = getattr(self, dname, None)
        args = name,
    if prefix == 'start': args += attrs,
    if callable(method): method(*args)
```

这个方法所做的是:

❑ 根据一个前缀('start'或'end')和一个标签名(比如'page')构造处理程序的方法名(比 如'startPage');

❑ 使用同样的前缀,构造默认处理程序的名字(比如'defaultStart');

❑ 试着使用getattr获得处理程序,用None作为默认值;

❑ 如果结果可以调用,那么将一个空元组赋值给args;

❑ 否则试着利用getattr获取默认处理程序,再次使用None作为默认值;同样地,将args设 定为只包括标签名的元组(因为默认的处理程序需要);

❑ 如果正使用一个起始处理程序,那么将属性添加到参数元组(args)中;

❑ 如果处理程序可调用(或者是可用的具体处理程序,或者是可用的默认处理程序),那么 使用正确的参数进行调用。

明白了吗?基本上就是现在可以像下面这样编写内容处理程序了:

```python
class TestHandler(Dispatcher, ContentHandler):
    def startPage(self, attrs):
        print 'Beginning page', attrs['name']
    def endPage(self):
        print 'Ending page'
```

因为这个调度程序混入类实现了大部分的探测功能,内容处理程序就相当简单而且易读了

（当然，马上就要给它增加更多功能）。

## 22.5.2   实现首部、页脚和默认的处理程序

这部分比刚才的那节要简单多了。程序会创建单独的方法，用于编写首部和页脚，而不在事件处理程序中直接调用self.out.write。这样就可以很容易地继承事件处理程序以覆盖这些方法。先写个简单的首部和页脚：

```
def writeHeader(self, title):
    self.out.write("<html>\n  <head>\n   <title>")
    self.out.write(title)
    self.out.write("</title>\n  </head>\n <body>\n")

def writeFooter(self):
    self.out.write("\n  </body>\n</html>\n")
```

XHTML内容的处理和初始的处理程序联系过于紧密。现在可以用defaultStart和defaultEnd对XHTML进行处理：

```
def defaultStart(self, name, attrs):
    if self.passthrough:
        self.out.write('<' + name)
        for key, val in attrs.items():
            self.out.write(' %s="%s"' % (key, val))
        self.out.write('>')

def defaultEnd(self, name):
    if self.passthrough:
        self.out.write('</%s>' % name)
```

除了我将代码移动到单独的方法外（这样做更好），这个程序用起来和刚才是一样的。现在，要把拼图的最后一块完成了。

## 22.5.3   对目录的支持

为了创建所需的目录，需要用到os和os.path模块中的一些函数。其中之一是os.makedirs，它可以在给定的路径内创建所有需要的目录。比如os.makedirs（'foo/bar/baz'）会在当前的目录中创建foo目录，然后在foo中创建bar目录，最后在bar目录内创建baz。如果foo目录已经存在，那么只会创建bar和baz，类似地，如果bar也存在，那么只有baz会被创建。不过如果baz同样存在的话，那么会引发一个异常。

为了避免出现这个异常，需要使用os.path.isdir函数，它可以检查给定的路径是否是目录（也就是目录是否存在）。另外一个有用的函数是os.path.join，它可以使用正确的分隔符将数个路径连接起来（比如在UNIX内使用/等）。

在处理的过程中，当前的目录路径将会保存为目录名的列表，由变量directory进行引用。在用户进入一个目录时，也就将它的名字追加到列表中。离开的时候则将名字弹出。假设目录已经正确地建立好了，那么可以定义一个确保当前目录存在的函数：

```
def ensureDirectory(self):
    path = os.path.join(*self.directory)
    if not os.path.isdir(path): os.makedirs(path)
```

注意，我在将目录列表提供给os.path.join时，是怎么对它使用参数分割的（使用星号运算符*）。

网站的根目录（比如public_html）可以作为参数提供给构造函数，看起来就像下面这样：

```
def __init__(self, directory):
    self.directory = [directory]
    self.ensureDirectory()
```

### 22.5.4 事件处理程序

最后要实现事件处理程序。需要4个对象：两个处理目录，两个处理页面。目录处理程序只要使用directory列表和ensureDirectory方法：

```
def startDirectory(self, attrs):
    self.directory.append(attrs['name'])
    self.ensureDirectory()

def endDirectory(self):
    self.directory.pop()
```

页面处理程序使用writeHeader和writeFooter方法。除此之外，它们还要设定passthrough变量（穿过XHTML）以及——可能是最重要的——要打开和关闭与页面关联的文件：

```
def startPage(self, attrs):
    filename = os.path.join(*self.directory+[attrs['name']+'.html'])
    self.out = open(filename, 'w')
    self.writeHeader(attrs['title'])
    self.passthrough = True

def endPage(self):
    self.passthrough = False
    self.writeFooter()
    self.out.close()
```

startPage的第一行看起来有些复杂得吓人，但是它多少类似于ensureDirectory方法的第一行语句，除了添加了文件名（并且加上了.html后缀）。

程序的完整代码如代码清单22-3所示。

**代码清单22-3** 网站构造函数（website.py）

```
from xml.sax.handler import ContentHandler
from xml.sax import parse
import os

class Dispatcher:

    def dispatch(self, prefix, name, attrs=None):
        mname = prefix + name.capitalize()
        dname = 'default' + prefix.capitalize()
        method = getattr(self, mname, None)
        if callable(method): args = ()
        else:
            method = getattr(self, dname, None)
            args = name,
        if prefix == 'start': args += attrs,
```

```
            if callable(method): method(*args)

    def startElement(self, name, attrs):
        self.dispatch('start', name, attrs)

    def endElement(self, name):
        self.dispatch('end', name)

class WebsiteConstructor(Dispatcher, ContentHandler):

    passthrough = False

    def __init__(self, directory):
        self.directory = [directory]
        self.ensureDirectory()

    def ensureDirectory(self):
        path = os.path.join(*self.directory)
        if not os.path.isdir(path): os.makedirs(path)


    def characters(self, chars):
        if self.passthrough: self.out.write(chars)

    def defaultStart(self, name, attrs):
        if self.passthrough:
            self.out.write('<' + name)
            for key, val in attrs.items():
                self.out.write(' %s="%s"' % (key, val))
            self.out.write('>')

    def defaultEnd(self, name):
        if self.passthrough:
            self.out.write('</%s>' % name)

    def startDirectory(self, attrs):
        self.directory.append(attrs['name'])
        self.ensureDirectory()

    def endDirectory(self):
        self.directory.pop()

    def startPage(self, attrs):
        filename = os.path.join(*self.directory+[attrs['name']+'.html'])
        self.out = open(filename, 'w')
        self.writeHeader(attrs['title'])
        self.passthrough = True

    def endPage(self):
        self.passthrough = False
        self.writeFooter()
        self.out.close()

    def writeHeader(self, title):
        self.out.write('<html>\n <head>\n    <title>')
        self.out.write(title)
        self.out.write('</title>\n </head>\n    <body>\n')

    def writeFooter(self):
        self.out.write('\n </body>\n</html>\n')

parse('website.xml', WebsiteConstructor('public_html'))
```

代码清单22-3会生成如下文件和目录：

- ❑ public_html/
- ❑ public_html/index.html
- ❑ public_html/interests
- ❑ public_html/interests/shouting.html
- ❑ public_html/interests/sleeping.html
- ❑ public_html/interests/eating.html

---

### 编码的疑惑

如果XML文件包含特殊字符（ASCII表上编码大于127的），那就可能遇上麻烦。XML语法分析器在处理的时候使用Unicode字符串，并且将其返回（比如在characters事件处理程序中）。Unicode可以处理特殊字符。但是如果将Unicode字符串转换为普通字符串（比如打印它们的时候），那么就会引发一个异常（假设默认的编码方式为ASCII）：

```
>>> some_string = u'Möööse'
>>> some_string
u'M\xf6\xf6\xf6se'
>>> print some_string
Traceback (most recent call last):
File "<stdin>", line 1, in ?
UnicodeError: ASCII encoding error: ordinal not in range(128)
```

错误信息为"ASCII encoding error"（ASCII编码错误），意味着Python试图利用ASCII编码方式对Unicode字符串进行编码，如果字符串中包含特殊字符的话这样做是行不通的（可以使用sys.getdefaultencoding函数查看程序的默认编码方式。还可以使用sys.setdefaultencoding进行更改，但是只能在叫做site.py的site-wide自定义文件中进行）。编码可以使用encode方法完成：

```
>>> some_string.encode('ascii')
Traceback (most recent call last):
  File "<stdin>", line 1, in ?
UnicodeError: ASCII encoding error: ordinal not in range(128)
```

为了解决这个问题，则需要使用另外一种编码方式——比如ISO8859-1（对于大多数欧洲语言都适用）：

```
>>> print some_string.encode('iso8859-1')
Möööse
```

（具体的输出由终端模拟器决定。）

注意，如果你在源代码中直接使用非ASCII字符，你需要标出，以告知解释器如何处理文件。对于Latin 1（ISO8859-1的另一种叫法），你可以只把如下注释放进你的文件中（直接放在pound bang行的后面）：

```
# -*- coding: latin-1 -*-
```

可以在W3C的网站（http://www.w3.org/International/O-charset.html）上找到更多编码方式的信息。

## 22.6　进一步探索

程序已经基本完成。那么还能做些什么呢？下面是一些建议。

- 为网站创建一个新的用于创建内容表格或者站点菜单（带有链接）的 ContentHandler。
- 为网页增加一个告诉用户处于何处（在哪个目录中）的导航帮助。
- 创建 WebsiteConstructor 的子类，覆盖 writeHeader 和 writeFooter 方法，提供自定义的设计。
- 创建另外一个从XML文件构造一个网页的 ContentHandler。
- 创建可以将你的站点以类似RSS这样的方式进行总结的 ContentHandler。
- 查看其他的用于转换XML的工具，尤其是XSLT。
- 使用类似于ReportLba的Platypus（http://www.reportlab.org）这样的工具，创建基于XML文件的一个或者多个PDF文档。
- 实现通过Web界面编辑XML文件的功能（参看第25章）。

## 接下来学什么

在参观了XML解析的世界之后，准备做些网络编程吧。下一章内会介绍如何创建一个可以从各种网络资源（比如网页和Usenet组）中收集新闻项目，并且生成自定义新闻报告的程序。

# 第 23 章

# 项目4：新闻聚合

**这**个项目将会介绍如何将一个没有任何形式抽象（没有函数，没有类）的简单原型改进为一个增加了数个重要抽象特征的泛型系统。另外，本章还会对nntplib库进行简单的概述，这个库用于与NNTP（Network News Transfer Protocol，网络新闻组传输协议）服务器进行交互。

NNTP是一个在Usenet讨论组中管理所发消息的标准网络协议。NNTP服务器形成了一个共同管理新闻组的全球网络，通过NNTP客户端（也叫做新闻阅读器），可以发布和读取消息。最新的网页浏览器都包括了NNTP客户端的功能，也有单独的NNTP客户端存在。

NNTP服务器的主网络称为Usenet。Usenet 是世界性的新闻组网络系统，建立于1980年（但NNTP协议到1985年才开始使用）。与目前Web 2.0的潮流相比，这是很"古老"的，但大部分互联网（在一定程度）都是基于这种古老的技术[①]，而且使用一些底层的技术也没什么不好。本章中和NNTP相关的内容也可以用你的自定义新闻收集模块代替比如使用一些社交网站（例如Facebook或My Space）的Web API。

## 23.1 问题

本章内要编写的是一个信息收集代理程序，它可以收集信息（更具体地说是新闻）并且将其编译为一个报告。就你所了解的网络功能来看，好像不太难——的确不难，真的。但是在这个项目里面，要做的事情比简单地"利用urllib下载文件"要稍多一些，所涉及的另一个网络库，其用法比urllib稍难。除此之外，还要重构程序以允许存在多种新闻源和多种目标，并利用中间层的主引擎在程序前端和后端之间创建明显的界限。

最终程序的主要目标如下。

- 程序可以从多种不同的来源处收集新闻。
- 用户可以轻松添加新的新闻来源（甚至是新类型的新闻来源）。
- 程序可以将编译好的新闻报告分发到多个目标，可以使用多种格式。

---

① 不知读者是否知道http://groups.google.com上的讨论组，例如sci.math和rec.arts.sf.written，实际上就是基于Usenet组的？

❏ 程序应该可以轻松添加新的目标（甚至是新种类的目标）。

## 23.2　有用的工具

这个项目不需要单独安装软件。你只需一些标准库模块，包括从没介绍过的nntplib，它负责NNTP服务器的处理。这里就不详细介绍这个模块了，读者可以通过一些原型设计来了解它。

除此之外，程序还会用到time模块。请参见第10章获取更多信息。

## 23.3　准备工作

如果要使用nntplib，首先需要能访问到一个NNTP服务器。如果不清楚能够这么做，可以询问ISP或者系统管理员获取细节信息。本章的代码示例使用了comp.lang.python.announce新闻组，所以要确保新闻（NNTP）服务器包括这个组，或者可以找些自己喜欢的新闻组。NNTP服务器支持NEWNEWS命令，这一点是非常重要的——如果不支持，那么本章内的程序就没法用了（如果你不知道你的服务器是否支持这个命令，那么试着执行程序看看结果如何即可）。

如果不能访问NNTP服务器，或者服务器的NEWNEWS命令不可用，那么也可以使用一些对所有人公开的开放服务器。搜索"免费nntp服务器"，应该可以找到很多这类服务器。http://www.newzbot.com上面也有很多有用的资源。

现在假设你所使用的新闻服务器是news.foo.bar（这个不是真的服务器名，是不能使用的），那么可以像下面这样测试NNTP服务器：

```
>>> from nntplib import NNTP
>>> server = NNTP('news.foo.bar')
>>> server.group('comp.lang.python.announce')[0]
```

---

**注意**　如果要连接到某些服务器，需要提供额外的用于认证的参数。请参见Python库参考（http://docs.python.org/lib/module-nntplib.html）以获得NNTP构造函数可选参数的细节信息。

---

最后一行的运行结果应该是以'211'开头的字符串（基本上意味着服务器拥有你所请求的组），或者'411'（意为服务器并没有这个组）。看起来应该类似下面这样：

```
'211 51 1876 1926 comp.lang.python.announce'
```

如果返回的字符串以'411'开头，应该使用新闻阅读器寻找其他可用的新闻组（还有可能得到一个带有类似错误信息的异常）。如果引发了异常，那么有可能是服务器名字写错了。另外一种可能是在创建服务器对象和调用group方法之间"超时"了——服务器允许用户保持连接的时间很短（比如10秒钟）。如果你觉得输入的速度不够快，那么就把代码放在脚本里面然后运行（多加一个print），或者将服务器对象的创建和方法的调用放在同一行内（以分号隔开）。

## 23.4　初次实现

现在让我们本着原型的设计思想，来解决首要问题。要处理的第一个问题是下载NNTP服务器上面新闻组的最新信息。为了让事情简单化，只将结果打印到标准输出中（使用print）即可。

在查看实现的具体细节前，可以先看看本节后面的代码清单23-1的源代码，或执行一下以了解程序的工作原理。

程序的逻辑并不复杂，但是需要明白如何使用nntplib。程序会用到NNTP类的一个对象。就像在上节中看到的，这个类的构造函数需要接收一个参数进行实例化——也就是NNTP服务器的名字。你可以对这个实例调用3个方法。

- □ newnews方法：返回在给定日期时间之后发布的文章。
- □ head方法：提供关于文章（主要是主题）的各种信息。
- □ body方法：提供文章的正文文本。

newnews方法需要一个（yymmdd形式的）日期字符串和一个（hhmmss形式的）时间字符串以及组的名字。为了能构建这些参数，需要利用time模块中的time、localtime和strftime函数（请参见第10章获取更多关于time模块的信息）。

假设需要下载自昨天以来的所有新消息，那么就需要构造一个当前时间之前24小时的日期和时间。当前时间（以秒数表示）可以使用time函数获得，如果要获取昨天的时间，程序要做的就是减掉24小时（以秒数方式）。如果要让strftime使用这个时间，还得使用localtime函数将其转换为时间元组（请参见第10章）。查找"昨天"的代码如下：

```
from time import time, localtime
day = 24 * 60 * 60 # Number of seconds in one day
yesterday = localtime(time() - day)
```

下一步就是正确地将时间格式化为两个字符串。这需要使用strftime，如下例所示：

```
>>> from time import strftime
>>> strftime('%y%m%d')
'020409'
>>> strftime('%H%M%S')
'141625'
```

strftime的字符串参数是格式化字符串，它会指定所需的时间格式。在结果时间字符串里面大多数字符都可直接使用，但是这些以百分号开头的字符串会用各种与时间相关的值所替换。比如%y会被年份的最后两个数字所替换，%m则用月份代替（也是两个数字），以此类推。这类代码的完整列表可以参见Python库参考（http://docs.python.org/doc/lib/module-time.html）。当只提供一个格式化字符串时，strftime会使用当前的时间。也可以提供一个时间元组作为第二个参数。

```
from time import strftime
date = strftime('%y%m%d', yesterday)
hour = strftime('%H%M%S', yesterday)
```

---

**提示**　datetime模块为处理日期和时间提供了一个更加面向对象的方法。请参考标准库文档（http://docs.python.org/lib/module-datetime.html）。

---

现在已经得到了用于newnews方法的正确格式的日期和时间，要做的就是实例化一个服务器然后调用这个方法。使用刚才虚构的那个服务器名，代码如下例所示：

```
servername = 'news.foo.bar'
group = 'comp.lang.python.announce'
```

```
server = NNTP(servername)

ids = server.newnews(group, date, hour)[1]
```

注意，我从newnews返回的元组中提取了第二个参数。这样做就足够了：提取到了在给定日期和时间后所发表文章的ID号。

---

**注意**　newnews方法向NNTP服务器发送一个NEWNEWS命令。就像在23.3节中描述的那样，服务器可能无法解析或者支持这个命令，因而分别返回错误代码500或者501，或者是由于被管理员禁用而返回错误代码502。在这样的情况下，就需要去寻找其他的服务器。

---

在调用head和body方法时需要文章的ID，以告诉服务器你需要的是哪篇文章。

那么已经准备好（对每个ID）使用head和body，并且打印出结果了。就像newnews一样，head和body也返回带有各种信息的元组（比如命令是否成功等），但是你所关心的只是返回的数据本身，也就是第4个元素——一个字符串列表。给定ID的文章内容可以像下面这样获取：

```
body = server.body(id)[3]
```

对于文章头部（包括文章的各种信息的列表，比如主题、发布日期，等等）来说，只需要主题。主题行是以"Subject: Hello, world!"这样的形式存在的，所要找到以"Subject:"开始的行，然后提取这行的剩余部分。因为（根据NNTP标准）"subject"可以用全部小写、全部大写或者任何形式的大小写混合形式来写，只要对找到的行调用lower方法，然后和"subject"对比即可。下面是一个对由head所返回数据进行循环以查找主题的例子：

```
head = server.head(id)[3]
for line in head:
    if line.lower().startswith('subject:'):
        subject = line[9:]
        break
```

并不一定非得加上break语句，但是当找到主题后，也就不需要遍历剩余的行了。

再提取完文章的主题和内容后，要做的就是像下面这样打印它们：

```
print subject
print '-'*len(subject)
print '\n'.join(body)
```

在打印完所有文章后，要调用server.quit()方法，这样就完成了。在类似于bash的UNIX shell中，可以像下面这样运行程序：

```
$ python newsagent1.py | less
```

less的作用在于一次读取一篇文章（如果没有类似的分页程序，也可以重写程序的print部分，将结果文本存储在文件中，这也是再次实现中要做的。请参见第11章获取更多关于文件处理的信息。如果没有获得任何输出，可以尝试昨天之前的时间）。简单的新闻收集代理程序的源代码如代码清单23-1所示。

**代码清单23-1**　简单的新闻收集代理程序（newsagent1.py）

```
from nntplib import NNTP
```

```
from time import strftime, time, localtime
day = 24 * 60 * 60 # 一天的秒数

yesterday = localtime(time() - day)
date = strftime('%y%m%d', yesterday)
hour = strftime('%H%M%S', yesterday)

servername = 'news.foo.bar'
group = 'comp.lang.python.announce'
server = NNTP(servername)

ids = server.newnews(group, date, hour)[1]

for id in ids:
    head = server.head(id)[3]
    for line in head:
        if line.lower().startswith('subject:'):
            subject = line[9:]
            break

    body = server.body(id)[3]

    print subject
    print '-'*len(subject)
    print '\n'.join(body)

server.quit()
```

## 23.5 再次实现

初次实现的版本能用，但是不够灵活，它只能从Usenet讨论组获取信息。在再次实现的版本中，通过代码重构进行修改。会利用创建类和方法的形式来增加结构和抽象，以表示代码的各个部分。完成了这项工作以后，替换代码某部分的工作要比原来的程序简单得多。

在投入到再次实现版本的细节工作前，也可以提前看看（或执行）代码，这次的代码在本章后面的代码清单23-2中。

---

**注意**　要将变量clpa_server设置为可用的服务器，代码清单23-2的代码才能工作。

---

那么需要什么类呢？根据第7章的建议，看看问题描述中的重要名词好了：信息（information）、代理（agent）、新闻（news）、报告（report）、网络（network）、新闻来源（news source）、目标（destination）、前端（front end）、后端（back end）以及主引擎（main engine）。这些名词使我们想到下面的主类（或者类）：NewsAgent、NewItem、Source和Destination。不同的来源会构成前端，而目标会构成后端，新闻代理则是中间层。

这里面最简单的是NewsItem——它只表示一些数据，包括标题和文章体（短文本）。可以按照下面的方式实现：

```
class NewsItem:

    def __init__(self, title, body):
        self.title = title
        self.body = body
```

想知道到底要从新闻来源和新闻目标中获取什么，最好从编写代理本身开始。代理必须维护两个列表：一个是来源列表；一个是目标列表。可以使用addSource和addDestination分别增加来源和目标。

```
class NewsAgent:

    def __init__(self):
        self.sources = []
        self.destinations = []

    def addSource(self, source):
        self.sources.append(source)

    def addDestination(self, dest):
        self.destinations.append(dest)
```

现在缺的就是可以将新闻项目从来源发布到目标的方法了。在发布过程中，每个目标必须拥有一个返回其所有新闻项目的方法，并且每个来源也需要一个获取所有正在被发布的新闻项目的方法。我们可以称这两个方法为getItems和receiveItems。为了能更灵活一些，只要求getItems返回NewsItems的任意一个迭代器。为了让目标容易实现，我假设receiveItems可使用队列参数进行调用（可以多次迭代该参数，从而在列出新闻项目前创建内容的表）。在决定这些之后，NewsAgent的distribute方法就变成如下形式：

```
def distribute(self):
    items = []
    for source in self.sources:
        items.extend(source.getItems())
    for dest in self.destinations:
        dest.receiveItems(items)
```

这个方法会遍历所有来源，建立新闻项目的列表。然后会遍历所有目标，将新闻项目的完整列表提供给它们。

现在你需要的就是一些来源和目标。可以创建一个工作方式类似于第一个原型中打印信息的目标进行测试：

```
class PlainDestination:

    def receiveItems(self, items):
        for item in items:
        print item.title
        print '-'*len(item.title)
        print item.body
```

格式化方式是相同的，不同点在于程序已经封装了格式化函数。它现在是多个目标中的一个了，而不只是程序的硬编码部分。本章后面的代码清单23-2中是个稍复杂一些的目标（HTMLDestination，会生成HTML）。在PlainDestination的基础上，它还增加了一些特性：

❑ 生成的文本是HTML；
❑ 将文本写入具体的文件内，而不只是标准输出；
❑ 除了项目的列表外，还会创建内容的表。

就是这样了。内容的表使用链接到页面各部分的超链接创建。可以使用形式为

<ahref="#nn">...</a>的超链接实现（nn为数字），链接会跳转到带有<a name="nn">...</a>这样的封闭锚点的标题处（nn也可为其他数字，但是应该和内容表中的一样）。内容表和新闻项目的主列表是在两个不同的for循环中创建的。请参见图23-1中的示例输出（用到了下面要说到的NNTPSource）。

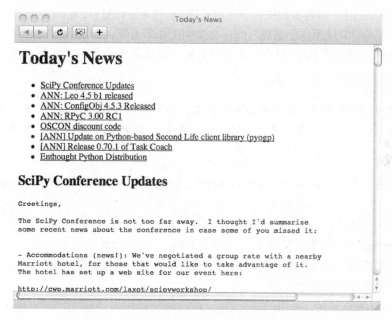

图23-1　自动生成的新闻页

这里有些需要额外注意的：在考虑设计时，我想过利用泛型超类表示新闻来源和新闻目标。但是来源和目标事实上不共享任何行为，所以让它们使用同一个超类是没意义的。在它们正确实现了所需的方法后（getItems和receiveItems），NewsAgent就不用发愁了（这是一个第9章介绍过的使用协议而不是要求具体的、通用的超类的例子）。

在创建一个NNTPSource对象时，大多数代码都可以从最初的原型中获取。你会从代码清单23-2中看到，现在的程序和原来程序的主要区别如下。

- 代码被封装在了getItems方法中。servername和group变量现在成了构造函数的参数。并且增加了一个window（时间窗口），而不是假设用户要获取从昨天以来的新闻（这样等同于将window设定为1）。
- 程序用到了email模块中(利用message_from_string函数构造)的Message对象来提取主题。这类事情都可能是在参阅开发文档（去查看是不是已经有了完成所需功能的特性）时加入到新版本中的。
- 不直接打印每个新闻项目，而是生成一个NewsItem对象（把getItems创建为生成器）。

为了演示设计的灵活之处，要增加一个新闻来源——可以从网页中提取新闻项目（使用正则表达式，请参见第10章获取更多信息）的来源。SimpleWebSource（参见代码清单23-2）使用一个

URL和两个正则表达式（分别表示标题和内容）作为构造函数的参数。getItems内则使用正则表达式方法findall来查找所有（标题和内容的）匹配项，并且使用zip进行联合。之后程序会遍历(title, body)构成的列表，为每一对生成一个NewsItem。如你所见，添加新种类的来源（或目标）并不很难。

为了能让代码工作，需要实例化一个代理程序、一些来源和目标。在runDefaultSetup函数（如果模块作为程序运行则调用这个函数）内，会实例化如下对象。

□ 针对BBS新闻站点的SimpleWebSource对象。它使用两个简单的正则表达式提取需要的信息。

---

**注意**　BBC新闻网页的HTML页面布局可能会变，如果这样的话就需要重写正则表达式。在使用其他页面的时候也要注意这样的情况。要查看HTML源代码然后试着去找到适用的匹配模式。

---

□ 针对comp.lang.python的NNTPSource对象。时间窗口设为1，所以工作方式和第一个原型一样。

□ PlainDestination对象，会打印收集的所有新闻。

□ HTMLDestination对象，会生成news.html页面。

当这些对象都被创建并且添加到NewsAgent后，distribute方法会被调用。

可以像下面这样运行程序：

```
$ python newsagent2.py
```

news.html页面的运行结果如图23-2所示。

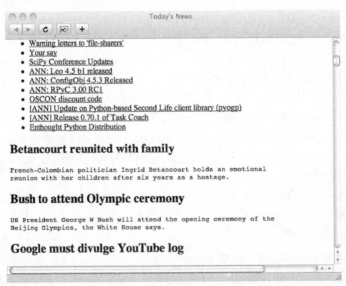

图23-2　包括一个以上来源的新闻页面

再次实现的全部代码如代码清单23-2中所示。

**代码清单23-2　更灵活的新闻收集代理程序**（newsagent2.py）

```python
from nntplib import NNTP
from time import strftime, time, localtime
from email import message_from_string
from urllib import urlopen
import textwrap
import re

day = 24 * 60 * 60 # 一天的秒数

def wrap(string, max=70):
    """
    将字符串调整为最大行宽。
    """
    return '\n'.join(textwrap.wrap(string)) + '\n'

class NewsAgent:
    """
    可以从新闻来源获取新闻项目并且发布到新闻目标的对象。
    """
    def __init__(self):
        self.sources = []
        self.destinations = []

    def addSource(self, source):
        self.sources.append(source)

    def addDestination(self, dest):
        self.destinations.append(dest)

    def distribute(self):
        """
        从所有来源获取所有新闻项目并且发布到所有目标。
        """
        items = []
        for source in self.sources:
            items.extend(source.getItems())
        for dest in self.destinations:
            dest.receiveItems(items)

class NewsItem:
    """
    包括标题和主体文本的简单新闻项目。
    """
    def __init__(self, title, body):
        self.title = title
        self.body = body

class NNTPSource:
    """
    从NNTP组中获取新闻项目的新闻来源。
    """
    def __init__(self, servername, group, window):
        self.servername = servername
        self.group = group
        self.window = window
```

```python
    def getItems(self):
        start = localtime(time() - self.window*day)
        date = strftime('%y%m%d', start)
        hour = strftime('%H%M%S', start)

        server = NNTP(self.servername)


        ids = server.newnews(self.group, date, hour)[1]

        for id in ids:
            lines = server.article(id)[3]
            message = message_from_string('\n'.join(lines))

            title = message['subject']
            body = message.get_payload()
            if message.is_multipart():
                body = body[0]

            yield NewsItem(title, body)

        server.quit()

class SimpleWebSource:
    """
    使用正则表达式从网页中提取新闻项目的新闻来源。
    """
    def __init__(self, url, titlePattern, bodyPattern):
        self.url = url
        self.titlePattern = re.compile(titlePattern)
        self.bodyPattern = re.compile(bodyPattern)

    def getItems(self):
        text = urlopen(self.url).read()
        titles = self.titlePattern.findall(text)
        bodies = self.bodyPattern.findall(text)
        for title, body in zip(titles, bodies):
            yield NewsItem(title, wrap(body))

class PlainDestination:
    """
    将所有新闻项目格式化为纯文本的新闻目标类。
    """
    def receiveItems(self, items):
        for item in items:
            print item.title
            print '-'*len(item.title)
            print item.body

class HTMLDestination:
    """
    将所有新闻项目格式化为HTML的目标类。
    """
    def __init__(self, filename):
        self.filename = filename

    def receiveItems(self, items):

        out = open(self.filename, 'w')
```

```python
        print >> out, """
        <html>
          <head>
            <title>Today's News</title>
          </head>
          <body>
          <h1>Today's News</h1>
        """

        print >> out, '<ul>'
        id = 0
        for item in items:
            id += 1
            print >> out, ' <li><a href="#%i">%s</a></li>' % (id, item.title)
        print >> out, '</ul>'

        id = 0
        for item in items:
            id += 1
            print >> out, '<h2><a name="%i">%s</a></h2>' % (id, item.title)
            print >> out, '<pre>%s</pre>' % item.body

        print >> out, """
          </body>
        </html>
        """

def runDefaultSetup():
    """
    来源和目标的默认设置。可以自己修改。
    """
    agent = NewsAgent()

    # 从BBS新闻站获取新闻的SimpleWebSource:
    bbc_url = 'http://news.bbc.co.uk/text_only.stm'
    bbc_title = r'(?s)a href="[^"]*">\s*<b>\s*(.*?)\s*</b>'
    bbc_body = r'(?s)</a>\s*<br />\s*(.*?)\s*<'
    bbc = SimpleWebSource(bbc_url, bbc_title, bbc_body)

    agent.addSource(bbc)

    # 从comp.lang.python.annouce获取新闻的NNTPSource:
    clpa_server = 'news.foo.bar' # Insert real server name
    clpa_group = 'comp.lang.python.announce'
    clpa_window = 1
    clpa = NNTPSource(clpa_server, clpa_group, clpa_window)

    agent.addSource(clpa)

    # 增加纯文本目标和HTML目标:
    agent.addDestination(PlainDestination())
    agent.addDestination(HTMLDestination('news.html'))

    # 发布新闻项目:
    agent.distribute()

if __name__ == '__main__': runDefaultSetup()
```

# 23.6 进一步探索

这个项目具有可扩展的本质，所以有很多可以进一步探索的地方。下面是一些想法。

❑ 使用第15章讨论的屏幕抓取技术创建更牛的WebSource。

❑ 创建一个可以解析RSS的RSSSource，曾在第15章讨论过。

❑ 改进HTMLDestination的布局。

❑ 创建一个页面监视器，它可以在某网页最后一次查看后发生变化的情况下，提供一个新闻项目（只要在改变后下载一个副本即可，然后再对比。请参见标准库中用于比较文件的filecmp模块）。

❑ 创建新闻脚本的CGI版本（参看第15章）。

❑ 创建一个EmailDestination，它可以将新项目作为Email发送出去（请参看标准库中用于发送Email的smtplib模块）。

❑ 增加命令行开关，以决定所需要的新闻格式（请参看标准库中的getopt和optparse模块）。

❑ 提供有关新闻来源的信息，获得更好的布局效果。

❑ 试着将新闻项目分类（可通过搜索关键词）。

❑ 创建一个XMLDestination，可以生成能用于项目3（在第22章中）中站点建立Voilà程序的XML文件——这样就实现了一个新闻网站。

## 接下来学什么

前面已经介绍了很多文件创建和处理（包括下载所需文件）的知识，尽管这些功能都很有用，但交互性还是不够。下一个项目会创建一个可以在线聊天的服务器，甚至能对它进行扩展，创建自定义虚拟（文本）场景。

# 第 24 章

# 项目5：虚拟茶话会

这个项目实现的是真正的网络程序设计。接下来将会实现一个聊天服务器，也就是让几个人通过互联网进行实时交互聊天的程序。在Python内实现这样一个程序有很多方法。其中比较简单而且自然的方式是使用Twisted框架（在14章讨论过），比如让LineReceiver类负责核心的部分。本章内，还是以标准库内的asyncore和asynchat模块为基础建立程序。如果愿意的话也可以尝试第14章讨论过的其他方法（比如分叉和线程技术）。

## 24.1 问题

在线聊天已经"飞入寻常百姓家"。互联网上聊天服务的种类很多（IRC、即时聊天工具，等等），有些甚至是功能齐全、基于文本的虚拟世界（请参见http://www.mudconnect.com上面的长列表）。如果想要建立一个聊天服务器，那么有很多免费的服务器程序可供下载和安装，但是自己写一个比较有用，原因如下。

❑ 学习网络编程的知识。

❑ 可以按自己的想法设计，彰显个性化。

第二点表示在编写完整的程序前，可以先写一个简单的聊天服务器，然后利用你所掌握的Python的强大功能将它开发为任意功能的服务器（包括虚拟世界）。很酷吧？

聊天服务器项目应实现如下功能。

❑ 服务器能同时接受来自不同用户的连接。

❑ 允许用户同时（并行）操作。

❑ 能够解释命令，例如，say或者logout命令。

❑ 服务器容易扩展。

其中网络连接和程序并行部分的功能需要使用特殊工具来实现。

## 24.2 有用的工具

本项目内唯一所需的新工具是标准库中的asyncore模块以及与它相关的asynchat模块。我首先会讲述这两个模块的工作方式，还可以在Python库参考（http://python.org/doc/lib/moduleasyncore. html和http://python.org/doc/lib/module-asynchat.html）内找到更详细的介绍。

第14章讨论过，网络程序的基础组件是套接字。所以可以导入socket模块并且使用其中的函数直接创建套接字。那么asyncore有什么用？

使用asyncore框架，程序可以处理同时连接的多个用户。想象一下，如果没有这个处理并发的特殊工具：在启动服务器后，要等待用户连接。用户连接上了以后，程序开始从用户那里读取数据，并通过套接字返回结果。但是如果有其他用户已经连接了怎么办？第二个用户必须等第一个用户的连接完成之后才能进行连接。有些情况下还可以凑合用，但是如果编写的是聊天服务器，需要实现的就是允许一个以上的用户同时连接，若无法同时处理多个连接，那么用户还怎么和其他用户聊天呢？

asyncore框架基于一些底层的机制（比如第14章讨论过的select模块中的select函数），这些机制允许服务器逐个地对于连接上的用户进行服务。在处理下一个连接前，它并不读取当前用户的所有可用数据，而只读取一部分。除此之外，服务器只从那些需要读取数据的套接字中读取。程序就这样一遍遍地循环。写入操作的原理同理。只使用socket和select模块就可以实现，但是asyncore和asynchat提供了一个可以处理所有细节的有用框架。有关另外一种实现并行用户连接的方法，请参见14.3节。

## 24.3　准备工作

首先需要一个连接到网络（比如互联网）的计算机，否则其他人就不能连接到你的聊天服务器了。（也可以从你自己的计算机连接到聊天服务器，但是从长远来看那样就没什么意思了，不是吗？）为了能够进行连接，用户需要知道计算机的地址（比如foo.bar.baz.com这样的计算机名，或者是IP地址）。除此之外，用户还必须知道服务器所用的端口号。这些都可以可以在程序中进行设定，本章内使用（任意指定的）5005作为端口号。

---

**注意**　第14章曾经提到过，程序所用的端口号会受限制并且需要管理员权限的。一般来说，用1023以上的端口就可以。

---

需要一个客户端来测试服务器，也就是交互中作为用户端的程序。这类程序中比较简单的是telnet（基本上可以使程序连接到任何套接字服务器）。UNIX内，则可以通过命令行启动程序：

```
$ telnet some.host.name 5005
```

上面的命令会连接到some.host.name主机的5005端口。为了连接到运行telnet命令的同一台计算机，只要使用localhost作为主机名即可（可以通过-e选项开关提供一个转义字符，确保可以轻松退出telnet。请参见操作页面获取更多信息）。

Windows内可以使用标准telnet命令（在命令提示符窗口中），或者是类似PuTTY（这个软件和更多的信息都可以在http://www.chiark.greenend.org.uk/~sgtatham/putty上找到）的具有telnet功能的终端模拟器。但是如果正在安装新的软件，还得找个用于聊天的客户端程序。MUD（或者MUSH、MOO或者其他相关程序）客户端[1]就不错。对于客户端，我的选择是TinyFugue（软件和更多信息可以在http://tinyfugue.sf.net上找到），它主要用于UNIX（还有很多Windows可用的客户端，只要搜索"mud客户端"之类的关键字就能找到）。

## 24.4 初次实现

下面来分解一下程序。需要创建两个主类：一个作为聊天服务器，一个用于表示每个聊天会话（已连接用户）。

### 24.4.1 ChatServer类

要生成基本的ChatServer类，需要继承asyncore模块中的dispathcher类，dispatcher基本上就是一个套接字对象，但是可以利用它额外的事件处理特性，稍后就会用到。

请参见代码清单24-1中的基本聊天服务器程序（功能很少）。

**代码清单24-1 迷你服务器程序**

```
from asyncore import dispatcher
import asyncore

class ChatServer(dispatcher): pass

s = ChatServer()
asyncore.loop()
```

如果运行这个程序的话，会发现什么都没发生。为了能让服务器做点有意思的事情，需要调用它的create_socket方法创建一个套接字，然后利用bind和listen方法将套接字绑定到具体的端口上，告诉它监听进入的连接（毕竟这就是服务器所做的事了）。除此之外，还需要覆盖handle_accept事件处理方法，让服务器在接受一个客户端连接时能做点什么。最终程序如代码清单24-2所示。

**代码清单24-2 可以接受连接的服务器**

```
from asyncore import dispatcher
import socket, asyncore

class ChatServer(dispatcher):

    def handle_accept(self):
        conn, addr = self.accept()
        print 'Connection attempt from', addr[0]

s = ChatServer()
s.create_socket(socket.AF_INET, socket.SOCK_STREAM)
s.bind(('', 5005))
s.listen(5)
asyncore.loop()
```

---

[1] MUD（Multi-User Dungeon/Domain/Dimension）代表多用户空间。MUSH（Multi-User Shared Hallucination）代表多用户共享幻觉。MOO代表面向对象的MUD。可以参考维基百科（http://en.wikipedia.org/wiki/MUD），得到更多的信息。

handle_accept方法会调用允许客户端连接的self.accept函数。它会返回一个连接（针对客户端的具体套接字）和一个地址（有关所连接计算机的信息）。handle_accept方法只是打印有关连接尝试的信息，除此之外对于连接不做任何操作。addr[0]是客户端的IP地址。

服务器初始化过程会调用create_socket，使用两个参数指定所需套接字的类型。可以使用不同的类型，但是这里所列举的都是一般会用到的类型。调用bind方法会把服务器绑定到具体的地址上（主机名和端口）。主机名为空（空字符串，意味着"本地主机"，或者更专业一点来说是"本机的所有接口"），端口号为5005。调用listen以告诉服务器要监听连接，并且指定5个连接的待办的事务。最后，调用asyncore.loop启动服务器，像刚才一样循环监听。

服务器现在可以工作了。可以试着运行并且使用客户端连接。客户端应该立刻被断开连接，服务器会打印下面的信息：

```
Connection attempt from 127.0.0.1
```

如果没有从作为服务器的计算机进行连接的话，IP地址会有所不同。

停止服务器只要按下键盘上的中断快捷键即可：UNIX内为Ctrl+C，Windows内为Ctrl+Break。

使用键盘关闭服务器会导致打印栈跟踪信息，为了避免这种情况，可以在try/except语句内放置loop。再加上一些清理功能，基本服务器最终版的代码如代码清单24-3所示。

**代码清单24-3    具有一些清理功能的基本服务器**

```
from asyncore import dispatcher
import socket, asyncore

PORT = 5005

class ChatServer(dispatcher):

    def __init__(self, port):
        dispatcher.__init__(self)
        self.create_socket(socket.AF_INET, socket.SOCK_STREAM)
        self.set_reuse_addr()
        self.bind(('', port))
        self.listen(5)

    def handle_accept(self):
        conn, addr = self.accept()
        print 'Connection attempt from', addr[0]

if __name__ == '__main__':
    s = ChatServer(PORT)
    try: asyncore.loop()
    except KeyboardInterrupt: pass
```

新增的对于set_reuse_addr的调用可以在服务器没有正确关闭的情况下重用同一个地址（具体地说是端口号，如果不进行这个调用，服务器重启前可能需要等一小会儿——或者在每次服务器崩溃前要更改端口号，因为你的程序可能无法正确通知操作系统它已经用完了某个端口）。

## 24.4.2  ChatSession类

基本的ChatServer类用处不大。实际上，不应当忽略每一次连接企图，而应为每一次连接创建一个新的dispatcher对象。但是这些对象的行为应该和用作主服务器的对象的行为有所不同。它们不在某个端口监听进入的连接，因为它们已经连接到了一个客户端。它们的主要任务是收集来自客户端的数据（文本）并且进行响应。你可以自己继承dispatcher并且重写一些方法来实现这个功能，但是幸运的是已经有现成的模块能够完成绝大多数的工作：asynchat。

Asynchat的作用和它的名字的含义并不一致，它并不是为我们所使用的流类型（连续的）聊天应用而设计的（名字中的chat意为"chat-style"或者命令响应协议）。async_chat类（位于asynchat模块中）的好处在于它隐藏了大多数基本的套接字读写操作，这些操作的实现还是稍有些困难的。为了能让asynchat起作用，只要覆盖两个方法即可：collect_incoming_data和found_terminator。前者在每次从套接字中读取一些bit文本时调用，后者在读取一个结束符时调用。（本项目中的）结束符就是换行符（需要将set_terminiator作为初始化的一部分调用，以告诉async_chat终止对象是什么）。

升级后的带有ChatSession类的程序如代码清单24-4所示。

**代码清单24-4　带有ChatSession类的服务器程序**

```
from asyncore import dispatcher
from asynchat import async_chat
import socket, asyncore

PORT = 5005

class ChatSession(async_chat):

    def __init__(self, sock):
        async_chat.__init__(self, sock)
        self.set_terminator("\r\n")
        self.data = []

    def collect_incoming_data(self, data):
        self.data.append(data)

    def found_terminator(self):
        line = ''.join(self.data)
        self.data = []
        # 处理这行数据……
        print line

class ChatServer(dispatcher):

    def __init__(self, port):
        dispatcher.__init__(self)
        self.create_socket(socket.AF_INET, socket.SOCK_STREAM)
        self.set_reuse_addr()
        self.bind(('', port))
        self.listen(5)
        self.sessions = []

    def handle_accept(self):
        conn, addr = self.accept()
        self.sessions.append(ChatSession(conn))

if __name__ == '__main__':
```

```
s = ChatServer(PORT)
try: asyncore.loop()
except KeyboardInterrupt: print
```

在这个新版本中有些值得注意的事项如下。

- ❑ set_terminiator方法用于将行终止符设定为"\r\n"，它也是网络协议中通用的行终止符。
- ❑ ChatSession对象会将目前读取的数据作为保存为字符串列表data。当读入更多数据时，collect_incoming_data会自动被调用，它会将新读入的数据追加到列表中。使用字符串列表，之后连接它们（使用join字符串方法）只是一个习惯（原来的版本中，这样做比递增地添加字符串的效率高得多）。现在的话，用+=运算符进行字符串修改也没问题。
- ❑ found_terminiator方法在读到终止符时被调用。目前的实现使用连接当前数据项的方法创建新行，并且将self.data重置为空列表。不过因为目前还不用对数据行进行什么有用的操作，所以只是将其打印出来。
- ❑ ChatServer保存会话列表。
- ❑ ChatServer的handle_accept方法现在创建了新的ChatSession对象，并且将其追加到会话列表中。

现在试着运行服务器，并且同时使用两个（或者更多）客户端进行连接。在客户端输入的每一行都应该会在服务器所运行的终端中打印出来。这就意味着服务器已经可以处理多个同步的连接了。现在缺少的就是客户端查看其他人的发言的能力了！

### 24.4.3 整合

在原型成为具有完整功能（虽然挺简单的）的聊天服务器前，还缺少一个主要的功能：将用户的发言（他们输入的每一行）广播给其他的用户。这个功能通过在服务器端的一个简单的for循环就能实现——遍历会话的列表，并且将发言行写到每一个客户端里面。为了能在async_chat对象中写入数据，则需要使用push方法。

但是这个广播的行为可能会导致另一个问题：必须保证在客户端断开连接之后，将它从会话列表中移除。可以重写事件处理方法handle_close来实现这个功能。第一个原型的完整版本如代码清单24-5所示。

**代码清单24-5** 简单的聊天服务器 (simple_chat.py)

```
from asyncore import dispatcher
from asynchat import async_chat
import socket, asyncore

PORT = 5005
NAME = 'TestChat'
class ChatSession(async_chat):
    """
    处理服务器和一个用户之间连接的类。
    """
    def __init__(self, server, sock):
        # 标准设置任务：
        Async_chat.__init__(self, sock)
```

```
            self.server = server
            self.set_terminator("\r\n")
            self.data = []
            # 问候用户
            self.push('Welcome to %s\r\n' % self.server.name)

        def collect_incoming_data(self, data):
            self.data.append(data)

        def found_terminator(self):
            """
            如果发现了一个终止对象，也就意味着读入了一个完整的行，将其广播给每个人。
            """
            line = ''.join(self.data)
            self.data = []
            self.server.broadcast(line)

        def handle_close(self):
            async_chat.handle_close(self)
            self.server.disconnect(self)

class ChatServer(dispatcher):
    """
    接受连接并且产生单个会话的类。它还会处理到其他会话的广播。
    """
    def __init__(self, port, name):
        # Standard setup tasks
        dispatcher.__init__(self)
        self.create_socket(socket.AF_INET, socket.SOCK_STREAM)
        self.set_reuse_addr()
        self.bind(('', port))
        self.listen(5)
        self.name = name
        self.sessions = []
    def disconnect(self, session):
        self.sessions.remove(session)

    def broadcast(self, line):
        for session in self.sessions:
            session.push(line + '\r\n')

    def handle_accept(self):
        conn, addr = self.accept()
        self.sessions.append(ChatSession(self, conn))

if __name__ == '__main__':
    s = ChatServer(PORT, NAME)
    try: asyncore.loop()
    except KeyboardInterrupt: print
```

## 24.5  再次实现

　　第一个原型算是个功能完善的聊天服务器，但是它的功能很有限。最明显的限制就是无法判断谁说了什么。并且它不能解释命令（比如say或者logout），这也是原来的具体需求所需要的。因此需要增加对于身份（每个用户有唯一的名字）和命令解释的支持，而且还得确保要按照每个会话的状态采取适当的行为——所有这些都会让它更加容易扩展。

### 24.5.1    基础命令解释

接下来会演示如何使用标准库中cmd模块内的Cmd类将命令解释功能模块化（不过不能直接使用这个类，因为它只能和sys.stdin和sys.stdout一起使用，所处理的则是流对象）。现在需要可以处理单行文本（用户输入的）的函数或方法。它应该可以截下第一个词（命令）然后根据这个词调用相应的方法，例如下面这行：

say Hello, world!

会调用如下方法：

do_say('Hello, world!')

并且会将会话自身作为附加的参数（这样do_say就知道谁在说话了）。

下面是一个简单的实现，其中包括解释未知命令的方法：

```
class CommandHandler:
    """
    类似于标准库中cmd.Cmd的简单命令处理程序。
    """
    def unknown(self, session, cmd):
        session.push('Unknown command: %s\r\n' % cmd)

    def handle(self, session, line):
        if not line.strip(): return
        parts = line.split(' ', 1)
        cmd = parts[0]
        try: line = parts[1].strip()
        except IndexError: line = ''
        meth = getattr(self, 'do_'+cmd, None)
        try:
            meth(session, line)
        except TypeError:
            self.unknown(session, cmd)
```

类中的getattr的使用方法类似于第20章的项目中讨论过的用法。

如果不想使用基本的命令处理，就要定义一些真正的命令，并根据当前会话状态决定哪个命令可用（有什么功能）。那么怎么能表示状态呢？

### 24.5.2    房间

每个状态都可以用自定义的命令处理程序来表示。这样就可以很轻松地和标准聊天室（或者MUD中的地点）的概念相融合了。每个房间都是一个拥有特定的自定义命令的CommandHandler对象。除此之外，它还能记录哪个用户（会话）目前位于聊天室内。下面是适用于所有房间的一个泛型超类：

```
class EndSession(Exception): pass

class Room(CommandHandler):
    """
    可以包括一个或多个用户（会话）的泛型环境。它负责基本的命令处理和广播。
    """

    def __init__(self, server):
```

```
        self.server = server
        self.sessions = []

    def add(self, session):
        self.sessions.append(session)

    def remove(self, session):
        self.sessions.remove(session)

    def broadcast(self, line):
        for session in self.sessions:
            session.push(line)

    def do_logout(self, session, line):
        raise EndSession
```

　　除了基本的add和remove方法之外，broadcast方法会对房间内的所有用户（会话）调用push方法。我还定义了另外一个命令——logout（以do_logout方法的形式）。它会引发一个处理较高级别的处理操作（在found_terminator中）的异常。

### 24.5.3　登录和退出房间

　　除了表示一般的聊天室（这个项目只包括这样的聊天室）之外，Room子类还应该能表示其他状态，这也是你所需要的。比如当用户连接服务器时，他会被放在一个专门的LoginRoom（没有其他用户）内。LoginRoom会在用户进入的时候（在add方法内）打印一个欢迎语。它还会覆盖unkown方法以通知用户进行登录。它只响应login命令，这个命令会检查用户名是否可接受（用户名不为空，且没有其他用户使用）。

　　LogoutRoom就简单多了。它唯一的工作就是在服务器端（服务器端包括一个存储会话的叫做users的字典）删除用户名。如果用户名不存在（因为用户从未登录），那么最终的KeyError异常。这两个类的源代码如代码清单24-6所示。

> **注意**　尽管服务器端的users字典保存对所有会话的引用，但是并没有从中获取任何会话。users字典只用于记录已经使用过的用户名。但是我没有使用一些人为设定的值（比如Ture），而是决定让每个用户名指向相应的会话。尽管现在不一定用得到，但在程序以后的版本中它可能很有用（如果一个用户发送私信给另外一个用户）。也可以保存集合或者会话列表。

### 24.5.4　主聊天室

　　主聊天室也要覆盖add和remove方法。add方法会广播用户进入的消息，并且将用户名添加到服务器端的users字典内。remove方法广播用户离开的消息。

　　除这两个方法外，ChatRoom类还会实现如下3个命令。

　　❏ say命令（由do_say实现）广播一个单行，用发言的用户的名字作为前缀。

　　❏ look命令（由do_look实现）会告诉用户当前房间内有哪些用户。

- who命令（由do_who实现）告诉用户有哪些用户登录到了当前的服务器。在这个简单的服务器内，look和who是等价的。但是如果希望扩展成包含多于一个房间的程序，那么他们功能就会不同了。

源代码请参见本章后面的代码清单24-6。

## 24.5.5　新的服务器

我已经描述了大多数的功能。对于ChatSession和ChatServer功能的主要改进如下。

- ChatSession有个enter方法，用于进入新房间。
- ChatSession构造函数使用了LoginRoom。
- handle_close方法使用了LogoutRoom。
- ChatServer构造函数增加了users字典，并且将名为main_room的ChatRoom增加为自己的特性。

注意，handle_accept如何不再将新的ChatSession对象添加到会话列表中，因为现在会话由房间所管理了。

---

**注意**　一般来说，如果只实例化一个对象（比如handle_accept中的ChatSession）而不绑定一个名称或者将其添加到某个容器内，它将会丢失，并且可能会被当作垃圾收集（也就是说会完全消失）。因为所有的dispatcher对象都是由asyncore（async_chat是dispatcher的子类）处理（引用）的，所以这里不会出现上面说到的问题。

---

聊天服务器的最终版本如代码清单24-6所示。为了方便使用，下面将可用的命令列在表24-1中。

**代码清单24-6**　稍复杂些的聊天服务器（chatserver.py）

```
from asyncore import dispatcher
from asynchat import async_chat
import socket, asyncore

PORT = 5005
NAME = 'TestChat'
class EndSession(Exception): pass

class CommandHandler:
    """
    类似于标准库中cmd.Cmd的简单命令处理程序。
    """

    def unknown(self, session, cmd):
        '响应未知命令'
        session.push('Unknown command: %s\r\n' % cmd)

    def handle(self, session, line):
        '处理从给定的会话中接收到的行。'
        if not line.strip(): return
        # 分离命令：
        parts = line.split(' ', 1)
```

```
        cmd = parts[0]
        try: line = parts[1].strip()
        except IndexError: line = ''
        # 试着查找处理程序:
        meth = getattr(self, 'do_'+cmd, None)
        try:
            # 假定它是可调用的:
            meth(session, line)
        except TypeError:
            # 如果不可以被调用，此段代码响应未知的命令:
            self.unknown(session, cmd)

class Room(CommandHandler):
    """
    包括一个或多个用户（会话）的泛型环境。它负责基本的命令处理和广播。
    """

    def __init__(self, server):
        self.server = server
        self.sessions = []

    def add(self, session):
        '一个会话（用户）已进入房间'
        self.sessions.append(session)

    def remove(self, session):
        '一个会话（用户）已离开房间'
        self.sessions.remove(session)

    def broadcast(self, line):
        '向房间中的所有会话发送一行'
        for session in self.sessions:
            session.push(line)

    def do_logout(self, session, line):
        '响应logout命令'
        raise EndSession

class LoginRoom(Room):
    """
    为刚刚连接上的用户准备的房间。
    """

    def add(self, session):
        Room.add(self, session)
        # 当用户进入时，问候他或她:
        self.broadcast('Welcome to %s\r\n' % self.server.name)

    def unknown(self, session, cmd):
        # 所有未知命令（除了login或者logout外的一切）
        # 会导致一个警告:
        session.push('Please log in\nUse "login <nick>"\r\n')

    def do_login(self, session, line):
        name = line.strip()
        # 确保用户输入了名字:
        if not name:
            session.push('Please enter a name\r\n')
        # 确保用户名没有被使用:
        elif name in self.server.users:
```

```
                    session.push('The name "%s" is taken.\r\n' % name)
                    session.push('Please try again.\r\n')
                else:
                    # 名字没问题，所以存储在会话中，并且
                    # 将用户移动到主聊天室。
                    session.name = name
                    session.enter(self.server.main_room)

class ChatRoom(Room):
    """
    为多用户相互聊天准备的房间。
    """

    def add(self, session):
        # 告诉所有人有新用户进入：
        self.broadcast(session.name + ' has entered the room.\r\n')
        self.server.users[session.name] = session
        Room.add(self, session)

    def remove(self, session):
        Room.remove(self, session)
        # 告诉所有人有用户离开：
        self.broadcast(session.name + ' has left the room.\r\n')

    def do_say(self, session, line):
        self.broadcast(session.name+': '+line+'\r\n')

    def do_look(self, session, line):
        '处理look命令，该命令用于查看谁在房间内'
        session.push('The following are in this room:\r\n')
        for other in self.sessions:
            session.push(other.name + '\r\n')

    def do_who(self, session, line):
        '处理who命令，该命令用于查看谁登录了'
        session.push('The following are logged in:\r\n')
        for name in self.server.users:
            session.push(name + '\r\n')

class LogoutRoom(Room):
    """
    为单用户准备的简单房间。只用于将用户名从服务器移除。
    """

    def add(self, session):
        # 当会话（用户）进入要删除的LogoutRoom时
        try: del self.server.users[session.name]
        except KeyError: pass

class ChatSession(async_chat):
    """
    单会话，负责和单用户通信。
    """

    def __init__(self, server, sock):
        async_chat.__init__(self, sock)
        self.server = server
        self.set_terminator("\r\n")
        self.data = []
        self.name = None
```

```
                    # 所有的会话都开始于单独的LoginRoom中：
                    self.enter(LoginRoom(server))

            def enter(self, room):
                    # 从当前房间移除自身（self），并且将自身添加到
                    # 下一个房间……
                    try: cur = self.room
                    except AttributeError: pass
                    else: cur.remove(self)
                    self.room = room
                    room.add(self)

            def collect_incoming_data(self, data):
                    self.data.append(data)

            def found_terminator(self):
                    line = ''.join(self.data)
                    self.data = []
                    try: self.room.handle(self, line)
                    except EndSession:
                        self.handle_close()

            def handle_close(self):
                    async_chat.handle_close(self)
                    self.enter(LogoutRoom(self.server))

class ChatServer(dispatcher):
            """
            只有一个房间的聊天服务器。
            """

            def __init__(self, port, name):
                    dispatcher.__init__(self)
                    self.create_socket(socket.AF_INET, socket.SOCK_STREAM)
                    self.set_reuse_addr()
                    self.bind(('', port))
                    self.listen(5)
                    self.name = name
                    self.users = {}
                    self.main_room = ChatRoom(self)

            def handle_accept(self):
                    conn, addr = self.accept()
                    ChatSession(self, conn)

if __name__ == '__main__':
    s = ChatServer(PORT, NAME)
    try: asyncore.loop()
    except KeyboardInterrupt: print
```

**表24-1　聊天服务器可用的命令**

| 命　　　令 | 可　用　于 | 描　　　述 |
|---|---|---|
| login name | 登录房间 | 用于登录服务器 |
| logout | 所有房间 | 用于退出服务器 |
| say statement | 聊天室 | 用于发言 |
| look | 聊天室 | 用于查看同一个房间内的人 |
| who | 聊天室 | 用于查看谁登录到了当前服务器 |

聊天会话示例如图24-1所示。示例中的服务器使用如下命令启动：

```
python chatserver.py
```

用户dilbert使用如下命令连接到服务器：

```
telnet localhost 5005
```

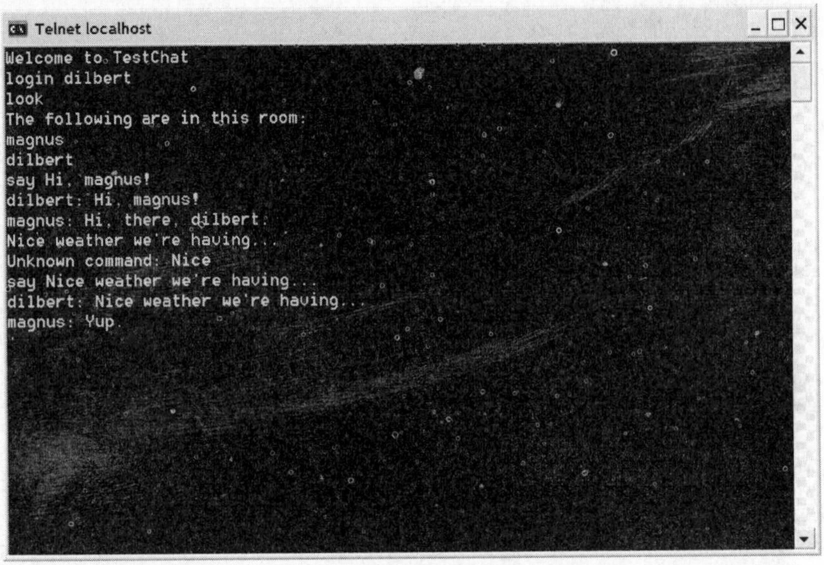

图24-1    示例聊天会话

## 24.6    进一步探索

本章内介绍的聊天服务器可以在很多方面加以扩展和增强。

☐ 可以创建有多个聊天室的版本，也能以自己的想法扩展命令。

☐ 可以让程序只认识某些命令（比如login或者logout）并且将其他所有输入都作为一般性的发言，这样就不用say命令了。

☐ 可以使用特殊字符作为所有命令的前缀（比如斜线，命令就变成/login和/logout），并且将所有不以特殊字符开始的输入都作为一般性发言。

☐ 可以创建自己的GUI客户端——但是做起来比看起来要复杂一些。GUI工具包实现了一个事件循环，而和服务器的通信也需要另外一个事件循环，为了让它们可以协调工作，则需要使用线程处理（请参见第28章的简单示例，其中各个线程并不直接访问各自的数据）。

### 接下来学什么

自定义聊天服务器已经实现完毕了。下一个项目会介绍另一类型的网络程序设计：CGI，这也是大多数Web应用程序（第15章讨论过）的基础机制。下个项目中，这项技术的具体应用是远程编辑，也就是可以让多个用户在同一个文档上进行协同开发。甚至能利用它远程编辑自己的网页。

# 第 25 章

# 项目6：使用CGI进行远程编辑

本章的项目使用了第15章中详细介绍过的CGI技术。具体要实现的应用是远程编辑功能，也就是通过网络在其他机器上编辑文档。这个功能在协同系统（群组软件，即groupware）中尤其有用，例如实现多人同时修改同一个文档。在更新网页方面，这个功能也同样有用。

## 25.1　问题

一台计算机上存储了一个文档，希望在其他机器上能通过网络对其进行修改。这样就可以让数个协同作者一起修改共享文档，不需要用FTP或者类似的文件传输技术，也不用担心同步多个副本的问题。用户要修改文件，只要有个浏览器就行。

---

**注意**　这类远程编辑功能是wiki系统（具体内容请参见http://en.wikipedia.org/wiki/Wiki）的核心机制之一。

---

具体地说，这个系统应该能实现下面的功能。
- □ 将文档作为普通网页显示。
- □ 在Web表单的文本域内显示文档。
- □ 保存表单中的文本。
- □ 使用密码保护文档。
- □ 容易扩展，以支持处理多于一个文档的情况。

您将会看到，使用标准Python库的cgi模块以及一些Python简单代码来解决这些问题是多么易如反掌。而且这个程序中使用的技术同样也可用于创建Python程序的Web接口，因此非常有用。

## 25.2　有用的工具

编写CGI程序时使用的主要工具是第15章已经讨论过的cgi模块，以及用于调试的cgitb模块。请参见第15章，获取更多信息。

## 25.3　准备工作

让 CGI 脚本可以通过网络进行访问的步骤，已经在 15.2 节讨论过。所以只要按照其中的步骤操作就行。

## 25.4　初次实现

初步实现的程序基于代码清单 15-7 中问候语脚本的基本结构。第一个原型只需要实现一些文件处理的功能。

脚本要能起作用，就得在每次修改后保存文本。而且表单也应该比问候语脚本（代码清单 15-7 中的 simple3.cgi）更长些，除此之外文本框也应变为文本域。应该使用 CGI 的 POST 方法代替默认的 GET 方法（提交大量数据时一般使用 POST）。

程序的逻辑大体如下。

❑ 默认使用数据文件的值获取 CGI 的 text 参数。

❑ 将文本保存到数据文件中。

❑ 打印表单，将文本显示在文本域中。

为了让脚本被允许写入数据文件，首先必须创建一个这样的数据文件（比如 simple_edit.dat）。它可以是空的，也可以包含一些初始文档（纯文本文件，可能包括某些格式的标记，比如 XML 或者 HTML）。之后必须设置许可，让文件全局可写，这个功能在第 15 章已经讨论过。结果代码如代码清单 25-1 所示。

**代码清单 25-1**　简单的网页编辑器（simple_edit.cgi）

```python
#!/usr/bin/env python

import cgi
form = cgi.FieldStorage()


text = form.getvalue('text', open('simple_edit.dat').read())
f = open('simple_edit.dat', 'w')
f.write(text)
f.close()
print """Content-type: text/html

<html>
  <head>
    <title>A Simple Editor</title>
  </head>
  <body>
    <form action='simple_edit.cgi' method='POST'>
    <textarea rows='10' cols='20' name='text'>%s</textarea><br />
    <input type='submit' />
    </form>
  </body>
</html>
""" % text
```

　　当通过Web服务器访问页面时，CGI脚本会检查名为text的输入值。如果这个值被提交了，那么文本会被写入到simple_edit.dat文件中。默认值是文本当前的内容。最终（包括修改和提交字段）的网页显示出来，如图25-1所示。

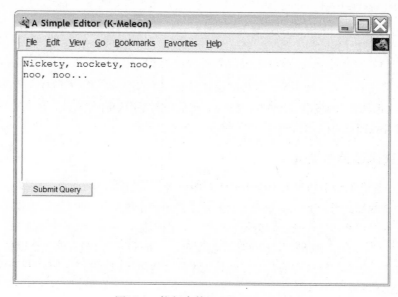

图25-1　执行中的simple_edit.cgi

## 25.5　再次实现

　　现在第一个原型已经能用了，还差什么呢？系统应该能编辑一个以上的文件，而且还应该有密码保护（因为文档可以通过直接在浏览器里面打开来进行查看，就不用过多关心系统的可见部分）。

　　现在要实现的版本和第一个原型的最主要区别就是要把功能拆分为两个CGI脚本（的系统的每个"动作"都应该能表现出来）。新原型的文件如下。

- index.html：一个带有能输入文件名的表单的网页，包括一个触发edit.cgi的打开（Open）按钮。
- edit.cgi：在文本域中显示给定文件的脚本，并且有输入密码的文本框和触发save.cgi的保存（Save）按钮。
- save.cgi：保存收到的文本到给定文件的脚本，并且显示简单的信息（比如"文件已被保存"）。脚本还应该有检查密码的功能。

让我们逐个完成。

### 25.5.1　创建文件名表单

　　index.html是个HTML文件，包括用于输入文件名的表单：

```
<html>
  <head>
    <title>File Editor</title>
  </head>
  <body>
    <form action='edit.cgi' method='POST'>
      <b>File name:</b><br />
      <input type='text' name='filename' />
      <input type='submit' value='Open' />
  </body>
</html>
```

注意文本框被命名为filename，这样就保证了它的内容会被当作CGI的filename参数提供给 edit.cgi脚本（也就是form标签的action特性）。如果在浏览器中打开文件，在文本框中输入文件名，再点击打开按钮就可以运行edit.cgi脚本。

## 25.5.2 创建编辑器的脚本

由edit.cgi显示的网页应该有个文本域，其中包含正编辑的文件的当前内容，还应有一个用于输入密码的文本框。用户唯一需要输入的就是文件名，也就是从index.html的表单中获取的脚本。不过得注意，很有可能edit.cgi会被直接打开，而不提交index.html中的表单。那种情况下就不能保证cgi.FieldStorage的filename字段被设定了。所以应加入检查的功能以保证有文件名。如果文件名存在，保存在包含可编辑文件的目录中的文件就可以被编辑。就把目录叫做data好了（当然，还得创建目录）。

**警告** 注意，提供包含路径元素的文件名，例如，..（两个点）会导致文件可以在目录外访问。为了保证文件必须通过给定的目录访问，应该进行些额外的检查，比如列出目录中所有的文件（比如使用glob模块），并且检查给定的文件名是否为候选文件之一（确保使用全名称的绝对路径）。请参阅27.5.3节查看实现方法。

代码类似于代码清单25-2的内容。

**代码清单25-2** 编辑器脚本（edit.cgi）

```
#!/usr/bin/env python

print 'Content-type: text/html\n'

from os.path import join, abspath
import cgi, sys

BASE_DIR = abspath('data')

form = cgi.FieldStorage()
filename = form.getvalue('filename')
if not filename:
    print 'Please enter a file name'
    sys.exit()
text = open(join(BASE_DIR, filename)).read()
```

```
print """
<html>
<head>
<title>Editing...</title>
</head>
<body>
<form action='save.cgi' method='POST'>
<b>File:</b> %s<br />
<input type='hidden' value='%s' name='filename' />
<b>Password:</b><br />
<input name='password' type='password' /><br />
<b>Text:</b><br />
<textarea name='text' cols='40' rows='20'>%s</textarea><br />
<input type='submit' value='Save' />
</form>
</body>
</html>
""" % (filename, filename, text)
```

　　注意，abspath函数被用于获取data目录的绝对路径。而且文件名被保存在hidden表单元素中，所以它会被传递到下一个脚本（save.cgi）中，而用户没有任何修改它的机会。（当然，不能保证用户不会修改这个文件，因为用户可以编写他们自己的表单，将它放在另外的机器上，使用自定义的值调用你的CGI脚本。）

　　至于密码处理的部分，示例代码中使用了password类型而不是text类型的input元素，也就是说输入到文本框中的字符会显示为星号。

---

**注意** 这个脚本基于给定的文件名指向已存在的文件的假设。如果想处理其他情况，可以随意扩展脚本。

---

### 25.5.3　编写保存脚本

　　这个实现保存功能的脚本是这个简单系统的最后一个组件。它接受一个文件名、一个密码和一些文本，并且检查密码是否正确。如果密码正确的话，程序就将文本保存在以给定文件名为名称的文件中（文件应该设定合适的许可。请参见第15章中有关设定文件访问许可的部分）。

　　要是想更有趣些的话，还可以在密码处理的部分使用sha模块。SHA（Secure Hash Algorithm，安全哈希算法）是从输入字符串中提取看似随机数据（摘要）的根本上无意义字符串的一种方法。算法背后的思想是：几乎不可能构造一个包含给定摘要的字符串，所以（举例来说）如果需要知道一个密码的摘要信息的话，没有（简单的）方法重构密码或者创建一个可以重新产生相同摘要的密码。也就是说可以安全地用所提供密码的摘要信息，去比较存储的（正确密码的）摘要信息，而不是直接比较密码本身。使用这种方法，就不用在源代码中保存密码本身，那些看代码的人再聪明也不会猜到密码到底是什么。

---

**警告** 之前曾经提到过，使用这个"安全"特性只是出于兴趣。除非正在使用SSL安全连接或者一些类似的技术（超出项目的范围），否则获取通过网络提交的密码也是有可能的。

---

25

下面是sha用法的例子：

```
>>> from sha import sha
>>> sha('foobar').hexdigest()
'8843d7f92416211de9ebb963ff4ce28125932878'
>>> sha('foobaz').hexdigest()
'21eb6533733a5e4763acacd1d45a60c2e0e404e1'
```

密码中的微小改变会输出完全不同的摘要。可以在代码清单25-3中看到save.cgi的代码。

**代码清单25-3    实现保存功能的脚本（save.cgi）**

```python
#!/usr/bin/env python

print 'Content-type: text/html\n'

from os.path import join, abspath
import cgi, sha, sys

BASE_DIR = abspath('data')

form = cgi.FieldStorage()

text = form.getvalue('text')
filename = form.getvalue('filename')
password = form.getvalue('password')

if not (filename and text and password):
    print 'Invalid parameters.'
    sys.exit()

if sha.sha(password).hexdigest() != '8843d7f92416211de9ebb963ff4ce28125932878':
    print 'Invalid password'
    sys.exit()

f = open(join(BASE_DIR,filename), 'w')
f.write(text)
f.close()

print 'The file has been saved.'
```

## 25.5.4    运行编辑器

请按照下面这些步骤使用编辑器。

(1) 在浏览器中打开index.html页面。确保是通过Web服务器（使用http://www.someserver.com/index.html这种形式的URL）而不是以本地文件方式打开的。结果如图25-2所示。

(2) 输入CGI编辑器允许修改的文件的名字，点击Open。之后的浏览器应该包括edit.cgi脚本的输出内容，如图25-3所示。

(3) 用户可以随意修改文件，输入密码（自己设定的，或者是本例中使用的foobar），然后点击Save。之后的浏览器应该包括save.cgi脚本的输出，也就是一条The file has been saved.的信息。

(4) 如果希望验证文件是否被修改，应该重复打开文件的过程（步骤1和步骤2）。

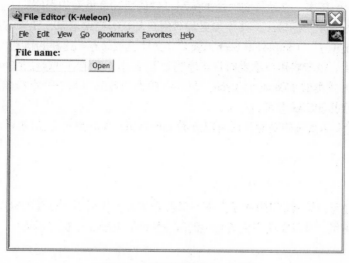

图25-2　CGI编辑器的打开页面

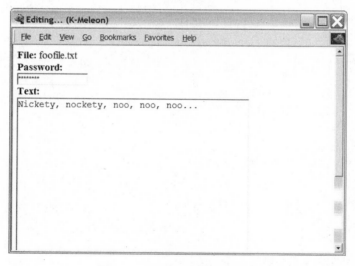

图25-3　CGI编辑器的编辑页面

## 25.6　进一步探索

利用这个项目中展示的技术，就可以开发所有类型的Web系统。这个系统包括如下可能的新功能。

□ 版本控制：保存修改过文件的旧的副本，这样就可以"撤销"修改。

□ 增加对于用户名的支持，这样就知道谁修改了什么。

❑ 增加文件锁定（比如使用fcntl模块），那么两个用户就不能同时修改一个文件。

❑ 增加view.cgi脚本，自动给文件增加标记（就像第20章里面的程序）。

❑ 更彻底地检查用户的输入，并增加更加对用户友好的错误信息，让脚本更加强壮。

❑ 避免打印类似于"The file has been saved"（文件已被保存）这样的信息。可以增加一些更有用的输出，或者将用户重定向到其他的页面/脚本。重定向可以使用Location首部实现，它的工作方式类似于Content-type。只要在输出的首部（第一个空行前）增加Location:后面跟上空格和URL即可。

除了扩展这个CGI系统的功能，还可以查看为Python开发的更加复杂的Web环境（第15章已进行了讨论）。

## 接下来学什么

相信读者已经可以编写CGI脚本了。下一章会介绍如何使用用于存储的SQL数据库进行功能扩展。两者一起使用，可以实现完全函数化的基于Web的电子公告板（BBS）。

# 第 26 章

# 项目7：自定义电子公告板

很多软件都可以让用户通过互联网进行交流。其中的一些（比如第23章中的Usenet组和第24章中的聊天服务器）已经介绍过。本章将会实现另外一个系统：基于Web的论坛。

## 26.1  问题

本章会介绍如何创建通过Web发布和回复信息的简单系统。这类系统可以看做网络论坛，其中最著名的网络论坛算是Slashdot（http://slashdot.org）了。本章开发的系统很简单，但具备基本的功能，并且能够处理相当大数量的帖子。

不过本章内所提到的内容比开发独立的论坛涉及的内容还要多。这个系统应该可以用来实现更为常见的协同系统，比如问题追踪系统，或者是一个带评论功能的博客，或者其他什么完全不一样的东西。CGI（或者类似技术）和一个稳固的数据库（本例中为SQL数据库）联合起来使用功能非常强大而且用途广泛。

---

提示  尽管编写自己的软件很好玩而且能从中学到不少技术，但是多数情况下搜索已有的软件
       会更划算。类似本例中的论坛，你还可以找到很多已经开发得非常完善而且免费的系统。
       同样，大部分的Web应用框架都有对这类功能内建的支持，比如Django、Zope以及
       TurboGears（在第15章提到过）。

---

最终的系统应该支持下面的功能。
- 显示当前所有消息的主题。
- 支持消息的线程处理（显示针对回复消息的所有回复消息）。
- 查看已经存在的消息。
- 回复已经存在的消息。

除了这些功能需求之外，系统如果能达到下面这些目标那就就更好了：非常稳定、可以处理大量消息，并且避免诸如两个用户同时写入一个文件之类的问题。程序所期望的健壮性可以用一些数据库服务器所实现，而不用自己编写文件处理代码。

## 26.2　有用的工具

除了第15章中介绍过的CGI工具外，还需要一个SQL数据库，这个在第13章中已经进行了讨论。可以使用第13章中使用的单机模式数据库SQLite，或者可以使用其他系统，比如下面两个优秀且免费的数据库：

❑ PostgreSQL（http://www.postgresql.org）

❑ MySQL（http://www.mysql.org）

本章的例子中使用了PostgreSQL，但是代码在稍作修改后适用于大多数SQL数据库（包括MySQL或者SQLite）。

在继续下一步之前，应该确保自己可以访问某个SQL数据库服务器（或者是一个单机模式的SQL数据库，比如SQLite），并且可以查看数据库文档了解如何管理数据库。

除了数据库服务器外，还需要一个与服务器进行通信的Python模块（并且能隐藏具体的实现细节）。绝大多数的这类模块都支持Python DB API，在第13章内也已讨论过。本章将使用psycopg（http://initd.org/Software/psycopg），它是为PostgreSQL设计的一个成熟的前端模块。如果正在使用MySQL，那么MySQLdb模块（http://sourceforge.net/projects/mysql-python）是个不错的选择。

安装好数据库模块后，应该可以将其导入（比如用`import psycopg`或者`import MySQLdb`）并且不会引发任何异常。

## 26.3　准备工作

在开始使用数据库前，先得要建立好数据库。这个步骤用可以SQL来实现（请参见第13章了解更多信息）。

数据库的结构取决于所要解决的问题，在建立好数据库并且填充数据（消息）后再进行修改就稍微有些麻烦。为简单起见，这里只使用一个表，每个消息的数据保存在一行中。每个消息拥有唯一的ID（一个整数）、主题、发送人（或发布人）以及一些文本（消息内容）。

此外，因为还希望按照层次显示消息（使用线程技术），那么每个消息还要存储一个所回复消息的引用。最终的CREATE TABLE SQL命令如代码清单26-1所示。

**代码清单26-1　在PostgreSQL内创建数据库**

```
CREATE TABLE messages (
    id          SERIAL PRIMARY KEY,
    subject     TEXT NOT NULL,
    sender      TEXT NOT NULL,
    reply_to    INTEGER REFERENCES messages,
    text        TEXT   NOT NULL
);
```

注意，这个命令使用了一些PostgreSQL特有的特性（SERIAL，保证每个消息自动接收唯一ID、TEXT数据类型和REFERENCE，它保证reply_to字段包括合法的消息ID）。针对MYSQL的版本如代码清单26-2所示。

**代码清单26-2 在MySQL内创建数据库**

```
CREATE TABLE messages (
    id          INT NOT NULL AUTO_INCREMENT,
    subject     VARCHAR(100) NOT NULL,
    sender      VARCHAR(15) NOT NULL,
    reply_to    INT,
    text        MEDIUMTEXT NOT NULL,
    PRIMARY KEY(id)
)
```

最后，代码清单26-3为使用SQLite的读者提供命令。

**代码清单26-3 在SQLite中创建数据库**

```
create table messages (
    id          integer primary key autoincrement,
    subject     text not null,
    sender      text not null,
    reply_to    int,
    text        text not null
);
```

这些代码段都尽量简单（SQL的高手肯定能找到改进的方法），因为毕竟本章所关注的是Python代码。SQL语句会创建拥有下面五个字段（列）的新表。

id：用于标识唯一的消息。每个消息会由数据库管理部分自动赋予唯一ID，这样就不用担心在Python代码内怎么赋值了。

subject：包括消息主题的字符串。

sender：包括发送者名字、Email地址的或者其他信息的字符串。

reply_to：如果消息是回复其他消息的，那么这个字段就包括那个消息的id（否则，字段就是空的）。

text：包括消息内容的字符串。

在创建好数据库，并且设定了权限，Web服务器允许读取它的内容和插入新行后，就可以开始对CGI进行编码了。

# 26.4 初次实现

在这个项目中，第一个原型的功能很有限。它只有一个使用数据库功能的脚本，这样就可以了解它是如何工作的。掌握了要领以后，再编写其他所需的脚本就易如反掌了。这个脚本在很多方面其实是对于第13章所讲述内容的一个简短回顾。

代码的CGI部分与第25章的很类似。如果读者并没有阅读那一章的话，那么建议还是参考一下。而且应该重读15.2.4节。

警告 在本章的CGI脚本中导入并且启用了cgitb模块。对于查找代码瑕疵来说它很有用，但是在布署软件之前应该去除对于cgitb.enable的调用，让普通用户面对完整的cgitb回溯信息可不是个好想法。

需要知道的第一件事是Python DB API的工作方式。如果还没有阅读第13章，那么建议至少快速通读一遍。如果只想继续阅读下去，那么在这里再介绍一次核心的机制（使用所用的数据库模块的名字——比如psycopg或者MySQLdb——替换db）。

conn = db.connect('user=foo dbname=bar')：以用户foo的身份连接到名称为bar的数据库，并且将返回的连接对象赋值给conn（注意connect函数的参数是个字符串）。

---

**警告**　在本项目中，假设数据库和Web服务器运行在专用计算机上面。所使用的用户（foo）只允许从那台计算机进行连接，以避免不期望的访问。如果计算机上还有其他用户，那么应该用密码保护数据库，这个密码可以作为参数字符串提供给connect。有关更多这方面的信息，应该查看所用数据库的帮助文档（以及Python数据库模块）。

---

curs = conn.cursor()：从连接对象获取游标对象。游标用于实际执行SQL语句并获取结果。

conn.commit()：提交（Commit）上次提交后由SQL语句所造成的更改。

conn.close()：关闭连接。

curs.execute(sql_string)：执行一条SQL语句。

curs.fetchone()：将一个结果行作为序列获取，比如元组。

curs.dictfetchone()：将一个结果行作为字典获取（并非标准的一部分，也不是在所有模块中都可用）。

curs.fetchall()：将所有结果行作为序列的序列获取，比如由元组组成的列表。

curs.dictfechall()：将所有结果行作为字典的序列（比如列表）获取（并非标准的一部分，也不是在所有模块中都可用）。

下面是一个简单的测试（假设使用psycopg），获取数据库中所有信息（数据库现在是空的，所以什么都没得到）：

```
>>> import psycopg
>>> conn = psycopg.connect('user=foo dbname=bar')
>>> curs = conn.cursor()
>>> curs.execute('SELECT * FROM messages')
>>> curs.fetchall()
[]
```

因为还没有实现Web接口，所以要测试数据库的话就得手动输入消息。通过管理工具（比如MySQL的mysql或者是PostgreSQL的psql）可以添加消息，或者可以使用Python解释器和数据库模块实现：

```
#!/usr/bin/env python
# addmessage.py
import psycopg
conn = psycopg.connect('user=foo dbname=bar')
curs = conn.cursor()

reply_to = raw_input('Reply to: ')
subject = raw_input('Subject: ')
sender = raw_input('Sender: ')
text = raw_input('Text: ')
```

```
if reply_to:
    query = """
    INSERT INTO messages(reply_to, sender, subject, text)
    VALUES(%s, '%s', '%s', '%s')""" % (reply_to, sender, subject, text)
else:
    query = """
    INSERT INTO messages(sender, subject, text)
    VALUES('%s', '%s', '%s')""" % (sender, subject, text)

curs.execute(query)
conn.commit()
```

现在的代码有些粗糙，它并不会记录ID（要确保输入的reply_to的值是合法的ID），而且并不能正确地处理包括单引号的文本（这样会出现问题，因为单引号在SQL中是字符串定界符）。当然，这些问题在最终版本的系统中都会解决。

那么试着添加一些新消息，并且在交互式Python提示符下检查数据库，如果一切没问题，那么该编写访问数据库的CGI脚本了。

算上已经存在的一些数据库处理代码，以及从第25章中拿过来的成品代码，那么编写个查看所有消息主题的脚本（也就是论坛"主页"的简单版本）就应该不难了。必须进行标准CGI操作（本例中主要是打印Content-type字符串）、标准数据库操作（获取连接和游标），执行简单的SQL SELECT命令获取所有消息，然后用curs.fetchall或者curs.dictfetchall获取结果行。

代码清单26-4展示了完成这些工作的脚本。唯一的新知识就是格式化代码，用来获取链式外观，也就是让回复都显示在它们所回复消息的右侧。

它的基本工作方式如下。

□ 对于每个消息来说，获取reply_to字段，如果是None（不是回复），那么将这条消息添加到顶级消息的列表。否则将其追加到children[parent_id]子列表中。

□ 为每一条顶级消息调用format函数。format函数打印消息的主题。而且如果消息有任何回复，它会打开一个blockquote元素（HTML），对于每一个回复调用format函数（递归），然后结束blockquote元素。

如果在浏览器中打开脚本（请参见第15章获得如何运行CGI脚本的信息），应该会看到所添加的所有消息的线状页面（或者是它们的主题）。

想要知道这个电子公告板是什么样子的话，请看后面的图26-1。

**注意** 如果正在使用SQLite，那么就无法像代码清单26-4那样使用dictfetchall方法。rows=curs.dictfetchall()这一行代码需要用下面的代码段代替：

```
names = [d[0] for d in curs.description]
rows = [dict(zip(names, row)) for row in curs.fetchall()]
```

**代码清单26-4** 主电子公告板 (simple_main.cgi)

```
#!/usr/bin/python

print 'Content-type: text/html\n'
```

```
import cgitb; cgitb.enable()

import psycopg
conn = psycopg.connect('dbname=foo user=bar')
curs = conn.cursor()

print """
<html>
  <head>
    <title>The FooBar Bulletin Board</title>
  </head>
  <body>
    <h1>The FooBar Bulletin Board</h1>
    """

curs.execute('SELECT * FROM messages')
rows = curs.dictfetchall()

toplevel = []
children = {}

for row in rows:
    parent_id = row['reply_to']
    if parent_id is None:
        toplevel.append(row)
    else:
    children.setdefault(parent_id,[]).append(row)
    def format(row):
        print row['subject']
        try: kids = children[row['id']]
        except KeyError: pass
        else:
            print '<blockquote>'
            for kid in kids:
                format(kid)
            print '</blockquote>'

    print '<p>'

for row in toplevel:
    format(row)

print """
    </p>
  </body>
</html>
    """
```

提示    如果因为某种原因程序无法工作，很有可能是因为数据库没有正确设置。这时应该查阅
        数据库的文档，看看需要进行什么设置以使给定用户能够连接和修改数据库。比如可能
        需要显式地列出所连接计算机的IP地址。

## 26.5　再次实现

初次实现的版本功能很有限，用户无法发布新消息。本节将会介绍如何对第一个原型进行扩展，实现最终版本。会加入一些测度函数检查所提供的参数（比如检查replay_to是不是数字，

以及是否真的提供了所需参数），但是应该注意，创建这类强壮并且用户友好的系统是很难的。如果决定使用这个系统（或者是我所期望的你自己的改进版本），应该在这类问题上做足工作。

但是在考虑提高稳定性之前，还得让某些功能可用，对吧？那么从哪而开始呢？应该如何架构系统呢？

架构Web程序（使用类似CGI的技术）的简单方法就是对用户执行的每一个操作写一个脚本。对于本系统，需要下面的脚本。

main.cgi：显示所有消息的主题（帖子），每个消息链接到文章本身。

view.cgi：显示一篇文章，并且包括用于回复的链接。

edit.cgi：在可以编辑的表单（带有文本框和文本域，就像第25章中的那样）中显示一篇文章。页面的提交（Sumbit）按钮链接到能实现保存功能的脚本处。

save.cgi：获取（edit.cgi中的）文章的信息，并且将其作为新行插入到数据库的表中进行保存。

下面分别进行处理。

### 26.5.1　编写Main脚本

main.cgi脚本非常类似于第一个原型中的脚本simple_main.cgi。最主要的区别就是加入了链接。每个主题都会链接到给定的消息（view.cgi），并且在页面的下方还会添加一个允许用户发布新消息的链接（链接到edit.cgi）。

来看看代码清单26-5中的代码。下面这行代码包括链接到每一篇文章的链接（format函数的一部分）：

```
print '<p><a href="view.cgi?id=%(id)i">%(subject)s</a></p>' % row
```

它所做的工作基本上就是创建了形如view.cgi?id=someid的链接，其中someid是给定行的id。其中的语法（问号和key=val）只是向CGI脚本传递参数的一种方法，意味着如果用户点击了这个链接，就会转到view.cgi页面，其中的id参数已经设定好了。

Post message（发布消息）链接只是链接到edit.cgi。

**代码清单26-5**　电子公告板主页（main.cgi）

```
#!/usr/bin/python

print 'Content-type: text/html\n'

import cgitb; cgitb.enable()

import psycopg
conn = psycopg.connect('dbname=foo user=bar')
curs = conn.cursor()

print """
<html>
  <head>
    <title>The FooBar Bulletin Board</title>
  </head>
```

26

```
    <body>
        <h1>The FooBar Bulletin Board</h1>
        """

curs.execute('SELECT * FROM messages')
rows = curs.dictfetchall()
toplevel = []
children = {}

for row in rows:
    parent_id = row['reply_to']
    if parent_id is None:
        toplevel.append(row)
    else:
        children.setdefault(parent_id,[]).append(row)

def format(row):
    print '<p><a href="view.cgi?id=%(id)i">%(subject)s</a></p>' % row
    try: kids = children[row['id']]
    except KeyError: pass
    else:
        print '<blockquote>'
        for kid in kids:
            format(kid)
        print '</blockquote>'

print '<p>'

for row in toplevel:
    format(row)

print """
    </p>
    <hr />
    <p><a href="edit.cgi">Post message</a></p>
  </body>
</html>
"""
```

那么请看view.cgi是如何处理id参数的吧。

## 26.5.2　编写View脚本

View.cgi脚本使用其他页面提供的CGI参数id从数据库获取一条信息。之后它会用返回值格式化一个HTML页面。这个页面还包括返回主页（main.cgi）的链接，可以的话也加上一个到edit.cgi的链接。但是这次reply_to参数的值设定为id，保证新的消息回复的是当前的消息。请参见代码清单26-6中view.cgi的代码。

**代码清单26-6　消息浏览（view.cgi）**

```
#!/usr/bin/python

print 'Content-type: text/html\n'

import cgitb; cgitb.enable()

import psycopg
```

```
conn = psycopg.connect('dbname=foo user=bar')
curs = conn.cursor()

import cgi, sys
form = cgi.FieldStorage()
id = form.getvalue('id')

print """
<html>
  <head>
    <title>View Message</title>
  </head>
  <body>
    <h1>View Message</h1>
    """

try: id = int(id)
except:
    print 'Invalid message ID'
    sys.exit()

curs.execute('SELECT * FROM messages WHERE id = %i' % id)
rows = curs.dictfetchall()

if not rows:
    print 'Unknown message ID'
    sys.exit()

row = rows[0]

print """
    <p><b>Subject:</b> %(subject)s<br />
    <b>Sender:</b> %(sender)s<br />
    <pre>%(text)s</pre>
    </p>
    <hr />
    <a href='main.cgi'>Back to the main page</a>
    | <a href="edit.cgi?reply_to=%(id)s">Reply</a>
  </body>
</html>
""" % row
```

### 26.5.3 编写Edit脚本

edit.cgi脚本实际上有双重功能，既用于编辑新消息，也用于编辑回复。不同的地方并不是那么明显：如果在CGI请求中提供了reply_to参数，那么它会被保存在编辑表单的一个隐藏输入（hidden input）中。除此之外，主题会默认设定为"Re: parentsubject"（除非主题已经以"Re:"开始，你不希望总是加上它）。下面是处理这些细节的代码片段：

```
subject = ''
if reply_to is not None:
    print '<input type="hidden" name="reply_to" value="%s"/>' % reply_to
    curs.execute('SELECT subject FROM messages WHERE id = %s' % reply_to)
    subject = curs.fetchone()[0]
    if not subject.startswith('Re: '):
        subject = 'Re: ' + subject
```

**注意** 隐藏输入用于临时在Web表单中存储信息。它们不会作为文本域或者其他可见元素显示给用户，但是它们的值仍然会传递到执行表单操作的CGI脚本中。这样一来生产表单的脚本就可以向最终处理该表单的脚本传递信息了。

代码清单26-7是edit.cgi脚本的源代码。

**代码清单26-7** 消息编辑器 (edit.cgi)

```
#!/usr/bin/python

print 'Content-type: text/html\n'

import cgitb; cgitb.enable()


import psycopg
conn = psycopg.connect('dbname=foo user=bar')
curs = conn.cursor()
import cgi, sys
form = cgi.FieldStorage()
reply_to = form.getvalue('reply_to')

print """
<html>
  <head>
    <title>Compose Message</title>
  </head>
  <body>
    <h1>Compose Message</h1>

    <form action='save.cgi' method='POST'>
    """

subject = ''
if reply_to is not None:
    print '<input type="hidden" name="reply_to" value="%s"/>' % reply_to
    curs.execute('SELECT subject FROM messages WHERE id = %s' % reply_to)
    subject = curs.fetchone()[0]
    if not subject.startswith('Re: '):
        subject = 'Re: ' + subject

print """
    <b>Subject:</b><br />
    <input type='text' size='40' name='subject' value='%s' /><br />
    <b>Sender:</b><br />
    <input type='text' size='40' name='sender' /><br />
    <b>Message:</b><br />
    <textarea name='text' cols='40' rows='20'></textarea><br />
    <input type='submit' value='Save'/>
    </form>
    <hr />
    <a href='main.cgi'>Back to the main page</a>
  </body>
</html>
""" % subject
```

### 26.5.4　编写Save脚本

现在是最后一个脚本了。save.cgi脚本会接受与一条消息有关的信息（来自于由edit.cgi生成的表单中），并且将其保存到数据库内。也就是说利用SQL INSERT命令进行插入，因为数据库已经被修改了，所以还要调用conn.commit，这样在脚本终止的时候改变的内容才不会丢失。

代码清单26-8是save.cgi脚本的源代码。

**代码清单26-8　实现保存的脚本（save.cgi）**

```python
#!/usr/bin/python

print 'Content-type: text/html\n'

import cgitb; cgitb.enable()

def quote(string):
    if string:
        return string.replace("'", "\\'")
    else:
        return string

import psycopg
conn = psycopg.connect('dbname=foo user=bar')
curs = conn.cursor()

import cgi, sys
form = cgi.FieldStorage()

sender = quote(form.getvalue('sender'))
subject = quote(form.getvalue('subject'))
text = quote(form.getvalue('text'))
reply_to = form.getvalue('reply_to')

if not (sender and subject and text):
    print 'Please supply sender, subject, and text'
    sys.exit()

if reply_to is not None:
    query = """
    INSERT INTO messages(reply_to, sender, subject, text)
    VALUES(%i, '%s', '%s', '%s')""" % (int(reply_to), sender, subject, text)
else:
    query = """
    INSERT INTO messages(sender, subject, text)
    VALUES('%s', '%s', '%s')""" % (sender, subject, text)

curs.execute(query)
conn.commit()


print """
<html>
  <head>
    <title>Message Saved</title>
  </head>
  <body>
    <h1>Message Saved</h1>
```

26

```
    <hr />
    <a href='main.cgi'>Back to the main page</a>
  </body>
</html>s
"""
```

### 26.5.5 尝试使用

下面可以打开main.cgi来测试系统。点击页面上的"Post message"链接，这样会将链接到edit.cgi。用户可以在各个字段内输入一些值然后点击Save链接。这样又来到了save.cgi页面，它会显示消息Message Saved。点击Back to the main page链接回到main.cgi。主页显示的列表应该包括刚才发布的新消息了。

查看消息的话只需要点击它的主题，这样会转到具有正确ID的view.cgi页面。之后可以点击Reply链接，这样会再次来到edit.cgi页面，但是这次多了reply_to属性（在隐藏的输入标签内），并且有默认的主题。可以再输入些文本，然后点击Save，返回主页。现在新回复也应该显示在原消息下面了（如果没有，试着刷新页面）。

主页的效果如图26-1所示，消息查看器如图26-2所示，消息的撰写器页面如图26-3所示。

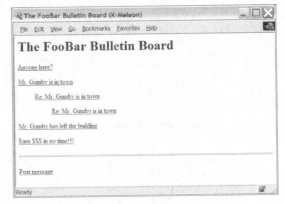

图26-1 主页

图26-2 消息查看器

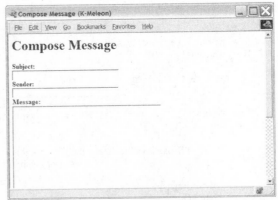

图26-3 消息撰写器

## 26.6 进一步探索

现在已经有能力利用可靠且有效的存储开发功能强大的大型Web应用程序了，不过还有些可以好好深究的东西。

- 为Monty Python设计草图数据库创建个Web前端程序怎么样？

- 如果对于改进本章的系统很有兴趣，那么应该考虑进行抽象。创建两个分别打印标准首部和标准页脚的函数，并且将其放置在功能模块中如何？这样就不用在每一个脚本中编写一样的HTML标签了。另外，添加一个带有密码处理的用户数据库，或者将创建连接的代码抽象出来或许也比较有用。

- 如果期望的解决方案不需要专门的服务器，可以使用SQLite（第13章用过），或者可以看看Metakit，这是一个非常优雅的数据库包，可以将整个数据库保存在一个文件中（http://equi4.com/metakit/python.html）。

- 另外一个选择是Berkeley DB（http://www.sleepycat.com），也非常简单，但是能以非常有效的方式处理非常多的数据（Berkeley DB可以通过标准库模块bsddb、dbhash和anydbm访问）。

## 接下来学什么

如果觉得编写自己的论坛软件很酷，那么编个类似BitTorrent（或者至少是它"简化版"）的P2P（Peer-to-Peer，点对点）文件共享系统怎么样呢？这也是下一章内要做的事情，好消息是它的实现比大多数目前为止做过的网络程序设计都要简单，这多亏了远程过程调用创造的奇迹。

26

# 第 27 章

# 项目8：使用XML-RPC
# 进行文件共享

**本** 章会介绍如何编写一个简单的文件共享程序。对于来自Naspter（最初形式的版本已经不能下载了）、Gnutella（http://www.gnutellaforums.com上有关于可用客户端的讨论）、BitTorrent（可从http://www.bittorrent.com上下载）等应用程序的文件共享的概念，读者可能已经熟悉了。你要编写的程序在很多方面类似于这些软件，但简单许多。

程序主要使用的技术是XML-RPC。第15章提到过，它是一种用于（通过网络）远程调用过程（函数）的协议。可以用普通的套接字编程（可能会用到在第14章和第24章讨论的技术）来实现这个项目的功能。那样做的话性能会更好，因为XML-RPC协议的实现总是伴随着一定的开销。不过XML-RPC非常易用，而且会让代码大大简化。

## 27.1 问题

本章要创建的是一个P2P的文件共享程序。文件共享意味着在运行在不同计算机上的程序之间交换文件（从文本文件到声音、视频剪辑等的各种格式的文件）。P2P是描述计算机程序之间进行交互的一个术语，它和普通的客户机/服务器（C/S）交互方式不同，C/S方式的客户机可以连接到服务器，但是反过来就不行了。在P2P交互内，任何节点（peer）都可以连接到其他节点。在这样一个由节点组成的（虚拟）网络中，是没有中央节点的（也就是C/S架构中的服务器所表现的），这样网络会更强壮。除非大多数节点关闭了，否则网络是不会崩溃的。

---

**提示**　如果对于学习P2P系统有兴趣，可以在网上搜索"P2P"。

---

在构建P2P系统的过程中会有很多问题。在类似老式的Gnutella的系统内，一个节点会向自己的所有相邻节点（也就是它所"知道"的节点）发出查询请求，而收到请求的节点随后会继续传播请求。任何回应请求的节点就可以通过节点链向最初的节点发送一个回复。节点都是独立且并行工作的。最近的系统内，比如BitTorrent，甚至采用了更聪明的技术，比如首先需要上传文件然后才能下载文件。为了简化问题，在本项目中，系统会轮流连接各个邻节点，在继续连接前等待

回应。虽然这么做没有并行处理的Gnutella那样有效率，但是对于学习的目的来说已经足够了。

大多数P2P系统都有聪明的方法来组织自己的结构，也就是某个节点"邻着"哪些节点，以及如何在节点连接以及断开的时候改进结构的方式。本项目内的解决方法也会很简单，但都留有改进的余地。

下面是文件共享程序必须满足的需求。

- 每个节点必须跟踪记录一个已知节点的集合，从而可以向这些节点寻求帮助。节点必须可以将自己"介绍"给其他的节点（这样就可以将自身包括在节点集合内）。
- 必须可以向节点请求文件（通过提供文件名）。如果节点拥有这个文件，那么将其返回；否则它应该轮流询问自己的各个邻节点，请求相同的文件（之后这些邻节点又会轮流请求自己的邻节点）。如果其中的某个节点拥有文件，那么就返回该文件。
- 为了避免循环（A请求B，B又请求A）以及邻节点间非常长的请求链（A请求B请求C……再请求Z），程序必须在请求节点的时候提供请求历史记录。这个历史记录只是一个列表，其中包括到这个节点为止已经参与这次请求的节点。通过不询问在历史列表中存在的节点，就可以避免循环，限制历史列表的长度，即可避免过长的请求链。
- 程序必须有连接到节点并且将自己标识为可信任参与者的方法。这样就获得了对于不信任的参与者（比如在P2P网络内的其他节点）不可用的访问功能。这些功能可能包括要求节点（通过查询请求）从网络中的其他节点处下载并且存储文件。
- 必须提供用户界面，让用户可以连接节点（作为可信任参与者）并下载文件。它应该很容易扩展并且替换界面也不难。

看起来挺难的，但是你会发现实现这些功能并不难。在实现这些功能之后，可能会发现自己增加新的功能也不会太难。

## 27.2 有用的工具

这个项目会用到很多标准库模块。

使用的主要模块是xmlrpclib，以及与它关系密切的SimpleXMLPRCServer。xmlrpclib使用起来非常简单。只需用服务器的URL创建一个ServerProxy对象，之后马上就可以访问远程过程，SimpleXMLRPCServer使用起来稍复杂一些，这在本章完成项目的过程中就会体现出来。

至于文件共享程序的界面，可以使用标准库中的cmd模块。为了获得一些（非常有限）的并行效果，程序中还会用到threading模块。为了能够从URL中提取成分，还要用到urlparse模块。所有这些模块都会在本章内进行解释。

其他可能要使用的模块包括random、string、time和os.path。可以参见第10章和Python库参考获得额外的细节。

## 27.3 准备工作

在这个项目中使用的库不需要很多准备。如果是很新版本的Python，那么所有需要的库文件应该都可以使用。

27

不用特地将电脑连接到网络，以使用本章的软件，不过那样做会更有意思。如果有两台（或者更多）连接起来的计算机（比如都连接到了因特网）就更好了，这样一来就可以在每台计算机上运行这个软件，让它们相互通信（可能需要改变原来防火墙的设置）。为了进行测试，也可以在同一台计算机上运行多个文件共享的节点。

## 27.4　初次实现

编写Node类（系统中的一个节点或点）的第一个原型前，首先要了解一点SimpleXMLRPCServer如何工作的知识。它使用（服务器名，端口）形式的元组进行实例化。服务器名就是服务器在其上运行的计算机名称（可以使用空字符串表示使用localhost，也就是正在执行程序的计算机）。端口号可以是任何能访问的端口，一般来说都是1024以上[①]。

在实例化服务器之后，可以注册一个实例，用register_instance方法实现"远程方法"。或者可以使用register_function方法注册独立的函数。当准备运行服务器时（这样就可以响应外界的请求），可以调用serve_forever方法。可以自己先试试看。启动两个交互式Python解释器。在第一个解释器内输入下面的代码：

```
>>> from SimpleXMLRPCServer import SimpleXMLRPCServer
>>> s = SimpleXMLRPCServer(("", 4242)) # 使用Localhost，端口4242
>>> def twice(x): # 示例函数
...     return x*2
...
>>> s.register_function(twice) # 向服务器添加功能
>>> s.serve_forever() # 启动服务器
```

在执行最后一条语句后，解释器应该像"挂起"了一样。事实上，它是在等待RPC请求。

为了创建这样一个请求，切换到另外一个解释器，执行下面的代码：

```
>>> from xmlrpclib import ServerProxy # 也可以只用Server
>>> s = ServerProxy('http://localhost:4242') # 又是Localhost……
>>> s.twice(2)
4
```

很强大吧？想想看，客户端（使用xmlrpclib的程序）还可以运行在其他的计算机上（不过这样就得输入服务器计算机的真实名字，而不能只用localhost了）。正如刚才所演示的，要访问一个由服务器实现的远程过程只需要用正确URL来实例化ServerProxy，已经不能比这样更简单了。

### 27.4.1　实现一个简单的节点

现在已经讨论了XML-RPC技术，那么应该开始写代码了（第一次实现的原型程序的完整源代码如代码清单27-1所示）。

最好回顾一下本章前面的需求，以寻找入手点。程序需求中最重要的两个方面包括：Node要维护什么信息（特性），它又必须执行什么操作（方法）？

Node必须至少具有下面的特性。

---

[①] 1024以下的端口号为Well-Known端口号，可以使用1025~65535之间的任何没有使用的端口。——译者注

- 目录名，这样它就知道在哪里查找/保存文件。
- "密语"（或者密码），其他节点可以使用密语向其验证身份（作为可信任参与者）。
- 已知节点（URL）的集合。
- 一个URL，可以被添加到请求历史中，或者可以提供给其他Node（本章内不会实现后一个功能）。

Node的构造函数会设定这4个特性。除此之外，还需要请求Node的方法、获取和存储文件的方法以及向其他Node介绍自己的方法。把这几个方法命名为query、fetch和hello好了。下面是Node类的框架，用伪代码写成：

```
def __init__(self, url, dirname, secret):
    self.url = url
    self.dirname = dirname
    self.secret = secret
    self.known = set()

def query(self, query):
    查找文件（有可能询问邻节点），然后将其作为字符串返回

def fetch(self, query, secret):
    如果密码正确，则执行常规查询并存储文件。换句话说就是让Node找到文件然后下载。

def hello(self, other):
    将其他Node添加到已知点中。
```

假设已知URL的集合叫做known的hello方法就非常简单了：它只是将other加入到self.known内，other是唯一的参数（一个URL）。但是XML-RPC要求所有方法都必须有一个返回值，而且返回值不能是None。因此定义两个结果"代码"表示成功或者失败：

```
OK = 1
FAIL = 2
```

那么hello方法可以像下面这样实现：

```
def hello(self, other):
    self.known.add(other)
    return OK
```

当使用SimpleXMLRPCServer注册Node后，就可以从"外界"调用这个方法。

query和fetch方法就稍微复杂一点了。首先从fetch开始，因为它是两个中较简单的那个。它必须使用两个参数——请求和"密码"，后者是必需的，这样一来节点就不能被其他人随意操作了。注意，调用fetch会使得Node下载文件。相对于query这种只传递文件的方法，fetch方法的访问应该更严格一些。

如果提供的密码与（启动时提供的）self.secret不同，那么fetch只返回FAIL。否则它会调用query以获得对应于给定查询（文件名）的文件。但是query返回什么呢？在调用query时，可能希望了解查询成功了没有，如果成功了则希望返回相应的文件内容。那么，将query的返回值定义为一对（code, data）的元组，code为OK或者FAIL，data则是存储在字符串中的所查找的文件（如果code为OK），或者是任意的数据（比如空字符串）。

在fetch函数中检索code和data。如果code为FAIL，那么fetch就也返回FAIL。否则它就（用

写模式）打开一个文件，文件名和所查询的相同，该文件位于self.dirname目录中（可以使用os.path.join连接这两个值）。data被写入文件，当文件关闭的时候返回OK。请参见本节后面的代码清单27-1中相对简单的实现。

现在回到query上来。它将查询作为参数接收，但是它也应该接受一个历史记录（其中包括不应该再请求的URL，因为它们已经在等待相同请求的响应）。因为历史记录在一开始调用query的时候是空的，所以可以使用空列表作为默认值。

如代码清单27-1中的代码所示，query的部分行为被抽象出去了，通过创建了两个叫做_handle和_broadcast的实用方法来实现。注意，它们的名字是以下划线开始的——意味着它们不能通过XML-RPC访问（这是SimpleXMLRPCServer行为的一部分，而不是XML-RPC本身的一部分）。这样做很有用，因为这些方法并不为外界使用者提供单独的功能，而是用来组织代码的。

现在假定_handle负责查询的内部处理（检查文件是否存在于特定的Node中、获取数据等），并且会返回一个代码和一些数据，就像query本身应该做的一样。代码中如果code==OK，那么code和data就会立即返回——文件找到了。但是如果从_handle返回的Code是FAIL，query又该怎么做呢？那么它就要向其他已知的Node寻求帮助。这个过程中的第一步就是将self.url加入到history中。

**注意** 在更新历史记录的时候既没有使用+=运算符，也没有使用列表的append方法，因为两者都会直接对列表进行原地修改，但是在程序中是不希望列表默认值被修改的。

如果新的history太长了的话，那么query会返回FAIL（和一个空字符串）。最大长度设定为6，保存在全局常量MAX_HISTORY_LENGTH中。

### 为什么将MAX_HISTORY_LENGTH设定为6

原因是任何网络中的点最多通过6步就能联系到其他任何节点。当然，这取决于网络的结构（节点都可相互联系），但是也是由应用于人和人之间关系的"六度分离"[①]假说所支持的。有关这个假说的描述，可以参考维基百科上关于六度分离的文章（http://en.wikipedia.org/wiki/Six_degrees_of_separation）。

在程序中使用这个数字可能并不太科学，但是至少看起来是个不错的估计。另一方面，在一个拥有很多节点的大型网络中，大数值的MAX_HISTORY_LENGTH可能由于程序连续的本质而使性能变差。所以速度变慢的话，可以减小这个变量的值。

如果history不是特长的话，那么下一步就是将查询广播到所有已知节点上——由_broadcast方法完成。_broadcast方法并不很复杂（请参见代码清单27-1）。它会迭代self.known的一个副本，如果节点出现在history中，那么循环就会跳到下一个节点（使用continue语句）。否则就构造一个ServerProxy对象，使用它调用query方法。如果查询成功，那么就用query的返回值作为

---

[①] "六度分离"是社会学家在研究社交网络时提出的一个概念。该问题源于社会学家 Stanley Milgram 上世纪60年代作的实验：追踪美国社交网络中的最短路径。他要求每个参与者设法寄信给一个住在波士顿附近的"目标人物"，规定每个参与者只能转发给一个他们认识的人。Milgram发现完整的链平均长度为6个人。——译者注

_broadcast方法的返回值。这个过程中可能会由于网络问题、错误的URL或者是节点不支持query方法等原因而发生异常。如果有这类异常发生，那么就将节点的URL从self.known中移除（在包括查询的try语句中的except子句内）。最后，如果已经到达了函数的末尾（还没有返回任何值），那么就返回FAIL，以及一个空字符串。

---

**注意** 不应该直接迭代self.known，因为这样做可能会在迭代过程中修改设置。使用它的副本则安全一些。

---

_start方法创建一个SimpleXMLRPCServer对象（使用一个应用函数getPort，它可以从URL中提取端口号），将logRequests设定为False(不需要记录日志)。之后用register_instance注册self，调用服务器端的serve_forever方法。

最后，模块中的main方法从命令行提取URL、目录、命令行中的密语（密码），创建Node，调用它的_start方法。

原型的全部代码，请参见代码清单27-1。

**代码清单27-1　简单的Node实现（simple_node.py）**

```python
from xmlrpclib import ServerProxy
from os.path import join, isfile
from SimpleXMLRPCServer import SimpleXMLRPCServer
from urlparse import urlparse
import sys

MAX_HISTORY_LENGTH = 6

OK = 1
FAIL = 2
EMPTY = ''

def getPort(url):
    '用URL中提取端口'
    name = urlparse(url)[1]
    parts = name.split(':')
    return int(parts[-1])


class Node:
    """
    P2P网络中的节点。
    """
    def __init__(self, url, dirname, secret):
        self.url = url
        self.dirname = dirname
        self.secret = secret
        self.known = set()
    def query(self, query, history=[]):
        """
        查询文件，可能会向其他已知节点请求帮助。将文件作为字符串返回。
        """
        code, data = self._handle(query)
        if code == OK:
```

```
            return code, data
        else:
            history = history + [self.url]
            if len(history) >= MAX_HISTORY_LENGTH:
                return FAIL, EMPTY
            return self._broadcast(query, history)

    def hello(self, other):
        """
        用于将节点介绍给其他节点。
        """
        self.known.add(other)
        return OK

    def fetch(self, query, secret):
        """
        用于让节点找到文件并且下载。
        """
        if secret != self.secret: return FAIL
        code, data = self.query(query)
        if code == OK:
            f = open(join(self.dirname, query), 'w')
            f.write(data)
            f.close()
            return OK
        else:
            return FAIL

    def _start(self):
        """
        内部使用，用于启动XML_RPC服务器.
        """
        s = SimpleXMLRPCServer(("", getPort(self.url)), logRequests=False)
        s.register_instance(self)
        s.serve_forever()
    def _handle(self, query):
        """
        内部使用，用于处理请求。
        """
        dir = self.dirname
        name = join(dir, query)
        if not isfile(name): return FAIL, EMPTY
        return OK, open(name).read()

    def _broadcast(self, query, history):
        """
        内部使用，用于将查询广播到所有已知Node。
        """
        for other in self.known.copy():
            if other in history: continue
            try:
                s = ServerProxy(other)
                code, data = s.query(query, history)
                if code == OK:
                    return code, data
            except:
                self.known.remove(other)
        return FAIL, EMPTY

def main():
```

```
url, directory, secret = sys.argv[1:]
n = Node(url, directory, secret)
n._start()
```

```
if __name__ == '__main__': main()
```

下面看看使用这个程序的一个简单例子。

## 27.4.2  尝试使用首次实现

确保已经开启了多个终端（xterms、DOS窗口或者其他终端）。假设要运行两个节点（在一台机器上）：为两个节点各自创建一个目录，分别叫做files1和files2。将一些文件（比如test.txt）放在files2目录中。然后在一个终端内，运行下面的命令：

```
python simple_node.py http://localhost:4242 files1 secret1
```

在真正的程序中，需要使用完整的机器名替换localhost，也可以使用更加复杂的密码代替secret1。

这是第一个点。现在创建另外一个。在另一个终端中，运行下面的命令：

```
python simple_node.py http://localhost:4243 files2 secret2
```

这个节点为不同的目录中的文件提供服务，使用另外一个端口号（4243），并且使用不同的密码。如果按照这个步骤做了，那么现在就运行了两个节点（在不同终端窗口中）。下面启动交互式Python解释器，试着连接其中一个：

```
>>> from xmlrpclib import *
>>> mypeer = ServerProxy('http://localhost:4242') # 第一个点
>>> code, data = mypeer.query('test.txt')
>>> code
2
```

在向第一个节点查询test.txt时失败了（代码2代表失败，记得吗？）。用同样的方式请求第二个节点：

```
>>> otherpeer = ServerProxy('http://localhost:4243') # 第二个点
>>> code, data = otherpeer.query('test.txt')
>>> code
1
```

这次查询成功了，因为test.txt文件可以在第二个节点的目录中找到。如果测试文件包括的内容不多，可以查看data变量的内容，确保文件的内容被正确地传输了：

```
>>> data
'This is a test\n'
```

到目前为止还好。那么怎么把第一个节点介绍给第二个呢？

```
>>> mypeer.hello('http://localhost:4243') # 将mypeer介绍给otherpeer
```

现在第一个节点知道了第二个的URL，这样就可以请求帮助了。重新查询第一个节点——这次应该会成功：

```
>>> mypeer.query('test.txt')
[1, 'This is a test\n']
```

成功了！

现在就剩一个功能没测试：能让第一个节点真正从第二个节点下载并且保存文件吗？

```
>>> mypeer.fetch('test.txt', 'secret1')
1
```

返回值（1）表示成功了。如果查看files1目录，应该会看到文件test.txt已经神奇地出现了。很酷吧？可以打开多个节点（如果想的话也可以在多个机器上打开），并且将节点介绍给其他节点。下面开始看再次实现的程序。

## 27.5　再次实现

初次实现的程序有很多瑕疵和缺点。在这里我就不都列出来了（一些可能的改进会在27.6节讨论），但是有些比较重要的需要改进的地方如下。

- 如果试图停止并重启一个Node的话，可能会得到端口已经在使用的错误信息。
- 应该使用更加人性化的界面，而不是用交互式Python解释器中的xmlrpclib。
- 返回的状态代码很不方便——更加自然而且Python化的方案是在无法找到文件的时候使用自定义异常。
- Node不会检查它所返回的文件是否在文件目录中。使用'../somesecretfile.txt'这样的路径，图谋不轨的黑客就可以非法访问你的其他文件。

第一个问题很好解决，只要将SimpleXMLRPCServer的allow_reuse_address特性设定为True即可：

```
SimpleXMLRPCServer.allow_reuse_address = 1
```

如果不想直接修改这个类，那么可以创建自己的子类。其他的改变就稍显复杂，会在下面的几节中进行讨论。源代码列在本章后面的代码清单27-2和代码清单27-3中（在继续阅读前或许应该粗略地看一下这两个例子）。

### 27.5.1　创建客户端界面

客户端界面使用cmd模块的Cmd类实现。有关这个类的工作方式的细节，请参见Python库参考。简单来说，可以继承Cmd来创建命令行界面，然后对所有想处理的命令，比如foo实现do_foo方法。这个方法会接受命令行的其余部分作为自己的唯一参数（字符串）。比如，如果在命令行界面中输入如下代码：

```
say hello
```

do_say方法会连同作为唯一参数的字符串'hello'一起调用。Cmd子类的提示符由prompt特性决定。

界面中唯一要实现的命令就是fetch（下载文件）和exit（退出程序）。fetch命令只会调用服务器的fetch方法，如果文件无法找到就打印错误信息。exit命令会打印空行（出于美观的考虑），并且调用sys.exit（EOF命令等于"End of file"，即文件末尾，当用户在UNIX内按下Ctrl+D时发出）。

但是怎么在构造函数内实现这些呢？嗯——希望每个客户端都和自己的节点关联起来。可以只创建一个Node对象然后调用它的_start方法，但是这样一来Client就不能做任何事情，直到_start方法返回值——那么Client就完全没用了。为了解决这个问题，Node需要在独立的线程中启动。一般来说，使用线程会牵扯很多类似安全防范和进程锁的同步之类的问题。不过因为Client只会同自己的Node通过XML-RPC交互，那么就不用关心其他事情了。在独立的线程中运行_start方法，只需要将下面的代码放在程序的合适位置：

```
from threading import Thread
n = Node(url, dirname, self.secret)
t = Thread(target=n._start)
t.start()
```

**警告** 重写这个项目的代码时要小心。在Client开始直接与Node对象交互时（反过来也一样），可能会因为线程处理的原因而遇到问题。这就需要在重写代码前完全理解线程处理的概念。

为了确保服务器能在使用XML-RPC进行连接前启动，应该先启动服务器，然后使用time.sleep等待一会。

之后也可以在放置URL的文件中遍历所有行，使用hello方法把你自己的服务器介绍给它们。

不用为强密码问题头疼。可以使用代码清单27-3中的实用函数randomString，它可以产生一个在Client和Node之间共享的密码字符串。

## 27.5.2 引发异常

在失败的情形下应当抛出异常，而不是返回代码表示成功与否。在XML-RPC内，异常（或者故障）是使用数字表示的。在本项目中，我们（随机地）选择了100和200分别表示一般性的失败（不可处理的请求）以及拒接请求（拒绝访问）的情况。

```
UNHANDLED      = 100
ACCESS_DENIED = 200

class UnhandledQuery(Fault):
    """
    表示不可处理请求的异常
    """
    def __init__(self, message="Couldn't handle the query"):
        Fault.__init__(self, UNHANDLED, message)
class AccessDenied(Fault):
    """
    如果用户试图访问未被授权的某些资源，就会引发异常。
    """
    def __init__(self, message="Access denied"):
        Fault.__init__(self, ACCESS_DENIED, message)
```

这些异常是xmlrpclib.Fault的子类——当它们在服务器端被引发的时候，会被传递到拥有相同faultCode的客户端那里。如果服务器端出现了一个一般性的异常（比如IOException），那么仍然会创建Fault类的实例，这样就不可以任意的异常了（确保使用的是最新版本的SimpleXMLRPCServer，这样它才能正确处理异常）。

如源代码所示，逻辑基本上还是原来的，但是这次没用 if 语句检查返回的代码，而是使用了异常（因为只能使用 Fault 对象，需要检查 faultCode。当然，如果没有使用 XML-RPC，也可以使用用其他的异常类来替代现在用的）。

### 27.5.3　验证文件名

最后一个需要检查的问题就是给定的文件是否能在给定的目录中找到。实现的方法有很多，但是要实现不依赖平台（这样在 Windows、UNIX 和 Mac OS 中都能使用了）的方案，应该使用 os.path 模块。

这里使用的方法是创建由目录名和文件名组成的绝对路径（比如 '/foo/bar/../baz' 会转换为 '/foo/baz'），目录名和空文件名连接起来（使用 os.path.join）保证结尾是文件分隔符（比如 '/'），然后就可以检查绝对文件名是否以绝对目录名开始。如果是的话，那么文件就存在目录中。

再次实现的全部源代码可以在代码清单 27-2 和代码清单 27-3 中找到。

**代码清单 27-2**　新的 Node 实现（server.py）

```python
from xmlrpclib import ServerProxy, Fault
from os.path import join, abspath, isfile
from SimpleXMLRPCServer import SimpleXMLRPCServer
from urlparse import urlparse
import sys

SimpleXMLRPCServer.allow_reuse_address = 1

MAX_HISTORY_LENGTH = 6

UNHANDLED      = 100
ACCESS_DENIED = 200

class UnhandledQuery(Fault):
    """
    表示无法处理的查询的异常。
    """
    def __init__(self, message="Couldn't handle the query"):
        Fault.__init__(self, UNHANDLED, message)


class AccessDenied(Fault):
    """
    在用户试图访问未被授权访问的资源时引发的异常。
    """
    def __init__(self, message="Access denied"):
        Fault.__init__(self, ACCESS_DENIED, message)

def inside(dir, name):
    """
    检查给定的目录中是否有给定的文件名。
    """
    dir = abspath(dir)
    name = abspath(name)
    return name.startswith(join(dir, ''))

def getPort(url):
```

```
    """
    从URL中提取端口号。
    """
    name = urlparse(url)[1]
    parts = name.split(':')
    return int(parts[-1])

class Node:
    """
    P2P网络中的节点。
    """
    def __init__(self, url, dirname, secret):
        self.url = url
        self.dirname = dirname
        self.secret = secret
        self.known = set()
    def query(self, query, history=[]):
        """
        查询文件，可能会向其他已知节点请求帮助。将文件作为字符串返回。
        """
        try:
            return self._handle(query)
        except UnhandledQuery:
            history = history + [self.url]
            if len(history) >= MAX_HISTORY_LENGTH: raise
            return self._broadcast(query, history)


    def hello(self, other):
        """
        用于将节点介绍给其他节点。
        """
        self.known.add(other)
        return 0

    def fetch(self, query, secret):
        """
        用于让节点找到文件并且下载。
        """
        if secret != self.secret: raise AccessDenied
        result = self.query(query)
        f = open(join(self.dirname, query), 'w')
        f.write(result)
        f.close()
        return 0

    def _start(self):
        """
        内部使用，以启动XML_RPC服务器。
        """
        s = SimpleXMLRPCServer(("", getPort(self.url)), logRequests=False)
        s.register_instance(self)
        s.serve_forever()

    def _handle(self, query):
        """
        内部使用，用于处理请求。
        """
        dir = self.dirname
```

27

```
            name = join(dir, query)
            if not isfile(name): raise UnhandledQuery
            if not inside(dir, name): raise AccessDenied
            return open(name).read()

        def _broadcast(self, query, history):
            """
            内部使用, 用于将查询广播到所有已知节点。
            """
            for other in self.known.copy():
                if other in history: continue
                try:
                    s = ServerProxy(other)
                    return s.query(query, history)

                except Fault, f:
                    if f.faultCode == UNHANDLED: pass
                    else: self.known.remove(other)
                except:
                    self.known.remove(other)
            raise UnhandledQuery

    def main():
        url, directory, secret = sys.argv[1:]
        n = Node(url, directory, secret)
        n._start()

    if __name__ == '__main__': main()
```

**代码清单27-3    新的Node控制器界面 (client.py)**

```
    from xmlrpclib import ServerProxy, Fault
    from cmd import Cmd
    from random import choice
    from string import lowercase
    from server import Node, UNHANDLED
    from threading import Thread
    from time import sleep
    import sys

    HEAD_START = 0.1 # Seconds
    SECRET_LENGTH = 100

    def randomString(length):
        """
        返回给定长度的由字母组成的随机字符串。
        """
        chars = []
        letters = lowercase[:26]
        while length > 0:
            length -= 1
            chars.append(choice(letters))
        return ''.join(chars)

    class Client(Cmd):
        """
        Node类的简单的基于文本的界面。
        """

        prompt = '> '
```

```
    def __init__(self, url, dirname, urlfile):
        """
        设定url、dirname和urlfile，并且在单独的线程中启动Node服务器。
        """
        Cmd.__init__(self)
        self.secret = randomString(SECRET_LENGTH)
        n = Node(url, dirname, self.secret)
        t = Thread(target=n._start)
        t.setDaemon(1)
        t.start()
        # 让服务器先启动。
        sleep(HEAD_START)
        self.server = ServerProxy(url)
        for line in open(urlfile):
            line = line.strip()
            self.server.hello(line)

    def do_fetch(self, arg):
        "调用服务器的fetch方法"
        try:
            self.server.fetch(arg, self.secret)
        except Fault, f:
            if f.faultCode != UNHANDLED: raise
            print "Couldn't find the file", arg

    def do_exit(self, arg):
        "退出程序."
        print
        sys.exit()

    do_EOF = do_exit # EoF与'exit'同义。

def main():
    urlfile, directory, url = sys.argv[1:]
    client = Client(url, directory, urlfile)
    client.cmdloop()

if __name__ == '__main__': main()
```

## 27.5.4  尝试使用再次实现

看看程序是怎么用的吧。像下面这样启动：

```
python client.py urls.txt directory http://servername.com:4242
```

文件urls.txt应该每行包括一个URL，也就是程序所知的所有其他点的URL。将包含所共享文件的目录（也是下载文件的位置）名称作为第二个参数。最后一个参数是点的URL。当运行这个命令时，应该看到类似下面这样的提示符：

```
>
```

尝试获取一个不存在的文件：

```
> fetch fooo
Couldn't find the file fooo
```

启动几个互相都认识（只要把URL都放在URL文件内即可）的节点（可以在同一台机器上使

用不同端口，或者运行在不同机器上），程序就可以像第一个原型那样使用了。如果已经烦厌了这个程序，那么请移步到下一节。

## 27.6　进一步探索

改进和扩展本章内系统的方法有很多，下面是我的建议。

- 增加缓存功能：如果你的节点通过调用query传递文件的话，那么为什么不同时存储文件呢？这样就能在下一次其他人请求同样的文件时做出更快的响应。还可以设定缓存的最大容量，删除旧文件，等等。
- 使用有线程或者异步功能的服务器（有些难）。这样一来就可以请求多个节点给予帮助而无需等待对方的回应，它们可以在之后通过调用reply方法进行回应。
- 允许更多高级查询，比如查询文本文件的内容等。
- 更广泛地使用hello方法。（通过调用hello）发现一个新点时，为什么不将它介绍给程序所知道的其他节点呢？或许有读者已经想到了更聪明的发现新点的方法。
- 研读其他分布式系统的REST（representational state transfer，表示状态传递）思想——一种可以替代XML-RPC的Web服务技术（请参见http://en.wikipedia.org/ wiki/REST）。
- 使用xmlrpclib.Binary包装文件，让非文本文件的传输更加安全。
- 阅读SimpleXMLPRCServer的代码。查看DocXMLRPCServer类和libxmlrpc内的多调用扩展。

### 接下来学什么

现在P2P文件共享系统已经可以用了，那么让它更人性化一点怎么样呢？下一章将会介绍如何将GUI添加到当前基于cmd的界面中。

# 第 28 章

# 项目9：文件共享2——GUI版本

**28**

这是个相对较小的项目，因为很多需要的功能已经在第27章的项目中实现了。本章将会介绍为现有的Python程序添加GUI多么容易。

## 28.1 问题

在本项目中，会对第27章开发的文件共享系统进行扩展，增添一个GUI客户端。这么做会让程序更易用，也就意味着会有更多的人会使用它（当然，多个用户共享文件就是程序要达到的目的）。这个项目的第二个目的是要展示模块化设计的程序是多么容易扩展（这也是使用面向对象程序设计的原因之一）。

GUI客户端应该满足下面的需求。

☐ 它应该允许用户输入文件名，并将其提交给服务器端的`fetch`方法。

☐ 它应该能列出服务器文件目录中当前可用的文件。

就是这样了。因为已经实现了很多系统的功能，GUI部分也就很容易扩展了。

## 28.2 有用的工具

除了在第27章内用到的工具外，还需要wxPython工具包。有关wxPython的更多信息（以及安装指导），请参见第12章。本章内的代码是使用wxPython 2.6版开发的，但也适用于最新的版本。

想用其他的GUI工具包也没问题。本章内的实现只是一个如何用你最喜欢的工具包建立自己程序的一般做法（第12章介绍了其他几个GUI工具包）。

## 28.3 准备工作

在开始这个项目之前，首先应该准备好（第27章的）项目8的程序，并且像之前的章节提到的一样正确地安装了可用的GUI工具包。除此之外，这个项目不需要进行其他重要的准备工作了。

## 28.4    初次实现

如果想要先看看初次实现的完整代码,可以参见代码清单28-1。其中很多功能都同前一章内的程序类似。客户端提供了一个接口(fetch方法),用户可以通过它访问服务器的功能。让我们重看一下代码中与GUI相关的部分。

第27章内的客户端是cmd.Cmd的子类,而本章的Client则是wx.App的子类。不需要将wx.App子类化(可以创建完全独立的client类),不过这样做可以很自然地对你的代码进行组织。与GUI相关的设置放置在独立的OnInit方法内,在App对象被创建后它会自动被调用。它会执行下面的步骤。

- □ 创建标题为 "File Sharing Client" 的窗体。
- □ 创建文本框,将其赋值给self.input特性(为方便起见,赋值给局部变量input)。它还会创建带有文本 "Fetch" 的按钮,设置按钮的大小,并将一个事件处理函数绑定到按钮。文本框和按钮都由bkg面板(panel)作为父容器。
- □ 将文本框和按钮添加到窗体上,使用box sizer布局。如果想要加上其他布局机制也没有问题。
- □ 显示窗体,返回True,表示OnInit成功运行。

事件处理函数和第27章内的do_fetch函数非常类似。它从self.input(文本框)获取查询,然后在try/except语句内调用self.server.fecth。注意,事件处理函数会使用事件对象作为唯一的参数。

初次实现的源代码如代码清单28-1所示。

**代码清单28-1    简单的GUI客户端 (simple_guiclient.py)**

```python
from xmlrpclib import ServerProxy, Fault
from server import Node, UNHANDLED
from client import randomString
from threading import Thread
from time import sleep
from os import listdir
import sys
import wx
HEAD_START = 0.1 # Seconds
SECRET_LENGTH = 100

class Client(wx.App):
    """
    主client类,用于设定GUI,启动为文件服务的Node。
    """
    def __init__(self, url, dirname, urlfile):
        """
        创建一个随机的密码,使用这个密码实例化Node。利用Node的_start方法(确保Thread是个无交互的后台程序,
        这样它会随着程序退出而退出)启动Thread,读取URL文件中的所有URL,并且将Node介绍给这些URL。
        """
        super(Client, self).__init__()
        self.secret = randomString(SECRET_LENGTH)
        n = Node(url, dirname, self.secret)
        t = Thread(target=n._start)
```

```
                t.setDaemon(1)
                t.start()
                # 先启动服务器
                sleep(HEAD_START)
                self.server = ServerProxy(url)
                for line in open(urlfile):
                    line = line.strip()
                    self.server.hello(line)

        def OnInit(self):
            """
            设置GUI。创建窗体、文本框和按钮，并且进行布局。将提交按钮绑定到self.fetchHandler上。
            """

            win = wx.Frame(None, title="File Sharing Client", size=(400, 45))

            bkg = wx.Panel(win)

            self.input = input = wx.TextCtrl(bkg);

            submit = wx.Button(bkg, label="Fetch", size=(80, 25))
            submit.Bind(wx.EVT_BUTTON, self.fetchHandler)

            hbox = wx.BoxSizer()
            hbox.Add(input, proportion=1, flag=wx.ALL | wx.EXPAND, border=10)
            hbox.Add(submit, flag=wx.TOP | wx.BOTTOM | wx.RIGHT, border=10)

            vbox = wx.BoxSizer(wx.VERTICAL)
            vbox.Add(hbox, proportion=0, flag=wx.EXPAND)

            bkg.SetSizer(vbox)

            win.Show()

            return True

        def fetchHandler(self, event):
            """
            在用户点击'Fetch'按钮时调用。读取文本框中的查询，调用服务器Node的fecth方法。
            如果查询没有被处理则打印错误信息。
            """

            query = self.input.GetValue()
            try:
                self.server.fetch(query, self.secret)
            except Fault, f:
                if f.faultCode != UNHANDLED: raise
                print "Couldn't find the file", query


    def main():
        urlfile, directory, url = sys.argv[1:]
        client = Client(url, directory, urlfile)
        client.MainLoop()

    if __name__ == "__main__": main()
```

除了在前面解释过的相对简单的代码，GUI客户端的工作机理与第27章中基于文本的客户端
相同，可以用同样的方法去运行它。运行程序需要一个URL文件、一个用于共享文件的目录以及

Node的URL，下面是运行的例子：

```
$ python simple_guiclient.py urlfile.txt files/ http://localhost:8080
```

注意，urlfile.txt文件必须包括其他Node的URL，以使程序更加有用。即可以在同一台计算机上开启数个程序（使用不同的端口号）进行测试，也可以在多台计算机上运行程序进行测试。图28-1为客户端的GUI。

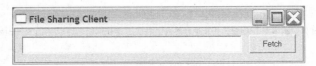

图28-1 简单的GUI客户端

## 28.5 再次实现

第一个原型非常简单。它只实现了文件共享系统的功能，但是不太人性化。它还应该帮助用户查看自己可用的文件（程序启动时放置在文件目录内的以及后来从其他Node下载的）。再次实现的版本会解决这个文件列表的问题。完整的源代码如代码清单28-2所示。

为了从Node获取列表，必须增加一个方法：类似已完成的fetch方法那样用密码进行保护，但是让它公开可能会更加有用，这样做也不会有任何安全风险。扩展一个对象非常简单：可以通过子类化实现。只需要构造名为ListableNode的Node子类，增加一个使用os.listdir方法的list方法，os.listdir会将目录内所有文件作为列表返回：

```
class ListableNode(Node):

    def list(self):
        return listdir(self.dirname)
```

要访问这个服务器方法需将updateList方法添加到客户端：

```
def updateList(self):
    self.files.Set(self.server.list())
```

self.files特性指向一个列表框，后者可以在OnInit方法内添加。updateList方法则在OnInit中列表框被创建的时候调用，并且在每次调用fetchHandler的时候再次调用（因为调用fetchHandler可能会修改文件的列表）。

**代码清单28-2 完成后的GUI客户端（guiclient.py）**

```
from xmlrpclib import ServerProxy, Fault
from server import Node, UNHANDLED
from client import randomString
from threading import Thread
from time import sleep
from os import listdir
import sys
import wx

HEAD_START = 0.1 # Seconds
SECRET_LENGTH = 100
```

```
class ListableNode(Node):
    """
    Node的扩展版本，可以列出文件目录中的文件。
    """
    def list(self):
        return listdir(self.dirname)

class Client(wx.App):
    """
    主客户端类，用于设定GUI，启动为文件服务的Node。
    """
    def __init__(self, url, dirname, urlfile):
        """
        创建一个随机的密码，使用这个密码实例化ListableNode，利用它的start方法（确保Thread是个无交互的后台程序，
        这样它会随着程序退出而退出）启动一个Thread，读取URL文件中的所有URL，并且将Node介绍给这些URL，最后，设置GUI。
        """
        self.secret = randomString(SECRET_LENGTH)
        n = ListableNode(url, dirname, self.secret)
        t = Thread(target=n._start)
        t.setDaemon(1)
        t.start()
        # 先启动服务器
        sleep(HEAD_START)
        self.server = ServerProxy(url)
        for line in open(urlfile):
            line = line.strip()
            self.server.hello(line)
        # 运行GUI
        super(Client, self).__init__()

def updateList(self):
    """
    使用从服务器Node中获得的文件名更新列表框。
    """
    self.files.Set(self.server.list())

def OnInit(self):
    """
    设置GUI。创建窗体、文本框和按钮，并且进行布局。将提交按钮绑定到self.fetchHandler上。
    """

    win = wx.Frame(None, title="File Sharing Client", size=(400, 300))

    bkg = wx.Panel(win)

    self.input = input = wx.TextCtrl(bkg);

    submit = wx.Button(bkg, label="Fetch", size=(80, 25))
    submit.Bind(wx.EVT_BUTTON, self.fetchHandler)

    hbox = wx.BoxSizer()

    hbox.Add(input, proportion=1, flag=wx.ALL | wx.EXPAND, border=10)
    hbox.Add(submit, flag=wx.TOP | wx.BOTTOM | wx.RIGHT, border=10)

    self.files = files = wx.ListBox(bkg)
    self.updateList()
```

28

```
    vbox = wx.BoxSizer(wx.VERTICAL)
    vbox.Add(hbox, proportion=0, flag=wx.EXPAND)
    vbox.Add(files, proportion=1,
            flag=wx.EXPAND | wx.LEFT | wx.RIGHT | wx.BOTTOM, border=10)

    bkg.SetSizer(vbox)

    win.Show()

    return True

def fetchHandler(self, event):
    """
    在用户点击'Fetch'按钮时调用。读取文本框中的查询，调用服务器Node的fecth方法。
    处理查询之后，调用Updatelist。如果请求没有被处理则打印错误信息。
    """
    query = self.input.GetValue()
    try:
        self.server.fetch(query, self.secret)
        self.updateList()

    except Fault, f:
        if f.faultCode != UNHANDLED: raise
        print "Couldn't find the file", query

def main():
    urlfile, directory, url = sys.argv[1:]
    client = Client(url, directory, urlfile)
    client.MainLoop()

if __name__ == '__main__': main()
```

好了，现在已经有了一个带有GUI的P2P文件共享程序了，它可以使用下面的命令运行：

```
$ python guiclient.py urlfile.txt files/ http://localhost:8080
```

最终的GUI客户端如图28-2所示。

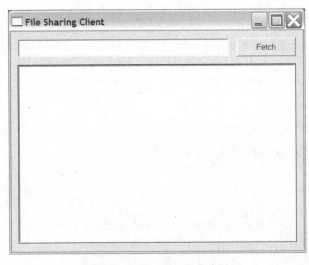

图28-2　完成后的GUI客户端

当然，扩展程序的方法还有很多。下节将介绍其中一些点子。除此之外，各位读者可以随意发挥了。

## 28.6 进一步探索

第27章内已经罗列了一些扩展这个文件共享系统的想法，下面再介绍几个。

- □ 增加一个状态栏，显示诸如"下载中"或者"无法找到foo.txt文件"之类的信息。
- □ 想办法让Node可以共享自己的"好友"。比如将Node介绍给其他Node时，它就可以把新连接的节点介绍给已经知道的节点。同样地，在一个Node关闭之前，它也应该可以将自己已知的所有节点告诉给当前的邻节点。
- □ 在GUI中增加一个已知Node（URL）的列表。并且能够添加新的URL并保存在URL文件中。

### 接下来学什么

现在已经编写完了一个全功能的图形界面P2P文件共享系统。尽管听起来很有挑战，它实际上却没多难，对吧？现在让我们来面对最后一个也是最艰巨的挑战：编写自己的街机游戏。

28

# 第 29 章

# 项目10：DIY街机游戏

**欢**迎来到最后一个项目。Python拥有众多的功能，之前介绍过了其中一部分，那么是时候来实现个重量级的项目了。本章会介绍如何利用Python的扩展Pygame编写功能齐全的全屏街机游戏。Pygame虽然简单易用，功能却很强大，它由多个组件组成，在Pygame的文档中有详细介绍（可以从Pygame网站上找到它：http://pygame.org）。本章的项目会介绍一些Pygame的主要概念，但是由于项目是面向初学者的，所以诸如声音、视频处理方面的有趣特性就略过不表。建议在熟悉了基础知识之后，再自己了解这部分内容。也可以参见Will McGugan所著的 *Beginning Game Development with Python and Pygame*。

## 29.1 问题

那么，如何编写计算机游戏呢？基本的设计过程和编写其他程序的过程类似，但是在开发对象模型前，首先需要对游戏本身进行设计：比如游戏的角色、设定和目标等。

为了不与基本的Pygame概念表现相混淆，对于游戏的介绍会相对简单些。读者也可以随心所欲地设计自己的更加复杂的游戏。

本章会以Monty Python的"Self-Defense Against Fresh Fruit"滑稽短剧为基础。游戏的背景是这样的：军士长John Cleese指挥自己的士兵使用自我防御战术对抗以石榴、芒果、青梅和香蕉等新鲜水果入侵者。防守的战术包括使用枪、释放老虎以及从敌人头顶扔下16吨重的秤砣。这个游戏中做了些修改，玩家要控制香蕉在自我防御过程中竭尽全力地试图存活下来，避开从天而降的16吨秤砣。这个游戏叫做Squish（把水果压扁）还挺合适的。

---

**提示** 如果想自己修改本章内的游戏，完全没有问题。如果只想改变游戏的外观和整体感觉，只要替换图像（几个GIF和PNG图像）以及描述性文本就可以了。

---

本项目的具体目标是围绕游戏设计展开的。游戏的运行效果应该像设计的一样（香蕉可以动，16吨秤砣应该从天而降）。除此之外，代码应该模块化并且容易扩展（一直以来也都是这么做的）。游戏状态（比如游戏介绍、多个游戏等级以及"游戏结束"状态）可以作为另外一个有用的游戏需求，而游戏状态也是游戏设计的一部分。除此之外，添加新的状态也应能轻松地实现。

## 29.2 有用的工具

本项目唯一需要的新工具就是Pygame，可以从Pygame网站（http://pygame.org）上下载。为了能在UNIX中使用Pygame，需要安装其他软件，一切都记录在Pygame的安装指导（Pygame网站上也有）中。Windows版本的二进制安装程序则很容易用，只需要执行安装程序并按照安装指导进行安装即可。

---

**注意** Pygame发布版并不包括NumPy（http://numpy.scipy.org），它用于操作声音和图像。尽管本项目不需要它，但读者也可以自己试用以了解这个工具。Pygame文档也详细介绍了如何在Pygame中使用NumPy。

---

Pygame发布版包括数个模块，其中大多数在本章内用不到。下面几节会对需要的模块进行介绍（只讨论了需要的具体函数和类）。除了在下面几节中描述的函数外，我还会在实现部分讨论一些具有其他方法的几个对象（比如Surface、Group和Sprite）。

---

**提示** 可以在Pygame网站（http://pygame.org/docs/tut/chimp/ChimpLineByLine.html）的"Line-by-Line Chimp"教程中找到一个非常好的Pygame介绍。它提到了一些本章内没有介绍的内容，比如播放声音剪辑。

---

### 29.2.1 pygame

Pygame模块会自动导入其他的Pygame模块，所以如果在自己程序的首部放置了import pygame语句的话，就能自动访问其他模块了，比如pygame.display和pygame.font。

pygame模块包括Surface函数（和其他工具），它可以返回一个新的Surface对象。Surface对象就是一个有确定尺寸的空图像，可以用它来进行图像绘制和移动。移动（bilt，调用Surface对象的blit方法）只意味着将内容从一个表面（surface）转移到另外一个表面上面。单词blit从术语block transfer（块传输）的缩写BLT衍生而来。

init函数是Pygame游戏的核心。它必须在进入游戏的主事件循环之前调用。这个函数会自动初始化其他所有模块（比如font和image）。

如果需要捕捉Pygame特有的错误时，那么还需要error类。

### 29.2.2 pygame.locals

pygame.locals模块包含有可能会在你自己的模块作用域内用到的名字（变量），包括事件类型、键和视频模式等的名字。在导入所有内容（from pygame.locals import *）时它用起来是很安全的。如果你知道自己需要的内容，也可以导入更加具体的内容（比如from pygame.locals import FULLSCREEN）。

**29**

### 29.2.3 pygame.display

pygame.display模块包括处理Pygame显示方式的函数，其中包括普通窗口和全屏模式。这个项目需要用到下面的函数。

- ❑ flip：更新显示。一般来说，当修改当前屏幕的时候要经过两步。首先，需要对get_surface函数返回的surface对象进行所有需要的修改，然后调用pygame.display.flip更新显示以反映你的修改。
- ❑ update：在只想更新屏幕一部分的时候使用update函数，而不是flip函数。它可以和从RenderUpdates类（在29.2.5节中有描述）的draw方法中返回的矩形列表一起使用。
- ❑ set_mode：设定显示的类型和尺寸。也有其他可用的变量，但是我们只使用FULLSCREEN版本，以及默认的"在窗口中显示"版本。
- ❑ set_caption：设定Pygame程序的标题。当游戏以窗口模式（对应于全屏）运行时尤其有用，因为标题会用作窗口的标题。
- ❑ get_surface：在调用pygame.display.flip或者pygame.display.blit前返回一个可用于画图的Surface对象。本项目中唯一用于画图的Surface方法是blit，它会将一个Surface对象中的图形传递到另一个Surface对象的给定的位置上（除此之外，Group对象的draw方法也可以用于将Sprite图形对象画到显示表面上）。

### 29.2.4 pygame.font

pygame.font模块包括Font函数。字体对象用于表现不同的字体，可以用于将文本生成为可以在Pygame中用作普通图形的图像。

### 29.2.5 pygame.sprite

pygame.sprite模块包括两个非常重要的类：Sprite和Group。

Sprite类是所有可视游戏对象的基类，比如在本项目中，是香蕉和16吨秤砣实体的基类。为了生成自己的游戏对象，需要子类化Sprite，覆盖它的构造函数以设定image和rect属性（决定Sprite的外观和放置的位置），再覆盖update方法。在Sprite需要更新的时候可以调用。

Group类的实例（和它的子类）用作Sprite对象的容器。一般来说，使用group类还是不错的做法。在一些简单的游戏中（比如这个项目），只要创建名为sprites或者allsprites或其他类似的组，然后将所有Sprite对象添加到上面即可。当调用Group对象的update方法时，它就会自动调用所有Sprite对象的update方法。Group对象的clear方法用于清理它包含的所有Sprite对象（使用回调函数实现清理），draw方法可以用于绘制所有的Sprite对象。

这个项目使用了Group的RenderUpdates子类，它的draw方法返回被影响的矩形的列表。这些矩形可以被传递到pygame.display.update中，只对需要进行更新的显示部分进行更新。这样做可能会大大提高游戏的性能。

### 29.2.6　pygame.mouse

Spuish游戏中使用了pygame.mouse模块做两件事情：隐藏鼠标光标，以及获取鼠标位置。可以使用pygame.mouse.set_visible(False)隐藏鼠标光标，用pygame.mouse.get_pos()获取鼠标位置。

### 29.2.7　pygame.event

pygame.event模块会追踪鼠标单击、鼠标移动、按键按下和释放等事件。使用pygame.event.get可以获取最近的事件列表。

---

**注意**　如果只是需要状态信息，比如pygame.mouse.get_pos返回的鼠标位置，那么不用使用pygame.event.get。不过如果需要Pygame更新（同步），可以定期调用pygame.event.pump函数。

---

### 29.2.8　pygame.image

这个模块用于处理保存在GIF、PNG或者JPEG文件（还有其他的文件格式）内的图像。在这个项目中，只需要load函数，它可以用来读取图像文件，并且创建包括该图像的Surface对象。

## 29.3　准备工作

前面已经介绍过了各个Pygame模块的大致功能，那么就到了制作第一个原型游戏的时候了。不过在让原型程序能运行之前，还要进行一些准备工作。首先，需要确保Pygame已经安装，包括image和font模块（可以在交互式Python解释器内导入这两个模块查看它们是否可用）。

其次还需要一些图片（可以从http://www.openclipart.org上找到或者在Google上搜索images）。如果使用本章内所提供的游戏主题的话，那么就需要两张图片，一张描绘16吨重的秤砣，另一张描绘香蕉，如图29-1所示。它们的具体大小并不重要，但是最好在100×100到200×200像素之间（可能还需要一个单独的图片用于"展示屏幕"，也就是欢迎用户使用游戏的第一个屏幕，本项目只使用秤砣的图像代替）。这两个图片的格式应该是普通的图片格式，比如GIF、PNG或者JPEG。

图29-1　本书版本的游戏中的秤砣和香蕉图片

29

**注意**　可以为展示屏幕（splash screen）准备单独的图片，展示屏幕是游戏展示给用户的第一个
　　　　屏幕。本项目内，只是简单地使用秤砣的符号。

## 29.4　初次实现

在使用类似 Pygame 这类新工具时，制作的第一个原型都要尽可能简单，并且着重于学习新
工具的基础，而不是让程序过于复杂。让我们把 Squish 的第一个版本制作成 16 吨秤砣从天而降的
动画。实现这个效果需要下面几步。

(1) 使用 pygame.init、pygame.display.set_mode 和 pygame.mouse.set_visible 方法初始化
Pygame 的主框架。使用 pygame.display.get_surface 获取屏幕表面。使用全白色填充屏幕
表面（利用 fill 方法实现），然后调用 pygame.display.flip 显示修改后的屏幕。

(2) 载入秤砣的图像。

(3) 使用图像创建自定义的 Weight 类（Sprite 类的子类）的实例。将对象添加到名为 sprites
（名字随便设置）对象的 RenderUpdates 组内（当处理多个 Sprite 的时候尤其有用）。

(4) 使用 pygame.event.get 获取所有最近的事件，并且依次对事件进行检查。如果发现了 QUIT
类型的事件，或者是按下 ESC 键（K_ESCAPE）触发的 KEYDOWN 类型的事件，那么退出程序（事件类
型和键都保存在事件对象的 type 和 key 特性内。QUIT、KEYDOWN 和 K_ESCAPE 等常量可以通过
pygame.locals 模块导入）。

(5) 调用 sprites 组的 Clear 和 update 方法。clear 方法使用回调清除所有的 Sprite 对象（本例
中是 Weight），update 方法会调用 Weight 实例的 update 方法（这个方法可以随后自己实现）。

(6) 使用屏幕表面作为参数调用 sprites.draw 方法，在当前位置画出 Sprite 类对象 Weight（位
置在每次调用 update 时改变）。

(7) 使用从 sprites.draw 返回的矩形列表调用 pygame.display.update，只在需要的位置更新显
示（如果不在乎性能，还可以使用 pygame.display.flip 更新整个显示区域）。

(8) 重复 (4)～(7) 步。

请参看代码清单 29-1 中实现这些步骤的代码。QUIT 事件在用户退出程序时候触发，比如关闭
窗口。

**代码清单 29-1**　简单的"天上掉秤砣"动画（weights.py）

```
import sys, pygame
from pygame.locals import *
from random import randrange

class Weight(pygame.sprite.Sprite):

    def __init__(self):
        pygame.sprite.Sprite.__init__(self)
        # 在画sprite时使用的图像和矩形
        self.image = weight_image
        self.rect = self.image.get_rect()
        self.reset()
```

```
        def reset(self):
            """
            将秤砣移动到屏幕顶端的随机位置。
            """
            self.rect.top = -self.rect.height
            self.rect.centerx = randrange(screen_size[0])

        def update(self):
            """
            更新秤砣，显示下一帧
            """
            self.rect.top += 1

            if self.rect.top > screen_size[1]:
                self.reset()

# 初始化
pygame.init()
screen_size = 800, 600
pygame.display.set_mode(screen_size, FULLSCREEN)
pygame.mouse.set_visible(0)

# 载入秤砣的图像
Weight_image = pygame.image.load('weight.png')
Weight_image = weight_image.convert() # ... to match the display

# 创建一个子图形组 (sprite group)，增加Weight
sprites = pygame.sprite.RenderUpdates()
sprites.add(Weight())

# 获取屏幕表面，并且填充
screen = pygame.display.get_surface()
bg = (255, 255, 255) # White
screen.fill(bg)
pygame.display.flip()

# 用于清除子图形
def clear_callback(surf, rect):
    surf.fill(bg, rect)

while True:
    # 检查退出事件：
    for event in pygame.event.get():
        if event.type == QUIT:
            sys.exit()
        if event.type == KEYDOWN and event.key == K_ESCAPE:
            sys.exit()
    # 清除前面的位置
    sprites.clear(screen, clear_callback)
    # 更新所有子图形：
    sprites.update()
    # 绘制所有子图形
    updates = sprites.draw(screen)
    # 更新所需的显示部分
    pygame.display.update(updates)
```

可以使用下面的命令运行程序：

```
$ python weights.py
```

在执行该命令的时候，应该确保weights.py和weight.png（秤砣的图片）都在当前的目录中。

29

---

**注意**　这里使用了透明的PNG图像，用GIF图像也没问题。但JPEG图像不能显示透明效果。

图29-2展示了代码清单29-1中程序的运行效果。

图29-2　简单的天上掉秤砣的动画

大多数的代码的作用都一目了然，不过下面几点需要说明一下。

- 所有的子图形对象都有image和rect这两个特性。前者应该包括一个Surface对象（图片），后者包括一个矩形对象（使用self.image.get_rect初始化）。这两个特性可以在绘制子图形时候使用。修改self.rect的话可以改变子图形的位置。
- Surface对象有一个convert的方法，可以用来创建不同颜色模型的副本。不用关心细节，不用任何参数调用convert会为当前显示的屏幕区域创建量身定做的新表面，并以尽可能快的速度显示新表面。
- 色彩通过RGB三原色表示（红-绿-蓝，每个值的范围为0~255），所以元组（255, 255, 255）表示白色。

可以对矩形（比如本例中的self.rect）进行修改，通过对特性（top、bottom、left、right、topleft、topright、bottomleft、bottomright、size、width、height、center、centerx、centery、midleft、midright、midtop和midbottom）进行赋值或者调用inflate或move等方法来完成（这些在Pygame的文档中都有介绍，http://pygame.org/docs/ref/ rect.html）。

现在Pygame的技术已经就位了，准备扩展和重构游戏逻辑吧。

## 29.5　再次实现

本节内，不会再像刚才一样一步步设计和实现游戏了，而是在源代码中增加很多注释和文档字符串（如代码清单29-2~代码清单29-4所示）。通过查看源代码（"使用源文件"，记得吗？）可以了解程序的工作机制，但是这里也有一些基础的说明（一些不是一眼就能看出来的）。

- 游戏包括5个文件：config.py，包括各种配置变量；objects.py，包括游戏对象的实现；squish.py，包括主Game类和一些游戏状态类；weight.png和banana.png，游戏用到的两个图片。
- 矩形的clamp方法能确保矩形放置在其他矩形内。用来保证香蕉不会移动到屏幕外。
- 矩形的inflate方法会用给定的像素值作为水平和垂直方向的大小来修改（扩大）矩形。这个方法用来缩减香蕉的边界，允许香蕉和秤砣在碰撞（"压碎"）前重叠的部分被显示。
- 游戏本身包含游戏对象和数个游戏状态。游戏对象每次只有一个状态，这个状态负责处理事件并在屏幕上进行显示。状态还会告诉游戏切换到另一个状态（比如Level状态会告诉游戏切换到GameOver状态）。

就是这样了，可以执行squish.py文件运行游戏，像下面这样：

```
$ python squish.py
```

应该确保其他的文件也放在同一个目录中。在Windows中，可以双击squish.py文件。

---

**提示** 如果将squish.py重命名为squish.pyw，然后在Windows中双击的话，那么就不会弹出一个莫名其妙的终端窗口。如果想把游戏放在桌面（或者其他地方）而又不想一起移动所有的模块以及图片文件的话，只要创建squish.pyw文件的快捷方式即可。请参见第18章获得将游戏打包的信息。

---

**代码清单29-2 Squish的配置文件（config.py）**

```python
# Squish的配置文件
# -----------------------------
# 请放心地按照自己的喜好修改下面的配置变量。

# 如果游戏太快或太慢，请修改速度变量
# 改变这些设置，以便在游戏中使用其他图像：
Banana_image = 'banana.png'
Weight_image = 'weight.png'
Splash_image = 'weight.png'

# 改变这些设置以影响一般的外观：
Screen_size = 800, 600
Background_color = 255, 255, 255
margin = 30
full_screen = 1
font_size = 48

# 这些设置会影响游戏的表现行为：
Drop_speed = 5
Banana_speed = 10
Speed_increase = 1
Weights_per_level = 10
Banana_pad_top = 40
Banana_pad_side = 20
```

29

**代码清单29-3**    Squish的Game对象（objects.py）

```
import pygame, config, os
from random import randrange

"这个模块包括Squish的游戏对象。"

class SquishSprite(pygame.sprite.Sprite):
```
> Squish中所有子图形的范型超类。构造函数负责载入图像，设置子图形的rect和area属性，并且允许它在指定区域内进行移动。area由屏幕的大小和留白决定。
> """
```
    def __init__(self, image):
        pygame.sprite.Sprite.__init__(self)
        self.image = pygame.image.load(image).convert()
        self.rect = self.image.get_rect()
        screen = pygame.display.get_surface()
        shrink = -config.margin * 2
        self.area = screen.get_rect().inflate(shrink, shrink)

class Weight(SquishSprite):
```
> """
> 落下的秤砣。它使用了SquishSprite构造函数设置它的秤砣图像，并且会以给定的速度作为构造函数的参数来设置下落的速度。
> """
```
    def __init__(self, speed):
        SquishSprite.__init__(self, config.weight_image)
        self.speed = speed
        self.reset()

    def reset(self):
```
> """
> 将秤砣移动到屏幕顶端（视线外），放置到任意水平位置上。
> """
```
        x = randrange(self.area.left, self.area.right)
        self.rect.midbottom = x, 0

    def update(self):
```
> """
> 根据它的速度将秤砣垂直移动（下落）一段距离。并且根据它是否触及屏幕底端来设置landed属性。
> """
```
        self.rect.top += self.speed
        self.landed = self.rect.top >= self.area.bottom


class Banana(SquishSprite):
```
> """
> 绝望的香蕉。它使用SquishSprite构造函数设置香蕉的图像，并且会停留在屏幕底端。
> 它的水平位置由当前的鼠标位置（有一定限制）决定。
> """
```
    def __init__(self):
        SquishSprite.__init__(self, config.banana_image)
        self.rect.bottom = self.area.bottom
        # 在没有香蕉的部分进行填充。
        # 如果秤砣移动到了这些区域，它不会
        # 被判定为碰撞（或者说是将香蕉压扁）：
```

```
        self.pad_top = config.banana_pad_top
        self.pad_side = config.banana_pad_side

    def update(self):
        """
        将Banana中心点的横坐标设定为当前鼠标指针的横坐标，并且使用rect的clamp方法确保Banana停留在所
        允许的范围内。
        """
        self.rect.centerx = pygame.mouse.get_pos()[0]
        self.rect = self.rect.clamp(self.area)

    def touches(self, other):
        """
        确定香蕉是否触碰到了另外的子图形（比如秤砣）。除了使用rect的colliderect方法外，首先要计算一个
        不包括香蕉图像顶端和侧边"空区域"的新矩形（使用rect的inflate方法对顶端和侧边进行填充）。
        """
        # 使用适当的填充缩小边界：
        bounds = self.rect.inflate(-self.pad_side, -self.pad_top)
        # 移动边界，将它们放置到Banana的底部。
        bounds.bottom = self.rect.bottom
        # 检查边界是否和其他对象的rect交叉。
        return bounds.colliderect(other.rect)
```

**代码清单29-4　主Game模块（`squish.py`）**

```
import os, sys, pygame
from pygame.locals import *
import objects, config

"这个模块包括Squish游戏的主要游戏逻辑"

class State:

    """
    范型游戏状态类，可以处理事件并在给定的表面上显示自身。
    """

    def handle(self, event):
        """
        只处理退出事件的默认事件处理。
        """
        if event.type == QUIT:
            sys.exit()
        if event.type == KEYDOWN and event.key == K_ESCAPE:
            sys.exit()

    def firstDisplay(self, screen):
        """
        用于第一次显示状态。使用背景色填充屏幕。
        """
        screen.fill(config.background_color)
        # 记得要调用flip，让更改可见
        pygame.display.flip()

    def display(self, screen):
        """
        用于在已经显示过一次状态后再次显示。默认的行为是什么都不做。
        """
        pass
```

29

```
class Level(State):

    """
    游戏等级。用于计算已经落下了多少秤砣，移动子图形以及其他和游戏逻辑相关的任务。
    """

    def __init__(self, number=1):
        self.number = number
        # 本关内还要落下多少秤砣？
        self.remaining = config.weights_per_level

        speed = config.drop_speed
        # 为每个大于1的等级都增加一个speed_increase:
        speed += (self.number-1) * config.speed_increase
        # 创建秤砣和香蕉:
        self.weight = objects.Weight(speed)
        self.banana = objects.Banana()
        both = self.weight, self.banana # This could contain more sprites...
        self.sprites = pygame.sprite.RenderUpdates(both)

    def update(self, game):
        "从前一帧更新游戏状态"
        # 更新所有子图形:
        self.sprites.update()
        # 如果香蕉碰到了秤砣，那么告诉游戏切换到GameOver状态:
        if self.banana.touches(self.weight):
            game.nextState = GameOver()
        # 否则在秤砣落地时将其复位。
        # 如果本关内的所有秤砣都落下了，则让游戏切换到LevelCleared状态:
        elif self.weight.landed:
            self.weight.reset()
            self.remaining -= 1
            if self.remaining == 0:
                game.nextState = LevelCleared(self.number)

    def display(self, screen):
        """
        在第一次显示（只清空屏幕）后显示状态。与firstDisplay不同，这个方法使用pygame.display.update对
        self.sprites.draw提供的、需要更新的矩形列表进行更新。
        """
        screen.fill(config.background_color)
        updates = self.sprites.draw(screen)
        pygame.display.update(updates)


class Paused(State):
    """
    简单的暂停游戏状态，按下键盘上任意键或者点击鼠标都会结束这个状态。
    """

    finished = 0 # 用户结束暂停了吗？
    image = None # 如果需要图片的话，将这个变量设定为文件名
    text = '' # 将它设定为一些提示性文本

    def handle(self, event):
        """
        通过对State进行委托（一般处理退出事件）以及对按键和鼠标点击作出反应来处理事件。
        如果键被按下或者鼠标被点击，将self.finished设定为真。
        """
        State.handle(self, event)
```

```
        if event.type in [MOUSEBUTTONDOWN, KEYDOWN]:
            self.finished = 1

    def update(self, game):
        """
        更新等级。如果按键被按下或者鼠标被点击(比如self.finished为真),那么告诉游戏切换到下一个由
        self.nextState()表示的状态(应该由子类实现)。
        """
        if self.finished:
            game.nextState = self.nextState()

    def firstDisplay(self, screen):
        """
        暂停状态第一次出现时,绘制图像(如果有的话)并且生成文本。
        """
        # 首先,使用填充背景色的方式清空屏幕:
        screen.fill(config.background_color)

        # 使用默认的外观和指定的大小创建Font对象
        font = pygame.font.Font(None, config.font_size)

        # 获取self.text中的文本行,忽略开头和结尾的空行:
        lines = self.text.strip().splitlines()

        # 计算文本的高度(使用font.get_linesize())以获取每行文本的高度:
        height = len(lines) * font.get_linesize()

        # 计算文本的放置位置(屏幕中心):
        center, top = screen.get_rect().center
        top -= height // 2
        # 如果有图片要显示的话……
        if self.image:
            # 载入图片:
            image = pygame.image.load(self.image).convert()
            # 获取它的rect:
            r = image.get_rect()
            # 将图像向下移动其高度的一半的距离:
            top += r.height // 2
            # 将图片放置在文本上方20像素处:
            r.midbottom = center, top - 20
            # 将图像移到屏幕上:
            screen.blit(image, r)

        antialias = 1 # Smooth the text
        black = 0, 0, 0 # Render it as black

        # 生成所有行,从计算过的top开始,并且
        # 对于每一行向下移动font.get_linesize()像素:
        for line in lines:
            text = font.render(line.strip(), antialias, black)
            r = text.get_rect()
            r.midtop = center, top
            screen.blit(text, r)
            top += font.get_linesize()

        # 显示所有更改:
        pygame.display.flip()


class Info(Paused):
```

29

```
    """
    简单的暂停状态，显示有关游戏的信息。在Level状态后显示（第一级）
    """

    nextState = Level
    text = '''
In this game you are a banana,
trying to survive a course in
self-defense against fruit, where the
participants will "defend" themselves
against you with a 16 ton weight.'''

class StartUp(Paused):
    """
    显示展示图片和欢迎信息的暂停状态。在Info状态后显示。
    """

    nextState = Info
    image = config.splash_image
    text = '''
Welcome to Squish,
the game of Fruit Self-Defense'''

class LevelCleared(Paused):
    """
    提示用户过关的暂停状态。在next level状态后显示。
    """

    def __init__(self, number):
        self.number = number
        self.text = '''Level %i cleared
Click to start next level''' % self.number

    def nextState(self):
        return Level(self.number+1)


class GameOver(Paused):
    """
    提示用户输掉游戏的状态。在first level后显示。
    """

    nextState = Level
    text = '''
Game Over
Click to Restart, Esc to Quit'''
class Game:
    """
    负责主事件循环的游戏对象，任务包括在不同状态间切换。
    """

    def __init__(self, *args):
        # 获取游戏和图像放置的目录：
        path = os.path.abspath(args[0])
        dir = os.path.split(path)[0]
        # 移动那个目录（这样图片文件可以在随后打开）：
        os.chdir(dir)
        # 无状态方式启动：
        self.state = None
```

```
        # 在第一个事件循环迭代中移动到StartUp:
        self.nextState = StartUp()

    def run(self):
        """
        这个方法动态设定变量。进行一些重要的初始化工作，并且进入主事件循环。
        """
        pygame.init() # 初始化所有pygame模块。

        # 决定以窗口模式还是全屏模式显示游戏
        flag = 0                    # 默认窗口

        if config.full_screen:
            flag = FULLSCREEN       # 全屏模式
        screen_size = config.screen_size
        screen = pygame.display.set_mode(screen_size, flag)

        pygame.display.set_caption('Fruit Self Defense')
        pygame.mouse.set_visible(False)

        # 主循环:
        while True:
            # (1) 如果nextState被修改了，那么移动到新状态，并且显示它（第一次）:
            if self.state != self.nextState:
                self.state = self.nextState
                self.state.firstDisplay(screen)
            # (2) 代理当前状态的事件处理:
            for event in pygame.event.get():
                self.state.handle(event)
            # (3) 更新当前状态:
            self.state.update(self)
            # (4) 显示当前状态:
            self.state.display(screen)

if __name__ == '__main__':
    game = Game(*sys.argv)
    game.run()
```

一些游戏截图如图29-3～图29-6所示。

图29-3　Squish的开始屏幕　　　　　　图29-4　马上要被压碎了的香蕉

29

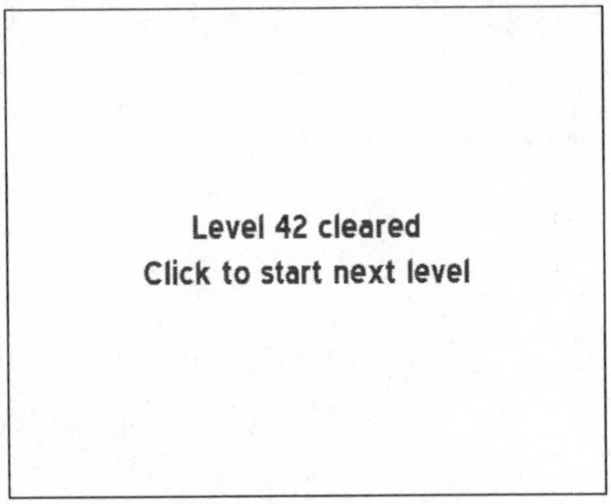

图29-5　"过关"屏幕

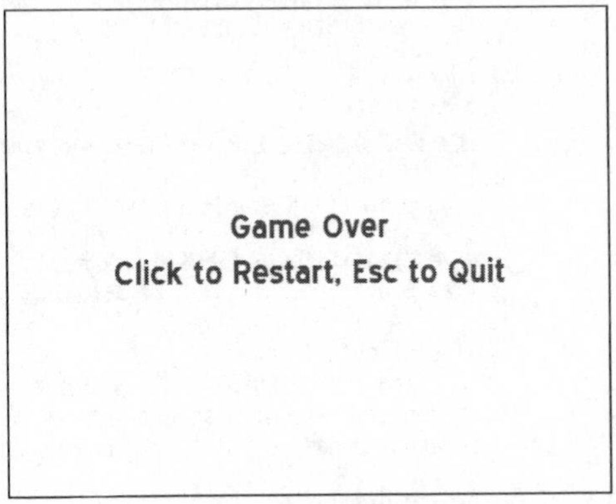

图29-6　"游戏结束"屏幕

## 29.6　进一步探索

下面是一些改进游戏的点子。

- 增加声音。
- 记录分数。比如躲开一个秤砣得16分。保存最高分的文件怎么样？或者说实现一个在线的高分服务器（使用asyncore或者XML-RPC，分别在第24章和第27章进行了讨论）？
- 让更多的对象同时下落。
- 玩家拥有一条以上的"命"。
- 创建游戏的独立可执行版本（比如使用py2exe），并且用安装程序打包（参看第18章）。

有关更精细的(非常有娱乐性的)Pygame程序设计的例子，请参见Pygame网站上面由Pygame维护者Pete Shinners制作的SolarWolf游戏(http://www.pygame.org/shredwheat/solarwolf)。在Pygame网站上还能找到很多信息以及其他的游戏。如果读者对于Pygame开发游戏非常感兴趣，可以参考http://www.gamedev.net和http://www.flipcode.com，或者在网络上进行搜索以找到更多类似的网站。

### 接下来学什么

就是这样了。最后一个项目也已经实现了。如果读者估量一下自己的收获（假设跟着每个项目走过来的话），那么应该感觉非常满意了。本书所覆盖的主题范围只是Python编程世界中的一小部分。希望各位能满意我们到此为止一起走过的旅程，在此也祝愿读者们在以后作为Python程序员的旅途中好运。

# 简 明 版 本

**本**部分是基于我的流行网络教程Instant Python（http://hetland.org/writing/instant-python. html）的一个简短的Python介绍。它面向那些已经掌握一到两门语言，希望能够快速掌握Python的程序员。有关下载和执行Python解释器的信息，请参见第1章。

## A.1 基础知识

如果想对Python语言有一个基本的了解，那么可以把它想象成伪代码，因为两者很相似。变量没有类型，所以不需要进行声明。变量在赋值的时候出现，不再使用的时候则会消失。赋值使用=运算符完成，像下面这样：

```
x = 42
```

注意，相等性的检测是由==运算符完成的。

还可以一次对多个变量进行赋值：

```
x,y,z = 1,2,3
first, second = second, first
a = b = 123
```

语句块通过并且只通过缩进表示（没有begin/end语句或者括号）。下面是一些普通的控制结构：

```
if x < 5 or (x > 10 and x < 20):
    print "The value is OK."

if x < 5 or 10 < x < 20:
    print "The value is OK."

for i in [1,2,3,4,5]:
    print "This is iteration number", i

x = 10
while x >= 0:
    print "x is still not negative."
    x = x-1
```

前两个例子是等价的。

for循环中的索引变量会迭代列表（本例中使用方括号写成）中的元素[①]。为了实现"普通的"for循环（也就是计数循环），可以使用内建的range函数：

```
# 打印0～99的值, 包括0和99
for value in range(100):
    print value
```

以#开头的行是注释，会被解释器忽略。

现在（在理论上）已经介绍了Python内实现算法的大部分内容了。接下来增加一些基本的用户交互。为了（从文本提示符）获取用户的输入，可以使用内建的input函数：

```
x = input("Please enter a number: ")
print "The square of that number is", x*x
```

input函数会显示（可选的）给定的提示符，并且让用户输入任何合法的Python值。本例中，我们期望的是数字。如果输入了其他的类型值（比如字符串），程序会以一个错误信息终止。为了避免出现这种情况，需要增加一些错误检查机制。这里我先不介绍。我们先假设想让程序将用户的输入以字符串形式逐字地返回（这样就可以输入任何值了），可以使用raw_input函数。如果想要将输入字符串s转换为整数，可以使用int(s)。

---

**注意** 如果想要使用input输入一个字符串，那么用户就需要显式地写出引号。在Python中，字符串可以用单、双引号括起。在Python 3.0中，原始的input方法被取消了。而raw_input被重命名为input。请参见附录D获取Python 3.0的更多信息。

---

刚刚介绍了控制结构、输入和输出了，现在来看看"华丽的"的数据结构。其中最重要的是列表和字典。列表的元素写在中括号中间，可以（很自然地）进行嵌套：

```
name = ["Cleese", "John"]
x = [[1,2,3],[y,z],[[[]]]]
```

列表最棒的地方之一在于可以单独访问它的元素，也可以通过索引以及分片分组访问。索引访问（和其他很多语言一样）是在列表后加上以中括号括起的索引值实现的（注意，第一个元素的索引为0）。

```
print name[1], name[0] # Prints "John Cleese"
name[0] = "Smith"
```

分片基本上和索引一样，不过可以表示结果的起始和结束索引，使用冒号（:）进行分隔：

```
x = ["SPAM","SPAM","SPAM","SPAM","SPAM","eggs","and","SPAM"]
print x[5:7] # Prints the list ["eggs","and"]
```

注意，结尾索引是不包含在结果内的。如果不写明两个索引中的一个，那么程序会假定需要那个方向上的所有元素。换句话说，分片x[:3]意为"x中从开始到3号元素之间的所有元素，不包括3号元素"（也可以说表示第4个元素，因为是从0开始计数的）。分片x[3:]则表示"x中从3号元素（包括）开始到结尾之间的所有元素"。真正有意思的是，分片操作也可以使用负数：x[-3]

---

[①] 或者其他可迭代对象。

是列表倒数第3个元素。

现在说说字典。简单来说，它们类似于列表，但它们的内容是无序的。那么怎么进行索引呢？每个元素都有一个键，或称名称，它用类似于真正字典的方式查找元素。下面的例子演示了用于创建字典的语法：

```
phone = { "Alice" : 23452532, "Boris" : 252336,
          "Clarice" : 2352525, "Doris" : 23624643 }

person = { 'first name': "Robin", 'last name': "Hood",
           'occupation': "Scoundrel" }
```

现在要获得person的职业（occupation）的话，可以使用表达式person["occupation"]。如果想要改变姓，可以像下面这样做：

```
person['last name'] = "of Locksley"
```

很简单吧？字典类似于列表，也可以包含其他字典。当然，字典也能包含列表。同样地，列表也能包含字典。这样一来就可以轻松创建一些很高级的数据结构。

## A.2 函数

下一步是抽象。这个过程类似于给一段代码起个名字，并且利用一些参数调用它。换句话说，就是定义一个函数，也叫做过程（procedure）。很简单，像下面这样使用关键字def：

```
def square(x):
    return x*x

print square(2) # 打印4
```

return语句用于从函数返回值。

在向一个函数传递参数时，同时也就将参数绑定到了值上，因而也就创建了新的引用。这意味着可以在函数内部直接修改原始的值。但是如果将参数名引用到了其他值上面（重绑定），那么这个修改就不会影响到原来的变量。这种工作方式类似于Java。让我们看下面这个例子：

```
def change(x):
    x[1] = 4

y = [1,2,3]
change(y)
print y # Prints out [1,4,3]
```

你看到了，传入的是原始列表，如果函数对其进行了修改，那么这些修改也会传递到调用函数的地方。不过请注意下面例子的行为，函数体重绑定了参数：

```
def nochange(x):
    x = 0

y = 1
nochange(y)
print y # 打印1
```

为什么y没变？因为函数没有改变这个值！传入的值是1，不能像更改列表那样更改一个数字。数字1就是（也永远是）数字1。我所做的是改变参数x的引用，这样不会影响到调用。

Python有各种各样的参数，例如命名的参数（named argument）和默认值参数（default argument），它们可以处理一个函数的多个参数。请参见第6章获取这部分的更多信息。

如果知道如何使用函数，那么刚才所讲到的基本上就是在Python内需要知道的。

不过了解"Python的函数是值"这个概念可能会比较有用。如果有一个square的函数，那么可以像下面这样做：

```
queeble = square
print queeble(2) # 打印4
```

为了能不用参数调用函数，必须记得要写成doit()而不是doit。后者只会将函数本身作为值返回。对于对象中的方法也是如此。方法会在下一节讲到。

# A.3　对象和相关内容

学习下面的内容前，假设读者已经了解面向对象程序设计的工作原理（否则这章就没多大意义了。不过不懂也没关系，可以不使用对象，或者参见第7章）。

在Python中，可以使用class关键字定义类，像下面这样：

```
# 不要忘记self参数
def __init__(self, contents=None):
    self.contents = contents or []

def add(self, element):
    self.contents.append(element)

def print_me(self):
    result = ""
    for element in self.contents:
        result = result + " " + repr(element)
    print "Contains:" + result
```

上面例子中有些值得注意的方面。

❑ 方法这样调用：object.method(arg1, arg2)。

❑ 有些参数是可选的，并且被赋了默认值（在A.2节提到过），通过像下面这样定义函数而实现：

```
def spam(age=32): ...
```

❑ 这里的spam可以使用1个或0个参数调用。如果不使用参数进行调用，那么参数age会使用默认值32。

❑ repr函数将对象转换为它的字符串表达形式（如果element包括数字1，那么reprc(element)就等同于"1"，这里的"element"是字面量字符串。）。

Python内的方法或者成员变量（特性）都是无保护的（也不是私有的）。封装更像是一种编程风格（如果真的需要，也可以使用一些命名约定实现私有化，比如使用单或双下划线作为名称前缀）。

现在来谈谈短路逻辑……

Python内所有的值都可以用作逻辑值。那么空值，比如False、[]、0、" "或者None表示逻辑假，而其他的值（比如True、[0]、1和"Hello, world"）表示逻辑真。

逻辑表达式，比如a and b是这样计算的。

□ 检查a是否为真。

□ 如果答案是否定的，那么直接返回a。

□ 如果为真，那么直接返回b（表示表达式中的真值）。

□ 相应的a or b的逻辑是这样的。

□ 如果a为真，那么返回a。

□ 否则返回b。

短路机制让你可以像实现布尔运算符那样使用and或者or，同时也允许程序员编写短小精干的条件表达式。比如如下语句：

```
if a:
    print a
else:
    print b
```

可以写为如下形式：

```
print a or b
```

事实上，这是Python的一种习惯用语，最好还是能习惯它。

---

**注意**　在Python 2.5中，已经引入了真正的条件表达式，所以你可以写成这种形式：print a if a else b。

---

Basket构造函数（Basket.__init__）使用这个策略处理默认参数。参数contonts的默认值是None（也就是假），那么要检查它是否包含一个值的时候，可以写成如下形式：

```
if contents:
    self.contents = contents
else:
    self.contents = []
```

而构造函数只用了一条语句：

```
self.contents = contents or []
```

为什么不把[]的默认值放在前面呢？这是Python工作方式的原因，它会给所有Basket实例赋予一个同样的空列表作为默认内容。某个实例开始填充数据，它们都会包含同样的元素，而默认的也不再是空列表。

---

**注意**　当Basknet.__init__等方法使用None作为占位符时，使用content is None作为条件比只检查参数的布尔值要安全，因为这样做允许传入类似于空列表这样的假值（到对象外可以保留一个引用的地方）。

---

如果将空列表作为默认值使用，像下面做这样避免在实例间共享内容的问题：

```
def __init__(self, contents=[]):
```

```
self.contents = contents[:]
```

能猜到它是如何工作的吗？并不是每个地方都使用同一个空列表，而是使用contents[:]表达式创建了一个副本（也就是对整个列表进行分片）。

那么为了创建一个Basket对象并且使用它（调用它的一些方法），可以像下面这样做：

```
b = Basket(['apple','orange'])
b.add("lemon")
b.print_me()
```

这样会打印Basket的内容——一个apple（苹果）、一个orange（橘子）和一个lemon（柠檬）。

除了__init__外还有一些魔法方法。比如__str__方法，它定义对象作为字符串时候的输出。可以用它来替代print_me：

```
def __str__(self):
    result = ""
    for element in self.contents:
        result = result + " " + repr(element)
    return "Contains:" + result
```

如果想要打印b的内容，那么只要像下面这样：

```
print b
```

很酷吧？

像下面这样实现子类化（继承）：

```
class SpamBasket(Basket):
    # ...
```

Python允许多继承，所以可以在圆括号内用逗号隔开多个超类。类像这样初始化：x=Basket()。而构造函数像我说过的一样，通过定义特殊的成员函数__init__而得到。假设SpamBasket有一个__init__(self,type)构造函数，那么就能像这样实现一个SpamBasket对象：y = SpamBasket("apples")。

如果在SpamBasket的构造函数中需要调用一个或者多个超类的构造函数，可以像这样调用：Basket.__init__(self)。注意，除了要提供一般的参数外还要显式地提供self参数，因为超类的__init__不知道它正在处理哪个实例。

有关更多Python中面向对象程序设计的知识，请参见第7章。

## A.4　其他琐碎知识

让我们在结束这个附录前快速地回顾一些有用的东西。大多数有用的函数和类都在模块中，它们是真正的以.py作为扩展名并包括Python代码的文本文件。读者可以在自己的程序中导入进行使用，比如要使用标准模块math中的sqrt函数，即可以像下面这样编写代码：

```
import math
x = math.sqrt(y)
```

也可以像下面这样：

```
from math import sqrt
x = sqrt(y)
```

有关更多标准库模块的信息，请参见第10章。

所有模块/脚本内的代码都会在导入的时候运行。如果想让你的程序既是可以导入的模块，又是可以运行的程序，可以在末尾加入下面这行：

```
if __name__ == "__main__": main()
```

这个方法很奇妙，如果模块作为可执行脚本运行（也就是并不导入到其他脚本中），那么函数main会被调用。当然，可以在main函数内做任何事。

而如果想要在UNIX内创建可执行脚本的话，可以使用下面这行代码让脚本自己运行：

```
#!/usr/bin/env python
```

最后，简单地介绍一个重要概念：异常。有些操作（类似于除0或者从不存在的文件中读取数据）会产生一个错误状况，或者说异常。你可以创建自定义异常，让它们在适当的时间引发它们。

如果对于异常什么都不做，程序会结束，并且打印错误信息。不过可以使用try/except语句避免这种情况。比如：

```
def safe_division(a, b):
    try:
        return a/b
    except ZeroDivisionError: pass
```

ZeroDivisionError是个标准的异常。本例中，可以检查b是否为0，但是很多情况下这个方法行不通。除此之外，如果在safe_division中移除了try/except语句的话，会让它变成一个调用时带有风险的函数（就变成unsafe_division了），仍然可以像下面这样做：

```
try:
    unsafe_division(a, b)
except ZeroDivisionError:
    print "Something was divided by zero in unsafe_division"
```

本例中一般来说不会看到具体的问题，但是它可能会发生，使用异常可以避免将时间浪费在无谓的测试上。

那么，就是这样了，希望各位读者有收获。开始编程吧。要记得Python的学习箴言：使用源代码（就是说要阅读能得到的所有代码）。

# Python参考手册

**B**

显然，这个附录并不是个完整的Python参考手册，而只是个在你开始用Python编程的时候，可以用于更新记忆的方便的"备忘录"。完整的参考手册可以在标准Python文档（http://python.org/doc/ref）中找到。请参看附录D获取Python 3.0中引入的新内容。

## B.1 表达式

这部分总结了Python的表达式。表B-1列出Python中最重要的基本（字面量）值，表B-2是Python的运算符以及它们的优先级（高优先级的运算符比低优先级的要先计算），表B-3则描述了一些最重要的内建函数，表B-4~表B-6分别描述了列表方法、字典方法和字符串方法。

表B-1 基本的（字面量）值

| 类　　型 | 描　　述 | 语法示例 |
| --- | --- | --- |
| 整型 | 无小数部分的数 | 42 |
| 长整型 | 大整数 | 42L |
| 浮点型 | 有小数部分的数 | 42.5, 42.5e-2 |
| 复合型 | 实数（整数或浮点数）和虚数的和 | 38 + 4j, 42j |
| 字符串 | 不可变的字符序列 | 'foo', "bar", """baz""", r'\n' |
| Unicode | 不可变的Unicode字符序列 | u'foo', u"bar", u"""baz""" |

表B-2 运算符

| 运　算　符 | 描　　述 | 优　先　级 |
| --- | --- | --- |
| lambda | lambda表达式 | 1 |
| or | 逻辑或 | 2 |
| and | 逻辑与 | 3 |
| not | 逻辑非 | 4 |
| in | 成员资格测试 | 5 |
| not in | 非成员资格测试 | 5 |
| is | 一致性测试 | 6 |
| is not | 非一致性测试 | 6 |

（续）

| 运 算 符 | 描　述 | 优 先 级 |
|---|---|---|
| < | 小于 | 7 |
| > | 大于 | 7 |
| <= | 小于或等于 | 7 |
| >= | 大于或等于 | 7 |
| == | 等于 | 7 |
| != | 不等于 | 7 |
| \| | 按位或 | 8 |
| ^ | 按位异或 | 9 |
| & | 按位与 | 10 |
| << | 左移 | 11 |
| >> | 右移 | 11 |
| + | 加法 | 12 |
| - | 减法 | 12 |
| * | 乘法 | 13 |
| / | 除法 | 13 |
| % | 求余 | 13 |
| + | 一元一致性 | 14 |
| - | 一元不一致性 | 14 |
| ~ | 按位补码 | 15 |
| ** | 幂 | 16 |
| x.attribute | 特性引用 | 17 |
| x[index] | 项目访问 | 18 |
| x[index1:index2[:index3]] | 切片 | 19 |
| f(args...) | 函数调用 | 20 |
| (...) | 将表达式加圆括号或元组显示 | 21 |
| [...] | 列表显示 | 22 |
| {key:value, ...} | 字典显示 | 23 |
| 'expressions...' | 字符串转换 | 24 |

表B-3　一些重要的内建函数

| 函　　数 | 描　述 |
|---|---|
| abs(number) | 返回一个数的绝对值 |
| apply(function[, args[, kwds]]) | 调用给定的函数，可选择提供参数 |
| all(iterable) | 如果所有iterable的元素均为真则返回True，否则返回False |
| any(iterable) | 如果有任一iterable的元素为真则返回True，否则返回False |
| basestring() | str和unicode抽象超类，用于类型检查 |
| bool(object) | 返回True或False，取决于Object的布尔值 |
| callable(object) | 检查对象是否可调用 |

（续）

| 函　　数 | 描　　述 |
|---|---|
| chr(number) | 返回ASCII码为给定数字的字符 |
| classmethod(func) | 通过一个实例方法创建类的方法（参见第7章） |
| cmp(x, y) | 比较x和y——如果x<y，则返回负数；如果x>y则返回正数；如果x==y，返回0 |
| complex(real[, imag]) | 返回给定实部（以及可选的虚部）的复数 |
| delattr(object, name) | 从给定的对象中删除给定的属性 |
| dict([mapping-or-sequence]) | 构造一个字典，可选择从映射或（键，值）对组成的列表构造。也可以使用关键字参数调用 |
| dir([object]) | 当前可见作用于域的（大多数）名称的列表，或者是选择性地列出给定对象的（大多数）特性 |
| divmod(a, b) | 返回(a//b, a%b)（float类型有特殊规则） |
| enumerate(iterable) | 对iterable中的所有项迭代（索引，项目）对 |
| eval(string[, globals[, locals]]) | 对包含表达式的字符串进行计算。可选择在给定的全局作用域或者局部作用域中进行。 |
| execfile(file[, globals[, locals]]) | 执行一个Python文件，可选在给定全局作用域或者局部作用域中进行 |
| file(filename[, mode[, bufsize]]) | 创建给定文件名的文件，可选择使用给定的模式和缓冲区大小 |
| filter(function, sequence) | 返回从给定序列中函数返回真的元素的列表 |
| float(object) | 将字符串或者数值转换为float类型 |
| frozenset([iterable]) | 创建一个不可变集合，这意味着不能将它添加到其他集合中 |
| getattr(object, name[, default]) | 返回给定对象中所指定的特性的值，可选择给定默认值 |
| globals() | 返回表示当前作用域的字典 |
| hasattr(object, name) | 检查给定的对象是否有指定的属性 |
| help([object]) | 调用内建的帮助系统，或者打印给定对象的帮助信息 |
| hex(number) | 将数字转换为十六进制表示的字符串 |
| id(object) | 返回给定对象的唯一ID |
| input([prompt]) | 等同于eval(raw_input(prompt)) |
| int(object[, radix]) | 将字符串或者数字（可以提供基数）转换为整数 |
| isinstance(object, classinfo) | 检查给定的对象object是否是给定的classinfo值的实例，classinfo可以是类对象、类型对象或者类对象和类型对象的元组 |
| issubclass(class1, class2) | 检查class1是否是class2的子类（每个类都是自身的子类） |
| iter(object[, sentinel]) | 返回一个迭代器对象，可以是用于迭代序列的object_iter()迭代器（如果object支持_getitem_方法的话），或者提供一个sentinel，迭代器会在每次迭代中调用Object，直到返回sentinel |
| len(object) | 返回给定对象的长度（项的个数） |
| list([sequence]) | 构造一个列表，可选择使用与所提供序列sequence相同的项 |
| locals() | 返回表示当前局部作用域的字典（不要修改这个字典） |
| long(object[, radix]) | 将字符串（可选择使用给定的基数radix）或者数字转换为长整型 |
| | 创建由给定函数function应用到所提供列表sequence每个项目时返回的值组成的列表 |

（续）

| 函　　数 | 描　　述 |
|---|---|
| map(function, sequence, ...) | 如果object1是非空序列，那么就返回最大的元素。否则返回所提供参数（object1、object2...）的最大值 |
| max(object1, [object2, ...]) | 如果object1是非空序列，那么就返回最小的元素；否则返回所提供参数（object1、object2...）的最小值 |
| min(object1, [object2, ...]) | 将整型数转换为八进制表示的字符串 |
| object() | 返回所有新式类的基数Object的实例 |
| oct(number) | 将整型数转换为八进制表示的字符串 |
| open(filename[, mode[, bufsize]]) | file的别名（在打开文件的时候使用open而不是file） |
| ord(char) | 返回给定单字符（长度为1的字符串或者Unicode字符串）的ASCII值 |
| pow(x, y[, z]) | 返回x的y次方，可选择模除z |
| property([fget[, fset[, fdel[, doc]]]]) | 使用给定的起始值（包括起始值，默认为0）和结束值（不包括）以及步长（默认为1）返回数值范围（以列表形式） |
| range([start, ]stop[, step]) | 通过一组访问器创建属性（参见第9章） |
| raw_input([prompt]) | 将用户输入的数据作为字符串返回，可选择使用给定的提示符prompt |
| reduce(function, sequence[, initializer]) | 对序列的所有渐增地应用给定的函数，使用累积的结果作为第一个参数，所有的项作为第二个参数，可选择给定起始值（initializer） |
| reload(module) | 重载入一个已经载入的模块并且将其返回 |
| repr(object) | 返回表示对象的字符串，一般作为eval的参数使用 |
| reversed(sequence) | 返回序列的反向迭代器 |
| round(float[, n]) | 将给定的浮点四舍五入，小数点后保留n位（默认为0） |
| set([iterable]) | 返回从iterable（如果给出）生成的元素集合 |
| setattr(object, name, value) | 设定给定对象的指定属性的值为给定值 |
| sorted(iterable[, cmp][, key][, reverse]) | 从iterable的项目中返回一个新的排序后的列表。可选的参数和列表方法sort中的参数相同 |
| staticmethod(func) | 从一个实例方法创建静态（类）方法（参见第7章） |
| str(object) | 返回表示给定对象object的格式化好的字符串 |
| sum(seq[, start]) | 返回添加到可选参数Start（默认为0）中的一系列数字的和 |
| super(type[, obj/type]) | 返回给定类型（可选为实例化的）的超类 |
| tuple([sequence]) | 构造一个元组，可选择使用同提供的序列sequence一样的项 |
| type(object) | 返回给定对象的类型 |
| type(name, bases, dict) | 使用给定的名称、基类和作用域返回一个新的类型对象 |
| unichr(number) | chr的Unicode版本 |
| unicode(object[, encoding[, errors]]) | 返回给定对象的Unicode编码版本，可以给定编码方式和处理错误的模式（'strict'、'replace'或者'ignore', 'strict'为默认模式） |
| vars([object]) | 返回表示局部作用于的字典，或者对应给定对象特性的字典（不要修改所返回的字典因为修改后的结果不会被语言引用定义） |
| xrange([start, ]stop[, step]) | 类似于range，但是返回的对象使用较少的内存，而且只用于迭代 |
| zip(sequence1, ...) | 返回元组的列表，每个元组包括一个给定序列中的项。返回的列表的长度和所提供的序列的最短长度相同 |

表B-4 列表方法

| 方 法 | 描 述 |
| --- | --- |
| aList.append(obj) | 等同于aList[len(aList):len(aList)] = [obj] |
| aList.count(obj) | 返回aList[i]==obj中索引i的数值 |
| aList.extend(sequence) | 等同于aList[len(aList):len(aList)] = sequence |
| aList.index(obj) | 返回aList[i]==object中最小的i（如果i不存在会引发ValueError异常） |
| aList.insert(index, obj) | 如果index>0，等同于aList[index:index] = [obj]；如果index<0，将Object置于列表最前面 |
| aList.pop([index]) | 移除并且返回给定索引的项（默认为-1） |
| aList.remove(obj) | 等同于aList[aList.index(obj)] |
| aList.reverse() | 原地反转aList的项 |
| aList.sort([cmp][, key][, reverse]) | 对aList中的项进行原地排序。可以提供比较函数cmp、创建用于排序的键的key函数和reverse标志（布尔值）进行自定义 |

表B-5 字典方法

| 方 法 | 描 述 |
| --- | --- |
| aDict.clear() | 移除aDict所有的项 |
| aDict.copy() | 返回aDict的副本 |
| aDict.fromkeys(seq[, val]) | 返回从seq中获得的键和被设置为val的值（Val的默认值None）的字典。可以直接在字典类型dict上作为类方法调用 |
| aDict.get(key[, default]) | 如果aDict[key]存在，那么将其返回；否则返回给定的默认值（默认为None） |
| aDict.has_key(key) | 检查aDict是否有给定键key |
| aDict.items() | 返回表示aDict项的（键，值）对列表 |
| aDict.iteritems() | 从和aDict.items返回的（键，值）对相同的（键，值）对中返回一个可迭代对象 |
| aDict.iterkeys() | 从aDict的键中返回一个可迭代对象 |
| aDict.itervalues() | 从aDict的值中返回一个可迭代对象 |
| aDict.keys() | 返回aDict键的列表 |
| aDict.pop(key[, d]) | 移除并且返回对应给定键key或给定的默认值d的值 |
| aDict.popitem() | 从aDict中移除任意一项，并将其作为（键，值）对返回 |
| aDict.setdefault(key[,default]) | 如果aDict[key]存在则将其返回；否则返回给定的默认值（默认为None）并将aDict[key]的值绑定给该默认值 |
| aDict.update(other) | 将other中的每一项都加入aDict中（可能会重写已存在项）。也可以使用与字典构造函数aDict类似的参数调用 |
| aDict.values() | 返回aDict中值的列表（可能包括相同的） |

表B-6 字符串方法

| 方 法 | 描 述 |
| --- | --- |
| string.capitalize() | 返回首字母大写的字符串的副本 |
| string.center(width[, fillchar]) | 返回一个长度为max(len(string), width)且其中String的副本居中的字符串，两侧使用fillchar（默认为空字符）填充 |

（续）

| 方　法 | 描　述 |
|---|---|
| string.count(sub[, start[, end]]) | 计算子字符串sub的出现次数，可将搜索范围限制为string[start:end] |
| string.decode([encoding[, errors]]) | 返回使用给定编码方式的字符串的解码版本，由errors指定错误处理方式（'strict'、'ignore'或者'replace'） |
| string.encode([encoding[, errors]]) | 返回使用给定编码方式的字符串的编码版本，由errors指定错误处理方式（'strict'、'ignore'或者'replace'） |
| string.endswith(suffix[, start[, end]]) | 检查string是否以suffix结尾，可使用给定的索引start和end来选择匹配的范围 |
| string.expandtabs([tabsize]) | 返回字符串的副本，其中tab字符会使用空格进行扩展，可选择使用给定的tabsize（默认为8） |
| string.find(sub[, start[, end]]) | 返回子字符串sub的第一个索引，如果不存在这样的索引的话返回-1。可选定义搜索的范围为string[start:end] |
| string.index(sub[, start[, end]]) | 返回子字符串sub的第一个索引，或者在找不到索引的时候引发ValueError异常，可定义搜索的范围为string[start:end] |
| string.isalnum() | 检查字符串是否由字母或数字字符组成 |
| string.isalpha() | 检查字符串是否由字母字符组成 |
| string.isdigit() | 检查字符串是否由数字组成 |
| string.islower() | 检查字符串中所有基于实例的字符（字母）是否都为小写 |
| string.isspace() | 检查字符串是否由空格组成 |
| string.istitle() | 检查字符串中不基于实例的字母后面的基于实例的字符都是大写的，且其他的基于实例的字符都是小写的 |
| string.isupper() | 检查是否所有字符串中的基于实例的字符都是大写的 |
| string.join(sequence) | 返回其中sequence的字符串元素已用String连接的字符串 |
| string.ljust(width[, fillchar]) | 返回一个长度为max(len(string), width)且其中String的副本左对齐的字符串，右侧使用fillchar（默认为空字符）填充 |
| string.lower() | 返回一个字符串的副本，其中所有基于实例的字符都是小写的 |
| string.lstrip([chars]) | 返回一个字符串副本，其中所有的chars（默认为空白字符，比如空格、tab和换行符）都被从字符串开始处去除 |
| string.partition(sep) | 在字符串中搜索sep并返回（head, sep, tail） |
| string.replace(old, new[, max]) | 返回字符串的副本，其中old的匹配项都被替换为new，可选择最多替换max个 |
| string.rfind(sub[, start[, end]]) | 返回子字符串sub被找到的位置的最后一个索引，如果不存在这样的索引则返回-1。可定义搜索的范围为string[start:end] |
| string.rindex(sub[, start[, end]]) | 返回子字符串sub被找到位置的最后一个索引，如果不存在这样的索引则引发一个ValueError异常。可定义搜索范围为string[start:end] |
| string.rjust(width[, fillchar]) | 返回一个长度为max(len(string), width)且其中string的副本右对齐的字符串，左侧使用fillchar（默认为空字符）填充 |
| string.rpartition(sep) | 同Partition，但从右侧开始查找 |
| string.rstrip([chars]) | 返回一个字符串副本，其中所有的chars（默认为空白字符，比如空格、tab和换行符）都被从字符串结束处去除 |
| string.rsplit([sep[, maxsplit]]) | 同split，但是在使用maxsplit时是从右向左进行计数 |
| string.split([sep[, maxsplit]]) | 返回字符串中所有单词的列表，使用sep作为分隔符（如果未特别指出的话以空格切分单词），可使用maxsplit指定最大切分数 |

（续）

| 方　法 | 描　述 |
|---|---|
| string.splitlines([keepends]) | 返回string中所有行的列表，可选择是否包括换行符（如果提供keepend参数则包括） |
| string.startswith(prefix[,start[,end]]) | 检查string是否以prefix开始，可使用给的索引start和end来定义匹配的范围 |
| string.strip([chars]) | 返回字符串的副本，其中所有chars（默认为空格）都从字符串的开头和结尾去除（默认为所有空白字符，如空格、tab和换行符） |
| string.swapcase() | 返回字符串的副本，其中所有基于实例的字符都交换大小写 |
| string.title() | 返回字符串的副本，其中单词都以大写字母开头 |
| string.translate(table[,deletechars]) | 返回字符串的副本，其中所有字符都使用table（由string模块中的maketrans函数构造）进行了转换，可选择删除出现在delelechars中的所有字符 |
| string.upper() | 返回字符串的副本，其中所有基于实例的字符都是大写的 |
| string.zfill(width) | 在string的左侧以0填充width个字符 |

## B.2　语句

本节会对Python中各种语句类型进行总结。

### B.2.1　简单语句

简单语句由（逻辑上的）一行组成。

**1. 表达式语句**

表达式也可以是语句。如果表达式是函数调用或者文档字符串的话尤其有用。

例如：

```
"This module contains SPAM-related functions."
```

**2. 断言语句**

断言语句可以检查条件是否为真，如果不为真则引发一个AssertionError（可选提供的错误信息）异常。

例如：

```
assert age >= 12, 'Children under the age of 12 are not allowed'
```

**3. 赋值语句**

赋值语句将变量绑定到值上。多个变量可以同时赋值（通过队列解包），复制也可以是连锁的。

例如：

```
x = 42                    # 简单赋值
name, age = 'Gumby', 60   # 序列解包
x = y = z = 10            # 链式赋值
```

**4. 增量赋值语句**

赋值也可以通过运算符来扩充。运算符可以应用到已有变量值和新值，然后变量会被重绑定

到结果上。如果原始的值是可变，那么它会被修改（变量仍然绑定到初始值）。

例如：

```
x *= 2                    # x的2倍
x += 5                    # x加5
```

### 5. pass语句

pass语句是一个"无操作"，也就是什么都不做。它可以作为占位符，或者在你不需要做任何事情的函数中作为要求语法结构的块中唯一的语句。

例如：

```
try: x.name
except AttributeError: pass
else: print 'Hello', x.name
```

### 6. del语句

del语句解除变量和特性的绑定，并且移除数据结构（映射或者序列）中的某部分（位置、切片或者存储槽）。它不能用于直接删除值，因为值只能通过垃圾收集进行删除。

例如：

```
del x                     # 解除变量绑定
del seq[42]               # 删除序列元素
del seq[42:]              # 删除序列切片
del map['foo']            # 删除一个映射项
```

### 7. print语句

print语句将一个或多个值（自动使用str格式化，由单空格隔开）写入到给定的流中，默认为sys.stdout。除非print语句以逗号结束，否则它会在所写字符串的结尾增加一个换行符。

例如：

```
print 'Hello, world!'     # 将'Hello, world\n'写入到sys.stdout中
print 1, 2, 3             # 将'1 2 3\n'写入sys.stdout中
print >> somefile, 'xyz'  # 将'xyz'写入somefile中
print 42,                 # 将'42'写入sys.stdout中
```

### 8. return语句

return语句会终止函数的运行，并且返回值。如果没有提供值，则返回None。

例如：

```
return                    # 从当前函数中返回None
return 42                 # 从当前函数中返回42
return 1, 2, 3            # 从当前函数中返回(1,2,3)
```

### 9. yield语句

yield语句会暂时终止生成器的执行并且生成一个值。生成器是迭代器的一种形式，可以和其他对象一起用于for循环。

例如：

```
yield 42                  # 从当前函数中返回42
```

### 10. raise语句

raise语句引发一个异常。可以不用参数进行调用（在except子句内，重引发当前捕捉到的

异常），也可以子类化Exception并且提供可选的参数（在这种情况下，会构造一个实例），或是使用Exception子类的一个实例。

例如：

```
raise                           # 只能用于except子句内
raise IndexError
raise IndexError, 'index out of bounds'
raise IndexError('index out of bounds')
```

### 11. break语句

break语句会结束当前的循环语句（for或while），并且会立即执行循环后的语句。

例如：

```
while True:
    line = file.readline()
    if not line: break
    print line
```

### 12. continue语句

continue语句类似于break语句，它也会终止当前循环中的迭代，但是并不会完全终止循环，而是从下一个迭代过程的开始处继续执行。

例如：

```
while True:
    line = file.readline()
    if not line: break
    if line.isspace(): continue
    print line
```

### 13. import语句

import语句用于从外部模块导入名称（绑定到函数、类、或者其他值的变量）。这也包括了from__future__import...语句。这个语句用于导入在未来的Python版本中成为标准的特性。

例如：

```
import math
from math import sqrt
from math import sqrt as squareroot
from math import *
```

### 14. global语句

global语句用于标记一个变量为全局变量。它可以用在函数内，以允许函数体内的语句重绑定全局变量。使用global语句一般来说被认为是不好的编程风格，能避免的话尽量避免。

例如：

```
count = 1
def inc():
    global count
    count += 1
```

### 15. exec语句

exec语句用于执行包含Python语句的字符串，可选择给定的全局和局部命名空间（字典）。

例如：

```
exec 'print "Hello, world!"'
exec 'x = 2' in myglobals, mylocals # myglobals和mylocals都是字典
```

## B.2.2　复合语句

复合语句包括其他语句组（块）。

### 1. if语句

if语句用于条件执行，可以包括elif和else子句。

例如：

```
if x < 10:
    print 'Less than ten'
elif 10 <= x < 20:
    print 'Less than twenty'
else:
    print 'Twenty or more'
```

### 2. while语句

while语句用于在给定的条件为真的时候重复执行（循环）。它可以包括else子句（在循环正常结束，没有任何break或者return语句的时候执行）。

例如：

```
x = 1
while x < 100:
    x *= 2
print x
```

### 3. for语句

for语句用于对序列或者其他可迭代对象（对象有返回迭代器的__iter__方法）的元素重复执行（循环）。它可以包括一个else子句（在循环正常结束，没有任何break或者return语句的时候执行）。

例如：

```
for i in range(10, 0, -1):
    print i
print 'Ignition!'
```

### 4. try语句

try语句用于封闭一段可能发生一个或者多个异常的代码，让你的程序可以捕捉这些异常，并且在捕捉到异常的时候进行异常处理。try语句可以包含多个except子句（处理异常的情况）以及多个finally子句（无论如何都会执行的语句，用于清理）。

例如：

```
try:
    1/0
except ZeroDivisionError:
    print "Can't divide anything by zero."
finally:
    print "Done trying to calculate 1/0"
```

### 5. with语句

with语句使用所谓的上下文管理器对代码块进行包装，允许上下文管理器实现一些设置和清

理操作。例如，文件可以作为上下文管理器使用，它们可以将关闭自身作为清理的一部分。

**注意**　在Python 2.5中，需要使用from__future__import with_statement进行with语句的导入。

例如：

```
with open("somefile.txt") as myfile:
    dosomething(myfile)
# 文件在此处关闭
```

### 6. 函数定义

函数定义用于创建函数对象，并且绑定全局或者局部变量到函数对象上。

例如：

```
def double(x):
    return x*2
```

### 7. 类定义

类定义用于创建类对象，并且绑定全局或者局部变量到类对象上。

例如：

```
class Doubler:
    def __init__(self, value):
        self.value = value
    def double(self):
        self.value *= 2
```

# 在 线 资 源

在学习Python的过程中，互联网可以提供很多无价的资源。本附录介绍了一些在入门过程中可能有帮助的的网站。如果要查找的Python相关资源在这里并没有介绍，那么建议读者先看看Python的官方网站（http://python.org），然后使用你最喜欢的搜索引擎或其他途径寻找资源。网上有关Python的信息很多，应该能找到一些有用的。如果还是没有的话，可以尝试访问comp.lang.python（本附录后面会介绍）。如果读者使用IRC（请参见http://irchelp.org获取信息），那么可以访问irc.freenode.net上面的#python频道。

## C.1 Python发行版

Python的发行版有很多。下面是一些比较重要的。

- 官方Python发行版（http://python.org/download）。这个版本带有默认的名为IDLE（有关它的更多信息，请参见http://docs.python.org/lib/idle.html）的IDE（Integrated development environment，集成开发环境）。
- ActivePython（http://activestate.com）。这是ActiveState的Python发行版，除了官方发行版外包括一些非标准的包。它也是Visual Python的主页，这是一个针对Visual Studio .Net的Python插件。
- **Jython**（http://www.jython.org）。Jython是Python的Java实现版本。
- **IronPython**（(http://www.codeplex.com/Wiki/View.aspx?ProjectName=IronPython)）。IronPython是Python的C#实现版本。
- **MacPython**（http://homepages.cwi.nl/~jack/macpython/index.html）。MacPython是为旧版本Mac OS设计的Python的苹果机端口。新的Mac版本可以在Python网站（http://python.org）上找到。也可以从MacPorts（http://macports.org）上获取。
- **pywin32**（http://sf.net/projects/pywin32/）。这是针对Windows扩展的Python。如果安装了ActivePython，那么已经拥有了这些扩展。

## C.2 Python文档

大多数的Python问题的答案都可以在Python.org网站上获得。文档可在http://python.org/doc上找到，分为下面几部分。

- □ **Python教程**（http://python.org/doc/tut）。相对比较简单的语言介绍。
- □ **Python参考手册**（http://python.org/doc/ref）。这个文档包括对于Python语言的准确定义。在学习Python的过程中可能不适合用它作为入门教材，但是它包括与这门语言有关的大多数问题的准确答案。
- □ **扩展和嵌入Python解释器**（http://python.org/doc/ext）。这是一个描述如何使用C语言编写Python扩展模块，以及如何使用Python解释器作为大型C程序一部分的文档（Python本身是由C语言实现的）。
- □ **苹果机库模块**（http://python.org/doc/mac）。这个文档描述了Python的苹果机端口特有的功能。
- □ **Python/C API参考手册**（http://python.org/doc/api）。这是个技术文档，描述了Python/C API的细节，这些API可以让C语言程序与Python解释器的接口进行通信。

另外两个有用的文档资源是Python在线文档（http://pydoc.org）和pyhelp.cgi（http://starship.python.net/crew/theller/pyhelp.cgi），它们允许搜索标准的Python文档。如果需要一些由Python社区提供的"食谱"和解决方案，那么Python Cookbook（http://aspn.activestate.com/ ASPN/Python/Cookbook）值得一看。

Python的未来是由这个语言的创始人（Benevolent Dictator For Life，简称DBFL）Guido van Rossum决定的，但是他的决定是由Python增强提案（Python Enhancement Proposal）所指导的，提案可以在http://python.org/dev/peps上访问到。http://python.org/doc/howto上面也有很多HOWTO文档（相对更详细的教程）。

## C.3　有用的工具包和模块

查找由Python（包括可以用在你自己的程序中使用的有用工具包和模块）实现的软件的最主要资源是Vaults of Parnassus（http://www.vex.net/ parnassus），另外一个是Python Package Index（http://pypi.python.org/pypi）。如果在这些网站上都没有找到，那么试着直接进行搜索，或者看看freshmeat（http://freshmeat.net）或SourceForge（http://sf.net）。

表C-1列出了一些最知名的Python GUI工具包的URL。更详细的介绍可以参看第12章。表C-2列出了用在10个项目中的各种第三方包的URL。

表C-1　一些针对Python的知名GUI工具包

| 工 具 包 | URL |
| --- | --- |
| Tkinter | http://python.org/topics/tkinter/doc.html |
| wxPython | http://www.wxpython.org |
| PythonWin | http://sf.net/projects/pywin32/ |
| Java Swing | http://java.sun.com/docs/books/tutorial/uiswing |
| PyGTK | http://www.pygtk.org |
| PyQt | http://www.thekompany.com/projects/pykde |

表C-2 用在10个项目中的各种第三方模块

| 工具包 | URL |
| --- | --- |
| Psycopg | http://initd.org/pub/software/psycopg/ |
| MySQLdb | http://sourceforge.net/projects/mysql-python |
| Pygame | http://www.pygame.org |
| PyXML | http://sourceforge.net/projects/pyxml |
| ReportLab | http://www.reportlab.org |

## C.4 新闻组、邮件列表和博客[①]

进行Python讨论的一个重要论坛是Usenet组comp.lang.python。如果读者对学习Python持非常认真的态度，那么建议定期查看这个新闻组。它的伴随小组comp.lang.python.announce包括有关新Python软件的公告（包括新的Python发布版、Python扩展和使用Python编写的软件）。

还有些官方的邮件列表可用。比如comp.lang.python组就在python-list@python.org邮件列表拥有镜像。如果有关于Python的问题需要帮助，那么只要发送E-mail到python-list@python.org（当然，假设之前读者已经尝试了各种方法）。有关使用Python学习程序设计的事宜，可以使用辅导列表（tutor@python.org）。有关如何连接这些（以及其他）邮件列表的信息，请参见http://mail.python.org/mailman/listinfo。

非官方的Planet Python（http://planetpython.org）和Daily Python-URL（http://pythonware.com/daily）都介绍了一些有用的博客。

---

① 中文Python资源：啄木鸟维基http://wiki.woodpecker.org.cn。

# Python 3.0

**本** 书主要描述了Python 2.5版本定义的语言。Python 3.0版（及其"过渡"版本2.6版）并不是和之前的版本完全不同，大多数功能的工作方式都与以前一样，但由于已经进行了语言清理，也就意味着有些已经存在的代码会无法运行。

在从旧版本的代码转换到Python 3.0的工作时，使用一些工具会很有帮助。首先，Python 2.6中提供了对于3.0版本不兼容代码的可选性警告（使用-3标志运行Python）。如果确保代码可以在2.6版本上没有错误地运行（基本上都向前兼容），那么可以考虑重构以去除所有不兼容性警告（多说一句，在此之前应该已经有了可靠的单元测试，请参见第16章获取更多关于程序测试的建议）。其次，Python 3.0包含一个叫做2to3的自动重构工具，可以自动更新源文件（在进行任何大范围的转换前记得要备份或记录你的文件）。如果希望2.6和3.0版本的代码同时使用，那么可以继续在2.6版本代码上进行工作（打开适当的警告提示），并且在准备进行发布的时候生成3.0版本代码。

在本书内有关于Python 3.0中代码改变的提示。本附录则对于进入3.0版的世界需要注意的地方进行更详尽的描述。会描述一些明显的改变，但并不会介绍Python 3.0中所有的新知识。新版中较大的和较小的改变都相当多。本附录结尾部分的表D-1（基于Guido van Rossum的文档*What's New in Python 3.0*），列出了更多的改变以及相应的PEP文档（可在http://python.org/dev/peps上找到）。表D-2列出了更多信息的其他来源。

## D.1 字符串和I/O

下面几节会介绍和文本相关的新特性。字符串不再只是字节序列（尽管这样的序列依然可用），input/print语句已经被小规模改写，字符串格式化方面的改变则如同脱胎换骨。

### D.1.1 字符串、字节和编码

在Python 3.0中，文本和字节序列之间的区别明显变小了。之前版本中的字符串是基于文本字符可以轻松地用单字节表示这种观念，但它已经有些过时（却还流行）。对于英语和大多数西方语言来说这种观念是没有问题的，但却不适用于类似中文这样的表意文字。

Unicode标准是围绕着所有可书写语言建立的，它包含大约10万个字符，其中每个字符都有唯一的数字代码。在Python 3.0中，str实际上是早前版本中的unicode类型，即Unicode字符的序列。由于将字符编码为字节序列的方法并不唯一（为了执行磁盘I/O所必需的工作），所以必需要提供一种编码方式（在大多数情况下默认使用UTF-8）。所以，文本文件现在会被默认以Unicode方式进行编码，而不是简单的任意字节的序列（虽然二进制文件则依然为字节序列）。正因如此，例如string.letters这样的常量被加上了前缀ascii_（例如，string.ascii_letters）以和特定的编码方式建立明显的联系。

为了避免丢失以前的str类的功能，现在增加了一个bytes类，用来表示不可变的字节序列（以及bytearray，是可变版本）。

## D.1.2　控制台I/O

把控制台打印专门提出来讲的原因是它有自己的语句。因此，Print语句被转换为一个函数。它和原来的语句的工作方式大同小异（例如，可以使用逗号分隔多个参数进行打印），但流转向功能现在变成了关键字参数，换句话说，下面这样写是不行的：

```
print >> sys.stderr, "fatal error:", error
```

而应该这样写：

```
print("fatal error:", error, file=sys.stderr)
```

除此之外，原来的input函数失去了原有的功能。名称input现在拥有的是原来的raw_input所实现的功能，如果要获取旧的功能，则要显式地写出eval(input))语句。

## D.1.3　新的字符串格式化

字符串现在有了一个叫做format的新方法，它可以实现相当高级的字符串格式化功能。将字符串中需要拼接值的字段放在了大括号中，前面不用加上百分号（大括号本身使用双大括号进行转义）。替换字段会参考format方法的参数或通过数字数字（位置参数）或通过名称（关键字参数）。

```
>>> "{0}, {1}, {x}".format("a", 1, x=42)
'a 1 42'
```

除此之外，替换字段还能够访问需要替换的值的特性和元素，例如在"{foo.bar}"或者"{foo[bar]}"中，可以使用类似于当前系统使用的格式化说明符进行修改。这些新的机制相当灵活，并且由于它们允许类定义自己的格式化字符串行为（通过__format__魔方法），编写更加优美的输出格式化代码成为了可能。

## D.2　类和函数

尽管这些改变都不像引入新式类那样基础，Python 3.0在抽象方面还是增加了新的功能：函数现在可以使用参数和返回值的信息进行标注了，增加了一个抽象基类的框架，元类（metaclass）拥有更加方便的语法，并且可以拥有专用的关键字参数和非本地（也非全局）的变量。

## D.2.1　函数注释

新的函数注释系统多少和通配符有关系。它允许用户对函数（和方法）的参数和返回类型利用任意表达式的值进行注释，并且可以在之后获取这些值。但是这个系统的用途并没有特定指明。引入这个功能的是一些实用性程序推动的结果（例如更加好用的文本字符串功能、类型规范和检查、泛型函数，等等），用户可以随意使用这个功能。

函数可以像下面这样进行注释：

```
def frozzbozz(x: foo, y: bar = 42) -> baz:
    pass
```

这里的foo、bar和baz就是frozzbozz函数的位置参数x、关键字参数y和返回值的注释。它们可以使用字典frozzbozz.func_annotations获取，用参数名（返回值使用"return"）作为键。

## D.2.2   抽象基类

有些时候可能只需要实现类的一部分。例如一些几个类共享的功能，这样的函数可以放在超类中。但是，超类并不完整，并且不能被本身实例化，它只是用来供其他类继承的。这样的类叫做抽象基类（或者称抽象类）。对于抽象类来说，定义一些并不实现功能的方法供子类重载是再平常不过的事情。同样地，基类也可以充当接口定义。

这个功能使用旧版的Python也可以模拟（例如引发NotImplementedError异常），但对于抽象基类来说还有一个更完善的框架。这个框架包含一个新的元类（ABCMeta），以及分别用来定义抽象（未实现的）方法和属性的修饰符@abstractmethod和@abstractproperty。还有一个单独的模块abc为抽象基类提供"支持框架"的功能。

## D.2.3   类修饰符和新元类语法

类修饰符和函数修饰符类似，除了不像下面这样编写外：

```
class A:
    pass
A = foo(A)
```

可以这样写：

```
@foo
class A:
    pass
```

换句话说，这个功能可以对新建立的类对象进行处理。实际上，它可以实现以前用元类才能实现的功能。但在本例中，你需要一个元类，语法也有变化。以前的语法如下：

```
class A:
    __metaclass__ = foo
```

现在可以这样写：

```
class A(metaclass=foo):
    pass
```

有关更多类修饰符的信息，请参见PEP 3129（http://python.org/dev/peps/pep-3129）。更多关于新元类语法的知识请参见PEP 3115（http://python.org/dev/peps/pep-3115）。

### D.2.4　专用关键字参数

现在可以定义必须作为关键字提供的参数了（如果一定要这么做的话）。在之前的版本中，任何关键字参数都可以作为位置参数提供，除非使用类似于def foo(**kwds)：这样的函数定义，并且自己处理kwds字典。如果关键字参数是必需的，那么在这样的参数不存在的时候需要显式地引发异常。

新的功能简单、合理且优雅。现在可以将参数放置在可变参数后面了：

```
def foo(*args, my_param=42): ...
```

my_param参数永远不会被位置参数赋值，因为位置参数都会被args参数收集。如果需要的话，则必须要作为关键字参数提供。有趣的是，你甚至不用给专用关键字参数赋初始值。如果不赋值的话，它们就会成为必需的专用关键字参数（也就是说不提供值的话就会产生错误）。如果不需要可变参数（args），那么可以使用新的语法形式，多参数运算符（*）会在没有值的情况下使用：

```
def foo(x, y, *, z): ...
```

这里的x和y是必需的位置参数，z则是必需的关键字参数。

### D.2.5　非局部变量

当嵌套的（静态）作用域引入到Python中的时候，它们是只读的，并且一直如此。也就是说，外层作用域的本地变量是可以访问的，但是不能重新绑定。对于全局作用于来说是个特例。如果声明了一个全局变量（使用global关键字），那么可以在全局范围内进行重新绑定。现在对外层的非全局作用域也能做同样的事情了，只要使用nonlocal关键字即可。

## D.3　可迭代对象、推导式和视图

本节介绍一些其他的新特性，包括在对可迭代对象进行解包的时候收集剩余元素、以列表推导式的方式建立字典和集合以及创建字典的动态可更新视图。对于可迭代对象的使用也扩展到了一些内建函数的返回值方面。

### D.3.1　扩展的可迭代解包

可迭代解包（例如x,y,z = iterable）在之前的版本中，需要知道待解包的可迭代对象中准确的元素数量。现在可以只对参数使用星号（*）运算符，以列表形式收集剩余项。这个运算符可以用在赋值语句左侧的任意变量上，在变量接收值时，它会自动收集剩下的并未赋值的项。

```
>>> a, *b, c, d = [1, 2, 3, 4, 5]
>>> a, b, c, d
(1, [2, 3], 4, 5)
```

### D.3.2　字典和集合推导式

现在可以使用与构造列表推导式和生成器表达式几乎相同的语法来构建字典和集合：

```
>>> {i:i for i in range(5)}
```

```
{0: 0, 1: 1, 2: 2, 3: 3, 4: 4}
>>> {i for i in range(10)}
{0, 1, 2, 3, 4, 5, 6, 7, 8, 9}
```

最后的结果也演示了集合的新语法（请参见D.5节）。

### D.3.3    字典视图

现在可以访问字典的不同视图了。这些视图是类收集合对象，可以自动将更新反映至字典本身。视图由dict.keys和dict.items返回，是类集合对象，并且不能包括副本。由dict.values返回的视图可以包括副本。这些类集合视图允许进行集合操作。

### D.3.4    迭代器返回值

一些原来返回列表的函数和方法现在可以返回可迭代对象了，例如range、zip、map和filter。

## D.4    消失的内容

一些函数在Python 3.0中消失了。例如不能再使用apply函数。使用*和**运算符进行参数拼接，也就不需要apply函数了。另外一个值得注意的是callable。这个函数取消后，还有两个查看对象是否可调用的方法：检查对象是否拥有__callable__魔法方法，或者可以直接试着调用它（使用try/except）。其他消失的函数包括execfile（可以使用exec替代）、reload（同样使用exec）、reduce（现在位于functools模块中）、coerce（在新的数值类型体系下并不需要使用）以及file（使用open函数打开文件）。

## D.5    一些小问题

下面是一些可能出现的小问题。

- 不等运算符<>的旧的（且被批评的）形式不再允许使用。应该使用!=代替（目前已经广泛使用）。
- 反引用不再可用。应该使用repr代替。
- 比较运算符（<、<=以及类似的）不再允许比较不兼容的类型。例如，不再允许检查4是否大于"5"（这与目前存在的加法守则一致）。
- 集合增加了新的语法：{1,2,3}和set([1,2,3])效果相同。但{}依然表示空字典。空集合使用set()表示。
- 除法现在成了真正的除法！换句话说，1/2等于0.5，而不是0了。对于整数除法来说，可以使用1//2。因为这会产生一个“安静的错误”（使用/运算符进行整数除法也不会得到错误信息），这可能是个不太好的改变。

## D.6    标准库

标准库在Python 3.0中被大规模重组了。有关它的完整讨论可以在PEP 3108（http://www.

python.org/dev/peps/pep-3108）中找到。下面是一些例子。

- 去除了数个模块。其中包括已经不被支持的模块（例如mimetools和md5）、平台特定的模块（IRIX和Mac OS和Solaris专用的）以及一些基本上不再使用的模块（例如mutex）或者陈旧的模块（例如bsddb185）。重要的功能一般通过在其他模块中实现而保留。
- 一些模块进行了重命名，以符合PEP 8：Style Guide for Python Code（http://www.python.org/dev/peps/pep-0008）的要求。例如，copy_reg重名为copyreg，ConfigParser重命名为configparser、cStringIO被弃用，在io模块中增加了StringIO。
- 一些模块被重组入包中。例如，多个与HTTP相关的模块（例如httplib、BaseHTTPServer和Cookie）现在被收集在新的http包中（作为http.client、http.server和http.cookies存在）。

这些改变背后的动机，当然是为了让模块更加清晰整洁。

## D.7 其他内容

之前提到过，Python 3.0版本拥有大量的新特性。表D-1列出了其中的一些，包括在本附录内没有提到过的。如果一些特别的问题困扰着你，那么可以参见官方文档，或者使用help函数。请参见表D-2获取更多的信息来源。

表D-1 Python 3.0中重要的新特性

| 特　　性 | 相关PEP |
|---|---|
| print是一个函数 | PEP 3105 |
| 文本文件强制编码 | |
| zip、map和filter函数返回迭代器 | |
| dict.keys()、dict.values()和dict.items()返回视图而不是列表 | |
| cmp参数不再用于sorted和list.sort，使用key代替 | PEP 3100 |
| 除法成了真的除法：1/2 == 0.5 | PEP 238 |
| 只有一个字符串类型str，等同于Python 2.x版本中的unicode类型 | |
| basestring类被去除了 | |
| 新的bytes类型用于表示二进制数据和编码后文本 | PEP 3137 |
| bytes字面量写作b"abc" | PEP 3137 |
| UTF-8称为默认的Python源文件编码格式。可以使用非ASCII标识符 | PEP 3120 |
| StringIO和cStringIO由io.StringIO和io.BytesIO代替 | PEP 0364 |
| 新的内建字符串格式化方法代替了%运算符 | PEP 3101 |
| 函数可以注释它自己的参数和返回值 | PEP 3107 |
| 使用raise Exception(args)而不是raise Exception, args | PEP 3109 |
| 使用except MyExcpetion as identifier：而不是except MyException, identifier： | PEP 3110 |
| 经典类和旧式类被去除了 | |
| Foo(Base, metaclass=Meta)：用于设置元类 | |
| 增加了抽象类@abstractmethod和@abstractproperty | PEP 3115 |

（续）

| 特　性 | 相关PEP |
|---|---|
| 增加了类似于函数修饰符的类修饰符 | PEP 3119 |
| 不再使用反引用符号，而使用repr函数 | PEP 3129 |
| <>运算符不再使用，使用!= | |
| True、False、None、as和with成为关键字（不能用做名称） | |
| long类型被重命名为int，是现在唯一的整形，没有L | PEP 237 |
| sys.maxint被去除，不再有最大值 | PEP 237 |
| x < y在x和y是不可比较类型的情况下会出现错误 | |
| __getslice__和类似的函数被去除。可以使用分片对象调用__getitem__ | |
| 参数可以作为专用关键字 | PEP 3102 |
| 使用nonlocal x以后，可以在外部作用域（非全局作用域）对x进行赋值 | PEP 3104 |
| raw_input被重命名为input。使用eval(input())获取原先input的功能 | PEP 3111 |
| xrange重命名为range | |
| 元组参数解包功能被去除。def foo(a, (b, c)):不再可用 | PEP 3113 |
| 迭代器中的next函数被重命名为x.__next__。next(x)会调用x.__next__ | PEP 3114 |
| 增加了八进制字面量。以0o666形式代替0666 | PEP 3127 |
| 增加了二进制字面量。0b1010 == 10。bin()函数的作用类似于hex()和oct() | PEP 3127 |
| 增加了星号迭代解包功能，对于参数a和b来说，使用*rest = seq或者*rest, a =seq | PEP 3132 |
| super函数现在可以不用参数调用，行为也会正确 | PEP 3135 |
| string.letters和相关函数被去除。使用string.ascii_letters代替 | |
| apply函数被去除。使用f(*x)代替apply(f, x) | |
| callable被去除。使用hasattr(f, "__call__")代替callable(f) | |
| coerce函数被去除 | |
| execfile被去除。使用exec代替 | |
| file对象被去除 | |
| reduce函数被移动到functools模块中 | |
| reload函数被去除。使用exec代替 | |
| dict.has_key被去除。使用k in d代替d.has_key(k) | |
| exec成为函数 | |

表D-2　Python 2.6和3.0的信息来源

| 名　字 | URL |
|---|---|
| Python v3.0 Documentation | http://docs.python.org/dev/3.0 |
| What's New in Python 3.0? | http://docs.python.org/dev/3.0/whatsnew/3.0.html |
| PEP 3000: Python 3000 | http://www.python.org/dev/peps/pep-3000 |
| Python 3000 and You | http://www.artima.com/weblogs/viewpost.jsp?thread=227041 |

欢迎加入

# 图灵社区 ituring.com.cn

## ——最前沿的IT类电子书发售平台

电子出版的时代已经来临。在许多出版界同行还在犹豫彷徨的时候，图灵社区已经采取实际行动拥抱这个出版业巨变。作为国内第一家发售电子图书的IT类出版商，图灵社区目前为读者提供两种DRM-free的阅读体验：在线阅读和PDF。

相比纸质书，电子书具有许多明显的优势。它不仅发布快，更新容易，而且尽可能采用了彩色图片（即使有的书纸质版是黑白印刷的）。读者还可以方便地进行搜索、剪贴、复制和打印。

图灵社区进一步把传统出版流程与电子书出版业务紧密结合，目前已实现作译者网上交稿、编辑网上审稿、按章发布的电子出版模式。这种新的出版模式，我们称之为"敏捷出版"，它可以让读者以较快的速度了解到国外最新技术图书的内容，弥补以往翻译版技术书"出版即过时"的缺憾。同时，敏捷出版使得作、译、编、读的交流更为方便，可以提前消灭书稿中的错误，最大程度地保证图书出版的质量。

优惠提示：现在购买电子书，读者将获赠书款20%的社区银子，可用于兑换纸质样书。

## ——最方便的开放出版平台

图灵社区向读者开放在线写作功能，协助你实现自出版和开源出版的梦想。利用"合集"功能，你就能联合二三好友共同创作一部技术参考书，以免费或收费的形式提供给读者。（收费形式须经过图灵社区立项评审。）这极大地降低了出版的门槛。只要你有写作的意愿，图灵社区就能帮助你实现这个梦想。成熟的书稿，有机会入选出版计划，同时出版纸质书。

图灵社区引进出版的外文图书，都将在立项后马上在社区公布。如果你有意翻译哪本图书，欢迎你来社区申请。只要你通过试译的考验，即可签约成为图灵的译者。当然，要想成功地完成一本书的翻译工作，是需要有坚强的毅力的。

## ——最直接的读者交流平台

在图灵社区，你可以十分方便地写作文章、提交勘误、发表评论，以各种方式与作译者、编辑人员和其他读者进行交流互动。提交勘误还能够获赠社区银子。

你可以积极参与社区经常开展的访谈、乐译、评选等多种活动，赢取积分和银子，积累个人声望。

# 技术改变世界 阅读塑造人生

站在巨人的肩上
**Standing on Shoulders of Giants**

iTuring.cn

站在巨人的肩上
**Standing on Shoulders of Giants**